ROTATION
PLAN

CRO

KASFFS

ROTATION
PLAN

D0511474

BESTSELLER

Chufo Lloréns (Barcelona, 1931) estudió Derecho, promoción 1949-1954, pero desarrolló su actividad en el mundo del espectáculo. Apasionado por la historia, este autor poco prolífico inició su carrera literaria hace más de veinte años. Entre sus obras se encuentran *La otra lepra*, *La saga de los malditos* y *Catalina, la fugitiva de San Benito*. Su última novela, *Te daré la tierra*, lo ha consagrado entre los autores más apreciados por los lectores.

Biblioteca

CHUFO LLORÉNS

La otra lepra

DEBOLS!LLO

Primera edición: febrero, 2010

© 1993, Chufo Lloréns Cervera
© 2010, Random House Mondadori, S. A.
  Travessera de Gràcia, 47-49. 08021 Barcelona

Printed in Spain – Impreso en España

ISBN: 978-84-9908-158-8 (vol. 781/4)
Depósito legal: B-1048-2010

Compuesto en Zero pre impresión, S. L.

Impreso por Liberdúplex, S. L. U.
Sant Llorenç d'Hortons (Barcelona)

P 881588

A Cris,
Fabricadora de Ambientes y
Hacedora de Silencios;
admiradora incansable
que consigue que los enanos
nos creamos gigantes

Prólogo

Un amigo mío ha escrito una novela novelesca, una novela larga, de más de cuatrocientas páginas, quizá quinientas, en la que pasan cosas, acaecen sucesos y se amontonan anécdotas, querencias y sinsabores en bien medida proporción.

La literatura narrativa estaba necesitando eso precisamente, que le contasen vidas y milagros, vaivenes y aconteceres, amores inmediatos o remotos y aventuras minúsculas o solemnes, es lo mismo.

Siempre he sido partidario de la experimentación literaria pero no he echado jamás en saco roto los peligros que encierra el atreverse a caminar por un callejón sin salida, el arriesgarse a hacer equilibrios en la cuerda floja sin la muleta del paraguas y sin red protectora. Mi amigo, en su novela, habla de lo que sabe, la vida misma, y lo dice con la lengua que conoce y que mejor habría de prestarse a su buen propósito.

En un tiempo en el que la literatura navega por un confuso mar sin orillas de intenciones que no aciertan a expresarse con diáfana claridad, pienso que ha de resultar saludable el zambullirse en estas páginas sencillas, atropelladas y heroicas como la vida misma, también intuidas, zigzagueantes y temerosas como la vida misma, ese venero de emociones, claudicaciones y enmiendas.

Me apresuro a declarar que la primera virtud de una novela, a mi juicio, es la de mostrar interés del lector y acertar a mantenerlo. Y me honro en proclamar que este amigo del que hablo lo ha conseguido en estas páginas cuya aparición saludo y aplaudo. Sólo me resta decir que mi amigo se firma Chufo y que sus páginas se titulan *La otra lepra*. Brindo por su nacimiento con oportuno buen pie.

CAMILO JOSÉ CELA

LA OTRA LEPRA

1

Salía muy despacio el día, y las luces y las sombras se debatían en el patio; la escarcha maquillaba el paisaje y daba extraños brillos a las cosas. Tres edificios formaban la U que cercaba la era. Los corrales de los animales quedaban al sur. Al este daba una vivienda levantada sobre seis pilares a la que se accedía por una escalera que desembocaba entre el primer y segundo soporte; el hecho de su construcción elevada obedecía a dos razones: la primera, aislar la estancia principal de humedades, y la segunda, aprovechar la parte baja para cobertizo de vehículos de motor y carros. El edificio de la parte norte servía de almacén y carpintería; en el primero se guardaba el grano y el forraje de las bestias; en el segundo, serrín, tablones de madera y útiles de carpintería (martillo, leznas, escoplos y dos motosierras, así como un banco con una prensa y dos tornillos grandes para sujetar cualquier gran trozo de madera sobre el que se debiera trabajar); en la carpintería, un tabiquillo marcaba el espacio de un cuartucho en el que con justeza cabía un jergón, un soporte para un cubo y un armario hecho con madera sin desbastar.

La vivienda era amplia y rectangular. Ocupaba el alto de los pilares e iba desde la carpintería hasta las cuadras, cerrando la U de las tres construcciones.

Paco Zambudio abrió los ojos y ubicarse le costó un momento. La noche anterior había bajado al pueblo, y estuvo jugando a cartas y tomando vinos hasta muy tarde. Recordaba vagamente una pelea y también cómo Aitor lo medio arrastró a la furgoneta; después, no recordaba nada. Pero estaba donde siempre, y el cubo, el armario y el olor familiar de su jergón hacían que reconociera la estancia; tenía ganas de mear; hacía frío. Por la luz intuyó que era hora de levantarse y la cacofonía de los sonidos del corral aseveraba su sospecha. Se sentó en el catre y el cubículo empezó a girar de nuevo. Hizo un esfuerzo y, tras cerrar los ojos y abrirlos otra vez, consiguió que las cosas pararan. Metió los pies en las albarcas y se puso en pie. Los giros se reanudaron; los dominó. Sobre la camiseta de fieltro y el calzoncillo largo se puso un chándal. Tenía náuseas y un mal gusto en la boca terrible. Se estiró y se dirigió al aguamanil para coger el cubo.

El cuartucho tenía dos puertas; una daba a la carpintería y la otra directamente al patio. Salió por la última y se dirigió con paso lento hacia el brocal del pozo. Colgó el cubo en el gancho de la cuerda que asomaba por la polea y, al soltarlo, se le fue de la mano, como un metro. El cacharro golpeó la pared del pozo e hizo de badajo de campana; sonó un gong árido y profundo que descendió por el valle lentamente. Tal que si fuera un diálogo de metales, la campana de la ermita de Santa Engracia le respondió a lo lejos dando las cuatro y media de la madrugada.

Un ruido desusado despertó a Aitor. Conocía perfectamente los sonidos de su alquería y aquél no correspondía a ninguno de ellos. Su mente práctica le dijo que el ruido venía del pozo. Abajo Paco debía de andar despejando la borrachera de la noche anterior. Trabajador sí lo era, pero también difícil; se volvía huraño e impredecible en cuanto tomaba una copa de más. Hacía como un año que había llegado al pueblo, y Aitor lo había contratado para recoger el grano, batirlo en la era y engavillar la paja. Después, Paco se había ido ocupando de los animales y haciendo remiendos en la carpintería. Tenía mano para las bestias. Era chamán. También era mañoso y, aunque había un algo en él que a Aitor no le gustaba, aún seguía allí.

Un rayo de sol pálido entraba por el ventanuco del dormitorio; se levantó despacio y la madera del suelo crujió bajo su peso. Se paró y miró al otro lado de la cama. El bulto de Engracia se movió un poco. Aún no debían de ser las cinco porque si no ella ya estaría en pie; era de una exactitud de reloj suizo. A los pies de la cama estaba la cuna del niño pequeño. Tenía dos hijos, y el menor dormía con ellos. Se vistió silenciosamente y, antes de dirigirse a la otra estancia, se asomó por la ventana, miró abajo y vio que Paco forrajeaba los animales de la cuadra. Salió de puntillas y se dirigió a la cocina-hogar, estancia única del otro lado. Se acercó a la chimenea, cogió un hierro y removió la lumbre; había rescoldos. Fue a la alacena, tomó un bote, lo llenó de agua en la pica y lo puso al fuego; luego, en tanto se calentaba, tomó el bote del café y lo abrió; lo puso en la mesa grande que estaba frente a la pared, cogió una hogaza de pan y sacó la mantequilla de la nevera. Lo dejó todo sobre el tablero. Después fue al rincón, donde colgaba de la viga un jamón; cortó dos lonchas y las puso en un plato al lado de la mantequilla. El agua hervía, echó el café y preparó un recipiente; le colocó un filtro de papel fuerte ajustado en los bordes; agarró un trapo para poder sacar la mezcla del fuego y escanció después el contenido sobre el papel. El café olía fuerte y su aroma inundó la habitación. Cuando tuvo preparado el almuerzo, sacó dos platos y puso una loncha en cada uno; buscó dos tazones y escanció en ellos el café; metió la mano en un cestillo y extrajo cuatro huevos. Miró al fondo; no se oía nada.

Rafael, su hijo de siete años, aún dormía. Tomó su tabardo

y se lo puso sobre los hombros. Abrió la puerta con tiento y la cerró tras de sí. Descendió la corta escalera y notó frío. Pasó entre la furgoneta y el tractor y se dirigió a la carpintería.

La puerta chirrió sobre sus goznes y el ruido hizo que Paco, que estaba a punto de entrar en su cuartucho, volviera la cabeza.

—Hola, ¿cómo te encuentras?

—Jodido pero contento. ¿Cómo quieres que me encuentre? —respondió Paco.

—Ayer la cogiste monstruosa, ¿te acuerdas? —indagó Aitor.

—No recuerdo nada. Creo que la organicé otra vez o algo parecido —respondió Paco, y añadió—: Si quieres, me mandas a la mierda.

—No creas que no me lo planteo a veces. Si vuelves a montar otra, te buscas la vida en otro sitio. Yo no quiero estar mal con los vecinos y los amigos porque tú tengas mal vino, ¿estamos? —Zambudio no respondió—. ¿Has puesto gasoil en el tractor?

—Sí, y he dado de comer a las bestias y también de beber.

—Eso ya lo he notado. Me has despertado con el cubo en el pozo —añadió Aitor—. Comamos algo y nos vamos, o a la noche no habremos terminado. —Paco asintió con la cabeza.

—Voy a coger lo mío y subo enseguida.

—Vale. No te dejes las motosierras... Y pon los remolques en el tractor. Si no bajamos cincuenta maderos, al menos, no acabaremos el cobertizo ni el día del Juicio Final.

Tras decir esto, Aitor giró sobre sus talones y salió.

—Te espero arriba, no tardes —añadió cerrando ya la puerta, que volvió a gemir—. A ver si la engrasas de una puñetera vez.

Paco asintió de nuevo y tras salir Aitor se dirigió a su cuarto. Cogió el tabaco y un mechero Bic, su cartera, unas llaves y su navaja de campo. Cuando ya iba a salir, regresó; tomó el cubo con el agua sucia y se dirigió a la puerta; la abrió con el pie y echó el agua fuera. Dejó el cubo tras la puerta y cruzando el patio se dirigió al cobertizo. Un olor a tocino frito flotaba en el ambiente. El alba ya había roto y su nariz olisqueó el almuerzo. Se dio prisa. Fue junto a la pared, donde tomó el vástago del primer remolque y lo llevó hasta el tractor; levantó el cierre y lo colocó, ajustándolo; luego puso la cadena de seguridad. Hizo lo mismo después con los otros dos vagoncitos.

Se había dejado las motosierras, ¡maldita fuera!, soltó un reniego por dentro y volvió a la carpintería. Tomó las herramientas y regresó junto al tractor. Las dejó sujetas en sus ganchos respectivos.

Terminado todo, empezó a subir la escalera. El olor era más intenso. Llegó hasta arriba y abrió la puerta unos centímetros, silenciosamente. Él sabía por qué lo hacía así. Miró golosamente. Engracia se había levantado y paseaba por la estancia en camisón; sobre los hombros llevaba un mantón de lana; trajinaba atareada de un lado a otro, organizando dos paquetes con comida que los hombres debían llevarse al campo. Zambudio esperó. Engracia se dirigió al hogar y se agachó para reavivar las brasas con el soplillo.

Las llamas subieron. Engracia tenía las piernas separadas para poder trabajar mejor. El contraluz deslumbró a Paco, y en la transparencia vio sus muslos torneados y el nacimiento de sus nalgas; instintivamente bajó su mano derecha a la entrepierna. Engracia giró y, a través del camisón, Paco le adivinó los picos de los senos, que tensaban la tela. Cerró un momento la puerta en tanto respiraba agitadamente. Se calmó. Oyó ruido procedente del dormitorio y la voz de Aitor que decía:

—¿Ha venido ése?

—No lo he visto —respondió Engracia.

—¿A que he de ir a buscarlo otra vez? —replicó él.

—Almuerza rápido y llévatelo, Aitor; no me gusta ese hombre.

—No seas maniática. Él curra lo suyo, y cuando se emborracha lo aguanto yo.

—Pero a mí no me gusta cómo mira.

—Manías de mujer —respondió Aitor, y sus pasos se dirigieron hacia la puerta.

Zambudio los oyó venir, y se adelantó abriéndola.

—Con Dios —dijo.

Engracia se dio cuenta al momento de que estaba en camisón y cruzó la estancia rápidamente para taparse. Al pasar junto a la cuna de su hijo, oyó su vocecita:

—Buenos días, madre. ¡Qué bien huele!

—Ahora desayunas. Levántate, que ya vuelvo.

El niño se levantó, dio un beso a su padre y se dirigió a Paco.

—¿Me vas a subir al tractor?

Paco, que se había sentado en el extremo del banco adosado a la pared que corría de lado a lado de la mesa, ya mojaba pan en los huevos fritos y comía tocino.

—Hoy no, el domingo si eres bueno —respondió. Miraba de refilón la puerta del dormitorio por si salía Engracia, pero cuando lo hizo iba completamente vestida y con el pelo recogido.

Los dos hombres acabaron la pitanza, y Aitor tomó los dos paquetes con comida, la botella de vino y el termo del café. Se levantaron para irse.

—¿A qué hora volveréis? —dijo el niño.

—Cuando acaben —respondió Engracia—. No preguntes. Aitor se adelantó.

—Hemos de cortar todos los maderos para el cobertizo, y hay que talar y desmochar; o sea, que volveré tarde.

—Yo también volveré —dijo Paco mirando a la mujer.

—Coño, claro, no vas a quedarte en el bosque —arguyó Aitor.

Salieron. A Engracia no le gustó la última frase de Zambudio. Dio un beso a su marido.

—Papá, ¿os acompaño al tractor?

—Tú te vistes ahora mismo y a la escuela, y no empecemos —dijo Engracia nerviosa.

—Haz caso a tu madre —añadió Aitor, firme pero sonriente.

—Vale —dijo el chaval.

Salieron los hombres y el chico se fue a la ventana a despedirlos. Engracia empezó a trajinar y a ordenar. El niño los saludó con la mano mientras el tractor se alejaba con sus arrastres. Echó vaho al cristal y, cuando estuvo empañado, con el dedito dibujó un tractor con remolques y en el asiento del conductor se puso él. Luego sonrió y bajó del taburete.

2

La Colirios era una real hembra, fuerte y algo hombruna. Tenía el pelo rojo y, como casi todas las pelirrojas, la piel muy blanca y pecosa; los ojos, grandes y algo separados. Su cuerpo era proporcionado: hombros anchos, pecho firme, culo prieto. Las piernas que sustentaban el edificio las tenía proporcionadas. Era de un pueblo de la huerta murciana cercano a la capital; Sesiego se llamaba. El mote le venía desde niña. En primavera, cuando el campo se vestía de gala y las abejas libaban las flores, el polen la afectaba mucho y el ojo derecho se le ponía pitarroso. Su madre la había llevado a un oculista de Murcia, quien le recetó unos colirios. Como la niña no podía hacerlo de otra cosa, presumía de ello y las amigas la empezaron a llamar la Colirios, y con la Colirios se quedó. Era la hija menor de un padre al que no conoció, y tenía tres hermanos varones que la antecedían y que iban muy seguidos en edad. Al primero, Braulio, ella lo recordaba desde siempre casado. El segundo, Fermín, llevaba el campo. Y el tercero, Pablo, que era su preferido y el único que le hacía caso, trabajaba de mozo en la farmacia del pueblo.

Sesiego tenía mil quinientos vecinos, que se dedicaban casi por completo al azafrán. Y una iglesia con su párroco, un notario, dos médicos, una farmacia, un casino y tiendas que daban todas a la calle principal, la cual, hasta que hicieron el desvío, era la carretera que conducía a Murcia.

La vida no era mala. Iba a un colegio del Estado por la mañana y después de comer, como casi todas las chicas de su edad, trabajaba por horas en la difícil tarea de manipular los pistilos de las rosas, de donde se extraía el codiciado producto que daba vida a casi todo el pueblo. En Sesiego también había un cine y un baile principales, que funcionaban los fines de semana, y sobre todo la tele, que encendía los sueños de todas las zagalas de su edad.

Dos de entre las chicas eran sus amigas, una de la escuela y la otra del trabajo, Teresa y Mari; no se conocían, pero ella las juntó.

Cuando tenía dieciséis años, de repente murió su madre. Le cambió la vida. Tuvo que dejar la escuela para atender la casa, y por la tarde siguió con su empleo para ayudar a la economía familiar. Los hermanos se pelearon; mejor dicho, su hermano mayor se apartó de todos por una puñetera parcela de tierra. Braulio no era malo, pero su mujer era un bicho. Así lo oía comentar la Colirios a sus otros hermanos y a los vecinos, y por un «tú siembras pero me pagas», «la cosecha es mía» y otras zarandajas que ella no entendía, entablaron una guerra a muerte. A ella ni le iba ni le venía, pero una tarde la llevaron a la notaría de don Marcelo Crespo y le hicieron firmar un documento. Aunque el señor notario le explicó qué era, ella no se enteró de nada. Lo que sí supo fue que, a partir de aquel momento, era mayor de edad. La habían emancipado.

Al sábado siguiente fue con sus amigas a la primera sesión del cine a ver una película de miedo, y al salir se fueron, como casi siempre, al baile; había ambiente. Las chicas se ponían a un lado y los mozos iban dando vueltas y examinándolas como si fueran ganado. De repente, se acercaba uno, siempre el que menos gracia tenía, y espetaba un «¿bailas?», al que las chicas, después de una mirada entre ellas, accedían o no. Aquel día fue para acompañar a su amiga Tere, a quien le gustaba Edu, y ella hacía de carabina. Estaba distraída mirando al fondo, hacia la barra, donde le había parecido ver a su hermano pequeño, cuando de repente sintió que la cogían por el pelo y la arrastraban al suelo dándole puñadas y patadas. Al principio, la sorpresa no la dejó actuar y se volvió más por curiosidad que por miedo. La música había parado, y allí estaba su cuñada llamándola zorra, traidora y otras lindezas por el estilo. Se volvió, y cuando pudo cogió de una mesa una botella de gaseosa y le arreó un botellazo con todas sus fuerzas. La otra soltó la presa. Las separaron y se llevaron a la cuñada. Ella, cuando se enfrió, se encontró con que le sangraba un oído y tenía las rodillas arañadas como un nazareno. La acompañaron a la farmacia y allí la vio Pablo... ¡Dios, la que se armó! La curaron, la vendaron y, al terminar, su hermano dijo al boticario que la acompañaba a casa; ella sólo era la excusa para ir a hablar con Fermín. Nada más llegar, Pablo le contó lo sucedido y los dos salieron en busca de Braulio, dejándola en la casa aterrada y sin comprender qué pasaba. Supo después que lo de sus hermanos no tenía arreglo. Se fueron al casino y esperaron a Braulio. Llegó éste más tarde, y de las palabras pasaron a los hechos. Se dieron una paliza tremenda y salieron las navajas. Pablo, sin intención y casi por defenderse, tiró un viaje a Braulio, con la mala fortuna de que, cuando éste cayó de espaldas, la navaja se le clavó en la ingle y le seccionó una safena. Braulio se desangró y nada se pudo hacer. Vinieron unos días de pesadilla. Murcia, juzgados, declaraciones, viajes... Y a Pablo le cayeron quince años a cumplir en el penal del Dueso, allá en Cantabria.

Todo cambió para la Colirios. La casa se le venía encima. Y acabó su adolescencia. Su hermano Fermín la miraba con rencor, como si ella fuera culpable de algo. Y así, entre silencios hoscos y días tediosamente interminables, pasaron cinco años. Sin darse cuenta, Consuelo Pimentel, la Colirios, cumplió veintiún años, y aquella mañana, tras preparar el desayuno a su hermano, fue a su cuarto, se miró en el espejo y decidió que estaba hasta el moño de aquel asco de vida.

3

La tala de árboles estaba aproximadamente a una hora de tractor del pueblo, a través de pistas forestales y caminos de montaña. El sol ya había salido, y sin embargo la temperatura era baja. La mañana era fría. El motor del viejo Ebro ronroneaba armoniosamente y hacía que Zambudio fuera adormilado en la trasera del segundo remolque. Aitor conducía, le gustaba hacerlo. Aprovechaba los desplazamientos y los largos silencios para dejar volar su imaginación y hacer proyectos. Se consideraba un hombre afortunado. Hacía ocho años que se había casado con Engracia, pero la conocía desde siempre. Y desde siempre supo que iba a ser su mujer. Cuando él ya era mozo, ella todavía era una cría. La miraba en el paseo y pensaba: «Cuando crezca es *pa* mí». Él anduvo con otras chicas, ¡cómo no iba a hacerlo si cuando él hacía la mili, Engracia casi hacía la primera comunión! Se llevaban nueve años, pero enseguida se dio cuenta de que aquella gacela iba a ser una mujer de bandera.

A la vez, ella también se fijó en él. Y, cosa rara en una chiquilla de su edad, no se cortaba nunca cuando le hablaba, e inclusive lo buscaba siempre que había ocasión. Aitor la cultivaba, le compraba golosinas. Y recordaba con una claridad diáfana un día que en la feria de Quintanar ganó un oso de peluche en el tiro al blanco y se lo regaló.

Se acordaba perfectamente de la cara de la chica cuando tomó el oso como si fuera el tesoro de la Corona, y supo, muchos años después, que el peluche durmió siempre con ella. Un día, tendría ella trece años, lo vio con una forastera, prima de una amiga, haciendo el tonto. Salió corriendo y no le dirigió la palabra durante un mes.

Todo el mundo dio por hecho que los dos acabarían juntos, y ambas familias estaban conformes; se conocían desde siempre y en los pueblos vecinos eso es importante.

Se casaron, y el padre de Aitor le regaló una tierra a la que él le había echado el ojo mucho antes. Sabía de siempre que la casa grande sería para su hermano y que su hermana menor llevaría una buena dote cuando se casara; pero su hermana no se casó y se metió a monja, cosa que a Aitor, por otra parte, no le sorprendió en absoluto.

El camino iba subiendo y un aguilucho daba vueltas concéntricas a mucha altura divisando un gazapo. Su mente volaba más alta que el pájaro. Miró para atrás y vio a Paco durmiendo. Sus ronquidos profundos se mezclaban con el ronroneo del tractor. Pensó un momento en lo poco que conocía a aquel hombre y volvió a lo suyo. Recordaba su boda en la ermita de Santa Engracia. Fue medio pueblo. A su hermana Elena la dejaron salir del noviciado y su hermano Rafael le hizo de padrino. Estaban sus padres, tíos, primos..., que vinieron de otros pueblos. Por parte de ella, también asistieron sus padres y parientes. Engracia no tenía hermanos, y su familia era de varios pueblos más allá. Recordaba sus nervios porque habían llevado un noviazgo cabal y el pensar que aquel día iba a ser su mujer le emocionaba. Con el tiempo, todo quedaba envuelto en una bruma: la ceremonia, las respuestas, el cambio de anillos, el arroz... Al salir, el banquete en La Baranda. Todo fue fantástico. Y después, el viaje de novios. Estuvieron en Madrid cinco días y luego en Canarias. ¡Cómo disfrutaron! Él la condujo por todas partes porque había hecho la mili en Madrid y conocía perfectamente la capital. Después, las islas. Les gustaron mucho, pero prefería su Cantábrico. Fueron inmensamente felices, y aquella mocita que fue su novia a los pocos días afloró en una mujer de una pieza y la cama fue, desde el principio, increíblemente rica. Ni sabía las veces que hicieron el amor cada día; ella estaba siempre dispuesta y él, con veintiocho años y luego de esperarla tanto, ni que decir tiene. Engracia volvió embarazada y él ebrio de dicha. No había en el mundo nada que se pudiera comparar a aquello.

A la vuelta, vivieron en casa de sus padres. Engracia ayudaba a su madre y él construía la casa que soñó tanto tiempo. La hizo a conciencia y a su gusto. Se gastó lo que tenía y dejó a deber, pero valió la pena; la carpintería, el corral, el cobertizo y su hogar. Al cabo de diez meses, nació su hijo y comprendió que la felicidad aún podía ser mayor. Le habría gustado haber hecho el traslado antes del acontecimiento, pero no pudo ser. El niño vino al mundo en la casa de sus padres y la comadrona del pueblo asistió a Engracia. Por ser primerizo todo fue bien. Él paseó como un animal enjaulado durante cinco o seis horas y por fin oyó el llanto del recién nacido. Sólo oírlo supo que era chico. ¡Dios, qué grande y misterioso era todo aquello! Entró como una exhalación y nada más verlo le dijo su madre:

—Es un chico.

Aitor se acercó a mirarlo casi sin respirar, y después oprimió las manitas y los pies, contó los dedos y se quedó tranquilo. Se acercó a Engracia, que estaba sudorosa y con los ojos semicerrados. Ella, nada más verlo, sonrió y preguntó:

—¿Estás contento?

Aitor no aguantó más. La besó y se puso a llorar sobre su frente. Un carraspeo le sustrajo de sus cavilaciones.

—¿Falta mucho? —preguntó Paco, que había despertado e iba de rodillas en el remolque.

—Ya llegamos.

Frente a ellos había una extensión grande de árboles. Eran suyos. El padre de Engracia, al saber dónde tenían sus tierras, compró una arboleda que a él le gustaba y se la regaló cuando nació su segundo nieto. Aquella madera le iba a solventar las vallas, los tejados, la corralera y cuanto necesitara. Y el resto, cada vez que pudiera cortar, la iba a vender a buen precio. Paró el tractor, y bajando de él tomó un cinturón con una pequeña hachuela y se lo puso. Luego se dirigió al otro:

—Coge una motosierra. ¿Has llenado el depósito?

Zambudio asintió.

—Voy a marcar los árboles que vamos a cortar —prosiguió Aitor—. Vamos a dejar espacios para que crezcan mejor los que queden. —Se dio la vuelta y entró en la arboleda.

Zambudio, que iba tras él, tropezó en una raíz.

—Te vas a matar. Siempre estás en Babia.

Zambudio no contestó. Aitor tenía razón. Un pensamiento le bullía siempre en su pequeña cabeza e, hiciera lo que hiciera, volvía a él: Engracia en camisón.

4

—Bueno, pues si queréis repartir la herencia de otra forma que la que dispusieron vuestros padres, os repito que hará falta el acuerdo de vuestro hermano y, desde luego, el de vuestra cuñada, porque al ser menores los hijos de Braulio ella tiene la patria potestad y el usufructo. En todo caso, debo decir que no permitiré en esta casa algo que perjudique a vuestros sobrinos, ya que el usufructo no la autoriza a vender. Si es únicamente una permuta igualitaria e Isabel se aviene, entonces, repito, sólo hará falta la autorización de Pablo.

Luego de soltar su discurso, don Marcelo se retrepó en su sillón, recostó las manos sobre el abdomen y los observó por encima de sus leontinas de oro con una mirada expectante. Consuelo y Fermín querían arreglar las cosas de manera que ella pudiera llevar a cabo sus proyectos, que por otra parte a él beneficiaban.

—¿Y entonces? —preguntó Consuelo.

—Entonces lo primero, debes recabar la autorización de tu hermano para disponer de ese campo y poder hacer el trueque. Y yo entretanto hablaré con vuestra cuñada —respondió el notario.

La herencia de los padres de los Pimentel, origen de su desgracia, fue siempre confusa, particularmente al respecto de una franja importante de cultivo que, para más complicación, era de los cuatro hermanos, proindiviso. La consecuencia de todo ello, tras la muerte de Braulio, fue que el campo se quedó sin cultivar y no se sacaba de él provecho alguno.

—¿Y para esa autorización de Pablo...? —dijo Consuelo.

—Has de ir a verle al penal, y yo hablaré con el notario que le corresponda para que te haga poderes, incluida la autocontratación. Entonces, si convenzo a tu cuñada, ya que es un bien para ella y sus hijos, podremos traducir en dinero todo el asunto y podrás hacer lo que te parezca.

Fermín callaba. A él todo aquello le convenía. A su hermana le había entrado la fiebre de irse del pueblo; el tema de llevar la casa ya lo arreglaría, y Consuelo estaba dispuesta a hacer concesiones con tal de largarse. Él no había buscado aquello, pero si desaparecía, mejor. En cuanto al bicho de su cuñada, por un duro era capaz de matar a su padre, con lo que, por aquel lado, pensaba que no habría problemas. El rencor se diluye en el tiempo, y por hacer la puñeta a su hermana, que a él le daba igual, no iba a oponerse, máxime cuando su hermano Pablo, que era el objeto del más acendrado odio de la cuñada, no iba a sacar beneficio alguno. Pablo llevaba ya seis años en el penal y había observado buena conducta.

—Entonces ¿qué hago? —La voz de Consuelo lo sacó de su cavilación.

—Bueno, pues te vas a ver a Pablo. Yo escribiré al notario que corresponda. Allí se redactará el documento. Entretanto hablaré con Isabel y cuando vuelvas, si todo sale bien, podremos organizar la operación.

En aquel momento los Pimentel eran propietarios de dos pequeñas casas en Sesiego, que habían sido los respectivos hogares de los abuelos paternos y maternos; una casa grande en las afueras que ahora no lo era tanto, donde vivían los hermanos y que había sido de los padres; los campos adyacentes, ya repartidos desde la muerte de los padres, y un gran terreno, la parcela en cuestión, que habían comprado los consuegros y la habían dejado proindiviso a los cuatro nietos.

A Braulio al casarse le habían dado en dinero lo que creyó su padre que debía darle. El campo grande no lo tocó porque no podía y guardó para los tres solteros las casitas de Sesiego y la propia que él construyó. No le quiso dar tierra a Braulio porque no le gustaba Isabel y «no la veía clara», decía siempre. Consuelo habló con Fermín y le espetó que quería irse a Murcia. El otro dijo un ya veremos y la dejó madurar, hasta que la tuvo muy cabreada y aburrida. Entonces le hizo su oferta: la casa grande para él, las dos del pueblo para Pablo y para ella, una para cada uno, como ellos quisieran. Los campos se tasarían y les daría su parte al precio que fijaran, pero ella era la que tenía que convencer a Pablo para que le diera la casa de los padres, y también, antes de esto, había que arreglar lo del campo de los abuelos, que así llamaban a la tierra proindivisa. Para todo ello habían ido a la notaría de don Marcelo.

—¡Hombre, si es amigo mío! —La voz del notario, quien repasaba un anuario, le hizo volverse—. Fernando Amador... —dijo—. Éste sacó la oposición un año antes que yo; primero estuvo en La Carolina y ahora Dueso corresponde a su notaría. El lunes por la tarde os venís. Yo aprovecharé el domingo para hacer un borrador que os leeré, aunque algún término no lo entenderéis; el martes mi oficial lo pasará a limpio. Y hoy llamaré a Fernando Amador anunciándole vuestra visita y el motivo de ella.

—Irá sola Consuelo, no hace falta que vayamos los dos —terció Fermín. Fermín obviaba cuanto podía ir a ver a Pablo. En seis años había ido tres veces; le enfermaba pensar que de no haber mediado su buena estrella él podía haber dado con sus huesos allí en vez de su hermano.

—Bueno, pues prepararé el documento para tu hermano y avisaré al notario de tu llegada. Venid el lunes a esta hora y veremos de arreglar todo este embrollo.

Ambos hermanos asintieron y se pusieron en pie al hacerlo don Marcelo. Éste los acompañó hasta la puerta. La abrió.

—Adiós y hasta el lunes.

—Quede usted con Él —respondió Consuelo en tanto Fermín se ponía la boina y salía.

Caminaron un buen trecho sin hablar, y llegando a la casa, Consuelo se dirigió a Fermín.

—No creas que soy tonta y no me doy cuenta de que salgo perdiendo, pero todo esto se me cae encima. Quiero empezar algo en otro sitio. —Al decir todo esto, hizo un amplio gesto con la mano.

—Yo no digo nada. Si te vas lo entiendo. Y si te quedas pues tan conforme. Eres tú la que te has montado el lío. A mí me da igual. Y si me beneficio en algo, es justo; Braulio ha muerto, y no digamos de quién fue la culpa. Pablo hace seis años que no está y, además, jamás cuidó la tierra. Tú te quieres ir. El que ha apechugado siempre con todo he sido yo. He sido, soy y seré. Si en algo salgo mejor, no creo que sea injusto. Y si no, quédate.

Consuelo prefirió callar porque en lo de «no digamos de quién fue la culpa» ya se habría agarrado, pero pensó que no valía la pena.

—Si puedo el miércoles, no me iré el jueves —respondió.

Entraron en la casa, dejaron los abrigos en el recibidor y se dirigieron al interior. Él, al salón comedor; ella, a la cocina, donde se puso a preparar la cena. Fermín pensó: «Si ésta convence a Pablo, me voy a llevar la mejor parte». «Si no lo arreglo, me largo igualmente y que se quede con todo y le aproveche», pensó ella.

Puso un mantel a cuadros; dos platos, uno frente a otro; dos vasos, para él, ella no tomaba vino, y los cubiertos. Luego calentó la olla en el puchero; había sobrado mucho potaje a mediodía.

—Fermín —llamó—, ya puedes cenar.

Él guardó el cigarro que iba a encender, fue a la cocina. Consuelo le estaba llenando el plato con un cucharón.

—¿Qué? ¿Comeré sobras, por lo visto? —dijo el hombre.

—¡Y cuando yo me largue, comerás mierda! —respondió ella.

Consuelo tiró el cucharón, manchando el mantel, y salió de la cocina dando un portazo.

5

El día ya había roto e iba a ser nublado. Aitor se metió por la arboleda marcando a ojo con la hachuela los árboles que debían ser cortados. Zambudio lo seguía a unos metros llevando colgada la motosierra. Marcaba procurando dejar espacio para que los restantes crecieran mejor y destinaba a la tala los más grandes.

—No me sigas, Paco. Empieza a cortar —dijo Aitor.

El otro se quitó el gorro de punto y se rascó la pequeña cabeza como tardando en comprender lo oído.

—No me habías dicho que empezara —rezongó.

Aitor no le contestó directamente; no valía la pena. Paco era muy duro de mollera.

—¿Por dónde empiezo? —preguntó el hombre.

—Por los de fuera. Y cuando bajes uno, lo desmochas y lo cortas más o menos para que lo podamos meter en el remolque. Yo empiezo por el otro lado y preparo el barandado. ¿Vale?

Paco asintió con la cabeza y se apartó de él. Aitor siguió marcando, porque así ya tendrían hecho el trabajo de selección y si duraba la tala varios días podría enviar a Zambudio solo y él podría adelantar otras cosas.

Oyó a lo lejos que Paco ponía en marcha la motosierra y pensó cuánto se adelantaba con una buena herramienta y cuánta diferencia había entre esa tala y la de hacha. Regresó junto al tractor y se dirigió al tren de remolques que lo seguían. Cogió una escoba, cepilló y limpió los agujeros de cada arrastre, seis por cada uno, donde se encajaban estacas cortadas a la medida que subían por los costados de los vehículos levantando sus paredes laterales de forma que colocando los troncos cortados en sentido longitudinal aumentaba un cincuenta por ciento la capacidad de carga de cada uno. Cuando hubo limpiado el último agujero, cogió su motosierra y se dispuso a preparar las estacas. Este trabajo quería realizarlo él. Se dirigió al primer árbol marcado, puso la motosierra en marcha y al cabo de un momento el árbol había caído; cortó ramas y lo pulió, de cada una hizo cuatro trozos y, tomando el primero, empezó a hacer el número de estacas necesario para armar los remolques. Sudaba y tenía sed. Cuando tuvo seis, más o menos iguales, regresó junto al tractor. Las fue depositando en el suelo en sucesivos viajes, y tomando la primera la ahormó a la medida del primer agujero. Primeramente con la motosierra y luego, para ajustarlo, con la hachuela que llevaba en el cinto de cuero. El trabajo fue cundiendo y al cabo de una hora y media tenía los tres remolques preparados para cargar los troncos. Visto de lejos parecía como un arreo de bueyes con tres pares de cuernos cada uno; los miró y quedó satisfecho. En la distancia seguía sonando el tap-tap de la motosierra de Zambudio. Taló tres árboles más y los desmochó. Pararía para comer algo.

Detuvo la máquina y regresó al tractor. Escuchó, esperando el momento en que no se oyera la motosierra de Paco, y cuando se hizo el silencio emitió tres bocinazos con el claxon del vehículo. Era la señal convenida desde siempre para comer. Descansó unos minutos apoyado en una rueda, y apareció Paco saliendo del bosque con la cara blanca y con serrín hasta en las cejas. Se iba a reír, pero pensó que él debía de ofrecer el mismo aspecto.

—¿Cuántos has cortado? —le preguntó.

—Me parece que seis, pero me quedan tres para desmochar —respondió Paco.

—No cortes más; vamos a comer algo, descansamos un poco y seguimos. Luego llevaré para allá el tren y cargaremos; si no, no nos cabrá todo. Tú te subes mañana, cortas los que faltan, más estrechos, los cargas y te los bajas, ¿vale?

—¿Qué comemos? —Zambudio era parco en palabras, y cuando una respuesta se daba por hecha él ya iba a lo suyo.

—¿Te has enterado de lo que te he dicho? —insistió Aitor.

—No soy sordo —dijo el otro.

Aitor lo miró y pensó que no valía la pena insistir. Se fue al tractor y sacó la bolsa con los dos paquetes con comida que había preparado Engracia.

—Toma —dijo, y le alargó uno de ellos; el otro lo pescó en el aire.

Aitor tomó una toalla, la mojó en el agua de un garrafón que tenía a su vera y se limpió cara y brazos con ella.

—¿Quieres lavarte? —preguntó.

—Da igual —respondió Paco, que ya se había sentado en el tocón de un árbol abatido por Aitor y se disponía a yantar. Engracia había puesto bocadillos de conejo deshuesado, tortilla de patatas y una fiambrera con pimientos. Aitor se fue a sentar frente a Zambudio, que engullía en silencio como si le fueran a quitar la comida.

—¿De dónde eres, Paco? —preguntó Aitor.

—¿Por qué? —preguntó el otro.

—¡Coño!, por saberlo. Hay cosas que se preguntan por hablar, y me he dado cuenta de que hace un año que trabajas para mí y que no sé nada de ti. Además, quiero arreglar tus papeles.

—De un pueblo, lejos —respondió Paco con aquella forma inconexa de dialogar que lo caracterizaba—, pero no tengo el carnet —añadió.

—¿No tienes DNI? —se extrañó Aitor.

—Lo perdí —dijo el otro sin añadir nada más.

—Desde luego, eres la leche. ¿Qué papeles tienes?

—No tengo.

—No me jodas. ¿No tienes carnet de conducir? Porque tú conduces perfectamente la furgoneta y el tractor.

—Lo perdí... Perdí mi cartera con todos los papeles —respondió de nuevo Paco.

—¡Pero no se puede ir por el mundo así! ¿Por qué no los repones?

—Ya lo haré.

—Lo vas a hacer mañana. Si no, no trabajas para mí. O sea, que o te documentas o carretera y manta —dijo Aitor cabreado—. Pero ¿cómo se puede ir por la vida de esta manera? —masculló.

Zambudio no contestó. Comía silencioso y abstraído. Pasaron unos minutos.

—Bueno, pues me pagas y me largo. Yo no quiero tener papeles.

Aitor se volvió y lo miró pasmado.

—Pero ¿estás chalado? Sin papeles no vas a encontrar trabajo y, además, ¿qué te cuesta documentarte?

—Bien que encontré trabajo contigo.

Aitor calló. Ni sabía cómo había empezado a trabajar con él y, desde luego, no pensó que se quedara; pensó en una o dos semanas, y ya hacía un año.

—No te entiendo, chico —le dijo—. No sé qué te cuesta. Te acompaño yo y lo arreglamos en una mañana.

—No quiero papeles, ¡leche! —gritó Zambudio. Se levantó, se limpió la boca con el dorso de la mano, cogió la motosierra y se internó en el bosque.

6

Consuelo estaba satisfecha y feliz. Metida en un compartimiento de primera clase, en un tren que la iba a conducir de Murcia a Santander.

Era un trayecto que ya había hecho por lo menos diez veces en seis años. Disfrutaba con su independencia y del hecho estúpido de que la sirvieran. En aquel momento iba de Valencia a Barcelona. Allí haría noche en casa de su amiga Tere, que se había casado a los diecinueve años con un catalán estupendo al que conoció cuando él hacía la mili de aviación en San Javier. Y al día siguiente cogería otro tren normal —aquel era el Talgo— y, más lentamente, seguiría para Bilbao y Santander. Luego le servían la comida, en aquella bandeja con agujeritos para que las cosas no se movieran y, al terminar, iría al coche bar a tomarse un café. Se sentía importante. Abrió su bolsito y sacó de él unas cartas. Las había releído más de diez veces. Las cartas eran el principal motivo que le hacía salir de su cascarón e intentar emprender una nueva vida. Las leyó durante un rato. Luego las guardó y dejó otra vez que su mente volara.

La parada en Barcelona, desde que Tere se había casado, también la hacía feliz. ¡Qué buena amiga había sido siempre! ¡Y cuántos ratos de compañía le debía! Cuando ya huérfana ocurrió la desgracia de Braulio, se encontró muy sola y, en el fondo, culpable. Si ella no hubiera ido a casa con la historia de la bronca de su cuñada en el baile, sus hermanos no se habrían puesto como se pusieron, ni se habrían peleado, ni la desgracia se habría cebado en Pablo. Pero ella fue la excusa, el desencadenante del drama. Antes o después iba a pasar algo. Lo que jamás pensó es que ese algo fuera la muerte accidental de Braulio, porque ella sabía que fue un accidente.

Pero aquel día su cabeza estaba en otras cosas. ¿Cuántas

películas vieron Tere y ella? Ni podía recordar. Se sentían heroínas de cada una de ellas y luego el tema les duraba toda la semana. Mari, la tercera amiga, era diferente. También la quería mucho, pero no era lo mismo. Era demasiado realista. Ella era siempre ella, y veía las películas desde el patio de butacas; Mari nunca subía a la pantalla. El cine le duraba dos horas; a Tere y a ella, toda la semana. Crecieron y Tere fue su apoyo, su consuelo, su ánimo; hasta que se enamoró. Primero, le cogió un odio terrible. Una noche se analizó y llegó a la conclusión de que tenía celos. Tere no merecía aquello.

Decidió conocerlo mejor y no ser una estúpida, y acabó casi enamorándose ella porque la verdad era que el chico lo tenía todo: guapo, simpático, y su familia tenía una posición holgada. Él era corredor de comercio. Jorge se llamaba; en catalán, si no recordaba mal, era Jordi.

—Señorita, si hace el favor... —Era el camarero con la bandeja de comida.

Consuelo le sonrió como excusándose y bajó la plataforma de su asiento para que el hombre pudiera depositarla.

—Gracias —dijo, y el chico se retiró. Cuando lo hizo, Consuelo levantó las tapitas de los platos.

Olía bien. Primero había entremeses; después, pollo a la jardinera; de postre, flan. En la huerta todo era mejor, pero en aquel momento aquello le pareció exquisito. Comió con buen apetito y dio cuenta de todo lo que le habían puesto. Al lado, un hombre de unos sesenta años la miraba sonriente, como asombrándose de su voracidad; casi le dio apuro. Terminó y, cuando le retiraron el servicio, fue al coche bar. Atravesó los vagones que la separaban de él y, en llegando, se arrimó al mostrador. No había casi nadie. Pidió un café y se lo llevó a la repisa que estaba al lado de la ventanilla. Lo tomó a sorbos pequeños, porque estaba muy caliente, mientras contemplaba el paisaje.

Tenía muchas ganas de ver a Pablo. Sabía puntualmente

de su vida porque se escribían con frecuencia. Tenía ganas de salir, pero se había acostumbrado a aquella vida y, además, no había perdido el tiempo. En cuanto lo conocieron, y supieron cómo era, lo colocaron en la enfermería, que era uno de los mejores enchufes del penal. Además, empezó a estudiar farmacia en la Universidad a Distancia. Ella intuía por las cartas que estaba bien y jamás, ni por lo escrito ni viéndolo, le insinuó que estaba allí por su culpa. ¡Le quería decir tantas cosas! Quería que se fuera con ella a vivir a Murcia. Él tampoco quería vivir en el pueblo. Sabía que no iba a poner ningún obstáculo para arreglar la herencia, pues el dinero le importaba poco y, además, los dos hermanos se adoraban y estaban, pese a la circunstancia, más unidos que nunca.

El tren llegaba a Tarragona, y ella observaba cómo los postes pasaban aprisa y los cables eléctricos subían y bajaban acompasadamente.

De repente, con un impulso incontrolado, abrió la ventanilla. El coche estaba prácticamente lleno en aquel momento y ella no se había dado cuenta de que la gente había acudido poco a poco. Todo el mundo volvió la cabeza hacia ella, sorprendido por el ruido de las ruedas al pasar por los interraíles, y el aire que entraba en el coche bar levantó su pelo rojo, que flameó al viento. Se sintió feliz, libre. Luego se dio cuenta de la estupidez cometida. Cerró de nuevo la ventana, se puso roja, sonrió estúpidamente y atravesó el vagón otra vez para volver a su asiento. Se sentó. Inclinó el respaldo hacia atrás y se durmió. Soñó que estaba casada, que era feliz y que su marido era el notario del pueblo. Ella estaba desnuda en la cama y él, al agacharse para besarla, perdía sus pequeños lentes.

Se despertó sobresaltada. El tren estaba parado, había llegado a Barcelona. ESTACIÓN DE SANTS, leyó. Incorporó el asiento, se puso en pie, sacó su maleta del portaequipajes y, tras bajar del tren, se metió en el torrente humano.

7

La rutina era siempre la misma. Y el esfuerzo para no aborregarse era terrible. La vida era absolutamente cuadriculada, monótona y monocorde. Y todos los días pasaban las mismas cosas a las mismas horas. Pablo Pimentel estaba en su catre esperando el timbrazo que cada mañana a las seis treinta sonaba agudo e insistente, despertando a toda la población penal del Dueso. Aquel sonido ponía en marcha los diversos mecanismos y marcaba a distintas horas lo que los reclusos debían hacer en común; las tareas específicas y distintas, ésas se regulaban de otra manera. Y alguna ni se marcaba porque todos y cada uno de los internos sabían perfectamente dónde debían estar en cada momento y cuál era su obligación.

Su celda daba al mar, y él se asomaba al ventanuco todos los días para verlo. Dos catres adosados a la pared, un váter y un lavabo eran los elementos comunes a todos los habitáculos. Pero él tenía una tabla apoyada en dos caballetes, una silla y un estante para libros; todo ello compartido con otro recluso que estaba autorizado como él a estudiar. Era un lujo asiático en aquellas circunstancias. Pidieron otra silla pero no se la dieron, de modo que ponían la mesa al lado de un catre y se sentaban el uno frente al otro; él en la silla y Remigio en el jergón. El tal Remigio Fuertes era su compañero, y podía considerarse privilegiado, porque cuando él llegó —de eso hacía seis años— lo pusieron en una galería mucho más llena, y la celda con menos internos alojaba a tres. Remigio tenía, como él, una condena de quince años pero sólo hacía dos que cumplía y, como él, decidió aprovechar el tiempo que obligadamente debía pasar allá dentro, e iba ya por el segundo curso de bachillerato.

Había llorado mucho al principio. Lamentaba profundamente la muerte de Braulio de la que él fue el directo causante. Pero por más que pensaba, y había repasado la escena mentalmente miles de veces, tenía clarísimo que fue el destino y la mala suerte. Él no quería a Braulio, porque su hermano era otro desde que se casó con Isabel, pero jamás habría cometido una atrocidad semejante. Recordaba vivamente la escena. Su hermano sacó la navaja, él también, pero él la sacó después. Y ocurrió lo que ocurrió. Y todavía no sabía cómo.

Fermín sí que odiaba a Braulio. Y verdad era que le había estado comiendo el tarro en infinidad de ocasiones. Sin embargo, lo que estaba hecho hecho estaba, y las cosas no podían ser de otra manera. Quince años le habían caído, pero iba a salir dentro de cuatrocientos veintiséis días. Los tenía muy bien contados. Se había beneficiado de dos indultos, y por cada dos días de trabajo, le quitaban uno de pena. Él trabajaba en la enfermería y estaba feliz; primeramente porque estaba en un sitio afín a su gusto y estudios y, en segundo lugar, porque el médico del penal era una buena persona y su ayudante, si se lo sabía llevar, no ofrecía problemas.

Por otra parte, Remigio era un tío que ni fu ni fa. Hablaba poco y, por no contar, no contaba ni por qué lo habían encerrado.

Estaba exultante. Aquella semana lo visitaba su hermana y, además, el juez lo había autorizado a salir de sábado a lunes ya que había cumplido dos tercios de condena y su conducta había sido, hasta el momento, intachable.

Como en cualquier situación de la vida, se aprendía siempre. Y él había aprendido a moverse por allá dentro. Desde su posición podía hacer pequeños favores, amén de disponer de dinero que le enviaban de casa, y ambas cosas eran la común moneda de trueque del penal. A la enfermería iban todos los presos y, más o menos, procuraba favorecer, siempre que no se la jugara, a cualquiera que le pidiese algo. Se podría decir que su posición era de las mejores del centro. Únicamente podían presumir de vivir mejor que él los de la galería de arriba, los políticos. Ésos eran rancho aparte. Hacían lo que les salía de la minga; habían montado dos huelgas de hambre; salían o no salían al patio; y alguno, además de una auténtica librería, tenía hasta televisor. En aquellos momentos eran cinco los reclusos: tres etarras y dos grapos. La cárcel era como una ciudad india y había diferencias notables en cuanto a castas. Él mismo tenía un lugar preferente, aunque no por ser él, sino porque era el enfermero. Las otras diferencias que se producían eran a nivel individual y por influencia personal, que podía tener diversos orígenes; desde el que manejaba dinero, hasta el que era temido por los demás y se convertía en capo por su bestialidad o por su influencia en el exterior. En cada galería había uno, y se hacían servir por los demás. Tenían sus chivatos, sus recaderos, sus criados, y todo el magma social que se forma en el entorno de los poderosos. Últimamente había nacido una nueva clase, la de los señoritos, gente que por su condición en otros tiempos jamás habría acabado allí y que, ahora, allí estaba: un médico, un asesor fiscal, un título de Madrid —marqués, si no recordaba mal—, un periodista..., todos estaban juntos pero no se mezclaban con nadie.

Sonó el timbrazo y acabaron sus elucubraciones. Del catre de al lado salió la invariable pregunta de cada día.

—Pero ¿ya son las seis y media?

—¿A ti qué te parece? —respondió poniéndose en pie y enrollando el petate.

Remigio todos los días se sentaba en el catre, se rascaba la coronilla con el mismo automático gesto. A Pablo le recordaba a los tenistas que veía en la tele, que antes de sacar realizaban exactamente los mismos movimientos. La rascada de coco de Remigio era casi un rito.

Ya se oía al vigilante llegando y abriendo los cerrojos de las celdas contiguas. El ruido aumentaba. Pablo hacía unas leves abluciones en el lavabo y se pasaba un peine, mientras el otro orinaba en el retrete. Después lo haría él. Salieron a continuación y formaron de tres en fondo en tanto el guardián contaba los reclusos. La lista siempre era numeral excepto en días señalados y repentinos en los que se nombraba a la gente uno por uno. Caras de sueño, caras de mala leche, gestos cómplices y algún que otro guiño de connivencia. Los capos estaban ya rodeados de los suyos, y cada bujarrón iba con su amiguito. A Pablo le daban entre asco y pena. El vicio en sí ya era triste, pero la entrega humana por miedo o protección, dinero o droga, era terrible. Cuando llegaba al penal un chico nuevo, si era joven, la frase de los maricones era: «Ha llegado carne fresca».

La fila avanzaba hasta los comedores, y tal como entraban cogían una bandeja y unos cubiertos de plástico y un tazón. Y a hacer otra cola. Las colas se formaban siempre; para comer, para repartir ropa o cartas y hasta en la enfermería había colas. No se podía hablar hasta que el celador daba permiso, pero la gente hablaba más o menos en voz baja, y los vigilantes hacían la vista gorda. Nada había en aquel lugar que sirviera para cortar o pinchar y fuera suficientemente consistente, lo cual no quería decir que los internos no tuvieran armas; cuchillos, leznas, destornilladores afilados y otros artilugios que se podían comprar en el mercado negro y que generalmente salían de los talleres de carpintería o de herrería.

Su turno iba corriendo, y en llegando al mostrador le dieron el consabido panecillo, la porción de mantequilla, mermelada y, dando la vuelta al mostrador, le llenaron el tazón de un café claro y después le echaron leche. Tomó su bandeja y se fue a la mesa que le correspondía. Algo era diferente a su alrededor. Su paisaje humano había variado. ¿Qué es lo que era? Ya está, había llegado un nuevo. Allí al extremo del banco, como cohibido, tomando su condumio sin levantar la cabeza del plato, un chico rubicundo de unos veinticinco años miraba a un lado y a otro furtivamente, y al topar su mirada con la de cualquier otro recluso, bajaba la vista rápidamente. «Luego sabré quién es», pensó Pablo, ya que todo preso nuevo tenía que pasar el primer día por la enfermería.

8

Aitor se quedó pensativo mientras miraba el punto exacto por el que Zambudio se había metido en el bosque. La maleza se había abierto delante de él y tras su espalda se había cerrado. Era como si la masa verde lo hubiera engullido. Su pensamiento vagabundeó disperso sobre la charla que hacía unos minutos había tenido con el hombre. ¿Se llamaría Zambudio? ¿Quién coño era? Y ¿por qué no quería sacarse los papeles en la Guardia Civil? Todo aquel trajín lo tuvo abstraído durante media hora y, cavila cavilando, llegó a una conclusión: hablaría con Paco una vez más para intentar convencerlo de que de aquella forma no se podía estar. Si lo conseguía, lo ayudaría en todo para que el hombre se documentara. Si se negaba, entonces, lamentándolo mucho porque era un buen trabajador, le diría que se largara porque no quería vivir en la angustia ni en la ilegalidad consciente.

Se sorprendió a sí mismo recriminándose por el hecho de que hasta aquel momento no se había suscitado jamás el tema. ¿Cómo se podía ser tan descuidado? ¡Tenía tanto trabajo...! Y estaba ilusionado haciendo tantas cosas que se le hacían cortas las veinticuatro horas del día, y cuando repasaba por la noche lo hecho, jamás completaba lo previsto y la mitad de sus proyectos pasaban al día siguiente. Luego los días se hacían semanas, las semanas meses, y ahora se encontraba con que hacía un año ya que un individuo trabajaba para él y dormía en su casa, y él no sabía con certeza quién carajo era. Recogió los papeles y las bolsas de la comida y los llevó al tractor. Tapó el garrafón de agua y tomó la motosierra para seguir con la tarea y dejar la máxima labor hecha para poder terminar en un par de días.

Paco se adentró en el bosque, con el gesto hosco y destemplado. Hasta aquel momento todo había ido bien y muchas veces se había felicitado por su buena estrella. Tenía casa y comida, y nadie le hacía preguntas molestas. Su mente obtusa no lo urgía a tomar decisiones. Vivía el instante, comía y dormía y, lo que era más importante, pasaba el tiempo, y el tiempo era el gran aliado del olvido y lo que él quería era que lo olvidaran.

Los puñeteros papeles lo traían frito. Un hombre sin papeles no era nadie, y él no quería remover el cieno por si acaso. Hasta llegar al norte y hallar un poco de tranquilidad, había recorrido los caminos durante más de un año, viajando a salto de mata, haciendo pequeños trabajos acá y acullá para poder comer. Procuraba estar el mínimo tiempo posible en el mismo sitio. Imaginaba que los «maderos» habrían trincado a su compadre y que éste habría dado el cante. Se había rasurado la barba y rapado el cabello. Oséase, que el de la foto de su DNI no se parecía nada a él. Se había inventado un nombre, y eligió, porque su memoria se lo había dictado, el de un portero del equipo de fútbol de su pueblo que había sido su ídolo de chaval: Zambudio. ¿Que por qué había ido hacia el norte? Pues porque sus raíces estaban en el sur, y su instinto le dijo que había que hacer lo contrario de lo que la pasma esperaba que hiciera.

No era inteligente, ni tan siquiera listo, pero tenía, como decía su difunta abuela, astucia para la maldad y ya de pequeño, aunque era el más torpe de la escuela, siempre conseguía que otro pagara sus fechorías.

Paró en casa de Aitor sin otra idea que la de descansar y comer un día. Cuando se le dijo si quería trabajar una semana pensó que ya habían pasado muchos meses de «aquello» y que hasta el momento había tenido suerte. Estaba muy lejos, y siete días buenos eran para reponer fuerzas y seguir. Le habían dicho que en Francia para la vendimia cogían gente sin papeles, para pagar menos, y pasar la frontera no le preocupaba; las fronteras son todas iguales, y la de Portugal la había pasado ya siendo niño docenas de veces. Luego estaba el culo de Engracia. La vio en el pozo y enloqueció. Se la empezó a imaginar desnuda y lo obsesionó como jamás lo hiciera hembra alguna. Aitor, por otra parte, no le pidió papeles y lo fue llevando con él a los sitios. La gente dio por sentado que trabajaba para él, e inclusive empezó, aunque no le gustaba, a hacer recados con la camioneta, y un par de veces que los civiles los vieron por la carretera, les saludaron, y Aitor no le notó nada, aunque Paco se había empapado en sudor hasta el forro de las pelotas.

Mientras su mente se desbocaba como un caballo, sus manos y la rutina hacían lo demás. Ora aserraba, ora desmochaba, y la faena iba saliendo. Había un olmo viejo en un claro de la floresta al que le tenía echado el ojo. Era grande y copudo y le tenía rabia. Zambudio era así. Les cogía manía a las cosas y a las personas e iba a por ellas. Al joyero de Badajoz al que mató con Remigio se lo cargó para robarle, desde luego, pero ése fue el segundo motivo; el primero fue que un año antes se enamoró de un reloj que brillaba mucho y lo quiso comprar fiado. Y el cabrón millonario joyero de mierda no se lo quiso vender. Por eso cuando le soltó la perdigonada con la escopeta de cañones recortados, recordaba que Remigio, que en aquel momento desvalijaba la caja fuerte, lo miró asombrado

43

porque no pensaba que él fuera a disparar. El joyero no se estaba resistiendo y podría haber terminado todo sin sangre. Pero él, ¡qué coño!, le dio gusto al dedo. Oyó entre las brumas de su pequeña mente y el olor de la pólvora un «pero ¿qué haces, leche?», y vio a través de la media que cubría el rostro de Remigio la cara de asombro de su compadre y, a la vez, él sonrió debajo de su máscara. Recordaba... Salieron corriendo y montaron en el coche que estaba con el motor en marcha y Ortega al volante. Salieron como basiliscos, corrieron cien kilómetros y pararon a la entrada de Cabana. Allí decidieron separarse, no sin repartir el botín. A él le tocaron unas cadenas de oro, un anillo de sello que le gustaba mucho y dinero.

Se fue hacia el norte y viajó haciendo autostop en camiones, diciendo, si venía al caso, que tenía un familiar muy grave en San Sebastián. Trabajó en varias faenas, siempre mal pagadas, pero sabiendo que al estar fuera de la ley, el que lo contrataba no le iba a pedir papeles, y eso era lo que él quería. Al cabo de una semana se enteró por la prensa de que la pestañí había trincado a Remigio y a Orteguilla, y supuso que los harían cantar. Daba igual; poco o nada sabían de él y mucho menos adónde había ido luego de separarse. Poco podían decir. Él sabía letras, y su aspecto le favorecía ya que la gente pensaba al verlo que era mucho más corto de lo que en realidad era, y el día que le llegó la noticia del trinque de sus socios, buscaba, en León, el anuncio de cualquier comerciante que comprara oro; si hubiera tenido papeles le habrían pagado más, pero sin tenerlos... Aun así, comprar compraban siempre. Vendió las cadenas, y vivió de ellas y de su trabajo un año y pico. El sello no lo quiso vender; le gustaba demasiado, y ahora mismo lo tenía metido en una bolsita de plástico debajo de una tabla que había levantado al fondo en el suelo de la carpintería, junto a donde él dormía cada noche.

El olmo estaba frente a él... ¿Por qué le jodería tanto

aquel árbol? Siempre se notaba pequeño e insignificante a su lado; como cuando el joyero no le quiso fiar para comprar el reloj. Sus ojitos pequeños y juntos lo miraron de arriba abajo y sonrió con un palillo en la comisura de los labios. Se quitó la gorra de lana y se rascó la coronilla... Se escupió en las manos, y tomando la motosierra se dirigió hacia él y dijo por lo bajine: «Te voy a capar».

Aitor ya había terminado su trabajo. Miró al sol y se dio cuenta de que estaba muy bajo. Iban a llegar tarde a la alquería. Engracia tendría que ordeñar las vacas y se iba a extrañar de que tardaran tanto. Regresó al tractor y dejó su motosierra, desenganchando los remolques para dejarlos allí y cargarlos al día siguiente. Abrió el garrafón y se lavó de nuevo la cara y las manos. Se secó con la toalla. Tenía calor y colocó al lado la pelliza para tenerla a mano; cuando el sol cayera del todo, en la montaña haría frío.

Antes de poner el Ebro en marcha se detuvo a escuchar. Los ruidos del bosque que tan bien conocía eran los mismos de siempre, pero sus oídos expertos encontraron en el fondo un tap-tap inhabitual. Era la motosierra de Zambudio. Puso el tractor en marcha y se fue para allá. El ruido salía de la zona del bosque donde se suponía que Paco estaría trabajando.

Antes de abatir el olmo, Zambudio se desabrochó la bragueta y orinó en él... Luego lo miró expertamente, puso la motosierra en marcha y lo atacó en el punto preciso y exacto donde sabía que le iba a hacer más daño. La máquina rugía, y el serrín y las astillas casi impedían la visión. Paco sonreía y, sin saber por qué, su mente voló hacia el joyero de Pozanco. Al cabo de un tiempo paró... Desclavó la máquina del olmo herido y dio la vuelta para atacarlo por el otro lado. Antes de hacerlo, se secó el sudor con el antebrazo. Y otra vez el acelerado latir de su máquina... tap, tap, tap. Entre la bruma de madera vio que alguien iba hacia él. Dejó un momento la máquina al ralentí y se disipó la niebla. Aitor avanzaba por la espesura, gesticulando.

—¿Qué coño haces, imbécil?

¿Por qué le insultaría?; él sólo hacía su trabajo.

—¡Ese árbol no estaba marcado, coño! Para la sierra.

Aitor avanzaba. De repente se oyó un clac y se detuvo en seco. Paco vio cómo se agarraba rápidamente la pierna en tanto sonaba un grito tremendo de dolor que se alejó rebotando en el bosque.

—¡Corre, ayúdame! He pisado un cepo de lobo. Ayúdame a abrirlo.

Paco se acercó. Aitor tenía la pierna sangrando abundantemente, y los picos del cepo de un trampero de los que se colocan para cazar alimañas se habían clavado por debajo de su rodilla izquierda.

—¡Corre!, vete al tractor y tráete la pala para hacer palanca.

Paco dudó. Hacía un segundo lo había llamado imbécil.

—¡Corre, cojones...! O me voy a desangrar —le ordenó Aitor.

Algunos tipos eran increíbles. Le hacía falta su ayuda y lo estaba tratando mal. Paco se alejó rumiando y dudando si volver, en tanto Aitor se había quitado el cinturón e intentaba hacerse un torniquete. Cras, crac, cras... El ruido empezó despacio pero fue aumentando como el trueno. Paco se volvió. Aitor miraba hacia arriba como hipnotizado. El olmo herido caía, caía, caía. Primero lentamente..., luego arrollando todo cuanto pillaba a su paso. Paco corrió como el diablo, apartando la maleza enloquecido. El árbol, con un estruendo terrible, se abatió y la tierra retumbó debajo como golpeada por un brazo gigante. Se hizo el silencio poco a poco y fue tan estentóreo como lo había sido el terremoto un momento antes. Ramas, hojarascas, nidos, polvo se fueron posando. Paco volvió sobre sus pasos. Sólo con ver a Aitor supo que había muerto. Él sabía de eso. Tenía los ojos abiertos mirando a un punto fijo, y una rama grande, como un árbol pequeño, le atravesaba el pecho. Debía de tener partida la columna vertebral. El cerebro pequeño de Paco zumbaba como una dinamo y, en tanto, empezó a hacer cosas. Aitor estaba muerto, de eso no había duda. Si bajaba al pueblo, la Guardia Civil le iba a preguntar. Si se largaba ahora, tendría algunas horas de ventaja. Primeramente, hasta dentro de un par de ellas, Engracia no se iba a alarmar. Luego iría a buscarlo con alguien del pueblo, y en tanto subían y lo encontraban pasarían unas tres horas más. Ya tiempo tendría para bajar. Y entretanto conocía un buen escondite. Regresó al tractor, se puso la zamarra de Aitor y cogió los restos de la bolsa de la comida, tabaco y la hachuela con la que marcaba los árboles. Finalmente tomó una linterna canadiense que le habían regalado a Aitor cuando compró las motosierras. Hecho todo lo cual y, ya oscurecido, se dio la vuelta y se internó en el bosque.

A unas horas de camino y yendo hacia Pedrazas recordaba una cueva de carbonero abandonada donde podría pasar la noche al resguardo del frío y las alimañas. Se puso a caminar. Su cerebro tuvo dos pensamientos: Engracia y el sello oculto bajo las tablas de la carpintería.

9

El sol era el sol, y como mercancía también tenía un precio. Salían todos los días al patio a la misma hora, y a la misma hora las luces y las sombras eran las mismas. La distribución de la gente variaba según la actividad. Se jugaba al frontón en las paredes, se circunvalaba paseando en el mismo sentido y algunos grupos despachaban sus charlas de pie o sentados, según sus preferencias. En las torres y en los caminos de ronda invariablemente vigilaban centinelas, y en lugares estratégicos y mirando hacia el interior estaban instalados los altavoces de la megafonía para dar órdenes o llamar a algún recluso. Pero el sol era el sol, y por tanto el perímetro del patio tenía la ordenación de una plaza de toros. Sombra, sol y sombra, sol. Pero su valor era el inverso. El más cotizado era el lugar que desde que salía hasta que se iba estaba soleado. Después, el trozo que empezaba en sol y acababa en sombra, o a la inversa, es decir, el que al salir estaba a la sombra y los últimos quince minutos se calentaba. Y, finalmente, la parte más fría, donde nunca daba el astro rey.

Eran las once en punto en el reloj de la torre. Pablo se dirigió al patio tras el primer turno de enfermería, donde ya había pasado la visita el médico y él había repartido las altas y bajas totales así como los exentos de servicio de aquel día. Tenía a continuación cuarenta y cinco minutos de patio, y después se reintegraría a su trabajo para dar el alta a los nuevos tras hacerles un somero chequeo.

La gente acudía más o menos en igual número todos los días. Se sabía de memoria quiénes eran deportistas, quiénes charlatanes y quiénes paseantes. Cuando llegó, le había chocado mucho la costumbre de algunos de caminar de espaldas frente a otros, para hablar de temas diversos paseando y viéndose la cara. Y también se dio cuenta de que el que llevaba la voz cantante jamás caminaba de espaldas. Es decir, llegando a la pared, «los cangrejos», que así los llamaban, se apartaban y se colocaban delante del conferenciante, de nuevo dispuestos a caminar retrocediendo. Jamás chocaban y en los carriles de los «peripatéticos» la gente no hacía corros, o si los hacía, estaban al tanto para apartarse cuando los otros llegasen. De momento no entendió el porqué. Luego se fue enterando. Bastantes problemas había en el penal para buscarse complicaciones. Cuatro eran los capos principales: el Domador, la Estanquera, el Tatuajes y Rambo. Entre ellos se odiaban pero se respetaban y, con raras excepciones como la suya, todo el mundo pertenecía a uno o a otro clan, según su conveniencia o aficiones. Pertenecer a un grupo no era gratuito. La protección se pagaba en dinero, especies o servicios.

El Domador era un tipo de unos cuarenta y cinco años que había sido mozo de un circo. Moreno, fuerte, cuasi calvo y con una cicatriz que le chirlaba el rostro desde la oreja derecha hasta la comisura de la boca del mismo lado. Le habían caído treinta y cinco años de prisión más otras condenas que no cumpliría. Se decía, porque allí nadie afirmaba nada, que se había liado con la mujer del trapecista y que éste lo había sorprendido y lo había hecho despedir. El tipo se fue y volvió a las dos noches. Entró en el recinto de las roulottes, se cargó al vigilante que le salió al paso, tomó un hacha, entró en el camión vivienda del matrimonio y, sin pensárselo dos veces, de un solo tajo, le cortó la cabeza al marido. La mujer se puso a gritar aterrorizada ante el espectáculo del hombre decapitado y, para que se callara, también la atacó. Sin embargo, los gritos ya habían alertado a la gente, y cuando iba a salir, entre varios lo redujeron. Él era muy fuerte, pero los otros también y eran varios. Con todo, antes de caer, hirió al domador y a un mozo de pista. Aun así un forzudo levantador de pesos, amigo del trapecista decapitado y paisano suyo —ambos eran húngaros—, lo sujetó por detrás y, así inmovilizado, un tipo que saltaba en la cama elástica le arreó un mazazo con el extintor de incendios y lo desarboló. Se arrastró por varios penales y organizó problemas, huelgas de hambre y motines en varios sitios. En su ficha estaba conceptuado como muy peligroso y era uno de los cuatro capos del penal.

El segundo era la Estanquera, bujarrón convicto y confeso y uno de los tipos más temidos de la penitenciaría. Cuando metía a uno de sus ligues bajo las mantas, los vigilantes no se daban por enterados. Era enjuto y seco como un junco. Tenía la tez blanca y era algo estrábico, pero presumía de un sexto sentido que le hacía ventear el peligro y calar a las personas al primer golpe de vista. Parecía desmañado y rígido, aunque con un destornillador o algo punzante en las manos era temible. Por otra parte, era ambidextro, y cuando agredía a alguien la víctima no podía adivinar de dónde le vendría el golpe, ya que aunque tuviera en una mano el arma, de repente, como impelida por un resorte, ésta pasaba a la otra y el ataque llegaba del lado contrario. Lo que se sabía de él era que tuvo unos amores contrariados con el hijo de una familia que regentaba un estanco en un pueblo cercano a Linares. Vivían los padres en el primer piso encima de la expendeduría. Una noche ardió todo. Había almacenados productos inflamables como fósforos, recambios de mecheros, cargas de gas, etcétera. Todo fue como una inmensa tea. No quedó nada. Murieron abrasadas tres personas. El tipo huyó, pero se aficionó a lo que él llamaba «las Fallas» y sin motivo ni rencor quemó un par de estancos más. Al final, la Guardia Civil de La Carolina lo detuvo, y allí empezó su carrera de penal en penal. Era tan famoso que su historia llegaba a los sitios antes que él, y a su «familia», como él decía, se arrimaban los de su cuerda.

El Tatuajes era un legionario que ya había entrado en el cuerpo huyendo de la justicia. Rondaría los cuarenta, y lo menos importante era el color de su epidermis ya que poco se veía de ella. Todo él era un tatuaje. En el pecho, dos bailarinas árabes que cuando contraía y descontraía los pectorales bailaban la danza del vientre. En el ombligo le nacía la cola de una serpiente que serpenteaba por su abdomen y cuya cabeza le acababa en la punta del miembro; los cascabeles eran sus testículos. En los brazos, dos figuras mitológicas. Y en las piernas, sendas columnas con capiteles corintios. Llevaba barba desde su paso por la legión extranjera y presumía de que a lo largo de su vida había sido más veces un número que un hombre. Vivió sus años mozos en el norte de África. Sus hazañas llegaban desde Tánger hasta Marruecos y de Ceuta a Túnez. Lo conocían todas las kasbas, y la cuenta que debía saldar con la justicia era de varias muertes, atracos y reyertas. Se decía que una vez en Sidi-Bel-Abes y en una razzia con amigos, al filo del desierto, empaló a un árabe obligándolo a sentarse en una estaca afilada hasta que ésta le salió por el cuello. Cuando se hartó de la legión y creyó que lo habían olvidado, tras dos reenganches pasó a Francia y la Interpol lo cazó en Marsella. Reclamado por la justicia española fue confinado en el Hacho, para después recorrer varios centros, terminando en el Dueso, al menos por el momento. Había implantado en su clan cierto tipo de ordenanzas, y nombraba cabos y sargentos entre sus acólitos. Y cuando le daba la vena los obligaba a hacer instrucción en el patio y desfilar de tres en fondo.

Rambo era el cuarto capo y el más joven. Edad, veinticinco años; uno ochenta y dos centímetros de estatura, y terriblemente musculado. Era un atleta culturista. Había servido en los GEO y no se había hecho, posteriormente, a la vida civil. Todo lo que le enseñaron lo aplicó para el mal, y rápidamente se hizo con un espacio en el hampa de la noche barcelonesa. Trajinaba droga, y eligió para medrar una ciudad grande y portuaria. Él no era un pez gordo y dejaba que los grandes negocios los hicieran otros. Estaba al tanto de las conexiones y sabía que la camorra siciliana, el clan de los colombianos y la mafia marsellesa tenían sus reuniones periódicas cerca del puerto. Se dedicó a controlar a los pequeños traficantes que compraban mercancía para revenderla por su cuenta. Procuró no interferirse en las grandes familias, pero nada le impedía cobrar «la mordida» a los que trabajaban por libre. Unos tragaron y otros no. Para imponerse tuvo que llevar a cabo algunas actuaciones ejemplarizantes. No fue complicado. En sucesivos meses aparecieron muertos varios camellos. Todos ellos tenían un denominador común: la garganta seccionada con un fino alambre de un milímetro de grosor, más o menos el bordón de una guitarra. Era terriblemente supersticioso; no le gustaban los gatos negros, ni pasar por debajo de una escalera, ni arrimarse a un cojo. Vivía bien y lucía dinero. Alguien se chivó. La policía llamó a la puerta de su vivienda y lo sorprendió con cuatrocientos gramos de heroína adulterada. Siguiendo la pista de la muerte de una prostituta que apareció muerta en el váter del Panam's, abajo de las Ramblas, con una jeringuilla clavada en el brazo, se probó su culpabilidad en las otras muertes y le cayeron un porrón de años. Lo encerraron en la Modelo y luego lo trasladaron al Dueso, donde «su familia» se ocupaba de la distribución de droga en el penal. El día que lo detuvieron era martes y trece.

Cada grupo tenía sus costumbres y había que respetarlas. Ya paseara la Estanquera o desfilara el Tatuajes, había que hacerse humo y no interferirse. Pablo lo tenía muy claro, como también sabía lo que manejaba cada uno. La protección en general, el Tatuajes. Todo el sexo, la Estanquera. Rambo, la droga del penal. El grupo del Domador era pequeño pero fuerte, y venía a ser algo así como el moderador de las diferencias que se suscitaban entre unos y otros.

Llegó al centro del patio y buscó con la mirada al nuevo del desayuno. No sabía por qué pero le daba lástima. Los que entraban y no provenían de otros centros siempre le habían dado lástima. Sería que se acordaba de sus principios y de las tremendas soledades de sus primeras noches. Allá estaba, al fondo, donde la pared daba al sur. Hablaba con Sebastián, un drogadicto joven y débil al que controlaba la cuadrilla de Rambo. Se fue hacia él.

—Hola, ¿cómo te llamas?

—Celso —dijo el otro.

—Yo me llamo Pablo y estoy en la enfermería —aclaró—. Cuando suene la campana te vienes conmigo —añadió—. Te he de hacer una ficha y pasarte la revisión. —Celso asintió con la cabeza—. Si te hace falta algo, ya lo sabes.

—¿Por qué te ocupas de mí? —respondió el nuevo.

—Coño, porque soy el encargado de la enfermería, ya te lo he dicho. —Hizo una pausa—. Y porque tienes cara de buen chaval y aquí hace falta saber moverse para no tener complicaciones.

—Gracias —dijo el otro, casi en un silencio.

—Rambo quiere verte. —La voz era de Sebastián, que hasta el momento había permanecido mudo.

—¿Para qué?

—Y yo qué sé. ¿O te crees que cuando me da un recado me da explicaciones?

—¿Cuándo? —añadió Pablo.

—Ahora —dijo el otro.

Pablo había esperado esa llamada mucho antes; de hecho, desde que empezó a trabajar en la enfermería. Su cargo era muy envidiado y era evidente que se manejaba entre productos que podían tentar a alguien. Y ese alguien no podía ser otro que el capo de la droga.

—Vamos —dijo.

—¿Yo también? —Era el nuevo.

—Tú no. Es a mí a quien quieren ver —respondió Pablo—. ¿Dónde está? —añadió.

—Sígueme —dijo Sebastián.

Pablo se fue tras él atravesando el patio. Al fondo en el

tendido de sol, estaba Rambo sentado y rodeado de sus corifeos. Pablo sospechó que algo malo iba a ocurrirle. Demasiado bien le estaban yendo las cosas. Llegó junto a él y se paró a un par de metros.

—¿Qué quieres?

—¡Coño! Primero, hola... ¿O es que ya hemos perdido las formas, enfermero?

—¿No me querías ver? Pues aquí estoy. —Pablo sabía que no convenía ponerse servil con aquellos tipos.

Rambo semicerraba los ojos entornando los párpados porque el sol le daba en la cara. Hizo visera con la mano derecha.

—Ponte más para acá... —Le guió con la mano—. Que no te veo bien y me gusta ver a la gente cuando hablo.

Pablo no se movió.

—¿No oíste? Que te corras te *disen*. —El que hablaba era el Pibe, un argentino estafador profesional de altos vuelos que aparte de ejercer de secretario hacía de bufón de Rambo. Era famoso por sus expresiones.

Pablo no se movió. El Pibe se levantó despacio.

—Déjalo, sé amable, Pibe, es nuestro huésped —ordenó Rambo.

—Bien pensado, vos no debés poder correros. Sos más aburrido que bailar con mi hermana.

Todos rieron la gracia, menos Pablo, que siguió de pie en el mismo sitio.

—No hagas caso, son un atajo de mierda. Ven, siéntate.

Pablo dudó, pero vio algo en el fondo de los ojos del otro que le decidió. Rambo le hizo un sitio a su lado, entre él y el Pibe. Pablo se sentó.

—Huele a segundo tiempo. —De nuevo el argentino intentaba hacerse el gracioso.

—¡Lárgate, hijo de puta! Cuando quiera reírme ya te avisaré —tronó Rambo.

El Pibe se alejó en silencio y se fue a mezclar con los demás. Rambo tomó a Pablo por el hombro afectuosamente.

—Conque enfermero... Qué colocación más guay que tienes. Buen enchufe, sí señor... Claro que tú te lo mereces; estudias farmacia, si mis chicos no me engañan. Muy bien..., me alegro.

—Venga, ¿para qué quieres que hablemos?

—No quiero que hablemos. Quiero hablarte yo, que no es lo mismo. Tú sólo escucha, ¿vale? —Pablo no contestó—. Pero no nos pongamos serios... Dentro de unos días vas a salir de permiso, ¿no es así?

—¿Tú cómo lo sabes?

—Me lo ha dicho un pajarito que me lo cuenta todo. Escucha bien, Rambo es amigo tuyo y quiere que sigas en la enfermería, pero... —Hizo una pausa—. Tienes que ser buen chico y hacerme un favor.

Pablo esperó. El otro miró a un lado y a otro y prosiguió, acercándose a su oído, en voz baja.

—Resulta que yo tengo mis enfermitos, que se ponen pachuchos si no les doy medicinas, y el domingo un amigo mío me va a traer un paquetito de Barcelona y tú te vas a encontrar con él donde yo te diga y me lo vas a traer.

—Me registrarán en la puerta —dijo Pablo.

—No te preocupes, que yo arreglo eso.

—¿Y si no?

—Si no, pasarán cosas. Se te puede joder lo de la enfermería, por ejemplo.

—Me da igual, yo no hago de camello.

Pablo se puso en pie. Los seguidores de Rambo lo rodearon despacio. Rambo se levantó parsimoniosamente, tiró su colilla al suelo y la aplastó con la punta del pie. Miró a Pablo a los ojos y vio que el temor no se asomaba a ellos.

—Tranquilos, chicos, tranquilos. Estamos negociando. Tranquilos... —Acercó su cabeza a la de Pablo y prosiguió—. Tienes una hermanita muy guapa que te viene a ver. No querrás que la pase algo, ¿verdad? Hay tanto hijo de puta por ahí fuera...

—Los hijos de puta están dentro —dijo Pablo.

Rambo se puso tenso y sus ojos brillaron como el acero. Alrededor del grupo había como un cable de alta tensión.

Ring. El timbre del patio sonó marcando la hora del final del recreo. Rambo lo tomó por el hombro sonriendo.

—Tú piensa..., chico, piensa... Que yo sé lo que te conviene. No seas tonto y no quieras ir de mártir. Rambo será tu amigo. Me gustas... Tienes las pelotas bien puestas. Me gustas chico, sí señor..., me gustas.

Pablo se desasió de él, dio media vuelta y se fue para adentro.

—¿Voy contigo? —La voz de Celso, el nuevo, resonó a su espalda. Lo había olvidado.

—Sígueme —le dijo, y empezó a caminar. Las rodillas le temblaban lastimosamente.

10

Engracia estaba inquieta. Ya hacía rato que había oscurecido, y Aitor y Zambudio no habían regresado. El viento ululaba en las ventanas en ráfagas violentas e intermitentes. A lo primero, no le dio importancia e intentó distraerse haciendo cosas. Desde la tarde tenía un mal presagio. Cuando fue a ordeñar notó que los animales estaban inquietos y cuando salía cargada con dos cubos de leche, súbitamente, la mula retrocedió todo lo que daba de sí la traílla, haciendo corcovas y poniendo los ojos en blanco, en tanto relinchaba fuertemente, tirándole uno de los cubos y haciendo que el blanco líquido se desparramara por el suelo de la cuadra. Se puso de mal humor, y lo pagó Rafael, su hijo mayor, que con sus siete años no comprendía el porqué de aquella regañina.

Estaba cenando el puchero de sopa y se levantó como tantas veces a agitar la cuna de su hermano para que dejara de llorar.

—Que te estés quieto —le dijo Engracia, zarandeándolo y subiéndolo de nuevo al banco—. Vais a acabar conmigo. Te he dicho mil veces que no te levantes de la mesa. Mira qué manos llevas. —No se las había lavado y se ganó un pescozón.

—¿Cuándo viene papá? —preguntó el niño.

—Viene enseguida. Come y calla. Eso has de hacer. Comer y callar.

Tras la última admonición, se fue al teléfono... Nada..., mudo. El viento debía de ser el causante de la avería. Colgó el auricular.

—¿Qué tengo después?

—Pescadilla.

—No quiero. No me gusta el pescado. Quiero huevo —respondió el crío.

—Tú te comes lo que te ponga o vas a ir a dormir caliente.

Engracia estaba deseando acostar a los chicos y hacer algo, no sabía el qué, pero algo haría. Eran las diez. Estaba muy asustada. Recogió los cacharros.

—¿Tú comerás pescadilla?

—¿Te quieres callar? Se acabó. Venga. A dormir. Ya está bien por hoy —dijo la madre.

Cogió al crío por el brazo, lo bajó del banco violentamente y lo empujó hacia su cama. Rafael entendió que no estaba el horno para bollos y se puso el pijama en silencio.

—¿Me das un beso?

A Engracia le dio pena haber maltratado al chico, quien no tenía culpa de nada.

—Ven acá, dámelo tú. Y sé bueno, que mamá va a ir a casa de los abuelitos. Tú te quedas con tu hermano y lo vigilas.

Lo besó y lo arrebujó con la manta, no sin antes rezar con él.

Eran las diez treinta. Algo debía de haber pasado. No podía ser que aún estuvieran en el monte. El viento arreciaba y las rachas eran cada vez más violentas.

De repente tomó su decisión. Fue al armario y cogió el abrigo. Buscó la llave de la camioneta y saliendo a la cocina empujó con un hierro los rescoldos del fuego, que crepitaron en la chimenea. Se volvió hacia Rafael.

—Mamá vuelve enseguida. Duérmete y si llora tu hermano ponle el chupete.

—No te preocupes, mamá. Yo vigilo todo esto hasta que vuelvas.

Se puso el abrigo y salió de la casa. El viento arreciaba contra la puerta y tuvo que hacer esfuerzos para abrirla. Bajó rápidamente la escalera. Curvada hacia delante se dirigió a la Ford. Abrió la puerta cuidando de que no la arrancara el vendaval y se sentó al volante. Estaba nerviosa y no acertaba con la llave de contacto.

Lo consiguió al fin. Puso en marcha el motor rápidamente y encendió los faros. Cerró la puerta y la luz interior se apagó. Papeles, alambres, matorrales y trapos volaban por el patio. Intentó calmarse y a una prudente velocidad, ya que de otra forma era imposible conducir, se dirigió a casa de sus suegros, que estaba en la calle principal del pueblo. Al resguardo de las casas el viento era más soportable y pudo descender de la furgoneta sin más problemas.

Un reloj dio once campanadas y ella, cobijada en el soportal, tocó el timbre insistentemente. La casa estaba a oscuras y en silencio. Los padres de Aitor se retiraban pronto. Se había detenido el tiempo y a ella le pareció una eternidad. Al fin se iluminó la ventana del dormitorio de sus suegros y, al oír que la abrían, ella salió del soportal para que la vieran.

—¿Quién va? —La voz era del abuelo.

—Soy yo, Engracia —respondió.

—¿Qué pasa, hija? —En el tono de la respuesta había una alarma contenida.

—Padre, estoy asustada. Aitor y el mozo salieron esta mañana a las seis para talar en la arboleda de arriba y aún no han vuelto.

—Ahora bajo, hija.

Se cerró la ventana. Al momento se abrió la puerta y a la luz vio a sus suegros en bata. Él, primero, y detrás, la abuela; en los rostros de ambos había un rictus de angustia.

—Pasa, hija; te vas a helar.

Entró Engracia. Les dio un beso a ambos y pasaron al salón. Todo estaba limpio y recogido. Su suegra era una maniática de la limpieza.

—Os voy a traer algo. ¿Qué queréis tomar? —dijo la mujer.

—Yo nada, madre.

—A mí dame café.

—No vas a dormir —terció la abuela. El suegro de Engracia no respondió.

—¿Qué pasa pues, hija?

—Padre, han salido esta madrugada. Tenían que volver sobre las siete para ordeñar. No han vuelto. He ordeñado yo las vacas, y a las diez y media, cuando he venido, no habían dado señales de vida. Estoy muy preocupada, padre.

La madre entraba con un vaso de leche caliente y el café para su marido.

—Yo no quiero nada, madre.

—Tú tomas esto, que vienes helada.

El suegro de Engracia sorbía ya el café, pensativo.

—No te preocupes, que no pasará nada.

—Me da al corazón que algo ha ocurrido.

—¿Qué quieres, hija? Se habrá roto el tractor o pasará algo sin importancia y se habrán refugiado en alguna cueva. Aitor conoce esos montes como el forro de sus bolsillos.

En diciendo esto, el hombre se había puesto en pie y se dirigía al teléfono del pasillo.

—No pasará nada, hija. Aitor sabe lo que se hace. Recuerdo una vez, cuando niño, que se fue a coger ranas con el hijo de la Enriqueta y llegaron a las doce, empapados porque les habían robado las bicicletas —dijo la mujer.

—No es lo mismo, madre, no es lo mismo.

Los pasos de su suegro volvían del teléfono.

—He hablado con Rafael. Ahora viene para acá con Edelmiro y Eugenio. No te preocupes. Vamos a dejarte en casa y vamos a subir al monte.

—Yo voy con ustedes, padre.

—Tú te quedas con tus hijos, que volvemos enseguida.

—Yo voy, padre —insistió, terca.

—Bueno, sea como tú quieras.

Al cabo de quince minutos entraban por la puerta los tres hombres. Se saludaron y Engracia tuvo que repetir la historia.

—He traído el Land Rover para subir. Paramos en tu casa para dejarte y vamos para arriba —dijo Rafael.

—Yo voy.

La mirada de Engracia tenía tal decisión que ninguno la contradijo.

—Padre, ¿tiene usted linterna? Sólo he traído dos —dijo Rafael.

—Yo tengo una grande en la camioneta.

—Yo traeré dos más —dijo el abuelo— y el farol de butano.

Salieron. El viento no amainaba. Eugenio subió al volante de la Ford y Engracia se fue al Land Rover. Llegando a la casa dejaron la furgoneta y todos juntos se apretaron en el coche de montaña.

—Pon las cuatro ruedas —apuntó el abuelo.

—Ya las llevo, padre.

—No corras, no vayamos a tener un percance.

Se hizo un silencio ominoso. El coche iba subiendo lentamente, haciendo el camino que el tractor había hecho por la mañana. La niebla era espesa y el motor del coche acusaba el esfuerzo de la empinada cuesta. Al fin, a lo lejos, iluminado por las luces fantasmagóricas del Land Rover, aparecieron los remolques del tractor. Bajaron del coche y con las linternas iluminaron los alrededores de la zona.

—Han desenganchado el tractor y se habrán cobijado en algún sitio —dijo Edelmiro.

—Pero ¿por qué? ¿Por qué no han vuelto? —respondió Engracia.

—Algo habrá pasado, mujer. Las máquinas también se rompen.

—¿Qué hacemos? —preguntó Eugenio.

—Vamos a separarnos. Yo seguiré las huellas de las ruedas hasta donde pueda. Vosotros os metéis en el bosque siguiendo los árboles cortados o los señalados, porque mi hermano siempre marcaba los que iba a tirar. Y cada hora nos encontramos aquí. Engracia viene conmigo y vosotros dos vais juntos. Usted, padre, quédese en el coche y abríguese. Si tiene frío ponga el motor en marcha. Y, por si nos distraemos, cada hora toque el claxon largo tres veces.

—Lo que tú digas, hijo.

Se separaron los dos grupos. Las linternas con la niebla parecían en la noche los fuegos fatuos de un cementerio. Fueron ambos siguiendo huellas; las del tractor, Rafael y Engracia; las de los árboles, Edelmiro y Eugenio. Los cuatro se habían puesto de acuerdo para gritar «Aitor, Aitor» si encontraban algo. En el bosque sólo se oía el viento y los mil ruidos nocturnos de la floresta. Un búho grande levantó el vuelo al ser iluminado por el potente haz de la linterna de Rafael. Pasaba el tiempo y, cada vez, la preocupación era más grande.

Sonó el claxon tres veces. Ya hacía una hora que buscaban. Regresaron al coche. El padre los esperaba tenso.

—¿Qué?

—Por ahora nada, padre —respondió Rafael.

—¿Vosotros?

—Hay mucho árbol abatido, pero entre la niebla y la maleza está la cosa complicada.

Engracia lloraba bajito.

—Estarán refugiados en algún sitio —apuntó el abuelo.

—No diga usted sandeces, padre. Hemos estado gritando; ha tocado usted la bocina. A Aitor le ha pasado algo.

—Ten calma, mujer. Vamos a seguir. Ahora vosotros dos dais la vuelta por el perímetro del bosque. Yo iré por el medio. ¿Hasta dónde habéis mirado?

—Vete directo al árbol del cojo. Hasta allí lo hemos rastrillado todo —dijo Edelmiro.

Se separaron de nuevo y empezó otra vez la danza de las luces. Engracia iba a cinco o seis metros de su cuñado. Llegaron al árbol marcado y siguieron. Movían las linternas de un lado a otro describiendo arcos, abarcando con la vista el punto más lejano que la luz captaba. De repente Rafael, que conocía bien el bosque, paró.

—¿Qué pasa? —preguntó Engracia.

—Nada.

La linterna que llevaban en la mano iluminaba ora un nido

en el suelo, ora restos de madera pequeños que habían volado de más lejos. Rafael anduvo más ligero. Engracia casi no podía seguirlo porque cuando pasaba la maleza se cerraba tras él. De repente, lo perdió. Engracia se quedó como paralizada. Luego, siguiendo el rastro de la luz, avanzó. La linterna de su cuñado no se movía. Había caído un gran árbol. Vio a Rafael parado iluminando algo. Tuvo un pálpito horrible. Avanzó trompicando con todo. Llegó a su lado y sus ojos siguieron el rayo de luz de la lámpara de él. Aitor estaba allí, aplastado por el gran árbol, con los ojos abiertos, mirando las estrellas.

El grito de Engracia sonó rebotando por las peñas y desgranándose en mil sonidos diferentes que retumbaron como un alud por la montaña. Al perderse el último eco, el reloj de la ermita de Santa Engracia respondió con tres campanadas secas y distantes. A la muchacha se le paró la vida.

11

La enfermería estaba ubicada en el ala norte del edificio, en la segunda planta. Se podía acceder a ella por dos lugares. El primero de ellos daba al pasillo donde estaban los demás servicios de la prisión (el economato, la administración, los almacenes de ropa y la lavandería) y por él entraban cuantas personas no pertenecían a la población penal propiamente dicha. La puerta que daba al otro lado conectaba directamente con las galerías de internos. Ambas, lógicamente, tenían rejas y vigilancia, y no se podía transitar por ellas sin el correspondiente salvoconducto unos, o la pertinente compañía los otros.

El espacio que ocupaba era amplio, y sus techos, muy altos. Se había hablado varias veces de retirar los antiguos radiadores e instalar calefacción por aire impulsado, cosa que, de llegar a hacerse algún día, se aprovecharía para bajar los techos. Pero ésta, como tantas cosas, quedaba a la espera eterna de que los presupuestos generales del Estado llegaran a la tan esperada reforma de prisiones.

La parte anterior del lado que correspondía a los presos funcionaba como ambulatorio y allí se pasaba la visita. Luego había una serie de camas blancas, desconchadas, que podían ser separadas por cortinas de lona formando cubículos individuales. A continuación, una puerta de reja, y pared, con vigilancia, y al otro lado, el centro sanitario que correspondía al resto del personal. Ni que decir tiene que este último, sin ser lujoso, estaba mucho mejor pertrechado.

Bernardo Montero Vélez era guardia civil desde antes de nacer. Su abuelo estuvo en Santa María de la Cabeza. Su padre fue sargento, y él ya era cabo. Jamás se planteó la menor duda. Amaba su trabajo, sentía su patria y no entendía cómo la gente no tenía claros una serie de principios que para él eran su Biblia particular. Odiaba el mal y le daba lástima el delincuente. No le gustaba el penal, pero estaba destinado allí e intentaba hacer su trabajo con eficacia y probidad.

En la enfermería siempre estaban de turno un cabo y dos números. El primero, en la puerta central, y a ambos lados, dando a las galerías y al economato, dos guardias; estos últimos eran relevados cada hora y media. Los cabos hacían semana. A Bernardo le gustaba el enfermero... Era un buen chico y no había dado ningún problema desde que ingresó. No..., no era carne de penal, y estaba seguro de que el destino le había jugado una mala pasada y que no tuvo jamás intención de matar a su hermano. Todo se sabía allá dentro, tarde o temprano, y mucho más si uno se tomaba la molestia de enterarse. Al principio fue uno más para él, pero a lo largo de los días y a través de algunas charlas se fue trazando la historia y aquilatando el perfil humano del número 626, que ahora ya no era para él tal número sino que era Pablo Pimentel. A Bernardo Montero le gustaba aprender, y cuando se enteró de que el muchacho estudiaba farmacia, aún le cayó mejor y se ratificó en la idea de que aquél no volvería jamás al penal, al revés del ochenta por ciento restante, que iba entrando y saliendo de todas las penitenciarías de la península.

Su interés se vio acrecentado por un hecho insólito. Fue un día, hacía ya un año, que estaba controlando la entrada de visitantes y registrando los paquetes que éstos traían para los reclusos. La cola iba pasando calmosamente cuando al levantar la vista del mostrador vio, ocupando el cuarto o quinto puesto, una chavala con un pelo rojo impresionante. Tres eran los que estaban en el control de la paquetería, pero se las ingenió para que le tocara a él despacharla. Supo entonces, al comprobar el pase, a qué interno iba a ver. Primeramente creyó que era la novia, o la amiga o lo que fuere. Pero al observarla más detenidamente vio unos rasgos, algo, un no sé qué, que le hacían parecerse, sin parecerse, a Pablo. Luego, indagando, supo que era su hermana. Fue relativamente fácil enterarse de dónde se alojaba y se alegró de saber que había ido sola. A la noche, al acabar el servicio, se vistió de paisano y la telefoneó. Ella se sorprendió al principio, pero supuso que si lo conocía, de alguna manera, podría beneficiar a su hermano. Quedaron citados en el café del pueblo. Bernardo estaba seguro de saber el motivo primigenio de que ella accediera a su petición de conocerse. Pero a los diez minutos de charla supo que le había caído fenomenal. Y qué decir de cómo le cayó ella a él. La mujer que vio en la cola de los paquetes era estupenda; pero cuando hablaron, era la simpatía personificada. Era despierta, alegre, franca, y le gustó un montón. Supo la historia de su hermano, con pelos y señales, y se alegró de que su intuición no le hubiera engañado.

Empezaron a cartearse, y él esperaba con ansia la nueva visita para volver a verla. Y estaba convencido de que ver a su hermano sería lo segundo que Consuelo Pimentel iría a hacer al penal cuando volviera.

Pablo trajinaba sentado tras una mesa, rellenando la ficha de los nuevos. Bernardo esperó. El médico había salido.

—Nombre completo —decía Pablo al nuevo, que esperaba de pie en calzoncillos y algo asustado.

—Celso Muro Valdez —respondió el otro.

—¿Con s o con z?

—Con z.

—Fecha de nacimiento.

—Dos de febrero del sesenta y seis.

—Nombre de tu padre.

—Celso.

—De tu madre.

—Consuelo.

—Coño, qué casualidad. Mi madre también se llamaba Consuelo. Y mi hermana —añadió Pablo—. ¿Casado o soltero?

—¿Eso le importa a alguien?

—Si quieres tener visitas, sí. A mí desde luego me importa un huevo.

—Pon casado, pero ésa no me va a visitar.

Si el tío tenía ganas de charla, iba aviado. La experiencia le aconsejaba a Pablo no preguntar a la gente por sus historias particulares.

—¿Hijos?

—Míos no.

—Oye, macho, si me quiero enterar de tu vida ya te la preguntaré. Contéstame el cuestionario sin comentarios, ¿vale? —prosiguió Pablo—. ¿Sabes si has tenido alguna enfermedad venérea?

—No.

—Aquí la cogerás, no te preocupes.

Bernardo frunció el ceño. Aquél no era el natural de Pablo. La respuesta le sorprendió. Celso se quedó parado sin decir nada.

—Voy a pesarte y a tomarte la presión, y luego, si sabes leer, te lees lo que pone en aquella tablilla con respecto a las visitas a la enfermería. Y si no sabes, pregunta, ¿estamos?

El otro asintió. Se subió a la báscula. Pablo apuntó su peso y luego le puso el aparato en el brazo para tomarle la presión. Volvió a la mesa y lo anotó.

—Ya te puedes vestir y aire.

El otro, en tanto se abotonaba la camisa, preguntó:

—¿Qué hago ahora?

—Coño, lárgate a tu galería y oriéntate, que yo no soy tu tata.

Celso se retiró sin más, y cuando sonó el cerrojo de la puerta exterior, Bernardo se acercó.

—A ti te pasa algo —afirmó dirigiéndose a Pablo.

Por un momento éste tuvo la tentación de hablar, pero calló. Eso era lo último que había que hacer en el presidio, hablar con un guardia aunque fuera amigo.

—¿Es que cada día hay que estar contento en este jodido sitio? —Pablo le hablaba así porque le caía bien y porque sabía que le gustaba Consuelo.

—Mañana llega tu hermana. Lo sé porque he visto el libro de petición de visitas.

—Y porque te ha escrito. Me lo ponía a mí en su última carta.

—De acuerdo, me ha escrito, pero da igual. Si tienes problemas es mejor que me los digas por si puedo ayudarte. Te van a dejar que pernoctes fuera; no la vayas a joder por alguna chuminada.

Pablo lo miró sin responder y sonó de nuevo la campana. Era la hora de comer.

—Me largo; es la hora. Te veré luego... Y no me pasa nada. Serán los nervios. Son ya seis años los que llevo en este hotel y cuanto más se acerca el momento de poder salir, aunque sólo sean dos días, me acojono.

—Comprendido, eso les pasa a todos. Cambio y corto —respondió el guardia.

Pablo dio media vuelta, y atravesando la puerta que daba a la galería, bajó a los comedores.

Los internos ya estaban sentados a las mesas y el barullo era gordo.

Tomó una bandeja, tres platos y cubiertos de plástico, y se dirigió al mostrador de reparto. Potaje de alubias y carne empanada con patatas; de postre, pieza de fruta. Cargó todo y fue a su sitio.

Cuando ya se iba a sentar, una voz sonó a su espalda.

—El Domador te invita a comer con él. —Era Pedruelo, uno de los secretarios del capo.

Se volvió y, siguiendo la mirada que le marcaba el emisario, vio entre la barahúnda cómo el Domador le sonreía de lejos y le hacía una señal con la mano indicándole que a su lado había sitio. Fue para allá y se sentó a su vera. Era aquél un día raro. Nunca le pasaban tantas cosas. Por lo visto, su próxima salida hacía que la gente se comportara con él de manera distinta.

—Siéntate, jodido enfermero. Nunca hablas conmigo.

Pablo no contestó. Se sentó, colocó su bandeja en la mesa y notó que a su espalda varios pares de ojos se clavaban en él. No le extrañó. Cualquier movimiento que se saliera de la rutina habitual hacía que la masa se alertara funcionando como una sola bestia.

—Sé bueno y cuéntame cosas.

—No tengo nada que contarte. ¿O es que te interesan las altas y bajas de la enfermería?

—Soy muy curioso. A mí me interesa todo lo que pasa.

—Y ¿qué pasa hoy que no ocurra todos los días?

—Yo soy el que pregunto, enfermero. El que te ha invitado a compartir el pan y la sal —respondió el Domador, que por otro lado se las daba de culto y leído.

Pablo calló y empezó a sorber el potaje, que se le estaba quedando frío.

—Vamos a ver. Procedamos con orden. Si mis informes no fallan, que no fallan nunca, este fin de semana te vas a largar hasta el lunes, ¿o no?

—Si tú lo dices...

—Sí, yo lo digo. —El matiz y el tono de voz del Domador habían cambiado un poquito—. Y ese «musculitos» de Rambo te ha pedido un favor muy feo. —Lo de «musculitos» lo había dicho con sorna. Prosiguió—: Porque en este mundo se puede hacer de todo, ¿verdad, chico?, menos dos cosas: joder la salud a los demás y poner el culo. —Pablo callaba y seguía comiendo, ahora la carne, que estaba como el cuero. Rambo siguió—: Y aquí hay dos tipos que me tocan los huevos porque comercian con esto y destruyen el buen nombre de los compañeros. La maricona pálida —dijo, y se refería a la Estanquera— y el «musculitos». Que el bobo ese de los tatuajes juegue a los soldados, eso me da igual. —Pablo callaba y mordía la manzana—. Ya sé que no te va ni te viene, pero yo no consentiría que se metieran con esa hermana tuya.

Pablo paró de masticar y se puso en guardia.

—¿Ves cómo te interesa que hablemos? —añadió el otro.

—¿Qué quieres que haga? —repuso Pablo.

—Tú no te enteras, chico, aquí no se puede ir por libre. Aquí un día u otro te hace falta un favor, alguien que esté de tu parte, ¿no crees?

—Y eso ¿qué precio tiene?

—Mi precio es mucho más barato y, sobre todo, mucho más honesto y menos peligroso.

—Venga, larga ya.

El Domador miró a un lado y a otro y bajó la voz.

—Mira, chico, trajinar droga es muy peligroso. Entrar algo aquí, muy jodido. Y perjudicar a los chicos, muy malo. —Hizo una pausa y prosiguió—: Tú sabes que a mí me gusta estar bien con todos, y también tengo amigos entre los presos políticos; no los entiendo, pero los respeto.

—Venga, coño, al grano.

—Tranquilo, chico, tranquilo —respondió el Domador, prosiguiendo—. De momento no tienes que meter nada aquí. Solamente tienes que dar un recado sin papeles ni leches. Simplemente un pequeño recado.

—¿Y ese recado es...? —preguntó Pablo.

—Bueno, ya se te dirá. Tendrás que ir a un sitio. Allí reconocerás a alguien, tomarás una copa y repetirás exactamente lo que yo te diga.

—¿Y qué es eso?

—Aún no lo sé ni yo —replicó el otro.

—Y ¿cómo sabrán que soy yo el recadero?

—No te preocupes de eso. Además, antes de largar, dirás un santo y seña y te responderán otro, Y cuando todo cuadre, largas el recado. Tomas la copa y humo. —Sin esperar que Pablo contestara añadió—: Palabra del Domador que ese «musculitos» de mierda no te molestará a ti ni a tu familia. Claro, porque si lo hiciera yo me enfadaría mucho.

—Me lo pensaré —dijo Pablo.

—Piensa, hijo, piensa... Que eso es bueno. Lo malo de la génte es que no piensa, la gente no piensa...

Pablo se levantó para irse.

—El chico ese nuevo ¿es amigo tuyo?

—No es nada. Acaba de llegar.

—Como he visto que le hablabas en el recreo... Bueno, de todos modos le das un recado, ¿eh? Si quieres, dile que se mueva, si es que lo quiere conservar, con el culito bien pegado a las paredes. Tú me entiendes, hijo, ¿eh? Hay tanto vicio aquí dentro...

12

La tarde se desflecaba en el cielo hecha jirones, y hasta las bestias de la alquería parecían saber que una gran desgracia se había abatido sobre la familia. Engracia estaba pensando, sentada al lado del fuego, y los sucesos de los últimos diez días pasaban raudos y ligeros por su mente. No había tenido un momento de paz, y sus familiares y amigos, con el buen deseo de acompañarla, le habían impedido sentarse a pensar y a reencontrarse consigo misma. Todo era a la vez diáfano en cuanto a imágenes y confuso en cuanto a tiempo. Supo, nada más verlo, que Aitor, su querido Aitor, su gran amor de siempre, el único hombre de su corta vida, había muerto. Ya nunca más..., nunca más..., lo iba a ver entrar por aquella puerta, con la sonrisa puesta y en los ojos aquella ternura especial que brillaba en su fondo cuando la miraba a ella. Ya nunca más su voz cálida y profunda, como el torrente, la llamaría «chatilla». Y ya jamás sus manos fuertes y sabias recorrerían tiernas los misteriosos recovecos de su cuerpo, que, hasta conocerlo, ella ni sabía que existían. Jamás notaría su aliento en la nuca y ya no tendría que decirle «estate quieto que se va a despertar el niño». No habría otro hombre en su vida jamás porque no existía otro Aitor.

Removió el fuego con el atizador y dejó volar su pensamiento, remontándose como un gavilán hacia la noche que empezó su pesadilla. Su cuñado Rafael llamó a Eugenio y a Edelmiro; ella estaba sentada en un tronco cortado, transida por el dolor y mirando al vacío ya sin lágrimas. Fueron a buscar a su suegro, y el hombre, al ver aquello, empezó a gemir y a empequeñecerse, balanceándose atrás y adelante. Estaba como un niño asustado. Alguien trajo un farol de butano, y Rafael encontró el tractor y lo metió en el bosque. Lo que iluminaron los faros del vehículo fue dantesco. Aitor murió en el acto, el árbol le aplastó el pecho. Cuando tirando de él con el tractor y unas cadenas consiguieron moverlo, comprendieron toda la extensión de la desgracia y por qué Aitor no había podido retirarse a tiempo evitando la caída del gran árbol. Tenía la rodilla izquierda destrozada y atrapada la pierna por el cepo de una trampa para animales que alguien puso en el bosque. Recordaba vagamente, mezclado con el viento, el sonido de una motosierra que alguno de los hombres manejaba para acabar de cortar la base del gran árbol y poderlo apartar un poco. Sacaron entre todos a Aitor y lo colocaron suavemente sobre una manta. Ella se arrodilló a su lado, y lo llamaba flojito como si estuviera dormido y lo quisiera despertar sin sobresalto. Los hombres iban y venían a su alrededor, trajinando y hablando entre ellos quedamente. Levantó los ojos y al otro lado de la manta, mientras ella tomaba la mano rígida de su marido, vio a su suegro, que entre lágrimas y sorbetones repetía insistentemente: «Aitor, hijo. Aitor, hijo». Rafael tomaba el mando de las operaciones. Se trajo el Land Rover y con sumo cuidado trasladaron el cuerpo a la parte trasera retirando antes el último asiento. Lo recogieron todo. Edelmiro se bajó del tractor, no sin antes ponerse la pelliza de Rafael sobre las piernas, amén de la suya sobre los hombros. Recordaba, bajando, el ruido del viento huracanado, los sollozos del abuelo y el tacto frío de la mano de Aitor, yerta entre las suyas, que ella soltaba únicamente para retirarle el pelo de la frente. ¿Cómo podía la vida ser tan cruel? ¿Qué había hecho ella para merecer eso?

Llegaron a la casa, lo bajaron con mucho cuidado y lo subieron lentamente a su cuarto. Engracia tuvo que hacer un esfuerzo supremo para sobreponerse y consolar a Rafaelito que, habiendo visto la llegada desde la ventana, bajaba la escalera como enloquecido, llamando a su padre.

Amortajaron a Aitor y lo pusieron en la cama. No podía creerlo. En aquel momento recordó cómo se habían amado la última noche, cuán intensamente se sintió mujer unas horas antes en el mismo lecho.

Los hombres iban y venían. Rafael le pidió que hiciera café entretanto él llamaba varias veces por teléfono, cuya línea se había ya restablecido. Puso las tazas sobre la mesa como una autómata, sacó cucharillas y el azucarero, y cuando lo tuvo todo puesto, escanció el oscuro y reconfortante líquido en los cuencos.

Rafaelito estaba sentado y el abuelo, algo más tranquilo, le hablaba. Hasta aquel momento de relativa calma nadie había hablado de Zambudio. Las cábalas y las conjeturas fueron varias. Que si habría ido a buscar socorro al pueblo del otro lado de la montaña, que estaba más cercano... Que si se había perdido en la noche y se había refugiado en cualquier sitio y que ya comparecería. Que a lo mejor, en la oscuridad, habría sufrido algún percance. Pero pronto pasó a segundo término ante la magnitud de la desgracia de Aitor y la precipitación de los acontecimientos posteriores.

Llegó un coche de la Guardia Civil. Llegó el cura del pueblo, y Rafael fue a preparar y a buscar a su madre. Fueron llegando amigos y familiares. Y fueron reproduciéndose las escenas de dolor y llanto. Engracia estaba como atontada, pero prefería tener que hacer cosas ya que así no pensaba. Una amiga suya se llevó a los niños para ayudarla y para que el mayor no viera toda la parafernalia de los preparativos del entierro. El párroco dio el viático posmortem al cuerpo de

Aitor. Al día siguiente lo enterraron en la sepultura familiar. Fue todo el pueblo. Ella estuvo serena y orgullosa de que su hijo viera cuánta gente quería a su padre. Su cuñada Elena salió del noviciado para asistir al sepelio de su hermano, y sus padres, delicados y mayores, acudieron desde su pueblo. Luego fueron sucediéndose unos días en los que el cariño de las personas allegadas y los amigos la ayudó mucho a soportar su pena y a no pensar. Sus suegros le propusieron que dejara la alquería y se fuera al pueblo a vivir con ellos. Engracia se negó. Aquel hogar que con tanto esfuerzo Aitor y ella habían levantado era su casa y la de sus hijos, y de allí no iban a moverla nunca.

Llegó con la anochecida la hora de acostar al pequeño. Lo puso en el moisés al lado de su cama. Se fue a buscar a Rafael a la escuela y, tras darle de cenar, lo mandó a dormir. Oyó el ruido de un coche en el patio. Se asomó a la ventana. Era la Guardia Civil. Los oyó subir por la escalera y se adelantó a abrir la puerta.

—Buenas noches, Engracia —saludó el cabo.

—Hola —dijo ella. Se conocían desde hacía tiempo.

»¿Queréis pasar? —añadió.

—Sólo un momento. —Entraron ambos.

—¿Un café? —ofreció ella.

—Se agradece.

—Sentaos.

Así lo hicieron, quitándose los gabanes y dejándolos en las sillas de enfrente.

—Vosotros diréis —interrogó ella.

—Engracia, Zambudio ¿no ha vuelto por aquí?

—No.

—¿Tampoco ha intentado contactar contigo por teléfono?

—Ni rastro. Ese hombre pienso yo que está en algún rincón, asustado, creyendo que se le va a echar la culpa a él de la muerte de mi marido. Eso es lo que pienso.

El cabo se quedó pensativo rascándose la barbilla.

—Un árbol no cae por culpa de nadie ni un cepo se dispara a posta, sin que lo toquen. —Hizo una pausa—. Ese hombre no tiene nada que temer.

—Era muy corto. Nunca hablaba. Trabajaba bien y Aitor lo apreciaba. Pero si lo conocierais como yo no os extrañaría que no comparezca.

—No sé. La gente que no ha hecho nada nada ha de temer. Y por lo menos a recoger sus cosas... —Hizo una pausa y prosiguió—: ¿Dónde dormía?

—Al lado de la carpintería. Allí hay un cuarto pequeño... Con la madera que iba a bajar, Aitor lo quería arreglar, porque ese sitio no se hizo para que viviera nadie en él.

—¿Nos lo dejas ver?

—Claro.

Engracia los precedió hasta el cuartucho. Los guardias primeramente lo miraron todo sin tocar nada. La cama sin hacer. Engracia no había entrado allí desde el nefasto día. En los cajones de la cómoda, un par de mudas y un chándal; los trebejos de afeitarse en un estante al lado del aguamanil. Lo miraban todo con parsimonia.

—Zambudio ¿qué más? —preguntó el cabo.

—Yo no lo sé. Paco Zambudio se llamaba y no recuerdo jamás haber oído su segundo apellido.

—Papeles sí tendría, ¿no? —insistió el cabo.

—Imagino. Pero los llevaría encima, y todo esto lo llevaba Aitor.

El cabo había abierto el cajón de la mesilla de noche. Sacó unas tijeras, un paquete de tabaco negro empezado, un mechero de mecha amarilla, un palillo...

—¿Y esto?

El cabo sostenía en la mano una foto de esas instantáneas en la que se veía dentro de un grupo de seis hombres a Aitor y a Zambudio.

—Eso fue en el bar de Cándido, el día del cumpleaños de Edelmiro. Recuerdo que Aitor me contó que Zambudio pidió la foto con mucho interés porque nunca había visto una Polaroid y le había chocado muchísimo que la foto saliera enseguida sin tener que revelarla —respondió ella.

El cabo se quedó pensativo unos instantes.

—No toques nada hasta que volvamos. La foto me la voy a llevar. Y ten cuidado.

Salieron de la carpintería y Engracia acompañó a los guardias hasta el coche. El cabo cerraba la puerta y bajaba la ventanilla.

—Si ves algo raro, llama enseguida —dijo.

—¿Qué es lo que tengo que ver? —indagó Engracia, inquieta.

—Esto está muy apartado y corre por ahí mucho indeseable —añadió el hombre.

Y sin más, el conductor puso el motor en marcha, encendió las luces y acelerando se alejó lentamente.

Engracia se quedó junto al pozo, inquieta y pensativa. Parecía imposible que en una semana la vida de las personas pudiera cambiar de esa manera. Dio media vuelta, subió la escalera, entró en la casa y dio dos vueltas a la llave.

13

Vivió durante varios días en una cueva, escondido como una alimaña.

La primera noche vio de lejos el baile de luces y haces entrecruzados que sin duda los estaban buscando entre la niebla. Su pequeña cabeza se formó la composición de lugar de lo que estaba aconteciendo. Supuso que habían encontrado a Aitor e imaginó que alguien en algún momento lo echaría de menos. Decidió no dejarse ver por el momento en pueblo o aldea alguna, y en tanto pasaban los días, el bosque iba a ser su mejor aliado.

Se movía bien por lo agreste. Cazó, pescó cerca del pantano, un gazapo hoy, un barbo mañana. Hizo fuego dentro de la cueva donde no se lo pudiera ver desde el exterior, ni tan siquiera el reflejo.

Con su Bic de gas, algún papel y pequeñas maderas se arregló para calentarse y guisar. Lentamente rumió su situación. Poco tiempo dedicó su mente a la muerte de Aitor. Su costumbre era siempre huir hacia delante. Además, ya lo decía el refrán, «el muerto al hoyo y el vivo al bollo». Su cerebro errático partía siempre de pequeñas cosas para transitar de un pensamiento a otro y tomar decisiones apoyadas más en su instinto y en lo que le pedía el cuerpo que en su inteligencia.

¡Qué cagada no llevar al bosque el mechero de yesca! Cuando se le acabara el gas, tendría problemas. La ropa le daba igual, pero necesitaba adecentarse un poco, si pretendía, cuando hubiera lugar, bajar a un sitio civilizado y no llamar la atención de entrada. Aquella mañana se había mirado en el agua quieta de un remanso del río que alimentaba el pantano y daba miedo. El pelo crecido, la barba hirsuta, la suciedad... Tendría que hacer algo. El recuerdo de su sello lo decidió. Quería su anillo. No tenía por qué dejarlo bajo el tablón de la carpintería. Era suyo, y él no se había cargado a Aitor.

Estaba sentado al fondo de la gruta. Las paredes brillaban de humedad. Tenía los huesos ateridos de frío. Había encendido un fuego pequeño y estaba asando los cuartos traseros de un conejo que había cazado por la mañana. No tenía sal. Era una mierda comer sin sal. Le debían una mensualidad. Bajaría de noche y le contaría a la Engracia que había tenido miedo, o que se había perdido..., no sabía qué, pero algo le contaría. Recogería sus cosas, le pediría el dinero y se largaría. Si le ponía pegas se largaría igualmente sin cobrar; su bolsa, su ropa, sus cosas de afeitar y su anillo, eso sí lo quería. Y luego carretera y manta y a cambiar de horizontes, eso haría. Al día siguiente bajaría de noche el camino, lo podía hacer con los ojos cerrados, y la oscuridad, en sus circunstancias, era mejor amiga que la luz. Apagó las llamas, pero dejó unos rescoldos, y estiró las mantas del tractor. Se tapó con ellas y con su pelliza, y se dispuso a conciliar el sueño.

Soñó otra vez con las tetas de la Engracia.

14

Consuelo estaba radiante. Iba a compartir las primeras horas de libertad de su hermano e iba a ver a su enamorado. Llegó a la pensión de siempre. Se la recomendaron la primera vez que visitó a Pablo. Era limpia y pequeña, y la dueña era un encanto. Además estaba cerca de la casa cuartel de la Guardia Civil, lo que hacía más fácil el verse con Bernardo ya que éste tenía que simultanear sus obligaciones con los ratos de verla, y cuanto menos tiempo perdieran en viajes, mejor.

—Buenos días, doña Marisa, ¿cómo estamos?

La mujer estaba en pie tras el pequeño mostrador de recepción, con el libro de ingresos abierto, consultando un dato. Tras ella los cuadriculados cajoncitos que servían para guardar las llaves y los recados de los ocupantes de los ocho cuartos de la pensión enmarcaban su figura regordeta. Alzó sus ojos y al ver a Consuelo se le inundaron de auténtica alegría.

—Hija, qué contenta estoy. Desde que me telefoneaste para reservar tu dormitorio no te me he quitado de la cabeza.

Salió la mujer de detrás del mostrador y abrazó a Consuelo sin darle tiempo prácticamente a dejar la maleta en el suelo. Consuelo la dejó caer y correspondió a sus efusiones dándole dos besos.

—Yo también tenía muchas ganas de verla —repuso.

—Ya sé yo a quién tienes ganas de ver —dijo la mujer con una sonrisa cómplice—. Te he guardado tu cuarto de siempre y el de la otra punta del pasillo para tu hermano. ¡Tengo unas ganas de conocerlo...! Si es tan majo como en la foto, a lo mejor me decido y doy el paso.

Consuelo sonrió. Doña Marisa era viuda pero aún estaba de buen ver. Rubia teñida, ajamonadita, los hombres aún se volvían a su paso y le decían burradas, que ella, haciéndose la escandalizada, explicaba después. Cogió la maleta de Consuelo.

—Deje, por Dios, traiga para acá.

—De ninguna manera, hija. Así hago ejercicio y adelgazo.

Y sin más tomó la maleta y subió la escalera seguida de una Consuelo feliz y sonriente. Llegó a la puerta rotulada con el número seis y la abrió. Desde el primer día aquélla fue la habitación de Consuelo y no la quiso cambiar jamás. La mujer dejó la maleta en el suelo y abrió los postigones, inundándose la estancia de luz. Consuelo aspiró el aire con fruición; olía a madera y a limpio, y ese olor le traía al recuerdo la proximidad de su hermano. Se quedó un instante abstraída. La voz de la mujer la trajo de nuevo al mundo.

—Ahora deshaz tus cosas y ponte cómoda. Comeremos a las dos, como siempre. Te he guardado la mesa del rincón; así podréis hablar tranquilos. Bernardo ha llamado ya dos veces, y traerá el pase para que puedas esperar a tu hermano cuando mañana a las nueve lo dejen salir. ¿Qué te parece?

Consuelo era tan feliz que no se lo creía.

—Gracias por todo, doña Marisa. No sé cómo le pagaré.

—Déjate de bobadas, no me has de pagar nada. Te quiero como una hija y tu Bernardo es majísimo. Hala, cuelga tus cosas y ponte guapa, que de aquí a media hora tienes delante a tu enamorado. —Se dirigió a la puerta—. Ah, luego te enseñaré la otra habitación —añadió la mujer, saliendo y cerrando tras ella a continuación con cuidado.

Consuelo miró alrededor, estiró los brazos y, sin poder reprimirse, se estiró en la cama todo lo larga que era y cerró los ojos. ¡A fe que la vida era extraña! Tuvo que acaecer la muerte tristísima de Braulio y el encierro de Pablo para que ella encontrara a su hombre. ¡Qué cosas, Señor, qué cosas! Recordaba los principios... Le gustó enseguida... Era tan amable y tan bueno con ella... Estaba tan falta de cariño... que al día siguiente de hablar en el bar, se despertó radiante y feliz. Y cuando lo volvió a ver tuvo la sensación de que lo conocía desde siempre. Además... pensar que alguien iba a velar por Pablo, allá dentro, la reconfortaba.

Le pasaban las horas fuera de las visitas como un vuelo, y luego le llegaron aquellas cartas que tanto amaba y que se convirtieron en el eje de su existencia gris allá en Sesiego. Miró su reloj. ¡Jesús!, las dos menos diez. Se levantó rápidamente y se fue a mirar en el espejo que estaba encima del pequeño lavabo. Deshizo su maleta y tomó su bolsa de baño. Sacó el cepillo del pelo y atacó furiosa su roja melena. ¡Qué guerra le daba su pelo desde siempre! Se adecentó, se pintó y se encontró horrible. Bueno, podía pasar. Se estiró la blusa y la remetió en la falda. Sus senos, de los que estaba orgullosa, destacaban bajo el suave tejido. Eso estaba mejor.

Unos nudillos llamaron a la puerta.

—¿Sí?

—Ya lo tienes abajo. No lo hagas sufrir.

—Allá voy —dijo la muchacha. Y, tras una última y rápida revisión, abrió la puerta y se precipitó por la escalera como una centella.

—Que no me estorba mujer, al contrario. Distrae a Emilio y lo obliga a hacer cosas. —La que así hablaba era la suegra de Engracia.

—¿Vas a ser bueno? ¿No vas a incordiar a los abuelos?

—Mamá, por favor, déjame quedar. El abuelo prometió enseñarme a hacer trampas para cazar gorriones. Mamá, *porfa*, seré bueno.

—Si la abuela me dice que no te has portado bien, no te quedas nunca más, ¿vale?

—Vale, mamá.

Le dio un beso y salió zumbando, arrastrando una cartera más grande que él en tanto que los gritos de «¡abuelo, abuelo!» atronaban el espacio.

—¡Y haz los deberes! —recalcó la madre sin esperar respuesta, porque el chaval ya había atravesado el zaguán de la casa buscando a su adorado abuelo.

—¿Cómo estás, hija? —preguntó doña Elena cuando el chico ya se había marchado.

—Estoy..., madre —respondió Engracia—. Han pasado dos semanas y aún no me lo creo. Es muy duro y muy injusto.

La mujer se quedó pensativa unos instantes.

—Para nosotros también ha sido un golpe terrible. Me da mucho miedo Emilio, él, que nunca paraba quieto. Se queda en el orejera después de comer, pone la televisión y da igual lo que le den, se lo traga todo. A veces le hablo y ni me contesta.

Quiero llevarlo al médico y no quiere ir. Sólo repite que por qué no se habrá muerto él, y yo me pregunto que por qué no me habré muerto yo. Nosotros ya lo teníamos todo hecho, pero Aitor...

Los ojos de la mujer se arrasaron de lágrimas y Engracia se vio obligada a consolarla.

—Yo pienso lo mismo de mí. Sin Aitor la vida para mí no tiene sentido.

—Quita, niña. Tienes a tus hijos y la vida por delante. No digas tonterías. Dice Elenita que Aitor era muy bueno, y Dios escoge a los mejores.

—Esto ya me lo sé, madre. Dios escoge a todos. Nadie es eterno. Pero a mi marido aún no le tocaba —replicó Engracia, enrabietada, en tanto se subía a la furgoneta.

—¿Por qué no os venís a vivir aquí, hija? Nos haríais tanta compañía...

—No puedo, madre. Por favor, no me lo pida más. Ya hemos hablado de esto muchas veces. Aquélla es la casa que hizo Aitor y en ella me quedaré. Además, ¡si bajo todos los días!

Sus suegros le daban pena, una pena inmensa. Pero no podía soportar el pensamiento de abandonar todo aquello que con tanto amor habían hecho para irse a vivir al pueblo.

—Dígale a Rafael, si lo ve, que ya está apilada la madera en el cobertizo y que me gustaría acabarlo cuanto antes.

—Descuida, que esta noche cuando venga a cenar se lo digo.

—Adiós, madre.

—Adiós, Engracia.

Puso el coche en marcha, y tras saludar con la mano arrancó. Durante el trayecto pensó muchas cosas. Pensó en lo buenas que eran las personas. Pensó en sus suegros. Pensó en lo bien que se portaba su cuñado y en tantas responsabilidades que se le venían encima. Suerte había tenido, mucha suerte, con todos los que la rodeaban. Cómo se le ofrecían..., para todo, y qué acompañada se sintió en su desgracia. Tenía que comprar algún regalo para Eulalia... Y ya no se trataba de las horas que hacía de canguro de su hijo pequeño; era con qué cariño y atención cuidaba del crío y lo tranquila que estaba cuando lo dejaba con ella. Su pensamiento voló. La niña tenía cada día dos horas de trayecto en bici entre ir y venir de su casa a la de ella y no se las quería cobrar. En La Tijera había visto un traje que era una monada; sería de su talla. La próxima vez que bajara al pueblo se lo compraría.

Sobre las siete el coche doblaba la curva y enfilaba el tramo final del camino de la alquería. Tenía prisa porque no le gustaba que la chiquilla llegara a su casa ya anochecido. Llegó al patio y metió la furgoneta en el cobertizo. Descendió, y desde el portón ya divisó la figura de la niña en la ventana con Emilito en brazos. Su hijo mayor se llamaba como su cuñado y el segundo como el abuelo; ambos eran sus padrinos respectivos. Siempre habían planeado con Aitor que cuando tuvieran la niña, e iban por ella, sería la madrina su cuñada Elena y la llamarían así. ¿Podría ser madrina una monja? Daba igual. Ya no venía al caso. Nunca más tendría otro hijo. Súbitamente un escalofrío recorrió su cuerpo, ¡mira que si estuviera esperando! ¡Qué chorrada! Sólo faltaría eso, traer un hijo póstumo al mundo. Apartó el pensamiento de su cabeza y sonrió hacia la ventana. Eulalia, en aquel instante, con el pequeño en los brazos, tomaba su bracito con la mano y se lo hacía mover a guisa de saludo. Empezó a caminar hacia la escalera, y aún no había recorrido diez pasos y ya la chiquilla iba hacia ella con el crío riendo.

—¡Hola, Engracia! ¡Qué pronto has vuelto!

—Calla, calla, que cada día me cunde menos el tiempo y me queda todo por hacer.

—Pues ven más tarde, no te preocupes, Emilito y yo lo pasamos bomba, ¿verdad?

Mientras decía eso lo zarandeaba haciéndolo reír. Engracia dejó la bolsa en el suelo y tomó a su hijo en brazos.

—Me da mucha fatiga que te vayas a tu casa cuando anochece.

—No pasa nada, mujer, llevo dinamo en la bici.

—No me gusta, no sé...

La niña la interrumpió.

—¿Y Rafaelito?

—Se ha quedado en casa de los abuelos. Mañana lo llevarán a la escuela y yo lo iré a recoger.

—¿Quieres que me quede contigo? Llamo a casa y ya está.

Engracia dudó.

—No, ya está bien. Vas a suspender el curso por mi culpa. Otro día quedamos antes y traes los libros. Cenamos juntas y estudias después, ¿te parece? Hoy no..., tendría mala conciencia.

—Trae, te subo el crío o el bolso, lo que prefieras.

—Anda, vete ya, que es tarde y yo me arreglo sola.

—¿De verdad no quieres que me quede?

—Que no, gracias. Dale un beso a tu madre y dile que cuando pueda la llamo.

—Adiós, Engracia.

La chica le dio un beso y otro al niño.

—Babosillo, que eres un babosillo.

Le hizo una carantoña en la barbilla y fue al cobertizo a coger la bicicleta. Se montó, dijo adiós con la mano y se dirigió al camino.

Engracia la vio partir con el crío en brazos. Cuando Eulalia se alejó, dio media vuelta, tomó el bolso y se dirigió a la escalera. Al cabo de unos segundos había luz en la ventana.

Agreste, montaraz, casi metamorfoseado con el bosque, quieto como un animal que acecha, barbado de quince días, estaba Zambudio acuclillado en una piedra en su rincón predilecto, desde donde se divisaba todo lo que le convenía ver: el camino, el cobertizo, la casa, la carpintería... En la cabeza, su gorro de lana; la zamarra puesta con el cuello alzado. Las manos en los bolsillos e inmóvil como una estatua. Lo único en movimiento eran sus ojillos, que trabajaban de un lado a otro abarcando ciento ochenta grados como un gran angular. Tenía otro escondite, pero se quedó a sotavento para que no lo olfateara el perro, aunque nada le habría hecho, ya que día a día él se ocupó de darle de comer y de apalearlo. Era cambiante como el cierzo y vivía siempre el presente. Su mente maligna codificó los datos que le iban dando las circunstancias y fue modificando su plan de acción a tenor de ellas. Cuando llegó, la Ford no estaba. Dedujo que Engracia había ido a buscar al chico a la escuela. Luego llegó la furgoneta y ella bajó sola mirando a la ventana. Sonrió, lo cual hizo que él mirara a su vez. Frunció el entrecejo. No podía divisar bien, pero alguien estaba tras el cristal. Luego apareció: era la hija de una mujer de la alquería vecina, con el pequeño en brazos. El viento le trajo a ráfagas retazos de su conversación. El chico mayor no estaba y nadie más iba a venir aquella noche.

¿Por qué tenía que pedir la paga del mes cuando él sabía dónde Aitor guardaba los dineros? Sus dos neuronas se pusieron a trabajar. Subía y se presentaba, y en una distracción de ella, hurtaba del arcón... No, mejor que no lo viera. Esperaría que fuera totalmente de noche. Primero iría al cuarto de la carpintería a por sus cosas. Lo metería todo en una bolsa de deporte. Luego se dirigiría al cobertizo y tomaría del armarito el otro juego de llaves de la furgoneta. La puerta de la casa no presentaba para él un problema grande ya que en la carpintería había un par o tres de palanquetas. Esperaría el momento oportuno, y cuando tuviera la certeza de que Engracia y su hijo dormían, bien entrada la noche, entraría silencioso y, felino como un gato montés, tomaría el dinero, cien o doscientas mil pesetas, y se largaría. Mejor así que teniendo que explicar dónde había estado metido todo aquel tiempo.

Luego abandonaría la furgoneta donde le conviniera, lo más lejos posible de aquel sitio, y nadie podría decir que Zambudio había vuelto.

Tomada su decisión, sin darse cuenta su boca formó un rictus curvado y, al sonreír, le entró aire frío por la melladura y le dolió la muela cariada. Tendría que ir a que se la quitara el dentista.

La noche entró de golpe, oscura y acerada como el ala del cuervo. Zambudio esperó hasta que se apagaron todas las luces de la casa y el reloj de la ermita dio la hora dos veces. Se levantó entumecido y estiró los músculos. Frotó las manos una contra otra y, haciendo cazoleta, les echó aliento para calentarlas. Olfateó el aire y se empezó a mover lenta y silenciosamente para dar la vuelta e ir hacia la perrera sin que el animal lo pudiera olfatear hasta que estuviera muy cerca.

Procuraba no quebrar ni una rama, y antes de dar un paso, medía el espacio y el terreno. Fue girando poco a poco hasta que la perspectiva de la casa cambió de costado. Empezó a descender y salió por detrás de las cuadras; se pegó a la pared como una sombra y vio, serpenteando por el suelo, la cadena del perro. Amontonados junto a la pared, formando una pirámide truncada, estaban los troncos por él cortados, para alimentar el fuego de la chimenea. Sutil, suave, cuidadosamente, tomó uno de los de arriba, no sin antes asegurarse de que ningún otro iba a moverse. Tenía la forma de un bolo; estrecho por un lado, y ancho y nudoso por el otro. La mano derecha lo sopesó con cuidado, y luego lo ocultó a su espalda avanzando lentamente. Esperó que una ráfaga fuerte de viento fuera hacia él. En ese instante se asomó por una esquina de la cuadra y vio al perro echado, muy pegado a la pared, resguardándose del viento. Lo llamó suavemente y el animal se volvió al reconocer la voz, levantando más una oreja que la otra. Cuando se dio cuenta de que era él, agachó un poco la cabeza y movió lentamente la cola de un lado a otro sin gran alegría; meramente el animal lo reconocía. Se acercó un poco más, llamándolo por su nombre. Era un perro mezclado de los que se usaban para el pastoreo del ganado. No le importaba demasiado que ladrara un par de veces, pero no quería que el animal formara un escándalo... Ya estaba encima de él.

—Quieto, Moro, quieto.

Le hablaba despacio y bajo para sosegarlo. El perro lo había reconocido, y seguía con la cabeza gacha. Su brazo se levantó raudo y el golpe fue certero. El leño nudoso golpeó fuertemente el occipucio del can, que rodó sin emitir el más leve quejido. Miró en derredor; todo estaba en orden.

Buscando siempre las sombras, se deslizó por el lado de los edificios hasta el que había sido su cuarto. Entró abriendo suavemente la puerta, cerrándola tras de sí. Todo lo hizo a oscuras pues se sabía la estancia de memoria, y de memoria conocía también sus escasas pertenencias. Sacó la ropa de los cajones, un par de zapatillas de deporte, y lo metió todo en la bolsa que había a los pies del catre. Fue a la mesa de noche y, abriendo el cajón, sacó sus cosas; todas estaban, hasta el palillo con el que se vaciaba el agujero de la muela. Pero, no..., faltaba algo. ¿Qué era? Sí..., al lado del encendedor de mecha no estaba su foto. Si bien le extrañó, no le dio más importancia, y tampoco tenía tiempo para preocuparse. Abrió suavemente la puerta de la carpintería y fue a la pared donde, en una tabla de madera que ocupaba unos dos metros, estaban colgadas todas las herramientas, cada una sobre su silueta pintada en negro. Cogió un destornillador grande y una palanqueta. Se dirigió a la tabla que él sabía. No le costó esfuerzo alguno porque estaba floja, tal y como él la había dejado, y la levantó. Tanteó en el hueco a oscuras y, sí..., allí estaba la bolsita. No pudo resistir la tentación de ver su interior y se arrimó a la ventana, por donde entraba un frío y pálido reflejo de luna. Era cojonudo. Algún día lo llevaría puesto, siempre. Miró con deleite el sello. Volvió sobre sus pasos y clavó la tabla con el tacón del zapato. Recogió su bolsa en el cuarto; puso encima la palanqueta y el destornillador, y cerró la cremallera. Salió. En la puerta había dejado el leño con el que sacudió al can. Lo tomó en la otra mano para llevárselo; tenía sangre del animal en el extremo.

Se dirigía ahora hacia el cobertizo de los vehículos. Llegó enseguida. Abrió despacio la puerta de la Ford y dejó en el asiento del copiloto sus pertrechos y el leño. Abrió la cremallera para coger las herramientas, y sus ojillos divisaron con placer el brillo acerado del llavero que pendía de la llave puesta en el contacto. Ése era un buen augurio. La sacó y se la puso en el bolsillo de la zamarra. Tomó la palanqueta y el destornillador y, tras cerrar la puerta de la furgoneta con cuidado, se dirigió por detrás del tractor hacia la escalera que conducía a la vivienda.

Conocía perfectamente el tipo de cerradura. Esperaba que, dadas las circunstancias, la llave estuviera echada con doble vuelta. Empezó a trabajar en silencio y tranquilo. No había nadie alrededor de la casa en varios kilómetros a la redonda; no tenía por qué precipitarse. Lo importante era no hacer ruido para no despertar a Engracia. Probó a soltar el pestillo del cerrojo con el destornillador pero se resistió. Pensó un momento, y con la herramienta abrió un pequeño agujero plano a la misma altura de la llave para hacer el camino más fácil a la palanqueta. Cuando lo hubo hecho, la retiró metiendo por el mismo sitio la otra herramienta. Empujó fuerte, pero el cabrón resistía. Aunque no quería golpear, no iba a tener más remedio. Se le ocurrió una idea. Dejó la palanqueta clavada y sacó de su bolsillo la navaja cabritera. La abrió lentamente para que los muelles sonaran lo menos posible. Cuando la tuvo a punto, la introdujo por encima y por debajo de la palanca a fin y efecto de agrandar el agujero. Trocitos de madera iban cayendo, y la hoja iba entrando poquito a poco cada vez más adentro. Dejó la navaja en el suelo e hizo fuerza con la palanca. El cerrojo cedía. Súbitamente se oyó un crac y el pestillo saltó. Se quedó quieto, sin respirar, y escuchó atentamente. No se oía nada. Bien pensado, el cuarto de matrimonio quedaba al fondo, y con la puerta cerrada y Engracia en su primer sueño, difícilmente ella iba a oír un crujido de la madera, algo más fuerte que otros parecidos que hacían las casas así edificadas al contraerse las vigas con el frío de la noche y el relente.

Entró despacio, no sin antes recoger del suelo el destornillador y la navaja. Pisó con sumo cuidado, como el que pisa uvas, y se dirigió a la mesa. Allá dejó las cosas. Adosado a la pared y a mano izquierda según miraba al fondo, estaba el arcón, y en él, en un compartimiento disimulado, si sus cálculos no fallaban, estaría el dinero; fue hacia él. Intentó abrir la tapa. Estaba cerrada con llave, pero el paño era meramente testimonial. Regresó a la mesa y tomó su navaja para volver de inmediato al mueble. Se agachó y con la punta de la hoja saltó el enclenque cierre. Abrió despacio, depositando con esmero la tapa contra la pared. Buscó casi a tientas el rincón, lo abrió... ¡Fantástico!, sus cálculos habían sido cortos: el bulto, palpado, correspondía a un fajo de billetes que seguro sumaba más de lo que esperaba encontrar. Abrió el paquete y lo comprobó.

El llanto del niño sonó como un disparo en la noche. Se quedó de piedra. Al punto observó que bajo la puerta del dormitorio destacaba una raya de luz. Oyó ruido y, sin darle tiempo a retroceder, la puerta se abrió de par en par y apareció Engracia, descalza, a contraluz, en camisón, con un biberón vacío en su mano derecha. Engracia se quedó clavada en el quicio, aterrorizada y sorprendida. A lo primero, no lo reconoció; solamente vio a un hombre barbudo con un fajo de billetes en una mano y en la otra una navaja... El corazón de Zambudio empezó a latir como una fiera enjaulada. La luz aureolaba la figura de la mujer y, al trasluz, vio sus brazos desnudos, el perfil de sus pechos y sus piernas separadas bajo la fina ropa. El llanto del niño comenzó de nuevo y pareció devolverlos a ambos a la realidad. Engracia lo había reconocido.

—¿Qué haces aquí? —Su voz, pese a esforzarse en disimularlo, temblaba.

—He venido a por lo mío —replicó el hombre.

—¿Y por eso has de venir así, de noche? Yo te lo habría dado igualmente de buen grado.

—Lo quiero todo —dijo él.

Engracia al principio no comprendió.

—Coge lo que quieras y vete.

Zambudio notó que ella se esforzaba en aparentar serenidad. Paco avanzó hacia ella y Engracia retrocedió hacia el cuarto.

—Si quieres mis pulseras y las cadenas de oro de los niños también te las doy, pero vete —añadió trémula.

El hombre seguía avanzando y ya estaba en el cuarto. El crío seguía llorando. Zambudio midió la habitación con una mirada rápida; la cama abierta y el espejo del armario reflejando el culo de Engracia. De un manotazo terrible tumbó a la mujer de través en la cama y saltó encima de ella soltando los billetes. Engracia luchaba como una loba, braceando y pateando como un caballo salvaje. Le volvió a pegar con el dorso de la mano, y un hilillo de sangre apareció en su boca. A la vista de ella el hombre notó que su miembro le crecía entre las piernas. Agarró el camisón del escote y de un tirón lo rasgó, brincando a la luz, como dos pichones blancos, los pechos de la chica. Zambudio cogió uno de ellos con su mano callosa y lo estrujó. Engracia intentó sacárselo de encima de una corcova. Paco casi desmonta. El crío lanzó un berrido más fuerte que los demás, como intuyendo que algo anormal pasaba. En la mente del hombre maduró rápidamente una idea. Dirigió en un segundo la punta de la navaja al cuello de la criatura. Engracia lo miró horrorizada.

—¿Vas a ser buena o no?

—No le hagas nada, por favor.

—Ahora me gusta más.

Zambudio desmontó. La mujer no se atrevió a moverse. Lentamente se desabrochó el vaquero, se lo quitó frotando una pierna contra la otra. La mujer no se movía. El crío seguía llorando y él sonreía. Engracia lo miraba como desde otro mundo, hipnotizada. De golpe apareció el miembro de él, turgente y enrojecido.

La mano libre tomó de nuevo el camisón y lo arrancó del todo. Los ojillos del hombre miraron con deleite el pubis alto y velludo de Engracia. Zambudio no podía creer en su buena estrella. Los billetes estaban desparramados por el suelo.

—Abre las piernas —dijo de repente.

Engracia dudaba. Zambudio hizo un movimiento brusco con la navaja. La mujer lanzó un alarido como de bestia herida.

—No, por Dios, no le hagas nada, haré lo que tú quieras.

—Muy bien, así me gusta, que seas buena. ¡Zorra!

Le separó las piernas. Engracia estaba fría. La mano libre la palpó entre los muslos arrodillado ante ella. Paco la notó seca. Siempre con la navaja en el cuello del niño, puso la mano libre al frente de su boca y, sin dejar de mirar al rostro de la aterrorizada mujer, se escupió en la palma. Luego, con los dedos húmedos, le separó los labios y la mojó. Después, con una sonrisa brutal, la penetró y empezó a moverse ya dentro de ella. Engracia veía todo como si le pasara a otra persona. Ya nada le importaba nada. Sólo que aquel bestia no dañara a su hijo. Sintió un dolor profundo en el bajo vientre cuando la penetró y, con un asco infinito, notó que el hombre se iba arqueando encima de ella y una humedad asquerosa la iba invadiendo. Sintió que se desgarraba. El cuarto empezó a girar cada vez más deprisa y supo que iba a desmayarse. Zambudio tuvo el orgasmo más grande de su vida. Se separó de ella despacio. La vio con los ojos cerrados.

—¿Qué? Te ha gustado, ¿no? Hacía ya días que no te follaban bien.

Su mente obtusa comprendió que la mujer estaba muerta o desmayada. Se desprendió de ella y se puso en pie. Dejó la navaja a un lado. El niño seguía llorando. Se secó el miembro húmedo en la colcha. Se puso el vaquero. Se acercó a la cama, y sus dedos apresaron el pezón rosa del pecho de la mujer retorciéndolo, pero ésta no se movió. Se agachó y recogió los billetes. Miró hacia la cama y dejó diez mil pesetas en la mesa de noche. Las cosas tenían que ser legales.

Salió de la casa silenciosamente. Bajó al cobertizo. Abrió la puerta de la furgoneta y metió el paquete de billetes en la bolsa. Luego dio la vuelta y, tras cerrar la puerta, abrió la del conductor. Se puso al volante. Encendió el motor. Hizo lo mismo con los faros. Soltó el freno y arrancó. Estiró la mano y le dio a la radio. Sonaba una canción de Los Panchos. Sonrió y la tarareó acompasadamente.

15

Pablo no podía conciliar el sueño. Tumbado boca arriba en su catre y buscando, sin darse cuenta, nuevos dibujos en los viejos desconchados del techo. Oía roncar a su compañero, pero ésa no era la causa de su insomnio. Demasiadas cosas le habían ocurrido aquellos últimos días y demasiadas otras se avecinaban. La decisión la tomó el jueves al mediodía; no le agradaba la idea de tener que depender de alguien, pero su ya larga experiencia carcelaria le indicaba que aquellos que habían querido ir por libres al final se habían complicado la vida enormemente. Del mal, el menor. Y sopesando todos los riesgos, era mejor transmitir un recado fuera del penal que entrar droga en el mismo. Máxime cuando el mensaje era de palabra y la menor cantidad de droga era tangible. El trato, como casi todos los que allí se hacían, fue en el patio, a la hora del asueto. Como quien no quiere la cosa, se le acercó Pedruelo.

—Que dice el Domador que si te lo has pensado.

—Sí, dile que de acuerdo, que quiero hablar con él.

El otro se fue despacio, abriéndose camino entre los grupos formados, y al cabo de un rato volvió.

—Que él no quiere hablar contigo. Él dice que no te preocupes, ni de Rambo, ni de nadie de su grupo. Que si te preguntan algo, que hablen con él. Y que hacer no van a hacer nada. El recado te lo darán en el comedor. Que comas donde siempre, pero que te pongas en la cola cinco sitios detrás de él, justo cinco sitios y que cojas dos servilletas de papel. Usa la primera y quédate la segunda; luego la tiras.

—Pero, coño, ¿no sería más fácil hablar con...?

—Yo no sé nada, yo soy un *mandao*. Los «políticos» tienen su forma de hacer las cosas, y preguntar no es bueno. ¿Estamos? Ya te he dado el recado. Me ha dicho el jefe que antes de separarnos me lo repitas. Que si sale mal, me corta las pelotas. Repite.

Pablo le repitió el mensaje.

A la hora de comer, hizo lo que le habían ordenado. Y en la tranquilidad de la enfermería, en el váter, sacó la servilleta del bolsillo y la leyó. «Bar de la gasolinera. Cuatro de la tarde en punto. Cuando dé la hora el reloj de la estación. Último taburete de la barra. Habrá un hombre con una camisa a cuadros rojos y un cinturón con caballos, tomando una copa de orujo y leyendo el diario *La Montaña*. Ponte lejos. Cuando deje de leer y vaya al váter, lo sigues. Ponte a mear a su lado. Si entra alguien más, te largas; si no, esperas a que hable. Te dirá: "¿Tú no ibas en el camión con el Saturnino?". Tú le responderás: "Sí, pero lo dejé ya hace tiempo". Si no te dice esto, no hables. Si el santo y seña funciona, dile: "La casa estará tranquila a partir de las brujas durante dos horas. Luego, aquelarre".»

Leyó todo varias veces. Al terminar, cortó la servilleta en trocitos pequeños, los mezcló con más trozos de papel higiénico y los tiró al inodoro después, tirando de la cadena de la cisterna. Luego salió. Ahora en la cama iba recordando paso a paso cómo se sucederían las cosas.

Remigio seguía roncando, honda y acompasadamente. Se dio la vuelta para ver de conciliar el sueño, pero fue inútil. Finalmente, cuando ya clareaba la madrugada, cayó en redondo y soñó que, apenas pisaba la calle al día siguiente, lo detenían de nuevo y le caían treinta años mientras su hermana lloraba rogando al juez que lo perdonara.

Consuelo estaba radiante. Aquel momento tan esperado había llegado al fin. Y aunque fuera solamente durante cuarenta y ocho horas, su querido hermano iba a ser un hombre libre. Eso por una parte. Por la otra, la noche anterior se había prometido con Bernardo, y tras hacerlo se puso a llorar como una tonta.

—Mujer, ¿por qué lloras? —le dijo él reteniendo su mano.

—Soy tan feliz y te quiero tanto...

El muchacho le pasó el brazo por los hombros, le levantó la cara por la barbilla y la besó suavemente, allí en medio del bar, en el rincón del fondo. No le importó nada que hubiera gente y fue una maravillosa experiencia. Jamás había aceptado carantoñas de nadie porque ella era muy seria, y mil lucecitas y resortes se le dispararon dentro. Ya está, ése era el hombre elegido y ése iba a ser el padre de sus hijos. Qué decisión más trascendental para cualquier mujer, y cuán a la ligera se la tomaban muchas. Después hablaron y hablaron, hicieron mil planes, sujetos, claro está, a la profesión de Bernardo, quien le fue contando detalladamente cómo era la vida en la casa cuartel y lo felices que iban a ser sus hijos a tenor de lo feliz que fue él de pequeño. Luego salieron y la acompañó a la pensión. El trayecto era corto. Llegaron enseguida. Súbitamente él la detuvo entre dos farolas en el punto más oscuro y la volvió a besar, esta vez de pie. Cuando Consuelo lo recordaba, se le erizaban los pelos de la nuca. Fue un abrazo apasionado y contenido que recordaría toda su vida, su vida tan incolora en Sesiego y tan precipitada y nueva ahora. Luego se separaron y quedaron para la mañana siguiente. Él la iría a recoger y la acompañaría hasta cerca del penal. La dejaría allí y ella entraría sola a esperar la salida de su hermano, y eso iba a ser al cabo de unos minutos.

La sala era diferente de la que ella conocía de las visitas. Había un banco adosado a la pared y estaba sola. Nadie esperaba a otro recluso, solamente ella. Enfrente, una mesa con un guardia civil sentado tras ella que, imaginó, debía de ser el que controlaba los pases de salida. Encima de él un retrato del jefe del Estado; al fondo, una doble puerta con reja, y tras ella, otro guardia. Por allí saldría Pablo. Y frente a ésta, la puerta por donde ella había entrado, que daba a un pasillo, y al final del mismo, la salida a la calle. Estaba muy nerviosa y le dolían las muñecas como cuando de pequeña se examinaba en la escuela.

El ruido a cerrojos le hizo levantar la cabeza. Venían varios. Por lo visto, los demás ya no era la primera vez que salían ya que nadie estaba a la espera. Lo vio de repente, era el tercero. Estiraba el cuello para ver si estaba. Se puso en pie. Fueron saliendo y se dirigieron hablando a la mesa en la que estaba el vigilante. Nada más traspasar la cancela ella, olvidando las instrucciones que le había dado Bernardo el día anterior, se fue a abalanzar hacia él, pero un gesto del cabo la hizo estarse quieta. Pablo mostró su pase y el guardia puso una cruz al lado de su nombre, que figuraba en la lista. Su hermano guardó el cartoncillo en el bolsillo superior de la camisa y se volvió hacia ella. Ahora sí, se fundieron en un abrazo grande retenido durante seis años. Los dos lloraron y se mojaron la cara el uno al otro. Después se separaron. Consuelo lo miró despacio. Había cambiado. Estaba más flaco pero más fuerte. Tenía ojeras, e imaginó que ella también, de mal dormir la noche anterior. Pensó un instante cómo la encontraría él.

—Estás preciosa, chica —le dijo.

—¡Qué contenta estoy!

—Vamos, rápido, no quiero perder ni un minuto del tiempo que tengo.

La tomó por el brazo y salieron al sol, un sol luminoso que saludaba su primera salida.

Querida Tere:

¿Cómo voy a poder contarte en un trozo de papel todas las cosas buenas que me están pasando?

Tengo miedo de despertarme y de que todo haya sido un sueño. Son las dos de la madrugada y te escribo desde mi cuarto en la pensión de la que te he hablado tantas veces. A la otra punta del pasillo duerme Pablo; bueno, yo por lo menos lo he dejado allí, pero comprende que su primera noche de libertad no la va a querer pasar charloteando con su hermanita. Mañana pasaremos todo el día juntos. Si vieras cómo mira todo lo que ve, cómo le asombran las pequeñas cosas que a las personas que no hemos pasado por lo suyo ni nos llaman la atención...

Hoy hemos comido en un parador que hay en las afueras, y se iba sin pagar. Claro, date cuenta de que lleva comiendo y cenando miles de veces sin hacerlo. Tere, te digo miles, y no se da cuenta de lo que es el dinero. Hoy no he tenido tiempo ni he querido hablarle del jaleo de los papeles y de los poderes, pero mañana se lo diré. Ayer hablé con el notario amigo de don Marcelo y tiene todo preparado para que vayamos mañana.

Bueno, ¿estás sentada? ¿No? Pues siéntate. Me voy a casar. Así, como lo has leído. Todo ha sucedido como yo quería. Tú no lo conoces. Sólo sabes lo que yo te he contado de él. Pero es el chico más guapo, más bueno, más cariñoso... Es... fantástico. Ayer me lo pidió y le dije rápido que sí. Ya sé que tu consejo era que lo demorara un poco, pero no pude. O sea, Teresa, que prepárate a ir de boda. Aún no sé dónde será, si en Sesiego, aquí o en Segovia, donde viven sus padres, a los que por cierto no conozco aún pero, por lo visto, ellos a mí sí de tantas y tantas cosas que les ha contado.

Bueno, chata, me voy a dormir. Estoy molida y lo otro no es para escribir, tú me entiendes. Ya te lo contaré de viva voz. Un beso a tu hombre, fraterno, ¿me entiendes? Y tú recibe otro de tu amiga que te quiere a toneladas,

CONSUELO

16

Volvió en sí muy lentamente. Al principio no coordinaba las ideas; se miró despacio y fue recordando. Estaba desnuda encima de la cama con el camisón rasgado. Recordó, y miró la cuna rápidamente. Su hijo dormía plácido; estaba lleno de vómito, pero tranquilo. Estiró la mano y lo tocó, estaba tibio. Súbitamente le entró un asco infinito de sí misma. Se puso en pie y se dirigió al baño, arrancándose el camisón a jirones por el camino. Abrió el grifo del agua caliente y, en tanto salía, se apoyó en el lavabo y se miró en el espejo. Tenía la cara hinchada. Le había salido un moretón pero no sentía dolor, sólo asco, un asco profundo e inaguantable. Le vino una arcada pero se contuvo. El agua ya salía soportablemente tibia. Se metió bajo la ducha, tomó el jabón líquido y una esponja como de estropajo y se frotó y frotó como si quisiera arrancarse la piel a tiras. Sobre todo se frotó allí. Le quemaba la entraña, y habría querido frotarse por dentro como lo hacía por fuera. Después se secó, y en el bidé volvió a limpiarse. Aún tenía resto del hombre; asco, asco, asco absolutamente infinito es lo que sentía. Se pasó un peine. Buscó en la cómoda un esquijama de Aitor y se lo puso rutinariamente. Limpió a Emilito, que se despertó al instante aunque aún faltaba mucho para salir el día. De repente se dio cuenta, espantada, de que no había reparado en si aquella bestia se había ido. Sus sentidos empezaron a percibir cosas. Vio en la mesa de noche el dinero. ¿Cómo un ser humano podía ser tan vil? Dejó al niño en su cama y lo tapó. Fue a continuación a su armario y sacó la escopeta de caza de Aitor. La guardaba allí porque Rafaelito tenía la manía de tocarla. Le puso dos cartuchos de postas y cerró el arma. Se la colocó debajo del brazo con los dos cañones apuntando hacia delante y se asomó al comedor-estancia. Abrió la luz y su mirada captó todo al instante. El arcón roto, algún billete por el suelo y la puerta de la entrada forzada. Fue hacia ella y descendió por la escalera lentamente. Nada más asomarse vio que faltaba la furgoneta. Se alegró, era señal de que el hombre ya no estaba allí. Se fue hacia la pared y le dio al interruptor de la luz del patio. Las potentes luces que había colocado Aitor se encendieron y se hizo como de día. Enseguida vio el cadáver ensangrentado de Moro. Lo revisó todo, obligándose a ello. Fue a la carpintería y entró en el cuartucho que había sido de Zambudio. En el acto se dio cuenta de que había retirado sus cosas. También echó de menos, entrando en la carpintería, dos herramientas del panel que debían estar colgadas. Realizada toda la inspección, regresó a la casa. Atrancó la puerta como pudo, se calentó un poco de leche, dejó la escopeta sobre la mesa y su cabeza empezó a cavilar.

Hacía tres días que Zambudio había llegado a San Sebastián. Dejó la furgoneta al principio de Ategorrieta, no sin antes quitarle las matrículas y arrancar con la palanqueta la placa de identificación. Su instinto, que no su intelecto, comenzó a organizarle la vida. De momento tenía dinero. Fue a una tienda del casco viejo y se compró ropa; unos tejanos, dos camisas, calcetines y zapatillas de deporte. Pagó, e hizo con sus ropas viejas un paquete que tiró en un contenedor cerca del puerto. Luego se metió en una barbería, se cortó el pelo y se rasuró la barba. No le preguntaron nada sobre su aspecto. En San Sebastián la gente preguntaba poco. Cuando se miró en el espejo no se reconoció. Empezó a pensar dónde iba a dormir la primera noche, sin tener un papel que lo acreditara. Su instinto le volvió a dar la solución. Comió en una tasca del puerto. Tras dar una buena propina, como el que no quiere la cosa, sonsacó al mozo dónde había chicas, y el otro le indicó que en la subida de Igueldo. Esperó a que anocheciera y dirigió sus pasos hacia allá. Al pronto, bajo una luz, vio un par de ellas hablando. Más lejos, una sola. A ella se dirigió. Era rubia, alta y, en cuanto le oyó el acento, supo que no era española. Luego ella le explicó que era venezolana; arreglaron pronto el asunto económico. Se sintió eufórico y espléndido y se fueron de copas.

Recorrieron no sabía cuántos bares, y al salir, él iba tocado. La tía, como si hubiera estado bebiendo agua. Le preguntó dónde vivía y él le dijo que no tenía hotel.

—No habrá problemas mientras tengas guita.

Él presumió y le mostró el fajo de billetes.

—No os preocupés —le dijo.

Lo llevó a una portería. Habló con alguien. Subió una escalera, entraron en una habitación, y la mujer pidió una botella de champán y dos vasos. Se sentía el rey del mundo. Bebieron; estaba muy frío. Ella le puso más; luego, lo desnudó y lo acostó. La mujer fue al lavabo. Tardaba. A Paco le entró un sueño invencible, pues llevaba sin dormir casi cuarenta y ocho horas. Cayó como un leño. Al cabo de unos minutos se despertó. No recordaba nada. El día clareaba, la mujer no estaba. Se levantó deprisa con un mal pálpito. Buscó en los bolsillos del tejano y sus dineros no estaban. Y, lo que era peor, la hija de puta le había robado su sello. Había dormido siete u ocho horas.

De todo eso ya hacía dos días. Maldita fuera. Pasó dos noches a la intemperie, yendo de un sitio a otro. Volvió a Igueldo a buscarla, pero ni la vio ni nadie supo darle razón de ella. Había hecho humo. Regresó a la tasca del primer día y explicó que le habían robado y que no tenía dinero ni papeles. Le ofrecieron comida a cambio de ayudar en la cocina, también podía dormir en la trastienda, y nadie le sugirió que fuera a la policía. De momento aceptó. Al cuarto día comenzó a barruntar la manera de pasar a Francia. Se informó, y le dijeron que sin papeles era difícil porque Irún estaba muy vigilado, y que si quería algún consejo, que fuera a ver al padre Aldecoa, el vicario de la iglesia de San Ignacio, en el barrio de Gros, detrás justo de la calle Trueba.

Después de recoger la cocina se encaminó para allá. Llovía, esa lluvia fina y tenaz que cuando empieza no acaba y cala hasta los huesos. Bajó por la avenida y cruzando el puente se dirigió a San Ignacio.

La iglesia estaba en la penumbra. Una lucecita brillaba en el altar. Se puso nervioso. Su memoria olfativa recogió datos, y el olor a velas e incienso le retrotrajo a su niñez y no le gustaba nada recordarla; no fue un niño feliz.

—¿Qué desea usted?

La que así le hablaba era una mujer de unos cincuenta años que, por lo visto, tenía algo que ver con la iglesia.

—Querría ver al padre Aldecoa.

—¿Para qué? —inquirió curiosa.

—Me envía Antón, el de la tasca del muelle —aclaró.

—Espere un momento.

La mujer se retiró y desapareció por una puertecilla del fondo.

Paco se sentó en un banco, repasando mentalmente la historia que iba a contar. Pasaron unos minutos.

—Pase usted —le dijo la mujer, que había salido por una puerta lateral—. Sígame —añadió.

Zambudio atravesó la iglesia y entró en una habitación contigua. Allí un cura leía sus papeles detrás de una mesa de despacho. Al verlo entrar, levantó la cabeza, sonrió y le indicó que se sentara. Acabó de leer, cerró el dietario.

—Usted dirá —le dijo.

—Mire, padre...

Pasó media hora, y al cabo de ella Zambudio salía con

diez mil pesetas, una tarjeta y una dirección de un pueblo cercano a la frontera de Ibardi. En el sobre se leía: «Antón Basuri, calle del Cementerio, número 6, Vera de Bidasoa».

17

Los padres de Bernardo eran gente acomodada y tenían tierras en Segovia. El padre, propiamente, había sido un guapo mozo, y estando destinado a esta capital como número de la Guardia Civil conoció en un baile a la que luego sería su mujer. Los padres de ella se opusieron rotundamente y, creyendo que el mozo iba por su dinero, ya que ella, hija única, iba a heredar mucha tierra de labrantía, que cada dos años quedaba en barbecho, la desheredaron. Aun así, ella se emperró y tiró adelante. Lógicamente se dieron cuenta de que cuando una moza de veinte años se enamora, es muy difícil disuadirla.

Se casaron. Los padres no fueron a la boda. Pero el hombre demostró que para él lo importante era la chica y empezaron su vida de casados como tantos otros en la casa cuartel. Pero se notó tan humillado y tan a disgusto que pidió el traslado a un nuevo destino y, como es natural, se llevó a su mujer.

Sus suegros vieron cómo su única hija se iba de su vida. Luego nació Bernardo y fueron conociendo a su yerno. Se dieron cuenta de que era una buena persona y todo tuvo un final feliz. Las aguas volvieron a su cauce.

Los años se fueron echando encima y, lo que son las cosas, le pidieron a él que se pusiera al frente de las fincas, ya que el abuelo tuvo un ataque cerebral y se quedó en una silla de ruedas. El padre de Bernardo pidió la excedencia y quiso probar si la vida civil le encajaba. De eso hacía ya más de veinte años y todo seguía igual. Únicamente que la parca se había llevado al inválido y que el jefe absoluto de la familia era el futuro suegro de Consuelo.

Quizá marcados por su historia no pusieron reparo alguno a la muchacha que escogió su hijo, aunque tuvieron buen cuidado de enterarse bien de quién era, cosa realmente fácil ya que el espíritu del Cuerpo seguía funcionando aunque hubiesen pasado más de veinte años.

Consuelo, por su parte, había regresado a Sesiego con todos los requisitos que exigió don Marcelo para cambiar la herencia y hacer las permutas solicitadas. Por otra parte, el notario convenció a Isabel para que no opusiera grandes reparos, ya que tanto ella como Fermín salían beneficiados. Pablo quedaba igual, y la que perdía propiamente era Consuelo, pero era totalmente consciente de ello y lo que ella quería era su total independencia. La única condición que puso Isabel fue no tener que sentarse con ellos a firmar documento alguno, lo cual complicó algo las cosas pero no fue obstáculo insalvable. Las tierras buenas fueron para Fermín; las alejadas serían para los hijos de Braulio, pero ya sin divisiones; dos casas del pueblo fueron asignadas a Pablo y a Consuelo. Ésta realizó su parte en dinero, con el que compró de inmediato dos pisos y dos tiendas en Murcia capital. Alquiló una tienda y uno de los pisos, montando el otro para ella porque le angustiaba quedarse sin un sitio para vivir. El resto del dinero, que fue bastante, luego de pagar comisiones, notario y hacienda, lo colocó a un buen interés en la Caja de Ahorros de Murcia.

La boda fue en Segovia, por todo lo alto. Ella lo quiso así. Familia próxima no tenía; muertos su padres y Braulio, sólo le quedaban sus hermanos Fermín y Pablo. Pablo, con el permiso correspondiente, iría a donde fuera para estar con ella ese día, ya que Consuelo quería entrar en la iglesia de su brazo. Y Fermín, que desde el favorable arreglo de la herencia parecía otro, no pondría inconveniente alguno en desplazarse. Los demás invitados iban a ser don Marcelo y su mujer, Tere y su marido, Mari y su novio, y unos tíos por parte de madre que vivían con sus cuatro hijos en Madrid, a quienes les iba a acomodar más llegarse a Segovia que desplazarse a Sesiego. Por un momento pensó aprovechar la circunstancia para aproximarse a Isabel y se lo consultó a don Marcelo, pero el notario la hizo desistir pues tenía la certeza de que ella se negaría.

Pese a que sus futuros suegros se empeñaron, se negó en redondo a casarse de pobre. Ella quería y debía pagar la mitad del banquete, amén de su ajuar de ropa de casada.

Al final, siendo mucho más numerosos los invitados de Bernardo, se acordó que cada uno pagara los suyos. Habían decidido que de recién casados Bernardo no pediría el traslado, pues a Consuelo le agradaba la idea de estar junto a Pablo los últimos meses de su condena. Se lo debía, ya que él le había pedido que demorara la boda hasta que cumpliera pero ella no se había visto capaz de esperar un año y medio.

El traje se lo hizo Mari, su otra amiga, que era modista y a la vez encargada de una afamada boutique de Murcia, donde vivía desde hacía ya varios años. Estaba guapísima. Un nudo grande se le hizo en la garganta cuando vio ante sí el largo pasillo que la llevaba al altar. Sonó la música, y le temblaron las piernas. Se cogió fuerte a Pablo, que estaba muy serio y muy solemne aunque algo distinto al que ella conocía. Todos los rostros se volvieron para mirarla, pero ella no los vio. Sólo tenía ojos para Bernardo, que, flamante, embutido en su traje de gala y ya con el grado de sargento, la esperaba en el altar mientras avanzaba acompañada por la música. Su pensamiento iba a mil por hora y en un trasunto se detuvo en lo raras que eran las cosas: el vigilado la iba a entregar al vigilante; fue una ráfaga. Luego la colocación, la misa, los anillos, los testigos, jamás lo olvidaría. A la salida, dos lluvias, una de arroz y otra de agua. Cayeron aquel día chuzos de punta, pero nada le importó, máxime cuando le dijeron que el agua era augurio de felicidad y de buena suerte.

Luego el banquete. Sus suegros lo montaron en El Mesón y realmente fue estupendo. Consuelo estaba como en una nube; ni que decir tiene que le dio los novios a su amiga Mari y el ramo a una prima de Bernardo que desde el primer día le cayó de cine, Almudena se llamaba. La música sonó hasta la madrugada y la gente aguantó hasta el final. Llegado el momento Consuelo se despidió de todos rápidamente, sonriéndose al oír el disparate que le dijo Tere al oído. La primera noche la iban a pasar en el hotel Fénix de Madrid y al día siguiente saldrían para París en coche, subiendo por el valle del Loira hasta la capital de Francia. Quince días iban a emplear en hacer el viaje, los que Bernardo tenía de permiso.

Llegaron al hotel. Consuelo creía que se les notaba muy novatos. Se habían cambiado en casa de sus suegros. Ella iba con un traje chaqueta muy de viaje y Bernardo iba de paisano, con pantalón marrón y cazadora de ante. Se registraron y subieron a la habitación. Estaba nerviosa. Lógicamente sabía de qué iba el tema, pero una cosa era la película y otra la práctica. Decidieron salir a cenar, pero, casi sin darse cuenta, se encontró desnuda y en sus brazos. Fue tierno, paciente y maravilloso. Sonaba el agua de la ducha, y ella estaba feliz aunque un poco dolorida. Pidió, en tanto salía él del cuarto de baño, la cena por teléfono. Se notó muy importante, Consuelo Pimentel de Montero. Cenaron y prosiguieron...

El día siguiente salió luminoso. Desayunaron y partieron para San Sebastián. El coche era nuevo, un Renault Gordini color crema. Procuraron hacer pocas paradas porque querían pasar la frontera de Irún lo antes posible para llegar a dormir en el *châteaux*, ¿se decía así?, donde la agencia de viajes le había hecho la reserva; en foto era precioso. Entraban en Francia a las seis y media de la tarde, y se dirigieron pasando San Juan de Luz hacia Bayona. Había ya anochecido y pararon a poner gasolina. Bernardo estaba pagando cuando ella vio salir de los urinarios a un tipo con una cara de las que no se olvidan. Se acercó por detrás a su marido.

—¿Van para el norte? —preguntó el hombre.

Bernardo lo miró.

—No, vamos aquí mismo a casa de unos amigos.

Tras ellos paraba otro coche con matrícula francesa. El hombre, sin contestar, dio media vuelta y se dirigió a él. Bernardo lo siguió con la mirada, y dando la vuelta se sentó en su asiento.

—¡Qué tipo más extraño! —comentó Consuelo, y añadió—: ¡Cómo me alegra que no lo hayas cogido!

—Chata, no habría cogido ni a mi padre. No sé si sabes que me voy con mi mujer a París de viaje de novios.

Consuelo sonrió. Arrancaron, y Bernardo observó por el espejo retrovisor que, por lo visto, el otro coche tampoco había aceptado el pasajero ya que éste se separaba y oteaba la carretera esperando al siguiente. Bernardo aceleró para incorporarse al tráfico y el motor rugió.

Paco Zambudio volvió la cabeza al oír el ruido.

—¡Cuánto hijo de puta suelto! —masculló entre dientes.

18

La acera estaba llena de excrementos de pájaros que hacían raros dibujos. Paco Zambudio había llegado a Vera de Bidasoa a las dos de la tarde, y las tripas le estaban dando guerra. Hasta el momento las cosas iban marchando. Cada noche antes de dormir recordaba lo de Engracia y se deleitaba en ello. Luego invariablemente se acordaba de su aventura fallida con la venezolana y se le encendía la sangre recordando su sello y su dinero. Lo primero lo tenía jodido, lo segundo le importaba menos; ya encontraría la forma de obtener más. Al cura de San Ignacio le había contado una historia de medias verdades. Su carencia de papeles la achacó a una pérdida, y el hecho de no poder ir a documentarse de nuevo, a que tenía antecedentes políticos. Él estaba muy al corriente de los problemas del Norte, y se marcó una de antiorden establecido con un barniz anarco. El vicario fue tragando y él se dio cuenta. Si le sacaba unas perras y pasaba la frontera, fenómeno; una vez en Francia él iría por libre a lo suyo, y que le dieran morcilla a aquella panda de fanáticos. Se acercó a la calle del Cementerio tras informarse de su ubicación preguntando a un mecánico que reparaba una segadora. La encontró fácil. El número seis correspondía a la puerta de un almacén y, según indicaba el letrero, abrían de cuatro a siete. Tenía tiempo y hambre. Desanduvo sus pasos y buscó un sitio para comer que fuera barato y que no estuviera muy concurrido. La carta estaba expuesta en la calle y los precios le acomodaron. «COMIDAS FÉLIX» ponía en el rótulo sobre la entrada, pintado con gruesas letras de palo. Entró y se detuvo un momento esperando a que sus ojos se acostumbraran a la penumbra. Era un comedor rectangular con unas catorce o quince mesas, todas ellas vestidas con un mantel a cuadros rojos y blancos y con los platos y cubiertos puestos en espera de los comensales. Buscó una mesa para uno y no la había.

—¿Va a comer? —La voz de una chica menuda y morena, con un uniforme azul algo gastado y un delantal blanco, lo sorprendió.

—Sí —respondió escueto.

—¿Solo o esperas a alguien? —Ahora lo tuteaba.

—Yo solo, ¿puede ser?

—Sí, claro.

La chica se adelantó y le indicó una mesa de dos en tanto retiraba de ella un servicio.

—¿Podría ser la del rincón? —interrogó el hombre, indicando otra también de dos plazas que estaba al fondo.

—Desde luego —respondió ella adelantándose tras dejar los platos y retirando de nuevo un servicio de la otra mesa.

—Retira el otro, prefiero sentarme allí. —Indicó con el dedo.

A Zambudio no le gustaba comer de espaldas a la puerta y siempre procuraba tener inmediatamente detrás una pared. La chica obedeció. Él se quitó la zamarra y la colgó del respaldo de la silla desocupada en tanto se acomodaba y se retiraba la muchacha.

Sonó la campanilla de la puerta. Entró por ella un hombre de unos treinta años con un paquete bajo el brazo y vestido con un pantalón vaquero y una camisa blanca. Zambudio lo observó. Parecía conocer el lugar. Fue a un extremo de la barra y, apoyando un pie en el tubo de hierro que en el suelo hacía de marchapiés y estirando el brazo por encima de ella, sacó un periódico y lo desplegó. Se sentó en un taburete. Volvía de nuevo la chica con el cartoncito de la carta.

—Cuando puedas me pones un vino —dijo el individuo.

—Ahora mismo.

La chica dejó en la mesa de Paco el menú y sonrió al hombre. Se introdujo por debajo de un estante tras el mostrador, tomó un vaso y una botella y se lo puso delante.

—¿Has cerrado ya hoy?

—Sí, tenía cosas que hacer y he acabado antes —respondió él.

Estaba claro que se conocían. Paco se sumió en el estudio de los platos que la cartulina le ofrecía. Examinó precios, pues de momento sólo tenía nueve mil doscientas pesetas de las diez mil que le había dado el cura; el viaje le había costado ochocientas.

La campanilla le hizo levantar la vista. Ahora entraban una pareja y un grupo de cuatro. Venían separados; los hombres, ruidosos y charlatanes; la pareja, más comedida. Ocuparon sin preguntar unas mesas concretas, con el aplomo del que hace algo por rutina. Lo miraron. Él no era un habitual. Cuando pasaba por su lado la camarera, la detuvo.

—Oye, ya sé lo que voy a comer.

—Ahora te tomo la nota.

Se fue al fondo, tomó una libreta y dos cartas. Dejó ambas en las mesas ocupadas y regresó a su lado.

—Tú me dices.

—Primero me pones lentejas. Y luego... ¿qué tal el bonito? —preguntó.

—Muy bueno —respondió la muchacha rutinariamente—. ¿Para beber?

—Vino de la casa.

La mujer se retiró y él se dedicó a observar a la gente que iba entrando y ocupando las mesas. Casi nadie preguntaba, de lo cual dedujo que en aquel lugar casi siempre debían de comer los mismos.

La pitanza tardó poco en llegar. Era buena y sobre todo abundante. Comió a gusto. De postre se tomó dos flanes, y luego pidió café y coñac. Según sus cálculos todo aquel festín no pasaría de las mil pesetas. Pidió un puro canario, se lo puso en la boca y se sorprendió cuando, sin darse cuenta, alguien colocó una cerilla encendida bajo sus narices.

—¿Qué tal has comido, Paco?

Alzó la cabeza y vio ante sí al hombre que había entrado primero y se había puesto a leer el periódico. Encendió el puro chupando fuerte.

—¿Quién eres tú? —le dijo en tanto el otro soplaba la llama de la cerilla y, sin él pedírselo, se sentaba en la silla frente a él.

—Eso no importa. Tú eres Paco Zambudio. No tienes documentación ni dinero y necesitas ayuda. Nosotros te la daremos si te lo mereces.

Estaba desconcertado.

—Ahora que ya has comido, te vas a venir conmigo. Te espera alguien a quien te conviene conocer. —Al ver que dudaba añadió—: Peor que estás, no vas a estar. Conque decídete. ¿Vienes o no?

El hombre tenía razón. ¿Qué podía perder?

—Es que tengo una cita a las cuatro treinta y no sé...

—A ella te llevo. Pero el sitio es otro.

Se levantaron, y Paco llamó a la camarera con un siseo.

—Estás invitado. Paga la casa.

La chica ni se acercó, como si estuviera al cabo de la calle. Tomó su zamarra.

—Vamos a donde quieras, tú mandas.

Salieron, y el hombre lo condujo caminando hasta una casa apartada que daba a la carretera. En el trayecto Paco no habló; algo en su interior le decía que no iba a obtener muchas respuestas. Llegaron al portal. El acompañante tocó el timbre de un modo peculiar. Desde dentro abrieron con un automatismo. Al frente, una escalera. Subieron y entraron en un recibidor. En él, dos sillones y una mesita.

—Espera aquí —le dijo el otro y, sin demorarse un segundo, traspasó una puerta que había a la derecha.

Zambudio se sentó. Pasaron unos minutos. Oyó pasos. Regresaban a buscarlo.

—Sígueme —le dijo el mismo hombre, y obedeció.

Traspasaron un par de puertas y llegaron a otra habitación en la que había otros dos hombres esperando.

—Éste es el hombre —aclaró su acompañante a guisa de

presentación, y tras decir esto, sin esperar que nadie le respondiera, se retiró.

Los ojillos veloces de Paco lo escrutaron todo. Una habitación amueblada de forma tan común que tenía como un barniz de precariedad, un arrimadero y, encima de él, un tapiz vasco de paño que representaba un caserío en la montaña y dos caseros en primer plano hablando, uno de ellos con las manos en los bolsillos. También había un tresillo con una mesita entre los dos sillones, y frente a él y a su derecha, pegado a la pared, un escritorio de esos que cierran con una persianilla de madera y, sobre él, clavada en la misma pared con cuatro puntas, una ikurriña.

—Pasa y siéntate —le ordenó el más viejo, que ocupaba uno de los sillones.

Paco se sentó sin rechistar en el otro y observó la cara del hombre que estaba en el sofá. Tras un brevísimo espacio de tiempo lo reconoció. El más joven era el mecánico que arreglaba la segadora frente a la parada del autobús, a quien él le había preguntado la dirección. El hombre volvió a hablar. La voz era seca y autoritaria. Hablaba a ráfagas, y el tono era como el de quien está acostumbrado a dar órdenes.

—Según nos avisan de San Sebastián, has ido a pedir ayuda. Desde luego, ya puedes inventarte otra historia, a otro perro con ese hueso. Pero lo que está claro es que eres un indocumentado y tienes problemas. Si lo que nos cuentas es creíble lo comprobaremos. No intentes engañarnos y no menosprecies nuestro intelecto. Si nos conviene te ayudaremos, y tú harás algo para nosotros. Si intentas engañarnos, será lo último que hagas. No nos gustan los topos, ¿estamos?

—¿Qué son topos? —inquirió Zambudio.

—No importa. Explica de dónde vienes, por qué no tienes papeles y por qué no puedes hacerte con otra documentación.

La mente de Paco iba que se salía. Aquellos tipos no se andaban con chiquitas y podían ser, lo intuía, tan violentos como él; además eran varios y estaban en su terreno. Decidió rápido.

—Ando huido.

—¿Por...?

—Tengo antecedentes y he matado a un hombre, para defenderme —añadió.

—¿Dónde, cuándo y a quién?

Zambudio contó la historia completa de su vida de delincuente, intentando justificar sus rencores.

—Y tu compañero de ese atraco que dices ¿dónde está?

—Cumple en el Dueso, creo.

Los hombres se miraron. El mecánico se levantó y fue al escritorio. Y en una cuartilla escribió unas notas, luego tomó algo y regresó junto a la mesita. Paco lo seguía con la mirada. El tipo colocó ante Paco una cajita y la abrió. Era una esponja de tinta de esas que sirven para humedecer los tampones.

—Trae la mano —le dijo.

Zambudio extendió el brazo. El otro le tomó el dedo índice de la mano derecha. Al lado habían puesto dos cartulinas. Le humedeció la yema en la tinta; luego, haciendo una pequeña rotación, le hizo dejar la huella en los cartoncitos. Hecho esto, dejó de nuevo todo en el escritorio y trajo un paño blanco mojado en un líquido.

—Límpiate —le ordenó.

Paco tomó el trapo y se secó el dedo en tanto ambos hombres intercambiaban una mirada.

—¿Esto para qué es?

—Si has sido bueno, para hacerte una documentación. Pero antes nos servirá para saber si has mentido.

Tras esa explicación, el viejo se levantó y tocó un timbre. Al segundo apareció su acompañante.

—Llévatelo y que duerma —ordenó el hombre. Y dirigiéndose al mecánico, añadió—: Tú comprueba todo esto.

El que lo había traído del restaurante le hizo un gesto con la cabeza. Paco tomó sus cosas y lo siguió. Lo condujeron a un cuarto con una gruesa puerta; en su interior, un lavabo, un cubo, un catre y una silla.

—Descansa y duerme. Ya se te dirá algo.

Paco entró. La puerta se cerró a su espalda con doble llave. Se quedó en penumbra y fue a abrir la ventana. No pudo; estaba clavada y tenía una reja exterior. Miró por ella. Campo a la vista y el horizonte.

Con el conformismo propio de los que saben que la suerte está echada, Paco dejó sus pertenencias y se acostó en el jergón. Al poco rato dormía.

Deberían de haber pasado cuatro o cinco horas cuando lo despertó el ruido de la llave. Al abrirse la puerta, reconoció al hombre; venía con una bandeja.

—Te traigo la cena, y también saludos de tu compadre Remigio Fuentes —le dijo. Paco quedó atónito.

Por el hueco apareció el viejo, tras el otro.

—¿Qué tal has descansado? —le dijo amablemente.

—Así, así —respondió confuso.

El hombre se sentó frente a él en la silla.

—Excepto tu nombre, que no se sabe, parece que has dicho la verdad. Mañana te haremos unas fotos, afeitado y bien guapo. Y luego se te hará documentación; se te dará algo de dinero y se te pasará a Francia. Allí se te darán instrucciones. Nos convienes. Eres un tipo con agallas y, por otra parte, no tienes antecedentes políticos. Una vez pasada la frontera por la montaña, harás autostop hasta Bayona. Luego te dirigirás a una dirección y preguntarás por alguien. Allí se te informará e instruirá en tus cometidos, ¿estamos?

—¿Y si no me conviene? —replicó Zambudio.

—Ni tú ni yo tenemos elección —le respondió el viejo afectuosamente, sentándose a su lado y pasándole el brazo por los hombros—. Tú estás perseguido e indocumentado, y yo... yo sé que ahora tú sabes demasiadas cosas que no debes saber. No tendría más remedio y lo sentiría porque me has caído bien, pero primero es la causa. —Se había puesto en pie—. Ni se te ocurra intentar traicionarnos. Eso se paga siempre —añadió. Luego se retiró seguido por el otro, cerrando la puerta cuidadosamente.

Frente a él estaba su cena y tenía hambre. Atrajo hacia él la silla con la bandeja y se dispuso a yantar.

La puerta se abrió de nuevo y se asomó el joven.

—No te cierro para que puedas ir al cagadero. Está al fondo del pasillo. Ya ves que confiamos en ti —añadió.

Paco no respondió. Él sabía siempre cuándo no tenía alternativas. Cenó con apetito y durmió contento. A lo mejor había encontrado su camino.

19

Era demasiado terrible lo que le había pasado. Engracia cosía al lado de la ventana y sus ojos profundos miraban sin ver. El otoño había pintado de ocres y oxidados las hojas de los árboles, y el cielo se desgarraba al desplegarse las nubes en jirones blancos impelidos por el viento racheado, huésped eterno de aquellos pagos.

Desde la noche terrible de la muerte de Aitor hasta la noche maldita de su violación mediaban dos semanas en las que los hados malignos habían entrado en su vida y ella se encontraba dentro de un angosto, oscuro, interminable túnel. Y ahora aquello. De no ser por sus hijos y por su profunda fe, se habría matado. ¿Cómo? No lo sabía, pero lo habría hecho.

Negros presagios rondaban su cabeza. Tan negros como el pozo por el que descendía su vida. No era posible. Tenía que despertar de aquella pesadilla. Tenía que estirar el brazo para que su mano tocara el cuerpo durmiente de su querido Aitor, y todos sus males desaparecerían. Pero Aitor no estaba. Y la que estaba allí presente era su tragedia.

Dio el parte a la Guardia Civil ocultando su vergüenza. Dijo que habían entrado a robar, que se habían cargado la puerta. Que habían matado a Moro y se habían marchado en la furgoneta. La Guardia Civil ató cabos rápidamente. ¿El perro ladró?, preguntaron. ¿Quién conocía el escondite del dinero? Faltaban las pertenencias de Zambudio y dos herramientas de la carpintería, las que sin duda habían servido para reventar la puerta. Y ella, ¿no había oído nada? ¿Cómo se había hecho el moretón del labio? Todos los caminos conducían al antiguo mozo, pero ella mantuvo a pie y a caballo que estaba en el primer sueño, que la puerta de su cuarto la cerraba siempre con pestillo y el pestillo estaba intacto, que no oyó nada. Y el golpe se lo hizo al bajar la escalera al día siguiente cuando vio, desde una ventana, al perro muerto.

Tras muchas cavilaciones decidió no dar parte de su agresión. Aquélla era una comunidad pequeña y eso marcaba de por vida. Además, lo hecho hecho estaba, y ya no tenía remedio. Y ahora, aquello. Le tenía que haber venido la regla hacía cinco días y nada de nada. Ella era como un reloj y desde su anterior período, dos hombres la habían poseído: su amor perdido, y el más asqueroso, despreciable y vil de los hombres: Zambudio.

La vida en el penal había cambiado para Pablo por varios motivos. Primero, y principal, porque periódicamente era un hombre libre. Segundo, porque de alguna manera ahora pertenecía a una de las familias, y eso tenía sus ventajas. Nadie lo molestaba y, además, ante lo fácil de su primer cometido, no le importó, a cambio de su nuevo estatus, hacer varios más. Así, poco a poco y casi sin darse cuenta, fue notando que los políticos lo buscaban y lo consideraban uno de los suyos, con lo que su prestigio ante el Domador subió muchos enteros y su ascendente sobre él aumentó, máxime porque el hombre era un tipo brutal y primitivo, y esa clase de personas admiran la cultura y los conocimientos. Además el hecho de que Pablo estudiara farmacia colmó la medida del otro, quien lo trataba de igual a igual.

Los de fuera también se fueron acostumbrando al nuevo correo e ignorando muchas cosas, como si era uno de los suyos o lo hacía presionado, fueron dándole un trato mucho más confianzudo, dentro, claro está, de las normales precauciones que debían tomarse al manejar asuntos tan peligrosos.

Le emocionó casar a Consuelo, pero tuvo buen cuidado de no dejar traslucir su nueva situación a su recién estrenado cuñado, al que de todas formas veía mucho menos porque después de la boda lo cambiaron de destino. En la enfermería se requería un cabo, y ahora Bernardo era sargento. De todas formas, un sexto sentido le decía que en el caso de no haber ascendido, también lo habrían apartado de su proximidad.

Su compañero de celda, sea por su nueva situación, sea por el tiempo que llevaban ya juntos, se volvió más comunicativo y en varias sesiones le contó su vida y el motivo de su ingreso allí. Él tomó nota mental del relato, otro más de los incontables que almacenaban aquellas paredes, y lo archivó.

Un día, estando en el patio, se le acercó el Domador en persona.

—Oye, que me dicen que te diga que le vas a dar un recado a tu compañero de celda. Que le digas que esté al loro.

—¿Quién te lo ha dicho?

—Un político.

La cosa quedó ahí. Transmitió el mensaje y, efectivamente, Remigio fue contactado. Le picaba la curiosidad sobre el tema que los políticos iban a tratar con Fuentes, pero no hizo falta preguntarle nada. Sólo volver, el otro se explayó.

—Querían saber algunos datos sobre el que atracó conmigo y mató al joyero. La fecha y qué hicimos luego. Y cuándo nos separamos. Se lo he dicho todo. No entiendo qué tiene que ver eso con el Zambudio —añadió Remigio.

—Ésos, como tú los llamas, no hacen nada sin motivo. Lo tienen todo muy bien montado, y si querían saber algo de ese compañero tuyo, por algo será —respondió Pablo.

Consuelo se habituó rápidamente a su nuevo estado y a su nueva forma de vida. Era sencillamente feliz. Tenía un marido estupendo, enamorado y muy hombre. Había descubierto todos los misterios de la vida. Le gustaba el sexo con él. Sus jóvenes años estaban en pie de guerra cada noche, pero habían decidido de común acuerdo que de momento no querían hijos. Solamente deseaban vivir el uno para el otro, así que Consuelo empezó a tomar la píldora.

La vida en la casa cuartel le encantaba. Su carácter abierto y servicial le atrajo rápidamente nuevas amigas, sobre todo entre las jóvenes. Sin embargo, ninguna ocupó el lugar de Tere, a la que escribía cada semana desde su boda.

Bernardo era sargento. ¡Qué guapo estaba de uniforme! Tenía un destino abierto. Había semanas que trabajaba en el economato del cuartel y otras que lo hacía en el penal. Decidieron ambos que ella vería a Pablo en la pensión en la que se alojaba cuando le permitieran salir, la que había sido su antigua residencia. Doña Marisa cuidaba a su hermano con el mismo esmero que antes le había dedicado a ella.

Los días le volaban y parecía que ese estado de gracia fuera a durar siempre, pero la primera discusión con su marido fue aquella noche. Llegaba Bernardo del penal, cansado y hambriento. Ella había preparado una verdura y luego croquetas de pollo, que le gustaban mucho. El trajín de la pasta le ocupó la tarde, pero la hacía feliz complacerlo. Él se sentó a la mesa pensativo.

—¿Qué tal hoy? —indagó Consuelo.

Bernardo se encogió de hombros sin contestar.

—Cuéntame, que tú sales al mundo y yo llevo todo el día aquí metida.

—Nada de particular. Un día como otros —respondió él.

Se sentaron a comer la verdura frente a frente y llegaron a las croquetas.

—Las he hecho para ti, que conste. ¿Qué pasa? ¿No quieres hablar?

—Prefiero no hacerlo.

—Pues yo lo prefiero —dijo ella mosqueada.

—Déjalo, Consuelo.

—No lo dejo, ea, ¿qué es lo que pasa?

—Tu hermano.

—¿Qué es lo que pasa con mi hermano? —dijo ella.

—No me gusta.

—Por Dios, ¿y qué es lo que no te gusta, que está pasando? —preguntó exasperada.

Él se arrancó.

—Yo ya no estoy de turno en la enfermería, pero me entero de lo que me conviene. Y tu hermano es mi cuñado, ¿me entiendes? —Ella calló, ansiosa, y él prosiguió—: Anda metido en un grupo de los malos, malos del penal, y no tenía ninguna necesidad porque él está aparte y en estos años se ha salvado de todas las mafias. Y que se haya comprometido tan a última hora me da mala espina. —Hizo una pausa y transcurrió un largo segundo entre ellos.

—No entiendo, Berni. —Cuando se ponía gata lo llamaba Berni.

—No hay nada que entender. Simplemente tu hermano se va a buscar un lío y me cabrea mucho no poder impedirlo.

—¿Cuándo sale? —preguntó Consuelo.

—El viernes le toca.

—Yo hablaré con él.

Quedaron los dos pensativos y se enfriaron las croquetas.

20

Paco Zambudio había encontrado su lugar en la vida. Aquella gente se portó bien con él y encontró lo que antes no había tenido, una familia. Los primeros meses pensó sacar partido de su situación, exprimirlos como un limón y, cuando le conviniera, humo. Pero poco a poco fue viendo lo difícil que era engañarlos y lo que les pasaba a los desertores, y casi sin darse cuenta fue entrando en el sistema. Lo adoctrinaron e hicieron de él un fanático dispuesto a todo. Su lógica no conocía tonos intermedios; las cosas eran blancas o negras, no existían los grises.

Le fueron inculcando ideas en las que jamás anteriormente se habría parado a pensar. Encarrilaron su brutalidad y justificaron siempre sus acciones, acallando los pocos escrúpulos que pudiera tener.

Le parecía que hacía un siglo que había llamado a la puerta de aquella casa de Bayona. ¡Había pasado tanta agua bajo los puentes...! Le dieron de comer, lo alojaron, le dieron un nuevo nombre y un nuevo apellido, y durante un tiempo no parecieron tener interés en pedirle contraprestación alguna. Después le nombraron un mentor, alguien que le dijo que ningún ser humano debía ser explotado por otro; le explicó lo que era la patria vasca, lo que era un *gudari* y qué representaba la ikurriña; le inculcó que el fin justificaba los medios y que matar por la libertad de Euskadi era justo.

Cuando estuvo maduro lo mandaron a Libia. Fue a Trípoli y luego, en un camión ruso de ocho ruedas y orugas, lo condujeron a un lugar al que tardó en llegar ocho horas. Eran trece en total los hombres que se bamboleaban sudorosos debajo de la lona del vehículo. Debían de estar a cuarenta grados. Sólo había otro español al que pudiera entender. Más adelante supo que sus compañeros de viaje habían sido cuatro palestinos, dos libaneses, dos japoneses y otros tres irlandeses, además de ellos dos.

Cuando pararon estaba molido, hambriento y con polvo hasta el ombligo. El sitio era un campamento camuflado en las lindes de un viejo castillo templario y adosado a su derruido muro. El último tramo del camino lo habían hecho empleando las orugas y saliéndose totalmente de las pistas del desierto.

—Debemos de estar cerca de Tines —le dijo el otro. Él no tenía puñetera idea y no respondió.

Una alambrada rodeaba el perímetro total. Cada doscientos metros se elevaba una torre de vigilancia, y arriba de ellas, equipados con prismáticos y armas automáticas, se ubicaban dos centinelas. Lejos y al fondo se veían unas hileras de barracones alineados. Las puertas se abrieron y los hicieron pasar en fila de a dos. Habían llegado aún más camiones e iba bajando gente, y abajo Paco contó unos doscientos hombres.

Pasaron todos. La puerta de la alambrada se cerró tras el último y se sintió enjaulado. Avanzaron, todos con sus pertrechos a cuestas. Los barracones fueron aumentando de tamaño según se iban acercando. Frente a cada uno de ellos había un hombre con un palo y encima del mismo un cartón escrito donde se podía leer «ESPAÑOL», «ENGLISH», «FRANÇAIS», e imaginó que también otros idiomas, pero él no entendía los caracteres japoneses, árabes o libaneses.

Todos se fueron colocando tras el correspondiente letrero, y se sorprendió cuando fue viendo que se iban sumando más tipos a su grupo. Quedó constituido finalmente por nueve hombres. El tipo del cartel se dirigió a ellos en castellano. Les indicó el barracón y la litera. Les enseñó las duchas y los váteres. A cada uno le asignó una taquilla. Luego se ducharon e hicieron de cuerpo. Se repartieron unos monos, botas, camisas y cinturones de lona. Todo pasaba muy deprisa. Los llevaron a comer a otro barracón. Les dieron platos de latón, cubiertos y una cantimplora que debían conservar cada uno. Allí cada grupo se fue conociendo; había gente de Galicia, un catalán, un asturiano, y el resto eran vascos. No eran precisamente tipos rudos. Algunos tenían pinta de estudiante y dos llevaban gafas. Al acabar la pitanza cada instructor recogió a su gente. Volvieron al barracón y, tras dejarlos sentar en sus catres, les habló el individuo.

—Vosotros estáis aquí por vuestra voluntad. El tiempo de instrucción variará según el interés que pongáis y lo aptos que seáis. Se os enseñará todo, y eso no es barato. Cada hombre cuesta un millón de pesetas que alguien paga, y ese alguien quiere resultados. Aprenderéis mil cosas. Manejaréis armas, explosivos, os orientaréis de noche y de día con un compás o con las estrellas, os defenderéis con las manos de un ataque con arma blanca. Aprenderéis que en una habitación hay quince o veinte objetos que sirven para matar. Montaréis una UCI en menos de diez segundos. Y cualquier trabajo anterior, por duro que haya sido, será como un cachondeo de niños comparado con lo que viene ahora. No intentéis largaros. Estáis comprometidos, y el desierto se encargaría de los que consiguiesen esquivar la vigilancia. Mi nombre es Jorge Dávalos; soy argentino hijo de españoles; mi dios es el Che Guevara, y mi último empleo fue cinco años en la legión extranjera.

Luego veía como una película que jamás olvidó. Los miró a todos y se dirigió al más fuerte. Era asturiano y después supo que había sido minero.

—Tú —le dijo—. Toma. —Le lanzó una bayoneta—. ¡Atácame!

El otro dudó un momento. Los demás miraban inmóviles.

El hombre se agachó, tomó el arma y empezó a girar agazapado en derredor del argentino. Éste, a su vez, lo seguía con los ojos sin adoptar una postura marcadamente defensiva. El tipo se abalanzó de repente, hubo un forcejeo y un grito de dolor. El asturiano voló cayendo al suelo. El cuchillo salió por los aires mientras él se sujetaba con la mano izquierda el antebrazo derecho. Lo tenía roto, el cúbito le salía a través de la carne.

—Llevadlo a la enfermería —dijo el instructor—. Está en el último barracón.

Dos compañeros lo ayudaron a levantarse y se lo llevaron.

La estancia de Zambudio en aquel paraíso duró ocho meses. Él se tenía por un tipo curtido y que había trabajado duro. ¡Caca de la vaca! Por la noche llegaban al catre y caían rendidos, algunos sin quitarse ni el mono. Aprendieron cosas inverosímiles, no sólo a nivel de armamento y lucha, sino a nivel psicológico; los instruían de teórica y práctica. Un japonés les enseñó a concentrarse hasta no sentir dolor. Aprendieron curas de urgencia con un médico húngaro. Tácticas de guerrilla urbana, cómo actuar entre multitudes, cómo desaparecer y camuflarse ante ojos vigilantes. Condujeron toda clase de vehículos y manejaron rayos infrarrojos para ver de noche a mil metros de distancia.

Zambudio se aplicó en ello como jamás lo había hecho anteriormente con cosa alguna. Decidió justificar el millón de pesetas que empleaban en él, y al acabar los ocho meses era una perfecta máquina de matar, ajustada, engrasada y a punto. De aquel sitio recordaría toda su vida dos cosas: el polvo, un polvo fino que se introducía en todos los agujeros de su cuerpo y que hacía que la saliva fuera como una pasta, y los cielos nocturnos. Podría jurar en arameo que las noches africanas tachonadas de estrellas eran el espectáculo más hermoso que pudiera visionar en este mundo ojo humano alguno.

21

Estaba nervioso e irritable. Las cosas se estaban poniendo incómodas últimamente y los problemas le aumentaban como el hambre en casa del pobre. Todo andaba mal. De alguna manera añoraba su vida anterior. Era rutinaria pero tranquila. Sabía que su tiempo se repartía entre la enfermería y sus estudios; estos últimos los había dejado por el momento. No disponía de paz y a cada instante lo requerían para algo. Sobre todo la semana que le tocaba salir, los recaditos se sucedían ininterrumpidamente, y la presión que soportaba al acercarse su próxima y ansiada libertad le quitaba el sueño y el sosiego. Calculaba que faltaban unos tres meses para cumplir, y veía amenazas y fantasmas por todas las esquinas.

Echado en su catre repasaba los últimos sucesos. Aquella mañana vino Celso a la enfermería. Le daba pena el tipo; tenía una fisura anal y eludía dar explicaciones. Pero todo se sabía y «radio macuto» funcionaba. Tras resistirse un tiempo por fin había caído en las garras de la Estanquera; sin embargo, esta vez no fue como tantas otras, de una manera brutal y forzada, no. No hubo una violación en los váteres de la segunda galería, con cuatro tipos agarrando a un pobre desgraciado y forzándolo. Esta vez la Estanquera se había enamorado, y Celso, a cambio de droga y favores, había cedido.

Ahora era un desecho humano. Había perdido doce kilos, tenía la mirada perdida y necesitaba el pico asiduamente. Lo curó, le dio una pomada y lo apuntó para el día siguiente. Celso se puso los pantalones y, de repente, se le arrodilló delante y le cogió la mano.

—¡Ayúdame! Por tu madre, ¡ayúdame o me voy a morir!

—¡Qué coño haces, tío! Levanta, venga, levanta.

Lo cogió del brazo y lo ayudó a levantarse del suelo. El otro sollozaba mientras se sentaba en la mesa de curas.

—Es un hijo de puta. Me ha metido en esto y ahora no lo puedo dejar. He de hacer todo lo que quiera; si no, me corta el suministro. Y me voy a morir... ¡Ayúdame!

—¿Qué quieres que haga, leche? Ya te avisé, pero nada. Aquí, en este jodido agujero, todo el mundo va de listo y no hacéis caso hasta que la mierda os llega hasta el cuello. Entonces sí, entonces «¡Papá, ayúdame!».

—¡Habla con el Domador, dile que me proteja! Haré lo que sea, todo lo que sea, menos lo que estoy haciendo.

El otro le recordaba subliminalmente que él también era un protegido. Sintió asco y lástima.

—Veré lo que puedo hacer —respondió malhumorado—. Ahora lárgate, y mañana cuando vuelvas le explicaré al médico que eres adicto y que te quieres salir, a ver si consigue apuntarte en algún programa de esos de rehabilitación que dirige. Es un buen tipo. Además, es nuevo y joven, y está lleno de ideales.

—¡Ayúdame y te pagaré!

—Venga, lárgate... Ya te he dicho que veré lo que puedo hacer.

Eso había sido por la mañana, antes de bajar al patio. Luego, ya en él, cuando hacía un minuto que tomaba el sol y disfrutaba de un cigarro, unos tipos se le acercaron.

—Te buscan los políticos —le musitaron—. Te quiere ver No.

Pablo apagó la colilla y fue a donde siempre.

—Oye, nos convendría que dieras un recado a tu cuñado, ¿no? —le dijo un tipo alto y gafudo que pasaba por ser el ideólogo del grupo y al que llamaban No.

El hecho de que Bernardo fuera el marido de su hermana era vox populi allá adentro.

—¿Qué recado?

—Podría ser un poco amable, ¿no?, y hacer un poco la vista gorda cuando está de guardia los días de visita, ¿no? Podría hacer eso por ti, ¿no?

—Tú no conoces a mi cuñado. El que haya discurrido esto está mal de la azotea —contestó.

—A ti no te cuesta nada probar, ¿no? —dijo el otro levantándose, y añadió suavemente—: Tú prueba y nos dices algo.

Él sabía que Bernardo sabía, y Bernardo sabía que él sabía, pero jamás tocaban el tema. Aunque su hermana se tragaba lo del economato, él era consciente de que la semana que el sargento Montero no tenía guardia en el penal estaba asignado a la sección antiterrorista de la Guardia Civil. Por otra parte, a Consuelo la veía poco y no todas las veces que salía la llamaba. Tuvieron una bronca importante y él le dijo que no se metiera en su vida y que desde fuera era muy fácil dar consejos. Y lo que no le había dicho nunca: que la culpa de que él estuviera allí era de ella. La mujer se puso roja de rabia y de pena. Dio media vuelta y se fue. Luego sí, la llamó un par de veces desde la pensión y se vieron, pero estaba de visita y nada era igual que antes.

Pidió permiso para ver a Bernardo. Estaba en su despacho. Lo hizo pasar.

—¡Hola! Siéntate —le dijo.

Pablo se sentó y midió sus palabras.

—¿Cómo está mi hermana?

—Bien, y si no la cabreas, mejor —respondió Bernardo refiriéndose de fijo al disgusto de la última vez.

—Bueno, al grano —respondió Pablo haciendo una pausa—. Tú sabes que uno, aquí dentro, tiene que vivir. Y no es fácil. Y hay tipos que te facilitan las cosas y te ayudan. —Paró para dar pie a que el otro metiera baza, pero Bernardo sólo miraba. Prosiguió—: El caso es que entre toda esta mierda hay muy poco tío inteligente y con el que se puedan cruzar tres palabras seguidas. Y si hay alguno, es entre los de arriba. —Hizo el gesto con la mano, el dedo alzado, indicando a los políticos. Continuó, no sin observar que su cuñado se había apretado una mano contra la otra y le blanqueaban los nudillos—. Se me ha dicho que te diga si no sería posible... —Hizo una pausa—. Por tu bien, claro está...

—Si no sería posible ¿qué? —dijo el otro.

—Bueno, pues que no te pasaras los viernes a la hora de las visitas. —Ya estaba dicho.

—¿Que no me pasara? ¿Qué quieres decir?

—Bueno, pues lo del exceso de celo y todo eso. Tú me entiendes.

Bernardo se levantó. Rodeó la mesa despacio, se fue hacia la puerta y la cerró. Luego se sentó frente a él.

—Mira, chico, antes me caías bien, pero ahora me das pena y asco. Sólo tenemos una cosa en común: tu hermana.

Voy a no darme por enterado de que me has venido a ver. ¡No me has visto! ¿Me entiendes? —Alzó la voz—. Y diles a esos inteligentes con los que se puede hablar que ya hay más de seiscientos compañeros míos bajo tierra, muertos a traición, que tenían mujeres e hijos, y que sé que hace tiempo andas con ellos dándote el pico. Y diles que no te conozco, y que si te pillo en algún lío, me dará igual que seas mi cuñado.

Pablo se levantó y fue a salir.

—Y diles también que me cisco en sus fanfarronadas. Que si me pasa algo, Consuelo será la viuda de un guardia civil, no de un jodido traidor hijo de puta. Y ahora, largo.

Pablo salió del despacho pálido. A medio camino de la enfermería lo esperaba No.

—¿Qué te ha dicho?

—No traga. —Y añadió—: Tú no conoces a mi cuñado.

—Él tampoco nos conoce bien a nosotros, ¿no?

Engracia tuvo un niño sietemesino, y lo tuvo en el hospital general de Cantabria. Apenas pudo levantarse, y eso fue el mismo día del parto, se hizo acompañar a la incubadora y lo escudriñó minuciosamente queriendo ver cosas. El niñito era igual que ella. Por más que se esforzó no pudo distinguir rastro alguno que le indicara la paternidad de la criatura. Sus sentimientos iban de la pena al amor más tierno. Igual podía ser el último resto de Aitor que el recuerdo eterno de su noche negra, pero aquel trocito de carne no tenía la culpa de nada. Su corazón de madre lo amó en exceso desde el primer momento. Aquél era un hijo especial, y en él volcaría toda su vida de una forma absoluta y entregada. Los otros dos habían tenido padre. Ella haría de padre y madre para éste. Pediría a Dios fuerzas para llevar su carga, y se juró a sí misma que aquel pequeño ser no iba a saber jamás su origen.

Con un permiso especial pedido al obispado, su cuñada Elena fue la madrina. Y el padrino fue su abuelo materno. Engracia le debía aquello a su padre, ya que el hombre desde la muerte de su yerno había entrado en una depresión y no levantaba cabeza. Lo llamó Esteban, como él.

22

Habían calibrado exactamente sus limitaciones. Juan Atienza Gómez, que así bautizaron a Zambudio, era el perfecto soldado. Hacía justamente su cometido y jamás cuestionaba una orden. Lo suyo era la calle y la acción; él no planificaba ni entendía de logística y se aburría soberanamente al lado de un teléfono esperando un mensaje. Pero para el atraco a un banco, para un rapto o para manejar explosivos o aparcar un coche bomba, era el tipo indicado.

Su punto de brutalidad, que no había perdido y sí sublimado, aterrorizaba a sus víctimas y facilitaba las operaciones. Pronto tuvo muertes en su currículum. Gentes a las que antes vio la cara y otras anónimas y peregrinas que la mala fortuna o su infausto destino hicieron que en aquel momento pasaran por allí o que estuvieran comprando en aquellos almacenes. Le gustaba dejar la impronta de su estilo en cuantas misiones participaba, y esa reiteración de costumbres o esa especie de firma que dejaba en su trabajo hizo que la policía tuviera con el tiempo un retrato robot psíquico de Juan Atienza Gómez, retrato que luego sería físico.

Su ego se colmó cuando salió en los papeles. Él compuso un comando itinerante que trabajó en Madrid, Sevilla y Barcelona. Y un día, un glorioso día para él, el más importante de su vida, allí, en la primera página de *El País*, estaba su foto. Bueno, no exactamente, estaba la cara dibujada de un tipo que podía haber sido su hermano gemelo. La descripción la habían dado varias personas que lo habían visto en la calle el día que, junto con Aguirre, había aparcado un coche bomba al lado del antiguo palacio del marqués de Muerza, que servía de archivo general del terrorismo. Esos testigos, dando su descripción por separado a un dibujante de la policía, habían hecho que éste lo sacara de aquella guisa. Se encontró guapo y todo, quizá algo más joven. Supo después que su foto estaba expuesta en los aeropuertos y comisarías como muy peligroso, y un guardia civil con muy buena memoria la cotejó, casi por casualidad, con otra tomada con una Polaroid. Sus jefes ordenaron retirarlo prudentemente durante algún tiempo de la circulación. Lo enviaron a Bretaña y lo metieron, para limpiarlo, en el congelador. Así llamaban comúnmente a una finca grande y discreta en la que se acogía provisionalmente a todos aquellos a los que convenía enfriar su historial. Los cuidaban, les daban bien de comer, los proveían de películas de cine porno y de chicas... Lo único que no podían hacer era salir, hasta que los llamaran de nuevo para algo.

La redada fue general; algo así como lanzar una piedra en medio de un estanque; el agua empieza a moverse en pequeñas ondas y alcanza rápidamente los bordes. En Barcelona la policía puso un control inesperado en la calle Capitán Arenas; un coche se salió rápidamente de la fila e intentó ir en la dirección contraria. Se le dio el alto; no se detuvo. Se disparó al aire; continuó. Otro coche bajaba la calle en aquel momento. El Renault que huía se subió a la acera violentamente chocando contra una farola. De él salieron tres individuos, dos hombres y una mujer; llevaban armas automáticas. Se oyeron disparos. Uno de los dos fugitivos fue alcanzado. Un policía cayó apoyándose en un furgón mientras un compañero lo ayudaba a sostenerse en pie, en tanto un rosetón de sangre se iba agrandando en su camisa y él musitaba «Me han dado, me han dado».

El hombre y la mujer intentaron huir. La gente se refugió en las tiendas y en las porterías. En un momento todo fue un pandemónium. Cuando se vieron rodeados, bajaron las armas y se entregaron. Ambulancias, luces, nuevos efectivos de la policía, la calle acordonada, el público que empezaba a asomarse curioso y prudente, los guardias que obligaban a circular.

Al día siguiente *La Vanguardia* publicaba en primera página: «Golpe importante a la infraestructura de ETA en Barcelona. Ayer a las once treinta de la mañana, en un control rutinario establecido por la policía barcelonesa en la calle Capitán Arenas, fue detenido un Renault color azul que había sido robado anteriormente y cambiadas sus placas de matrícula. Dos hombres y una mujer descendieron de él intentando huir tras chocar el vehículo contra un farol de alumbrado en una violenta maniobra, abriendo fuego contra las fuerzas del orden, quienes, a su vez, se vieron obligadas a repelerlo. En el intercambio de disparos fueron alcanzados un policía nacional y uno de los ocupantes del vehículo. Ambos fueron ingresados en centros hospitalarios de la ciudad. Los casquillos de bala recogidos en el lugar de la acción eran del tipo 9 milímetros Parabellum, munición habitual de la banda terrorista ETA».

Y al día siguiente, en una nota en la página dieciocho se leía: «Tiroteo y detención en la calle Capitán Arenas de Barcelona. Dábamos cuenta ayer del grave suceso ocurrido en la calle Capitán Arenas de Barcelona. La policía guarda un absoluto hermetismo referente al mismo ya que el caso no está cerrado y las investigaciones siguen su curso. El policía ingresado en el hospital Clínico, tras ser intervenido, continúa en la UVI y su estado es grave. El delincuente presentaba una herida de bala en sedal, en el muslo derecho; el parte médico es de pronóstico reservado».

Y, al tercer día: «Tras la detención practicada el martes pasado y tras un exhaustivo interrogatorio, la Policía Nacional, en colaboración con la Guardia Civil, ha descubierto dos pisos francos en Barcelona y Gerona, respectivamente. ETA había contactado en la Ciudad Condal con la organización Terra Lliure y preparaba la infraestructura militar de esta última para cometer diversas acciones contra la paz y la seguridad ciudadana. El primero de los pisos situados en la calle del Parque Luque en Hospitalet había sido alquilado hacía tres meses por una pareja que dijo ser matrimonio y a la que todos sus vecinos catalogaron de amable y correcta aunque un poco reservada. En él se han encontrado un fusil UCI, tres pistolas Parabellum, un lanzagranadas, dos kilos de goma-2, un kilo de clorita y dos ollas a presión con tornillería y trozos de hierro; documentación perteneciente a tres coches robados, así como una máquina para falsificar documentos, entre estos últimos, a destacar, un gran número de DNI ya confeccionados con foto, huella y nombre y disimulados en la base de una licuadora para zumos. Por su parte, nuestro colega de *Los Sitios*, de Gerona, da noticia de que la Guardia Civil ha detectado en esa ciudad un piso franco y una plaza de parking sitos en la calle General Castaños, número 6, ambos en el mismo edificio; esta última ocupada por un Land Rover. Estaban siendo vigilados ambos lugares desde hace días, esperando la vuelta del titular, que ha resultado ser el hombre herido en la refriega de antes de ayer en la calle Capitán Arenas. Por el momento no se dan noticias de lo encontrado dentro del piso porque la investigación no está cerrada».

Éstas fueron las piedras lanzadas al estanque. De allí salieron las ondas que llegaron a Santander. Nombres y más nombres; liberados, comandos, enlaces, correos, etcétera. Entre estos últimos el nombre de Pablo Pimentel, enfermero del penal del Dueso que hacía meses era colaborador y simpatizante de ETA. La máquina se puso en marcha, y después le cayó la espera de nuevo juicio y la cancelación de todas sus ventajas y prerrogativas. La Guardia Civil era mucho más dura con todo lo que oliera a ETA que con lo demás. Pablo dejó su celda y se integró con los políticos. Solamente mejoró en una cosa: la admiración del Domador, para el que su prestigio alcanzó límites insospechados. Así, si alguien se acercaba al corro del patio que este último presidía, se le oía decir invariablemente:

—Ya os lo decía yo. El enfermero vale mucho. Tiene estudios y un par de huevos. Lo han fichado los de arriba. Ése no es carne de mierda como vosotros.

El disgusto de Consuelo fue inmenso. Lloró desconsoladamente y se autoculpó.

—Si no llega a ser por mí, no estaría en ese horrible sitio y no habría conocido jamás a esa gente.

Bernardo intentaba calmarla.

—Él solito se lo ha buscado. Mira que se lo advertí, Consuelo. La maravilla del ser humano es que siempre puede escoger. —Luego la razonaba—. El destino se lo hace cada uno... Y yo no te habría conocido.

Pero ella no cejaba y casi lo lastimaba.

—A este precio, habría preferido no conocerte.

Bernardo no respondía e intentaba comprenderla. Y cuando ya se calmaba un poco, se decía:

—No llores así, nena. Que nuestro hijo va a nacer triste.

Y diciendo esto le palpaba el vientre con un amor grande, y al cabo de un rato ella se dormía con todo el rostro húmedo y él no se atrevía a retirar su brazo por temor a que se despertara.

23

Era Navidad. La misa del gallo había sido preciosa. La familia estaba reunida en casa de los abuelos. Los hombres estaban en el salón y las mujeres se atareaban en los últimos preparativos de la cena.

La mesa del comedor presentaba un aspecto magnífico. Arrastraba hasta el suelo un mantel de hilo crudo que había sido de la bisabuela y que Engracia llevó en el ajuar el día de su boda. Diez cubiertos se repartían a lo largo de la mesa, cuatro a cada lado y uno en cada presidencia. A un lado se sentarían Rafael, su mujer y su hijo y, al lado de éste, el hijo mayor de Engracia, Rafaelito, que era de la misma edad, y que además quería estar junto a su padrino; al otro lado, Engracia, Emilito, su cuñada Elena, que vestía de calle para la ocasión, y, junto a su madrina, el pequeño Esteban, que había cumplido tres años; los abuelos ocuparían las presidencias.

Los platos de la vajilla eran de La Cartuja, y la cubertería, la de las fiestas; salía tres veces al año. En el centro, un gran ramo de flores hecho para la ocasión, que cada año le enviaba Rafael a su madre. Alrededor del mismo, cuatro angelotes en diversas posturas con los taparrabos de colores distintos; el azul daba la voltereta, el naranja se apoyaba en un bracito..., todos eran diferentes. Las copas, alineadas, y a ambos lados del centro, dos candelabros con las velas apagadas, que en el momento de los villancicos se encenderían.

La estancia estaba caliente y la chimenea mantenía un fuego hermoso y cambiante. Al lado de ella, un belén de terracota que tenía un Niño Jesús más grande que el resto de las figuras; sin embargo, nadie se permitía el lujo de opinar porque era de Elena y se lo bajaba cada año del convento. Al fondo, al lado del tresillo, la mesa con siete tazas de café preparadas para los mayores y una más porque siempre a esa hora se sumaba Edelmiro, uno de los amigos íntimos de Rafael, que tocaba el piano y cantaba maravillosamente.

Para que fuera total la Navidad, unos copos grandes, blancos y algodonosos caían lentamente y se depositaban en el alféizar del gran ventanal del comedor.

Engracia pensaba. Su suegra y su cuñada no la dejaban trabajar y la echaban de la cocina; decían que demasiado trabajaba en su casa el resto del año. Realmente, así era. Ella sola se empeñó en sacar su vida y la de sus hijos adelante. Todos la ayudaron; sobre todo Rafael, Eugenio y Edelmiro, éstos en los trabajos que ella no podía hacer y mayormente al principio, cuando, recién parida, regresó a su casa. Pero determinar, mandar, decidir u ocuparse de los chicos, eso lo hacía ella. Además, cosa que con los otros Aitor no la había dejado, en esa ocasión se empeñó en dar de mamar al pequeño Esteban y, ¡mira por dónde!, encontró en ello un gozo y un consuelo inimaginable hasta el punto que aquéllos fueron los mejores ratos de sus tristes días.

Veía caer la nieve y su pensamiento volaba como un zorzal herido. ¡Qué suerte tenía la monja de tener esa fe inamovible que a ella le faltaba! ¿Dónde estabas, Dios, el día que dejaste que el árbol se abatiera y abatiese en su caída la vida de Aitor? ¿Dónde estabas cuando entraron en mi casa y me violaron? ¿Dónde? Elena decía siempre que los caminos del Señor son muy extraños, y cuando Engracia se lo oía, miraba al pequeño Esteban y pensaba que a lo peor lo concibió aquella noche. Pero no, no. Tenía que ser de Aitor. El caso es que estaba allí, lleno de vida, inquieto como la ventisca, y por más que lo mirara y quisiera ver un parecido, como una gota de agua a otra, a ella era a quien se parecía. Algo se bloqueó en su mente y pensó que su hijo nació de ella, sin padre, como el Niño Jesús grandote que estaba presidiendo el pesebre.

Pasaban ya cuatro años de todo aquello y Esteban había cumplido los tres. Rafaelito era un hombre de once y Emilio tenía ya cinco. Nunca tendría ya una niña, ¡la de veces que la habían deseado!

Su cuñado, en los días festivos, ayudado por Edelmiro y Eugenio, le había arreglado la carpintería y la vivienda contigua; había reducido la primera y agrandado la última, de modo que de aquel cuartucho de mal recuerdo había salido una estancia de cuatro piezas donde se alojaban un matrimonio que había cogido como aparceros y sus dos hijos, un chico y una chica que tenían aproximadamente la edad de sus pequeños, cinco y tres años respectivamente.

El tiempo acompañó y fueron años buenos. Todo tenía vida; el campo, los cobertizos, los corrales..., todo, menos ella. Se daba cuenta, como mujer que era, de que Edelmiro estaba por ella y de que los demás lo achuchaban; pero ella no le daba pie para no tener que darle calabazas porque lo quería mucho como el gran amigo que era y no deseaba perderlo. Por eso, cuando su suegra decía «A estos niños les hace falta un padre», ella hacía como que no se enteraba. O si Rafael, su cuñado, comentaba «Un hombre es lo que hace falta en esta casa», ella le respondía: «Ya tengo tres». Aun así cada noche de invierno, al acostarse, cuando le invadían sus miedos al futuro y sus soledades, dirigía su vista primeramente a la foto de Aitor, que arremangado y sonriente la miraba desde el marco grande de su mesa de noche, y después miraba a la cuna de Esteban, que dormía como un ángel rubio a los pies de su cama.

24

Lo habían llevado otra vez a San Sebastián, donde la lluvia fina y persistente de siempre humedecía el paisaje urbano. El cielo tenía tonos plomizos y las luces de los semáforos rielaban en los charcos de la avenida.

La costumbre del nuevo hábito adquirido lo obligaba a caminar con precaución. Con el rabillo del ojo iba observando el otro lado del paseo para distinguir al posible seguidor. Asimismo, de vez en cuando, volvía sobre sus pasos como si quisiera ver algo en un escaparate anterior y observaba si alguna persona en aquel momento intentaba cambiar de rumbo. Nada, no pasaba nada de particular. Estaba parado frente a una joyería. ¿Por qué le gustarían tanto esas chorradas brillantes? Recordó a su joyero; bien muerto estaba. Levantó la vista y se miró en el escaparate. Nadie habría reconocido en él a aquel zafio individuo que cuatro años antes rondó aquellos parajes. Se vio bien; delgado, con gafas de cristales neutros, sin barba, un chubasquero, trinchera y, ¡cómo no!, boina. El treinta por ciento de los tipos que con él se cruzaban iban trajeados igualmente. El disfraz más común, en un día lluvioso en la ciudad, era el suyo.

El sirimiri seguía pertinaz. Y Juan Atienza Gómez miró, con un gesto mecánico, su reloj de pulsera; todavía faltaba más de hora y media para su cita, y andando desde allí, no tardaría ni veinte minutos.

Decidió refugiarse en un bar de la avenida y tomarse un vino. Caminó un corto trecho y entró en un establecimiento estrecho y alargado que estaba justo en la esquina de la calle Loyola que daba al Buen Pastor. El Tubo precisamente se llamaba. Traspasó la puerta y, rápidamente, aumentaron los decibelios de sonido que agredieron su oído. Después de tantos meses en el campo, los ruidos le molestaban.

Fue hacia el fondo. Su manía de no tener gente a la espalda no remitía. Un sitio quedaba en la barra, entre una pareja y una peña que hablaba de fútbol. Aguzó el oído, deformación profesional. La chica recriminaba al hombre una infidelidad. Los del fútbol hablaban de la Real Sociedad y discutían sobre si era mejor Artola o Urruticoechea.

—¿Qué va a ser?

—Ponme un vino. —Se extrañó al oír su propia voz. Hacía mucho que no hablaba.

El vaso apareció ante él.

—¿Qué te debo? —Le gustaba pagar en cuanto le ponían algo.

—Setenta y cinco pesetas.

Dejó en el platillo el cambio y bebió despacio. ¡Cuántas cosas en cuatro años y pico! De ser un don nadie que andaba perseguido, huyendo, sin otra finalidad en la vida que comer y follar, a lo que era actualmente, mediaba un abismo. Era alguien, se contaba con él, lo que le encomendaban lo ejecutaba siempre, y en su cabeza había cosas mucho más importantes que sobrevivir. Tenía ideales, era un *gudari*; primero, el deber; luego, cuando había tiempo, el placer, ¿por qué no? Inclusive este último, tras una acción cumpliendo una orden, era mucho más intenso; la descarga de adrenalina era mucho más profunda porque cada vez podía ser la última. Repasó mentalmente sus polvos; mujeres más o menos diestras en el catre pero, al fin, amores mercenarios. El pensamiento dominante de todas sus andanzas y huidas todavía era Engracia. Le gustaría verla una vez más, y seguro que ella no lo reconocería... ¡Había cambiado tanto!, por fuera y por dentro.

Volvió a mirar la hora. Le quedaban cuarenta y cinco minutos. Se fue al teléfono público para comprobar la convocatoria. Metió los duros.

—¿Sí? —dijo una voz.

—¿Taller de Pablo?

—Aquí es.

—Solamente preguntar si la furgoneta estará lista a las ocho.

—Exacto. Sé puntual porque cerramos.

Colgó el auricular.

—Bueno, che, ¿te cobrás o me voy? ¡Cómo se ve que tenés mucha guita!

¡Leche! Aquella voz. Se volvió.

—Ya pagarás mañana —le contestaron.

Era la cabrona que le había robado el sello. Su instinto fue agarrarla por el pescuezo cuando ya salía. Eso habría hecho antes, pero ahora era un soldado.

—¿Conoces a ésa? —preguntó al camarero como de pasada.

—La conozco de verla.

—¿Viene mucho?

—Cada noche —respondió el otro.

Atienza-Zambudio sonrió y salió. Se dirigió con paso rápido al taller de Pablo en Amara. Había parado de llover. Descendió por la avenida hasta el lado izquierdo del Urumea. El río bajaba sucio y subido; se veía que hacía días que la lluvia enriquecía su cauce. Había oscurecido del todo. Caminó ligero pero sin precipitarse. Aquel trozo estaba poco concurrido. Al llegar a Amara, torció por una calle a la derecha; calle Fermín Urmeneta, rezaba la placa. Buscó su dirección. Era un taller de reparación de automóviles, con el vado pintado de rojo y las paredes a ambos lados de la puerta pintadas a franjas rojas y blancas.

Unas piernas enfundadas en un mono salían de debajo de una camioneta.

—¡Buenas noches! —dijo.

Las piernas empezaron a moverse y se asomó un tipo con la cara llena de grasa; sin duda alguna, era el mecánico.

—Son las ocho en punto —añadió Zambudio mirando su reloj—. ¿Está lista la furgoneta?

—Ya está. Vaya a la puerta del fondo a pagar mientras yo aparto este coche para que pueda salir —dijo el mecánico señalando a un vehículo que estaba arreglando, en tanto le metía un gato para levantarlo de la parte de atrás.

Zambudio no respondió y se dirigió a una puerta que había al fondo y en cuyo rótulo podía leerse «DESPACHO». Llamó. No respondió nadie. Abrió la puerta y, sólo traspasarla, vio una pequeña escalera de caracol, de madera, que ascendía hacia un altillo. Avanzó.

—Espera. —Una voz sonó a su espalda—. No te muevas —ordenó.

Permaneció quieto. Notó que se acercaba alguien. Sabía que lo estaban encañonando con un arma.

—¿De dónde vienes?

—Bretaña —respondió.

—Juan Atienza ¿qué más?

—Gómez —dijo.

—¿Antes Paco?

—Zambudio.

Notó que una mano lo cacheaba. Iba desarmado y estaba tranquilo. Las precauciones eran normales. La mano acabó su misión.

—Sube. No te vuelvas.

Subió lentamente la escalera. Arriba lo esperaban.

—*Gora ETA* —saludó el nuevo anfitrión.

—*Gora* —dijo él.

—Sígueme.

Lo pasaron a otra habitación en la que habían cinco individuos. Miró detenidamente las caras de los presentes. Sólo conocía a uno, Aguirre; habían trabajado juntos en Madrid. Lo saludó con un breve movimiento de cabeza. El que parecía llevar la voz cantante le indicó con un gesto que tomara asiento. Por lo visto era el último que esperaban.

—Cierra la puerta y quedaos fuera los dos. Tú arriba y Antón abajo.

La orden iba para el que lo había acompañado. El introductor obedeció. Se hizo un silencio expectante. El que había hablado se fue a la pared y tiró de una cortinilla. Apareció una pantalla.

—Apaga la luz —ordenó el tipo, y alguien al fondo obedeció, quedando todo en penumbra—. Empieza.

Se iluminó la pantalla y fueron proyectándose una serie de diapositivas con la consiguiente explicación, que impartía con un largo puntero el que presumiblemente era el jefe.

La cosa duró una hora aproximadamente. Al terminar, y obedeciendo órdenes, fueron saliendo por una puerta excusada, de dos en dos, a intervalos de cinco minutos. Él lo hizo con Aguirre. Le habían encomendado una misión y entraba de nuevo en combate. Un viejo cosquilleo conocido le recorría la espina dorsal. La acción lo ponía cachondo y le alegraba, porque los méritos se hacían en combate y los ascensos se conseguían ahí, en la guerra. Y aquélla era su guerra.

25

—Es muy pequeño. Dejadlo en paz. Si quiere jugar a muñecas con Mayte no lo fastidiéis. Todos los días lo mismo, ya no puedo más. Jugad a otra cosa. Si os falta un portero, ponéis piedras o no juguéis al fútbol. —La que así hablaba era Engracia, y los reprendidos, sus hijos Rafael y Emilio, y Gabriel, el hijo de los aparceros.

—Es que chutamos a puerta y se va la pelota a la acequia —argumentó su hijo mayor.

—Esteban no va a hacer de recadero. Es muy pequeño y vosotros abusáis de él. —Se dirigió a Mayte—. Tú juega con él, y si esos brutos os molestan, me avisas.

La niña, con cara de triunfo femenino, tomó a Esteban de la mano.

—No llores, que no vale la pena. Vámonos, que hemos de dar el biberón al muñeco y luego haremos comiditas tú y yo.

El niño dejó de hacer pucheros y siguió a la chica. Los tres derrotados se fueron mascullando imprecaciones sobre las injusticias de los mayores, y cuando la madre se retiró, Rafaelito se volvió.

—Nena, que eres una nena. —Los otros dos corearon sus voces.

—Déjalos, no les hagas caso —dijo Mayte. Esteban se desasió de su mano y se largó escalera arriba detrás de su madre.

—Mamá, ya empiezan otra vez.

Los tres salieron zumbando y mientras corrían se oían sus voces: «Acusica, acusica».

Consuelo salía del cuartel para el paseo matinal de Carmelo, que así se llamaba su hijo. El domingo anterior había cumplido seis meses y estaba hecho una hermosura.

Las alegrías de la maternidad fueron cercenadas por el temor de lo que le pudiera acontecer a su hermano. Lo sentía con toda su alma, pero Bernardo tenía razón: él se lo había buscado.

Y finalmente, tras muchas horas de darle vueltas y de comentarlo con su marido, fue perdiendo su complejo de culpabilidad. Ella era una cría, y el hecho de llegar a casa llorosa porque su cuñada, que le llevaba diez años, la hubiera humillado de aquella manera en el baile de Sesiego no era motivo para una acción así. No había relación causa-efecto, y la respuesta de sus hermanos fue del todo desmedida. Bien es cierto que ella sí fue el catalizador desencadenante de aquel drama, pero de no mediar la agresión de Isabel, antes o después habrían aprovechado cualquier excusa para engancharse, aunque ninguno de los tres protagonistas pensara en ningún momento que aquello acabara en muerte.

A partir de ahí, y habiendo colocado todas las piezas en su estantería mental, decidió no atormentarse más. Iría a ver cuantas veces pudiera a Pablo, siempre que éste no atacara a su marido, y si lo hacía, ella se marcharía. Y así tantas veces como fueran necesarias para que su hermano comprendiera que si quería algo de ella era condición sine qua non que no hablara mal de Bernardo. Éste le había dado estatus de cínico a Pablo, y si bien la dejaba ir cuantas veces quisiera a visitar al preso, le tenía prohibido hablarle de él y mucho menos que le pidiera algo que rozara el reglamento. Ella lo comprendió y la cosa siguió un derrotero transitable para ambos.

—Déjame ver al crío, Consuelo. —El sargento Escámez estaba de guardia aquella mañana; era un tipo encantador, como encantadora era su mujer, pero no tenían hijos y cada vez que veían a Carmelillo se les caía la baba.

—Aquí lo tiene usted —respondió Consuelo deteniendo el cochecito y retirando la capota para mostrarlo mejor.

—¿Me lo dejas coger? —preguntó.

—Me lo van a malcriar —dijo ella en tanto cogía al crío y se lo entregaba.

El sargento lo tomó en brazos y haciéndole carantoñas lo metió en el cuerpo de guardia.

—¿Quién te quiere más que el tío Pepe?

El niño movía los bracitos contento.

Consuelo se distrajo un momento; se sabía de memoria aquella estancia: el perchero en el ángulo, la mesa al fondo, la foto del Caudillo y, en la pared, aquellas seis caras de desconocidos que mataban guardias civiles. Desconocidos cinco, porque la segunda empezando por la izquierda, en la segunda fila, ella la había visto; no podía recordar dónde y cuándo, pero la había visto. Aquellos ojitos hundidos, el cráneo apepinado y la melladura en el maxilar inferior era como una foto fija en su recuerdo.

—Pero ¿cómo le da un chupa-chups? ¿Está usted loco? —Había vuelto al mundo en el momento en que el sargento le daba el caramelo al niño—. Traiga, traiga. —Recuperó al chiquillo, que empezaba a hacer un puchero. El hombre ponía cara como de no entender lo que había hecho mal y ella, mientras colocaba a Carmelo en el cochecito, iba murmurando—: Estos hombres, Dios mío, estos hombres.

Pablo había cambiado. Ya no estudiaba farmacia y la amargura no lo dejaba en paz. ¡Pensar que le faltaban días para cumplir y por tres jodidos recados le pasaba aquello...! ¡Qué fácil resultaba para los jueces condenar a años o a meses a la gente! Pero ¡qué diferencia había entre el tiempo exterior y el de la cárcel! Los hombres enjaulados envejecían rápidamente. Un año allí era como tres fuera. Lo único importante en la vida era el tiempo. Su mente se disparaba y filosofaba. ¿Cuánto vive un ser humano? ¿Setenta y cinco, ochenta años? Todos los que perdía allí perdidos estaban, ésos no volverían jamás. Años de vivir, viajar, ver, amar. El dinero iba y venía, la salud también, pero el tiempo, en los pasillos de los pasos perdidos, ése no volvería nunca. Seis años, seis, como los carteles de toros, perdidos para siempre allá dentro. Su destino estaba marcado por la desgracia. Él no quiso jamás matar a Braulio, pero ocurrió. De no mediar aquella mala suerte, jamás habría parado allí dentro y, por lo tanto, no lo habrían presionado jamás y no habría tenido la necesidad de pringarse en aquello. Y, ahora, a esperar juicio y condena. Suerte negra la suya.

Lo sacó de su ensimismamiento No.

—Piensas, ¿no?

—Es lo único que se puede hacer aquí, ¿no? —Se le pegaba la muletilla siempre que hablaba con aquel tipo.

—Toma; lee esto. Te gustará —añadió alargándole un libro—. *La lucha por la libertad* —leyó—. Es bueno —añadió.

Lo único que había cambiado era el trato que le dispensaban, pensó tomando el libro. Allí nadie se metía con aquella gente. Los políticos hacían lo que les daba la gana; tenían librería, recreo aparte, tableros de baloncesto, y cuando querían algo, lo pedían y al día siguiente se salían con la suya. Ni tan siquiera había que ocultar algo en los registros rutinarios que se efectuaban. Antes de provocar a los políticos, los vigilantes pasaban de todo; excepto su cuñado, ¡maldita fuera! ¡Hasta en eso Pablo tenía mala suerte!

26

Bernardo era feliz. Sabedor de la dureza de la vida y de lo escaso de aquella mercancía, saboreaba cada instante lentamente; quería ser consciente de todas las pequeñas cosas que alambicaban aquel dulce estado. Le gustaba su trabajo, se había casado enamorado y, en un maravilloso olvido, en un tonto fallo, Consuelo había quedado embarazada y su hijo era una maravilla. Se negaba a conjugar el pasado en un futuro, pensando «qué feliz era cuando tuve a mi hijo». Quería darse cuenta en el presente.

Sus costumbres habían variado notablemente. Ya no le divertían las interminables partidas de mus con los compañeros. No le gustaba apostar dinero, ni ganarlo, ni perderlo; eso lo dejaba para los guardias jóvenes. Consideraba que el tiempo encerrado en la cantina era tiempo perdido. Y, además, no era el lugar que correspondía a un sargento de la Guardia Civil. ¿Que otros lo hacían? Allá ellos. No los criticaba. Pero no compartía esa afición.

Su trabajo tenía dos vertientes; una, lo aburría; lo otra, lo apasionaba; aunque procuraba poner el máximo celo en ambos cometidos. La primera era su semana de guardia en el penal y el control de visitas; era una faena anodina y rutinaria; no era ni duro ni condescendiente, se atenía al reglamento. La segunda, la hacía gustoso. Él era un elemento importante, un eslabón necesario, dentro del servicio de información de la Guardia Civil en su lucha constante contra el terrorismo. Su labor tenía múltiples facetas; desde la paciente del estudio de atentados y síntomas, el modus operandi, el factor repetitivo, todo cuanto conllevaba a adivinar los futuros movimientos de aquella panda de asesinos, hasta el estudio particularizado del fichero para adelantarse a las maniobras que se iban a hacer y poder, así, explicar a sus jefes lo que su estudio e intuición le dictaban, a requerimiento de los mismos, por supuesto; pasando por el perfecto conocimiento de la zona que su acuartelamiento tenía asignada para neutralizar los posibles ataques que ETA intentara realizar allí. Era como una triste y dramática partida de ajedrez en la que había que presentir los movimientos del rival para neutralizarlo. Pero allí no se mataban torres o caballos. Allí morían guardias civiles, policías nacionales, municipales, aforados o paisanos, en una terrible e inútil guerra que sólo los ciegos podían creer que servía para algo. Era la sangre más inútilmente derramada de todo el mundo. España, según él, no podía desmembrarse a gusto de cuatro fanáticos y, aun reconociendo todas las prerrogativas y diferencias que podía haber entre las diferentes culturas ibéricas, aquello jamás sería un rompimiento; al contrario, debía ser un enriquecimiento mutuo para aprender y tomar lo mejor de los otros y sumarlo, no restarlo. Todo el tirón de trabajo de los catalanes, copiarlo. La tenacidad de los aragoneses, sumarla. La entereza de los castellanos, asumirla. Y así con todas las demás autonomías, que, según su criterio, no debían haber sido más que tres, ya que las demás se encontraron con el juguete sin desearlo y, bueno, «si me lo das, vale, pero yo no lo quería». El hecho... era indiscutible. La personalidad de Euskadi ahí estaba. Y la condición catalana y su vocación mediterránea arrancaba de hechos históricos inamovibles. Lo mismo que el origen galaico. Creía que su lengua, sus costumbres, su cultura y su misma esencia debían ser respetadas al máximo, pero dentro del marco de la convivencia pacífica y en la democracia, no a golpe de metralleta y de sinrazón. Por eso le apasionaba tanto aquella parte de su tarea.

Había cambiado sus costumbres y combinaba su esparcimiento con su vocación, porque Bernardo Montero era guardia civil las veinticuatro horas del día y los siete días de la semana. Los días de fiesta se había montado un nuevo deporte: la bicicleta de montaña. Salía del cuartel por la mañana temprano, en su Gordini, que aún estaba pagando a plazos, colocaba los hierros en su baca para fijar la bici de tres platos y siete piñones que le había regalado Consuelo por su santo y se desplazaba a la falda de cualquier monte de la provincia. Allí dejaba el coche aparcado, bajaba la bicicleta y, pertinentemente pertrechado, se lanzaba a la caza y captura de nuevos caminos y paisajes recónditos.

Al común equipo de un ciclista cualquiera sumaba una mochila en la que el guardia civil llevaba unos prismáticos, una brújula y la pistola de reglamento.

—¡Qué guapo te pones cada sábado! —Era Consuelo que, con el crío en brazos, hablaba a su marido.

—Fíjate, ya ves, un chándal y unas zapatillas.

—Sí, sí, pero al campo y a pasear, con todas las solteras de Santander esperando.

—Seguro, no tienen nada mejor que hacer y en esta provincia no hay machos —bromeó él.

—Sí, sí, pero yo aquí me quedo con Carmelo, preparando la tonelada de comida que engullirás cuando vuelvas.

—Goza de tu hijo, que el año que viene le compro una bici y me lo llevo conmigo.

—Anda, lárgate, lárgate, que si no...

—Si no ¿qué? —dijo retador.

—Si no, dejo a Rosa el crío y me meto en la cama contigo.

—¿Y?

—Y le hacemos una hermanita a éste.

Bernardo sonrió. Besó a su mujer y a su hijo, y tomó su pequeña mochila.

—Huele a cocido. Voy a volver con un hambre de lobo. Y, si eres buena, luego haremos la siesta.

—Anda ya y vete. ¡Hombres! ¡Qué desastre! Sólo comer y lo otro. ¡Largo!

—¡No te gusta a ti poco!

—En serio, Berni, no tardes. A las tres comemos, si no todo se pasa y me da mucha rabia.

—De verdad que a las tres he vuelto.

La besó y salió. Tenía su vehículo en el aparcamiento del cuartel. ¡Qué ilusión le había hecho comprarlo! Colocó meticulosamente los soportes y ancló la bicicleta, comprobando con la mano la firmeza de la misma en la baca con los tensores. Concluyó el examen, se sentó al volante y, en tanto calentaba el motor, se puso el cinturón de seguridad.

El itinerario escogido aquel día era Montelarreina. Le encantaba la ascensión, contemplar el paisaje desde lo alto y bajar serpenteando por caminos forestales hasta el coche. Empleaba en todo ello cuatro o cinco horas, y regresaba cansado y distendido dispuesto para toda la semana. Cuando ahorrara se compraría un cuentakilómetros al que ya había echado el ojo; marcaba la velocidad y el recorrido diario. Valía tres mil pesetas; era un capricho, pero ¿para qué era el dinero? El motor ronroneaba redondo, y haciendo la maniobra correspondiente salió a la calle.

El recorrido hasta la carretera provincial era siempre el mismo. Tomaba por la calle Mayor, giraba en la fábrica de leche y salía hacia Torrelavega. Siempre escogía ese itinerario porque sólo había un semáforo en todo el trayecto, el del colegio de Las Hermanas, y en segundos estaba en la ruta.

El sol lucía espléndido y el campo ofrecía una policromía digna de la paleta de un pintor. ¡Cómo amaba la naturaleza! Otro de sus odios eran los pirómanos que cada año arrasaban el monte entre descuidos de fumadores e incendios provocados. El paisaje era cambiante y no por conocido menos apreciado. Acostumbraba emplear dos horas entre la ida y la vuelta en el coche, y otras dos o tres en la bici.

Llegó a un recodo e intermitiendo y disminuyendo la velocidad de marcha se metió por un camino hasta la ermita de Santa Engracia. Allí aparcó, bajó la bici, dejó todos los herrajes y pertrechos en su asiento, se despojó del chándal y, cerrando todo ello en el coche, se dispuso a iniciar su recorrido. Llevaba *culotte* de ciclista, una camisa, un pulóver, zapatillas y calcetines de deporte. Y la mochila afirmada a la espalda. El camino subía, y él fue cogiendo la relación de marchas más favorables a cada instante. Transpiraba copiosamente; notaba la vida en todos los poros de su cuerpo. El camino se iba estrechando a la vez que empinando.

Llegó a un punto donde tuvo que descender de la bici y continuar a pie para, salvando el escollo, proseguir. El premio estaba arriba. Era uno de los paisajes más bonitos de la hermosa Cantabria. El caminito daba la vuelta, y algo captó la atención del guardia civil que llevaba siempre dentro. Alguien había arrastrado por allí un bulto plano y pesado. Bajó de la bici y examinó los alrededores. Había ramas rotas y maleza aplastada. Luego, repentinamente, todo el entorno quedaba intacto, algo así como si el pesado paquete hubiera sido elevado en el aire o enterrado. Miró atentamente y no vio nada. Se asomó al recodo. Tomando su pequeña mochila, la abrió y cogió los prismáticos, los ajustó a su vista y examinó atentamente los alrededores. Nada turbaba la paz de aquel entorno; todo era naturaleza pura. Todo menos dos cosas. La primera, la vio: era un bote neumático con un motor fuera borda que allá abajo, en el acantilado, se apartaba de la costa. La segunda, le pasó desapercibida: en una peña, a más de un kilómetro de distancia en línea recta, disimulado por la maleza, Paco Zambudio con una potente mira telescópica lo observaba sin ser visto.

A los nueve días, el diario *La Montaña* publicaba la siguiente columna: «El terrorismo golpea de nuevo. Ayer domingo, cuando el sargento de la guardia civil Bernardo Montero Vélez se dirigía a Montelarreina para practicar el ciclismo de montaña fue abordado en el semáforo del convento de Las Hermanas, en la salida de Torrelavega, por dos individuos equipados con cascos, a bordo de una moto de gran cilindrada; según testigos presenciales, al ponerse el semáforo en verde, el pasajero de la moto sacó una metralleta de cañón corto, disparando a continuación una ráfaga certera y precisa que acabó de inmediato con la vida del sargento de la Benemérita, dándose inmediatamente a la fuga a gran velocidad. La víctima fue trasladada rápidamente al hospital de Nuestra Señora del Mar, donde ingresó cadáver. Deja viuda y un hijo de corta edad».

A la luz de una pequeña lámpara, protegida por una pantalla antirreflejante, Paco Zambudio leía la noticia recreándose golosamente. Cumpliendo órdenes y en el terreno que tan bien conocía, había acabado con aquel molesto incordio de una manera limpia y profesional. Su actuación merecería sin duda la aprobación de sus superiores. Aquello era una buena nota en su historial. Dejó el periódico, se abrigó, comió algo y se dispuso, tras apagar la luz, a echarse un poco en el catre de campaña que ocupaba el rincón más lejano del zulo. Hacía frío y se metió en un saco. No eran grandes lujos los que allí había, pero de noche y en dos viajes por mar en la Zodiac no se podían hacer virguerías. Luego, lo escarpado del acantilado, y siempre, la premura para evitar molestas miradas.

Si aquel cabrón no hubiese sido tan curioso, tal vez habría aplazado un tiempo su sentencia de muerte. La luz plateada de la luna entraba por una rendija de su escondite. Sobre su cabeza se oían los mil ruidos del bosque que tan bien conocía. A diez o doce kilómetros de allí estaba el calvero donde el gran árbol segó la vida de aquel explotador del proletariado. ¿Cómo se llamaba? ¡Ah, sí, Aitor! ¡Qué lejano le parecía todo! No estaría mal llegarse a ver a la Engracia.

Seguro estaba de que no lo reconocería. Y con el pensamiento puesto en la escena que mentalmente más veces había evocado en toda su vida y con la conciencia tranquila por el deber cumplido, Juan Atienza Gómez, Paco Zambudio, cerró sus ojillos y se durmió como un niño de pecho.

27

—Vengo a decirte que me he muerto, que ya no tienes hermana. Y que si alguna vez insinuaste que estaba en deuda contigo, porque según tú yo soy la culpable de que te hubieran encerrado, estamos en paz, ya te lo he pagado.

La tensión se podía cortar con un cuchillo. Consuelo visitaba a Pablo por última vez. Había adelgazado, iba sin maquillaje y totalmente vestida de negro. Los segundos se alargaban y se podía oír el crujido de los barrotes de la silla de tijera.

—Jamás pensé... —empezó a decir Pablo, más por romper el silencio que por tener un pensamiento concreto en la mente.

—Lo malo tuyo es que nunca piensas. Cuando con Fermín fuiste a por Braulio, tampoco pensaste. Y cuando le clavaste el cuchillo, fue sin querer. —Consuelo quería herirlo.

—No te voy a permitir... —se defendió Pablo débilmente.

—Mira, Pablo, no te molestes en permitirme o prohibirme nada; ya da igual. Tu imbecilidad ha ayudado a que mataran a mi marido. Cuando yo te decía que andaras con ojo, yo no entendía nada de aquí dentro; tú pasabas de mí. Pues ya lo tienes. Mira la clase de ratas con las que te has juntado.

Pablo miró a un lado y a otro para comprobar que no había nadie a la escucha. La mujer se dio cuenta.

—Me da igual que me oigan, ¿me entiendes? Son ratas asquerosas que solamente viven para hacer daño, y además no les tengo miedo, no me importa que me maten. ¡Anda! ¡Díselo! ¡Díselo a tus amigos! —diciendo esto Consuelo se llevó un pañuelo pequeño a sus enrojecidos ojos.

Pablo estaba intensamente pálido. Esperó a que se calmara un poco.

—Bueno, esto no tiene sentido. No nos hagamos más daño. Lo creas o no, siento intensamente tu desgracia y ojalá pudiera cambiarme yo por él. Seríamos mucho más felices todos. Tú lo quieres vivo y yo me quiero muerto, conque todos contentos. —En tanto decía esto, se puso en pie como dando por terminada la entrevista. Ella hizo lo mismo—. ¡Que tengas suerte, hermana! —añadió.

—Conste que te he pagado los años que te quedan con su muerte. Tú un día u otro saldrás... Yo no lo volveré a tener nunca. —Tras decir esto, dio media vuelta y salió.

La muerte de Bernardo había corrido como reguero de pólvora. El funeral fue en la iglesia de San Ildefonso. Entraron el féretro sus compañeros de cuartel, y el cura dijo lo de siempre y el político de turno hizo otro tanto. El primero habló de la paz entre los hombres y de que cualquier violencia es mala, venga de quien venga. Y el segundo habló de un crimen execrable y de que eran los últimos coletazos de la violencia irracional. De repente, en la iglesia se oyó un grito:

—¡Basta ya! ¡Sois todos unos miserables!

Y luego un llanto desgarrado.

Era Consuelo, que sujetada por su suegro y por su amiga Tere, que la acompañaba, quería acceder al pequeño púlpito desde donde hablaban. Tuvo que ser retirada a la fuerza del banco y no fue tarea fácil. Luego se procedió a introducir el féretro en un furgón porque por expreso deseo de sus padres, y con el consentimiento de ella, el sepelio sería en Segovia, en el panteón de la familia. Pasaron en esos trajines dos días, al cabo de los cuales regresó a la casa cuartel acompañada de Tere, quien no la dejó a sol ni a sombra.

—¿Qué vas a hacer?

Consuelo miraba al vacío como si aquello no fuera con ella. Tere insistió.

—Consuelo, que qué vas a hacer ahora.

—Da igual.

—Ya lo sé, pero la vida sigue y has de decidir. Si no es por ti, hazlo por tu hijo —insistió la amiga.

—No sé, tal vez vuelva a Murcia. Sí, eso haré. Aquí no me puedo quedar, tampoco querría. Y mi casa está allí.

—Y está Mari, y yo que iré a verte. Me parece una buena idea —dijo Tere.

Consuelo miraba a su hijo con ternura. El niño, ignorante del drama que se desarrollaba, jugaba con un osito de felpa. Consuelo se levantó de repente y lo apretó entre sus brazos.

—¡Tú no sabrás jamás el padre que has perdido! Pero ¡juro por Dios que yo seré tu padre y tu madre! Y que nadie jamás te lastimará. ¡Antes lo mato!

—Anda, Consuelo, deja el niño en el parque, que yo le daré la cena. Acuéstate y duerme. Toma la pastilla que te ha recetado el capitán médico, y recuerda que el sueño es ahora tu mejor aliado.

Tere ayudó a su amiga, que se dejó conducir como una autómata. Le cogió al niño de los brazos y lo acomodó, y tomándola a ella de la cintura, la llevó al dormitorio. La ayudó a ponerse el camisón y la acostó.

—No apagues la luz —dijo Consuelo temerosa.

—Voy por el vaso de agua y vuelvo.

Cuando Tere regresó, Consuelo ya dormía, rota por la tensión de aquellos tres días. Dejó el vaso en la mesita, encendió la luz pequeña de la cómoda, apagó la del techo y, ajustando la puerta tras de sí, silenciosamente, salió.

—Es guapo como un san Luis. —La que hablaba así era Elena mirando al pequeño Esteban—. Pero este crío no sé a quién se parece.

Engracia, que trajinaba en el hogar, se volvió temerosa.

—A mí se parece. Los hijos se parecen a la madre. Y Esteban se parece a mí.

—Desde luego a Aitor no —añadió la monja.

—Pero ¡qué más da a quién se parezca! —El tono de Engracia fue desmedido.

Elena la miró extrañada.

—Siento haberte molestado, hermana —añadió mansamente—. ¡Qué inoportuna soy! ¡Cómo te comprendo! No debí nombrar a mi hermano.

Ahora la que se sintió mal fue Engracia.

—Soy yo, mujer, que llevo unos días que no me aguanto ni yo.

Callaron ambas.

—Por cierto, ayer, cuando me dejaste con los chicos para ir al pueblo, vino un hombre preguntando por ti.

—¿Por mí? —inquirió Engracia deteniendo momentáneamente sus tareas.

—Sí, por ti —respondió la monja, añadiendo—: Le dije que no estabas y le pregunté para qué era. Me respondió que no era nada importante y que ya volvería otro día.

Engracia tuvo un raro presagio.

—¿Cómo era el hombre?

—Nada de particular. Treinta y cinco o cuarenta años, delgado, con lentes...

—¿Con lentes?

—Sí, rubicundo.

Engracia se tranquilizó.

—¿Por qué no avisaste a Gabriel o a Rosario?

—Lo iba a hacer, pero no dio tiempo. Se fue enseguida.

Quedaron en silencio.

—Mañana ya vuelvo al convento —dijo la monja—. Quiero decirte que luego del noviciado, que es mi casa, el sitio donde noto más la presencia de Dios es aquí, a tu lado y con Esteban. Bueno, con tus hijos —añadió.

—Pues si cuando estás aquí notas a Dios, ven mucho porque a Dios no le gusta mucho este sitio —respondió Engracia con acritud.

La monja se ruborizó e hizo la señal de la cruz.

—No digas eso nunca, hermana. Él nunca nos deja. No-sotros, con nuestra desesperanza, nos alejamos de Él. Hoy rezaré el rosario completo por ti.

—Reza. Reza mucho, cuñada. Reza por mí, que buena falta me hace.

28

Consuelo pasó por todas las dependencias de la casa cuartel para despedirse. Aquéllos eran sus auténticos amigos. Tanto hombres como mujeres le supieron expresar su afecto con una delicadeza extraordinaria y una comprensión absoluta hacia su estallido nervioso del día del funeral, en la iglesia. Supo en aquellos instantes que su vida quedaba incardinada para siempre a aquella su otra familia. Y supo que siempre y en cualquier lugar, si tenía que recurrir a ellos, los encontra-ría. Particular emoción tuvo su entrevista con el coronel Me-dina. La recibió en su despacho. Consuelo estaba algo impre-sionada. La pieza era oscura. Toda la pared estaba forrada de madera noble. El techo era de artesonado. El militar estaba sentado en un sillón frailuno. La mesa era de caoba maciza, de un color rojo oscuro, y tenía los cantos de boabab. Frente a ella, y para los visitantes, había dos sillones pequeños del estilo del despacho. A un lado, alejada, otra mesa grande con una presidencia y cuatro sillas por banda, todo el conjunto forrado de cuero marrón. Frente a cada uno de los asientos, una carpeta y un bolígrafo. Detrás del sillón del coronel, un cuadro de Franco, y frente a él, encima del tresillo chester que ocupaba la pared de enfrente, otro cuadro enorme en el que se veía a una pareja de la Guardia Civil en un alto del camino con uniforme del siglo XIX, lleno de polvo, hablando con el que parecía ser un cazador furtivo.

Consuelo tuvo la tentación de acercarse a la mesa circunvalando el perímetro de la alfombra alpujarra de alta lana que cubría el parquet. El coronel, que en aquel instante hablaba por uno de los teléfonos, le indicó con la mano libre que se acercara y se sentara frente a él. Consuelo obedeció. Había cuatro teléfonos en el despacho y dos en la mesa de juntas. Se decía que el coronel Medina tenía línea directa con el director general de la Guardia Civil y que cuando quería hablar con el ministro del Interior o el de la Guerra, lo hacía sin espera alguna. El militar terminó su conversación y colgó el auricular.

—¿Me permite un momento?

—¿Cómo no?

Apretó un interruptor del dictáfono.

—Que entre el teniente González.

—A sus órdenes —ratificó una voz.

El coronel se levantó de su despacho y dando la vuelta llegó hasta ella.

—¿Por qué no nos sentamos ahí, que estaremos mejor? —dijo señalando el tresillo.

—Como usted diga —respondió Consuelo poniéndose en pie.

El militar la tomó cariñosamente del brazo y la acompañó hasta el tresillo. Ella se sentó en el esquina del sofá y él lo hizo en uno de los sillones.

—¿Da usted su permiso? —dijo una voz en tanto se abría la puerta.

—Pase, teniente.

Entró un oficial que lucía en la bocamanga dos estrellas de seis puntas.

—A sus órdenes, mi coronel. —Se cuadró militarmente frente a su superior.

—Teniente, tráigame el estuche y la bandera que están en el despacho del comandante Tejidor y diga a mi mujer que, si la viuda del sargento Montero nos hace el honor, seremos cinco a la mesa a la hora de comer. Mi esposa, yo, el comandante y su mujer, y la viuda del sargento Montero.

Consuelo se quedó asombrada.

—Pero, mi coronel... —se atrevió a decir.

Él la interrumpió afectuoso.

—¿Nos hace el honor a mi mujer y a mí o se da de menos?

—El honor me lo hace usted.

—No se hable más, teniente..., y tráigame lo que le he pedido enseguida.

El ayudante salió y el coronel esperó a que cerrara la puerta. Se quitó los lentes con un gesto automático y, antes de volvérselos a poner, se masajeó las marcas dejadas en la nariz con el pulgar y el índice.

—Jamás tengo palabras para situaciones como ésta. Y esta vez de forma muy particular. —Paró un momento y prosiguió—. Llevo en el Cuerpo cuarenta y cuatro años, entré a los dieciocho, y en todo este tiempo he encontrado tipos y personas de todas clases, pero quiero que sepa que si en este momento me comunicaran que mi hijo Ricardo, que es capitán, moría en acto de servicio en un atentado, no sentiría un dolor más grande que el que tuve el día que supe la muerte de Bernardo. De todos los hombres que han pasado por mi lado, el más, fíjese lo que le digo, el más guardia civil que he conocido, ése, era su marido. Lo seguí desde la escuela de guardias jóvenes. Lo tuve en mi compañía, de número, en Badajoz. Luego en Madrid, y ahora aquí. Su hombre era la rectitud y el reglamento en persona. Jamás lo atrapé en un renuncio. Era el primero en cumplir y el último en escaquearse. Quiero que sepa que fui yo el que lo promovió a sargento y que mi opinión, tras informarme, pesó para que no hubiera trabas en su boda, sabiendo que su hermano está cumpliendo en el Dueso.

Consuelo escuchaba asombrada. Jamás habría creído ser tan importante. En aquel momento y tras la voz reglamentaria, el teniente volvía con dos paquetes; uno más grande, envuelto en papel de seda, y otro más chico. Lo dejó todo sobre la mesa, siguiendo instrucciones, y tras explicar que la esposa del coronel esperaba a Consuelo a la hora de comer, se retiró.

—Consuelo —prosiguió el militar desenvolviendo el paquete más grande—, ésta es la bandera de España que envolvió el féretro de su marido durante el funeral, en el que tuvo usted el valor de decir cosas que pensamos todos pero callamos. Creo que es mi deber entregársela.

Alargó a Consuelo la bandera doblada y ella, sin saber por qué, se la llevó a los labios y la besó. El coronel Medina prosiguió.

—Y ésta es la Cruz del Mérito Militar con distintivo rojo, por su muerte en campaña. Suya es. Llévela con honor siempre, y sepa que ella la une de por vida a esta gran familia que es la Benemérita.

Los ojos azules del militar estaban húmedos; toda ella era una lágrima.

Al día siguiente, habiendo ya despachado todos sus enseres hacia Murcia en una conductora, Consuelo tomó a Carmelo en brazos, se volvió para mirar por última vez las paredes que vieron el día más feliz y el día más trágico de su vida, y salió. Abajo la esperaban Tere y su marido, en el coche de éste, para acompañarla de vuelta a sus raíces, donde Consuelo intentaría de alguna manera retomar el timón del rumbo de su vida.

Ufano salía Paco Zambudio del taller de Pablo. La misión había sido un éxito. Sus jefes lo habían felicitado. Un coche bomba había explotado con precisión matemática, matando a dos policías nacionales en Castrourdiales, y aquel sargento, por lo visto importante, que incordiaba a la organización, había sido eliminado. Su mano derecha apretaba en el bolsillo del pantalón la medalla recibida: un fajo de billetes que alcanzaba la suma de doscientas mil pesetas.

Andaba con pasos decididos porque hacía días tenía algo en la cabeza e iba a aprovechar su estancia en la capital donostiarra para realizar su plan.

El sol lucía, cosa rara en aquellos pagos en la época en que estaban, y su ánimo estaba como el día. Silbaba en tanto caminaba. Se dirigió a su pensión en el casco viejo. Le gustaba la zona; olía a salitre y a pescado. Cientos de personas trajinaban por los tinglados de la dársena y el malecón parecía tener vida propia. Fue pasando por los restaurantes del puerto, y a su nariz llegaron agradables olores. Se paró un instante para ver los precios de los platos ofertados en una pizarra colgada de una valla lateral en uno de los chiringuitos. Bueno y barato. En cuanto pudiera, iría.

Arribó a su pensión. Tomó la llave en la casilla y subió la escalera hasta el primer piso. Siguió un pasillo hasta el fondo. Su cuarto hacía esquina. Abrió la puerta con la llave y entró, cerrando tras de sí. Se quitó la cazadora y la dejó sobre la cama. Abrió a medias el postigo de la ventana para que entrara luz y se fue al armario. Dobló los clavos del fondo que sujetaban la madera posterior y, cuidadosamente, la apartó. Aparecieron juntas dos cajas, una de madera de pino y la otra de latón; esta última era de cigarrillos rubios ingleses, NabbiCut ponía en la tapa. Lo sacó todo con sumo cuidado y colocó el panel del fondo del armario en su sitio, con los clavos de nuevo enderezados.

Puso sus tesoros encima de la única mesa que había en la

estancia y acercó una silla a la misma. El espejo del armario reflejaba sus movimientos. Abrió la caja de puros. Dentro estaban su querida navaja, compañera inseparable de aventuras, un destornillador, un hilo sedal de pesca, un paquete de algodón, un rollo de esparadrapo y alambre de cobre. Lo colocó todo ordenadamente sobre la mesa. Abrió la cajita de tabaco inglés. En su fondo, envuelto en una tela, apareció un fulminante; junto a éste había una espiral estrecha de un material blancuzco parecido al mástic que usan los chavales para hacer figuras, hilo eléctrico fino de tres colores y dos pilas de un voltio y medio. Empezó a manipular todo amorosamente. Estiró la espiral de mástic y con la navaja cortó un trozo de tres centímetros. Tomó hilo eléctrico de dos colores, rojo y negro, y con la navaja peló la funda de plástico hasta que apareció el filamento de cobre. Unió ambos extremos de los hilos en una pequeña trenza y los incrustó en el extremo del mástic, aplastando encima de ambos terminales el fulminante, que era del tamaño de una moneda de peseta. Una vez hecho esto, miró su trabajo amorosamente y prosiguió. Tomó un primer algodón y envolvió apretadamente el mástic hasta conseguir un cilindro del tamaño de un cigarro puro. Cuando lo tuvo, lo ligó como un tajo redondo con el sedal de pesca y apretó fuertemente todo el conjunto con la cinta de esparadrapo. Se encontró en la mano con un objeto de unos quince centímetros de largo y un diámetro de ocho o diez milímetros, del que salían dos cables eléctricos. Se levantó, estiró los brazos sobre su cabeza, se fue a la mesilla de noche y tomó el reloj despertador. Regresó a la mesa. Cuidadosamente, separó la parte superior retirando los tornillitos con el destornillador. Tomó el extremo de los cables y empalmó uno de ellos al positivo de la pila de voltio y medio, uniendo la misma, con esparadrapo, al lateral del reloj. Separó a continuación el tornillo que mandaba la aguja que accionaba el timbre del despertador, y colocó el otro extremo del cablecillo, no sin asegurarse antes de que el botón de stop estaba apretado. Puso la tapa posterior y cerró de nuevo el reloj. Se levantó y fue al armario. Tomó de él una cartera de ejecutivo y abriéndola apartó a un lado dos pares de esposas y una cuerda de nailon, colocando al otro todo el fruto de su trabajo. Miró su reloj de pulsera. Eran, a todas éstas, las ocho de la tarde. Tenía hambre. Guardó la cartera en el armario y fue a comer algo. En el bar de abajo pidió un bocata de atún y un vaso de vino. Subió de nuevo y, tras desnudarse, se duchó y se puso colonia. Metió su ropa sucia en una bolsa y sacó del armario la muda de las fiestas. Pantalón de tergal nuevo, camisa azul pálido, cazadora tejana de última moda, calcetines y zapatos caros; puso todo encima de la cama. Pasó de nuevo al baño y se afeitó y peinó. Regresó a la habitación y se sorprendió en el espejo del armario en pelotas; se encontró cojonudo y en forma. Lo único que le molestaba era que tenía el pito pellejudo; si no fuera que le daba miedo, se habría hecho la fimosis pero... Tomó un braslip y se lo puso, para a continuación colocarse todo el conjunto. Los lentes de cristales neutros le daban un toque de clase. Cogió los restantes bártulos de la mesa y alojó las cajas en el escondite del armario, tras comprobar que en el fondo yacía sin novedad una cartera de bolsillo con su otra documentación falsa. También su agenda, que él usaba como un diario en el que anotaba, en las fechas correspondientes, los lugares y sus hazañas. Luego, cuando tenía tiempo, lo releía con deleite y fruición. Dejó todo en su sitio y, tapando el doble fondo, enderezó de nuevo los clavos para que el armario recuperara su aspecto habitual. Tomó la cartera, abrió la puerta y apagó la luz, cerrando a continuación con doble vuelta de llave.

Bajó la escalera y metió el llavín en su bolsillo. No lo dejaba de noche en el casillero porque no le gustaba.

En algún reloj daban las diez. Encaminó sus pasos hacia el centro. Salió a la avenida buscando la calle que atravesaba hasta el Buen Pastor. Se dirigió a El Tubo. Antes de entrar observó la clientela. La habitual. Empujó la puerta y entró. Había mucho humo. El ruido de las conversaciones era alto y molesto. Más o menos hacia el centro de la barra había un taburete libre. Fue hacia él. Debajo del mostrador había un estante; allí colocó su cartera.

—¿Qué va a ser?

—Un Martini.

—De acuerdo. ¿Quiere alguna tapa? —preguntó el camarero, intuyendo por la comanda que aquel cliente aún no había cenado.

—Sí, ponme un taco de tortilla y una ración de calamares.

El chico se movió y le llevó el pedido.

—¿Qué te debo? —La manía de pagar enseguida continuaba.

El chaval hizo un cálculo.

—Trescientas setenta y cinco —dijo.

Paco sacó un billete de quinientas.

—Cobra y quédate la vuelta.

—Oiga, que me ha dado quinientas —exclamó el muchacho.

—Ya lo sé.

El camarero metió el cambio en el bote.

—¡Gracias, generoso! —exclamó.

—Oye, ven para acá.

El otro se acercó de nuevo. Paco bajó la voz.

—Tú me podrías decir si una chavala con acento sudamericano viene por aquí.

—¿La Merche?

—No sé cómo se llama.

—¿Cómo es?

Paco la describió.

—Sí, es la Merche —aclaró el muchacho—. Aún no ha venido. Más o menos llega a las once y media o pasadas.

Paco se sacó la cartera y extrajo un billete de mil.

—Toma —le dijo—. No le digas que he preguntado por ella. Soy amigo de un buen amigo suyo y le traigo un regalo. —Mostró el asa de la cartera—. Pero si puedo pasar un buen rato, tú me entiendes ¿no? Dile que hay un tipo muy generoso, ¿vale?

—Entendido, jefe.

Paco se concentró en los calamares y esperó paciente. Tardaba. Pidió un café y luego otro. Empezó a dudar de su buena estrella.

—¡Qué bueno que se está en casa!

La voz y el deje eran inconfundibles. Zambudio la observó. Se había encaramado en un taburete y mostraba una pierna larga y bien torneada, enfundada en una malla negra. El camarero le ponía un café y un Cointreau sin consultarle; se notaba que era asidua. Paco hizo un gesto y el chico se acercó.

—Dile que está invitada y lárgale lo de que soy generoso.

El muchacho fue de nuevo hacia la venezolana y le dijo algo que hizo que ésta mirara hacia Zambudio con curiosidad. La mujer alzó el Cointreau y brindó de lejos. Paco le correspondió con una copa balón de coñac que había pedido hacía poco. Pasaron los minutos. La mujer se acercó.

—¿Por qué me invistaste?

—Porque estoy solo, y digamos que ayer me tocó la quiniela.

—Ayer martes no hubo fútbol —argumentó la mujer.

—Da igual. Fue mi día de suerte y gané dinero.

—Pues si querés compañía, aquí está Merche.

Zambudio tenía que contenerse. Su entusiasmo aumentaba ante la certeza de que no lo había reconocido; se sumaba la sensación de que el pescadito se tragaba el anzuelo. Hablaron de mil cosas y la invitó a beber. La chica estaba achispada. Él tenía buen cuidado de no pasarse, quería tener la cabeza muy clara. Hablaron de cuánto y de dónde, y al tocar el cómo, Paco se abrió.

—Mira, a mí me gusta el sado.

—Bueno, che, todo se puede hablar. Mientras montemos números sin violencia podemos hablar.

—No, yo odio la violencia. Sólo que me corro muy de tarde en tarde y yo sé cómo me gusta.

—Mira, tío, vos venís conmigo... Mamita te va a hacer cositas lindas. —Tras decir esto separó los labios y le hizo una pirueta habilidosa con la lengua—. Vení. —Lo tomó de la mano y tiró de él de tal modo que a Paco casi no le dio tiempo de tomar el maletín.

—Déjame pagar y coger la cartera —replico Zambudio.

—Uy, ¡qué *grasioso*! Yo sí que os voy a coger a vos. Allá en mi tierra «coger» es como decís aquí joder.

—Chico, ¿qué te debo? —preguntó.

Pagó la cuenta y salieron. Circulaba poca gente por la calle.

—¿Adónde vamos? —preguntó él.

—A donde querás vos.

—No me gustan los hoteles. ¿Por qué no vamos a tu casa?

—Vivo con una compañera que hoy no iba a salir.

—Dile que se vaya en media hora —argumentó Paco, reforzando su teoría con cinco billetes verdes que puso en la mano a la mujer.

A Merche se le salieron los ojos. Si eso era por la cama, ¿cuánto le daría por el número? Agarró el teléfono de la primera cabina que alcanzaron.

—Minucha, soy yo. Vas a ser buena, y te vas a largar en media hora de casa y no comparesés hasta mañana.

Por lo visto la otra ponía dificultades por teléfono.

—Bueno, pues te vestís, ¿yo qué sé? ¡Lárgate a la madre que te parió! Seguro que te pago el favor.

La otra respondió algo. Merche se despidió y colgó. Se metieron en un bar e hicieron media hora de tiempo. Salieron y tomaron un taxi, y ella dio la dirección. Paco tuvo muy en cuenta que el chófer no le viera la cara. Pararon y descendieron del vehículo. Estaban en la falda de Igueldo. La vista era preciosa, la luna dejaba su blanca estela en la bahía y la noche fría mostraba puntos de luz en el firmamento, como si alguien hubiera esparcido un puñado de brillantes sobre un paño azul marino. Merche vivía en la parte alta de una desvencijada torre de dos pisos. Subieron por una escalera exterior adosada al muro lateral.

—¿Quién vive abajo? —preguntó el hombre.

—Una punta de maricas que de *ves* en cuando hacen bulla, pero hoy no están.

—¿Cómo sabes que no vendrán?

—Porque nosotras guardamos la llave, y siempre que se lo montan nos avisan para que mi amiga llame a la mujer de las faenas y venga a recoger los condones.

Ella rió su propia gracia. Entraron. Un salón central con televisión y tresillo decorado con muebles de diversas épocas y estilos. Un trastero al fondo. Dos dormitorios con un baño en el medio.

—¿Qué? ¿Os parece lindo el *meublé*?

—Es lo de menos —dijo él.

—Ponete cómodo. Traed el maletín.

Paco lo sujetó con fuerza.

—Deja, yo me ocupo de él.

—Uy, ¿qué llevas aquí? ¿Las joyas de la Corona?

—No es tu problema. Llevo mis trastos de sado —dijo él.

—Quedamos que nada de daño, ¿eh? Y hablemos de la guita.

—¿Te va bien esto?

Paco sacó el paquete de billetes del bolsillo y ella calculó a bulto.

—Me va divino. Ahora decidme en qué consiste el juego.

—Bueno, déjame ver la cama.

Pasaron al dormitorio. La cama era grande y tenía un cabezal metálico de barrotes gordos. No tenía pies. A un lado el armario y al otro el baño.

—¿Viste? Pues venga, largá.

—Verás, tú te empelotas y yo te ato a la cama.

—¿Con qué? —indagó ella.

—Bueno, traigo unas esposas y una cuerda.

—Ah, pillo, venís preparado.

—Claro, cuando voy de marcha o me preparo o no funciono.

—¿Y luego?

—Luego te amordazo suavemente y tú haces como que gritas y te desesperas. Yo me empalmo, te follo, me corro, te desato y te has ganado veinte mil duros.

—Vamos, mi vida, que luego es tarde. No tendrás ninguna mierda, ¿eh?

—Estoy sano —dijo él.

—Anda, enséñale a mamaíta el muñequito.

Paco se desabrochó la bragueta y se sacó el paquete.

—Buen cogedor, «picha corta y buen cojón». El refranero argentino es sabio. Además, pellejuda. Como a mí me gusta.

Le remangó la piel y le oprimió el glande hacia abajo para ver si supuraba.

—¿Me prometés que antes de venir te pondrás una fundita que te dará mamá? ¿Vale?

—Vale —respondió él.

Ella fue a la mesa de noche y sacó un preservativo.

—Prepárate mientras voy al baño.

Desapareció por la puerta y Paco, abriendo el maletín, sacó la cuerda y las esposas. Se dirigió al cabezal y, tras probar su solidez, cerró una esposa en el florón central y la otra en medio de la cadena que unía a las otras dos, dejando ambas abiertas. La mujer apareció desnuda. Era muy blanca de piel. Alta. Las piernas blancas y el pecho caído con los pezones muy oscuros. El pubis frondoso. Se apoyó en el quicio de la puerta.

—¿Qué? ¿Os gusto?

—Mucho —dijo él.

—Ya preparaste todo. Qué vivo que sos.

—Todo está —dijo Paco.

—La guita, falta la guita.

—¿No te fías de mí?

—Pibe, una ya no se fía de nadie. ¿Qué querés? La vida.

Zambudio sacó el dinero del bolsillo y se lo entregó. Ella, elegantemente, lo metió en un cajón de la mesa de noche sin contarlo.

—¿No me dejás que lo haga a mi manera? —insistió la mujer.

—No funcionaría. Vamos, no perdamos el tiempo.

—Como querás, papi.

Se tumbó en la cama y alzó los brazos. Paco le cerró las esposas en las muñecas. Ella sonreía. Después le ató los tobillos con dos nudos y tensó las cuerdas; primero la derecha, atándola a la pata del armario, y luego la izquierda, sujetándola a la taza del váter.

—Tenés suerte porque me va a venir eso.

La mujer hablaba. Paco regresó del baño. Tomó un pañuelo.

—Abre la boca —le dijo.

Ella obedeció haciendo un juego mimoso de nuevo con la lengua. Paco la amordazó fuertemente. La mujer lo miró entre sorprendida y un poco asustada.

—Si seréis tontas las mujeres... Me pides el dinero y luego te dejas atar. Si yo fuera malo, ahora te follaba y luego te robaba. Pero yo no robo como alguna hija de puta.

Merche ponía ojos entreverados de sorpresa y temor. Él se sentó a su lado en la cama, cogió su pezón izquierdo entre el pulgar y el índice y empezó a retorcerlo.

—¿Tú te acuerdas, hace mucho tiempo, de una noche cuando te llevaste a un pardillo de aquí cerca, hará como unos cuatro años y medio, y le robaste un anillo y lo dejaste sin blanca? Cuarenta mil duros le quitaste.

La mujer empezaba a estar aterrorizada.

—Pues era amigo mío y se llevó un disgusto muy grande, ¿sabes? Y el que roba a un ladrón tiene cien años de perdón. Yo también sé refranes. Ahora jugaremos al caliente y frío. Si eres buena, no te haré nada y me iré con tus cosas para dárselas a mi amigo; y si eres mala... —En la mano de Paco apareció su navaja, y con ella recorrió lentamente el cuerpo de la mujer. Ahora sí saltaba el terror en sus pupilas. Paco prosiguió—: Lo primero, mi dinero y el que te he dado antes en el bar. —Fue a la mesa de noche y recuperó el fajo. Luego le abrió el bolso y, volcándolo, tomó los cinco mil duros más los billetes de ella—. ¡Qué bien! ¡Un mechero Dupont! Siempre he querido tener uno. A mí me encantan las joyas. Ahora yo iré buscando todo lo de valor. Cuando me acerque al sitio, mueves la cabeza diciendo sí, y cuando me aleje, haces no. Caliente y frío, ¿de acuerdo?

La chica estaba de acuerdo en todo. Paco se movió por el cuarto, mirándola.

—¿Y? —preguntó.

Ella, con la cabeza, negó. Paco se acercó al armario y lo abrió sin dejar de mirarla. Tocó los cajones empezando por el de arriba. Ella seguía diciendo no; el sudor le descendía entre los pechos. Llegó al cajón del medio. La cabeza de Merche, como si fuera un ente aparte del cuerpo, empezó a moverse rápidamente de arriba a abajo. Paco abrió lentamente. En primer plano, un pequeño joyero rojo, de piel.

—Buena chica, así me gusta, buena chica.

Lo abrió. Había pulseritas de oro y una cruz con cadena y ¡oh...!, ¡noche afortunada!, su sello, su querido sello. Se volvió hacia ella mientras intentaba ponérselo. La cabrona lo había achicado para ella.

—Eso no está bien, querida. Este sello es de mi amigo, y yo se lo voy a dar. Lo has achicado. Muy mal. —Y diciendo esto se lo puso en el dedo meñique—. Mira, no te voy a follar porque cuando a una tía le va a venir el período no se me levanta. Pero voy a ser bueno contigo y te dejaré arregladita para que no manches las sábanas.

Se dirigió al maletín. Los ojos de ella lo seguían por la habitación, abiertos de espanto.

—Tengo un támpax para ti. No es comprado. Te lo he hecho yo, artesanalmente, con mucho cariño.

La mujer se retorcía inútilmente. Paco se acercó y la agarró fuertemente por el vello del pubis.

—Quieto, caballo, cuadra, apaciguar, quieta.

Le introdujo el cartucho en la vagina. Ella no entendía.

—Fíjate, con dos cuerdecitas en vez de una; una roja y la otra negra.

Las desenrolló y las empalmó a las del despertador, que apareció en su mano.

—Y ahora dime, querida, ¿a qué hora quieres reventar?

La mujer se desmayó.

«Ayer noche un macabro suceso tuvo lugar en nuestra ciudad. Un maníaco sexual mató a una prostituta en una casa de la barriada de Igueldo, destrozándola, utilizando un explosivo introducido en su cuerpo, etcétera, etcétera.» Paco leía satisfecho la noticia en un bar de la avenida, en tanto una mujer lo miraba curiosa. Era bastante mona. Paco sonrió. La mujer le correspondió y se fue al fondo, al servicio. Cuando hubo desaparecido de su vista, ella se acercó al teléfono, buscó en la guía y marcó un número tras poner la moneda.

—Policía, ¿diga?

—En el bar de Antontxu, en la avenida, hay un hombre con cazadora tejana y pantalón claro, lentes... En el dedo pequeño de la mano izquierda tiene un anillo que era de la chica que mataron ayer.

—Oiga, diga su nombre y...

Clic, hizo el teléfono.

29

Las notas del *adagio* de Albinoni sonaban majestuosas en el órgano de la basílica catedral. La iglesia refulgía como un ascua de oro en aquella tarde decembrina. Las velas y las flores lo invadían todo. Cada altar lateral dedicado a la adoración de un santo estaba ornamentado de forma diferente. La nave central dejaba en medio un amplio pasillo entre las hileras de bancos. En el extremo de cada uno de ellos, había un ramo de flores blancas adornándolo. Los diez primeros de cada lado estaban reservados a los seminaristas que aquella tarde iban a profesar y los siguientes eran para las familias, amigos y allegados. El triforio lucía esplendoroso; en medio del mismo y en el centro del altar mayor estaba instalado el trono episcopal. Ante él se iba a celebrar la ceremonia de posamanos y acato para los treinta futuros sacerdotes de la provincia que, de esta manera, celebraban sus votos solemnes. Frente al mismo y en la alfombra, diez esteras equidistantes del tamaño de un hombre esperaban a los treinta que, de diez en diez, iban a prestar el juramento de compromiso echados boca abajo sobre ellas en tanto se cantaba la letanía de los santos. Tras el trono, que luego se retiraría a modo de gestatoria, estaba preparado el altar mayor vestido con sabanillas blancas recabadas en oro, que las manos pacientes de clarisas bordaban año tras año, para el evento. La misa iba a ser concelebrada y cantada por el obispo revestido de pontifical junto con el arcediano y el deán de la catedral.

El público lo iba ocupando todo y la gente se apretujaba en los laterales para poder participar del acto. Un olor antiguo, como a cera e incienso, creaba el ambiente místico que la ocasión requería. Los ojos asombrados de los diez años de Esteban lo miraban todo con curiosidad. A su lado derecho, su tía Elena, la monjita que él tanto amaba y cuyas manos, junto a muchas otras, habían elaborado los manteles donde se consagraría el cuerpo místico. A su izquierda, Engracia, su madre, pilar principal de su vida, mujer fuerte de la Biblia en la plenitud de sus treinta y siete años.

En aquel instante, por el pasillo central, caminaba majestuoso su Excelencia Reverendísima, el obispo Azcorta, con su báculo de pastor de plata y oro engastado de piedras preciosas en la mano izquierda, y en la derecha, enguantada, su pastoral anillo. Con ella iba bendiciendo a los presentes girándose a uno y a otro lado mientras impartía la señal de la cruz. Sujetando su capa, el domero y el deán de la catedral, revestidos con igual boato para la ceremonia. Tras ellos, el párroco, el vicario, el cillero y otros canónigos menores. Y finalmente, treinta hombres jóvenes, en dos filas de quince, cada uno vistiendo el alba blanca, todos ellos tonsurados y llevando en su mano exterior un gran cirio crepitante.

La música, dirigida por el chantre, aumentó repentinamente su volumen y Esteban imaginó que el cielo debía de ser algo así. Volvió sus ojos hacia el altar y vio la imagen preciosa policromada de la Santísima Madre de Dios con el Niño en brazos, que desde su peana marmórea le sonreía. Iban pasando los instantes, y todos y cada uno se registraban en su mente. El señor obispo había ocupado el sitial. Pasaban los postulantes ahora besándole el anillo, uno a uno, en tanto el deán con un trapito de lino blanco lo iba limpiando sujetando la mano de Su Ilustrísima para que el siguiente pudiera poner sus labios en él. Ora ocupaban sus bancos, ora se dirigían de nuevo al altar de diez en diez y se echaban en las esteras rezando una oración que el niño no oía dejando a continuación sitio a los siguientes. Después retiraron el trono y comenzó propiamente la misa. El coro de la catedral respondía los cantos de los oficiantes con su polifonía cromática absolutamente increíble; todo se desarrollaba majestuosamente. Finalmente, habiendo recibido un crucifijo de madera cada uno, fueron saliendo. El público abandonaba las naves, y los elegidos, invitados y parientes iban a pasar al refertorio, donde se iba a servir un pequeño piscolabis. Su tía Elena tenía tres invitaciones.

—Bajemos ahora, antes de que pasen todos. Si no, no podremos entrar. —La que así tomaba la iniciativa era su madre. Dicho y hecho. Bajaron los tres rápidamente.

—Menos mal, tía, que hoy vas de monja de campaña, si no con tu hábito no habrías podido correr —dijo el niño.

—Calla, calla, bobo... Y mira para delante, que la escalera es estrecha y bajarás rodando —contestó Elena.

Llegaron a la puerta. Allí un joven sacerdote pedía los pases. Se los entregaron. Dentro era una barahúnda de gritos jubilosos y abrazos intensos.

—Es que hay que tenerlo muy claro, que es para toda la vida y tomar estado es muy serio —decía una madre a otra.

Unas mesas de mármol colocadas en filas paralelas ofrecían una merienda sobria. En cada una de ellas una chocolatera caliente y jícaras para el chocolate. Después bandejas de melindros caseros, emparedados pequeños de jamón y, cada dos mesas grandes, platos de latón llenos de churros, mantecados y polvorones. Esteban alucinaba, tenía un apetito que la belleza de la ceremonia había distraído hasta aquel momento. Se despistó de su madre y de su tía y se dispuso a merendar. Se sirvió el chocolate. Tomó un plato. Puso en él dos brioches, y lo llenó después de churros y polvorones; estos últimos le entusiasmaban. Se puso a comer. No se dio cuenta cuando de repente su tía Elena le tocó el hombro. Esteban se volvió con la boca llena.

—Éste es mi sobrino, Ilustrísima —dijo.

La emoción no le dejó reaccionar. Se quedó parado con la boca llena y asombrado de que personaje tan importante descendiera hasta él. Su Excelencia Reverendísima tenía unos ojos claros y bondadosos que le sonreían tras sus gafas doradas con cristales montados al aire.

—¿Y qué quiere ser este hombrecito cuando crezca, hermana? —pregunto.

—Díselo, Esteban, contesta a Su Ilustrísima —lo apremió su tía.

—Obispo —dijo el niño mientras salpicaba el aire al pronunciar la «p» con pasta de polvorones, manchando de pequeñas partículas la sotana morada del prelado.

Cinco años hacía ya que Consuelo había regresado a Murcia. El principio fue muy difícil pese a la ayuda de sus amigos. Todos sus pensamientos se iban hacia Bernardo y cada una de las células de su cuerpo se rebelaba contra el destino. Don Marcelo, el notario, fue como un padre para ella y Carmelo. Y su hermano Fermín, cuya codicia en la madurez había remitido, quizá para acallar su mala conciencia, se podía decir que fue hasta generoso. Pero la persona que más la ayudó a superar el trance fue sin duda Mari, su amiga de la niñez, que quería recuperar a toda costa los años perdidos desde que sus vidas habían tomado rumbos discordantes. Mari se había casado y estaba en estado. Su marido era un jefe de planta de El Corte Inglés; era feo y bajito, pero todo lo que le faltaba de prestancia lo suplía con una simpatía y una sonrisa arrolladoras.

El piso que ella compró se podía decir que ya se encontraba en la parte céntrica de la nueva Murcia, y con la viudedad que le pasaba la Guardia Civil y los alquileres que cobraba de sus propiedades no iban a pasar apuros. No era la abundancia y tenía que controlar sus gastos, pero lo que se decía estrecheces no iban a pasar.

Una vez instalada, lo primero que hizo fue buscar trabajo. Ella no podía quedarse en casa todo el día cuidando a Carmelo sin otra cosa que hacer, y aunque su sueldo fuese a parar casi íntegro a la interina de toda confianza que le proporcionó Mari, le compensaba. Se autoexaminó preguntándose para qué servía. No había allí azafrán, y ella sólo sabía hacer de ama de casa. De nuevo Mari vino en su ayuda.

—Ya lo tengo, El Corte Inglés.

—Quita, mujer, yo no he vendido nunca.

—Ni falta que te hace. Eso no es una carrera de filosofía. Ya aprenderás. Además, Gustavo te echará una mano, y tú toda la vida has cotorreado como nadie y vender es eso, cotorrear.

—Tú lo ves muy fácil, pero no creo yo que...

Pero sí, la realidad fue que no resultó complicado, y tras una entrevista breve y el examen de su trágico currículum fue aceptada y destinada a la planta de Gustavo. Ya era hora de que algo le saliera bien.

Las semanas volaban y los días de fiesta se había marcado

dos obligaciones; la primera, dedicársela a su hijo, y la otra, contestar las dos o tres cartas que semanalmente Tere le mandaba. Tere era su consuelo a distancia. Mari, al final de su primer año en Murcia, tuvo un niño feo como su padre pero simpatiquísimo. Ella fue su madrina. Mari no tenía hermanos, y el niño se llamó Gustavo. Carmelo le llevaba dieciocho meses y ésa era una diferencia que con el tiempo, al paso de los años, no sería nada. Y así, sin sentirlo, metida en su trabajo y en su hijo había pasado ya un lustro.

Era domingo, diciembre, y en la explanada al lado del río, el Circo Americano había instalado su carpa. Carmelo había tenido buenas notas en el parvulario, y al preguntarle su madre qué es lo que deseaba en aquella Navidad, el niño no dudó un segundo.

—Quiero ir al circo con Gusti —dijo.

Gusti era Gustavo, el hijo de Mari. Allá que se fueron los cinco.

El Corte Inglés había repartido entradas para el espectáculo en los lotes alucinantes que regalaba a sus empleados, y tenían cinco sillas de primera fila de pista. Los chavales estaban nerviosísimos. El circo era el mayor espectáculo del mundo, máxime para sus mentes infantiles. Gustavo sabía hacer disfrutar a los críos porque era más crío que ellos y daba a cada situación un rito especial. Ellas estaban encantadas porque, sabiendo que los chicos estaban con él, podían despreocuparse y hablar de sus cosas. Ocuparon sus sillas Consuelo y Mari, y dejaron sus abrigos en las otras tres ya que los «hombres», como decía Gustavo, se habían ido a la parte posterior a ver a los animales. Llegaron excitadísimos.

—Mamá, mamá, no te puedes imaginar. Hay leones, y tigres, y osos, y leones...

—Vale, vale, Carmelo, ya los veremos. No nos adelantes cosas.

—Pero, mamá, no te puedes imaginar...

Las luces ya se apagaban y se encendía la pista. La orquesta, colocada en un palco encima de la puerta por la que saldrían los artistas, atacaba un brioso pasodoble, «España cañí». Se encendieron los cañones de luz halógena y los rayos blancos barrieron la pista circular, convergiendo en el presentador, que apareció en medio del círculo vestido con un esmoquin de lentejuelas.

—Señoras y señores, niños y niñas, abuelitos y abuelitas, el Circo Americano, el mayor espectáculo del mundo, se presenta hoy en Murcia. Veréis a los trapecistas voladores, a los Janini, a los leones amaestrados de Iván Guronov, a los monos sabios de Carpenter, a John Smith, el hombre más rápido del mundo con sus cuchillos, a la familia Clemenceau con su cama elástica y, lo más esperado por todos, ¡a los Tonetti!

El aplauso fue atronador. Empezaron a sucederse cosas maravillosas a un ritmo vertiginoso. Los niños estaban arrebolados y como en trance. No sabían lo que les gustaba más, si lo último que veían era lo mejor. Pasaban de la angustia total cuando la trapecista con su *maillot* dorado que volaba seguida por el foco no acertaba a asir el trapecio que le enviaba el compañero portor y caía en la red, a las carcajadas incontenibles cuando un chimpancé vestido de acomodador aprovechaba que el domador estaba de espaldas y desde un alto taburete hacía cortes de manga al público. Les maravillaban los leones con sus rugidos estremecedores que casi atacan a Iván Guronov, y tantas y tantas cosas. El «mira, mamá» seguía al «mira, mamá», ya que Gustavito repetía invariablemente lo que decía Carmelo.

—Y, ahora, procedentes del Circo Ridling Ross de Estados Unidos de América, los mejores clowns del mundo, ¡los Tonetti! —dijo el locutor.

El circo se venía abajo. La chiquillería se desbordaba incontenible. Eran tres. El listo, que iba con un bombacho rosa fucsia, lleno de brillos y con medias blancas, con la cara pintada de blanco, un gorro picudo y una ceja en uve invertida encima del ojo derecho. Y los otros dos, con narizotas, camiseta roja, pantalones a cuadros, zapatones gigantes y labios de negro pintados de vermellón. Fue fantástico. Se hicieron mil perrerías. Se mojaron. El pequeño decía que él sabía tocar el salchichón en vez del saxofón. Carmelo alucinaba. Todo, absolutamente todo, fue irrepetible. Se apagaron las luces, la gente fue desfilando. Algún padre llevaba a algún pequeño dormido en brazos. Fuera hacía mucho frío y la humedad del Segura se metía hasta los huesos.

Al llegar al Rincón de Pepe se despidieron.

—Gracias por todo y hasta mañana —dijo Consuelo.

—Gracias a ti, mujer, si no ¿qué hago yo con este par? —respondió Mari besando a su amiga.

Se separaron. Llegando a casa, Consuelo imaginó que el niño estaría rendido tras tanta emoción pero ¡qué va! No le perdonó la cena, y durante la misma le fue contando de nuevo la función punto por punto.

—Y entonces, mamá, el domador...

—Que ya lo he visto, hijo, que yo también he ido.

—Pero es que como hablabas con tía Mari no te dabas cuenta de que...

—Me he enterado de todo. Y ahora se acabó el circo. O sea, que te pones el pijama, te lavas los dientes y antes de diez minutos te quiero en la cama.

El niño obedeció no sin esfuerzo. Al acabar de recoger los cacharros, Consuelo le fue a dar un beso como cada noche. Aún no dormía.

—Mami, ¿te has fijado cuando el mono...?

—Carmelo, o te duermes o no te llevo nunca más al circo.

—No mamá, *porfa*, ya me duermo. Mira.

Y diciendo esto cerrando los ojos, Carmelo sonrió. Ella lo besó y se fue a su cama. Estaba más cansada que un día de trabajo. Se desvistió. Se puso el camisón tras lavarse y se acostó. Estaba rota. Un ruido especial le turbó el primer sueño, algo fuera de lo común. Se levantó sigilosamente, se puso la bata y las zapatillas y salió al pasillo. Bajo la puerta del cuarto de baño se veía luz. ¿Le habría sentado mal la cena a su hijo tras tanta emoción? Suavemente abatió el picaporte y abrió la puerta. De pie, encima del retrete, estaba Carmelo, la cara pintada de blanco con crema de un bote cuya tapa estaba en el suelo. Eso era el ruido que la había despertado. Una ceja negra en uve pintada con lápiz de rimel y un pintalabios rojo en la mano, con el que sin duda se iba a pintar la boca.

—Seré payaso, mami. Cuando sea grande seré payaso.

Una bruma espesa cuasi tangible entelaba las luces de su cerebro. Repasaba una y mil veces lo acaecido y concluía que aquello no le había pasado a él. Jamás en toda su vida se había sentido mejor y más ubicado que en los años que dedicó a formarse para ejercer el terror. Por fin su vida cobró un sentido concreto. Le explicaron el porqué de la violencia, justificaron sus acciones a través del fin que perseguían, y él, estúpido, necio e imprudente, había sacrificado todo para la satisfacción de su ego, para llevar a cabo una venganza puntillosa y excesiva que había comprometido a otros y que era para la gran familia totalmente innecesaria. Seis años llevaba en la trena y pesaban sobre él dos condenas de más de cien años por un montón de cargos que cayeron en el juicio y que escuchó de pie y esposado como quien oye llover. Lo que más, no, lo único que le jodía era haberles fallado. Lo recogieron, lo educaron, lo instruyeron, lo motivaron, se gastaron en él un montón de dinero y los había malvendido y traicionado.

Su pensamiento rebobinó y de nuevo puso en marcha el vídeo de cómo habían sucedido las cosas. Estaba en el bar donde nadie le conocía. Llegaron dos coches normales. Bajaron cuatro tíos. Entraron. Recorrieron todo con la vista y, súbitamente, se encontró enmanillado y conducido a jefatura tras serle arrebatado su sello. Lo demás... Estaba fichado por la muerte de un joyero, donde por lo visto perdió la documentación. Buscado por terrorismo desde el atentado de Madrid, donde le hicieron el retrato robot que alguien asoció, por su parecido, con la foto de la Polaroid que él había echado en falta, al recoger sus cosas. Y le encontraron la puñetera llave de su cuarto, con un llavero de metal estrellado y un número para identificarlo. Encontraron la pensión. Lo desmontaron todo. Apareció en el trasfondo del armario su diario, y sus cajas y los fulminantes, y la espiral de goma-2 y el sedal; todo lo relacionaron con la muerte de aquella golfa, amén del paquete de billetes con las huellas de ambos.

Salió todo. Para finalizar, su última hazaña: el pasaporte a aquel sargento entrometido de la Guardia Civil, hasta Engracia y una monja que era la que él encontró cuando cometió la imprudencia de preguntar por ella. Lo identificaron. Por cierto que la zorra sólo lo acusó de robo. Lo quisieron enredar hasta con la muerte de Aitor, ¡hijos de puta...!, ¡como si él le hubiera echado el árbol encima! Y aquel cabrón de negro iba desgranando un rosario de exageraciones y mentiras en tanto sus ojos seguían erráticos el zumbido de un moscardón marrón en el cristal de la garita desde donde presenció en varias sesiones su juicio. ¡Maldita fuera su sangre! No le permitieron entrar en la cárcel con la cabeza alta como un soldado ni, por tanto, integrarse en los políticos. Lo entreveraron de delincuente común por su primera y su última fechoría. A partir de aquel instante y durante todas las estaciones que hizo el tren en su vía crucis carcelario, en ningún penal consiguió integrarse plenamente en clase alguna. Para los políticos era un traidor; para los comunes, un político que intentaba zafarse. La furgoneta paró y Zambudio esperó a que le abrieran la puerta posterior para descender, como así se hizo. Estiró sus entumecidos músculos, movió las piernas y alzó la cabeza. Estaba en medio de un patio interior. De lado a lado del muro y sobre la segunda puerta que ya se abría, leyó: Penitenciaría del Dueso.

30

Esteban crecía y cada día se daba cuenta de que era diferente a los demás chicos. No le gustaba el fútbol y tampoco se volvía loco por mirar por el agujerito que había hecho su hermano Emilio hacía ya tiempo en la carpintería para ver cómo se duchaban Mayte o su madre. No necesitaba hacer un gran esfuerzo de voluntad, simplemente no le atraía. Tampoco le importaba que Emilio lo insultara; ya estaba acostumbrado a ello. Sus goces eran tranquilos y contemplativos. A veces sorprendía a su madre mirándolo de un modo extraño, y era consciente de que cuando hablaban de él con su tía Elena, lo hacían en voz queda.

Tenía vívidas en su recuerdo las imágenes riquísimas del día de la ordenación de aquellos sacerdotes en Santander. Cada domingo se levantaba al alba, se vestía en silencio, tomaba la bicicleta del cobertizo y se hacía los once kilómetros en cuesta que había desde su casa hasta la ermita de Santa Engracia. En ella ayudaba al padre Soria en la santa misa. Luego, al terminar, vuelta a la bici, y siguiendo la moto del cura, se dirigía al convento de su tía, la monja, y allí se vestía de monaguillo: sotanita roja y sobrepelliza blanca; y volvía a ayudar en una misa cantada en un ambiente místico donde el gorjeo de las voces aflautadas de las monjitas que salía de las celosías del coro hacía sus delicias.

Aquel día se decidió, al terminar en el refectorio donde se desayunaba y donde él tenía acceso en calidad de sobrino de la tornera y monaguillo. Se dirigió a su tía.

—Tía, querría hablar contigo.

—Pues habla —le respondió ella atareada.

—Pues párate, que así no puedo.

Por el tono de voz la monja intuyó que el tema era serio y lo miró fijamente, en tanto se secaba las manos con un paño de cocina.

—Tú me dirás.

—Tía, no sé si madre se enfadará conmigo.

—¿Qué has hecho? —preguntó ella inquieta.

—Aún nada. Me gustaría hacerlo pero no lo he hecho.

—¿Y qué es eso tan importante que hace que pares mis obligaciones y que va a incomodar a tu madre?

—Tía, quiero ser cura. —Ya estaba dicho.

La monja, sin soltar el trapo de la mano, cayó arrodillada en el suelo del refectorio mirando al cielo como transportada.

—Gracias, Señor, por escuchar mis súplicas y mis plegarias tanto tiempo.

Esteban Ugarte y Salaverria, a los catorce años de edad, entraba de postulante en la casa seminario que los padres claretianos tenían en Quintanar de los Infantes.

A Carmelo le encantaba aquella nueva aventura que algún fin de semana se montaba de ir a dormir a casa de los tíos. De vez en cuando pedía permiso a su madre y ésta le dejaba. O viceversa, Gusti dormía en su casa. Cuando iba para allá, recalaba con su bolsa en el piso de Mari, que era la casa encantada. El chaval adoraba a su tío Gustavo, que inventando juegos era el genio de la lámpara de Aladino. Se ponía morado de golosinas. Y luego estaba lo otro, que era su gran secreto. Por la mañana, habían ido al parque con los monopatines. Después de comer se habían metido un helado de postres que no se lo saltaba un gitano. Luego habían jugado a disfrazarse, y Carmelo lo hizo pintándose y todo. A las seis, merendaron un inmenso bocata de Nocilla. Se habían instalado ante la tele para ver una película de vídeo alquilada que era de terror, vampiros y eso. Se quedaron asustadísimos. Luego cenaron y a la cama. La tía lo ayudó a lavarse y después se acostaron.

—Carmelo, tengo miedo —dijo Gusti al apagar la luz—. ¿Tú no?

—No, no tengo —mintió él.

—No voy a poder dormir. —Gusti, que era algo más pequeño, empezaba a lloriquear—. Déjame ir a tu cama —pidió.

—Vente.

Se oyó un rebullo de sábanas y al momento ambos estaban abrazados, ya más tranquilos. Carmelo no supo ni por qué lo hacía, pero sin darse cuenta su mano derecha había descendido a la entrepierna de su amigo y lo acariciaba. Aquel juego se fue repitiendo muchas noches a partir de aquel día aunque la película hubiera sido de risa. Al día siguiente, sus miradas eran cómplices de algo que no dijeron nunca a los mayores. Éste fue su secreto.

31

La casa madre de la orden dominaba un montículo que fue lo primero que vieron los ojos de Esteban cuando el desvencijado autocar dobló el último recodo del camino.

En Quintanar se reunió con cinco estudiantes más a los que esperaba el hermano Toribio en la plaza de la estación a las cinco de la tarde. La orden se dedicaba a la enseñanza y a la asistencia de enfermos y presos. Tres eran las categorías que según los años alojaba el convento: estudiantes, postulantes y novicios. Estudiantes lo eran todos al entrar y durante tres años; luego, durante cinco años más de la segunda etapa y ya con votos menores, salían novicios. Si al terminar dicha etapa se quedaban en ella, se dedicaban a la asistencia de enfermos y presos, y con una dispensa especial, podían dejar la orden. Su nomenclatura dentro de la orden era la de «hermano». Asimismo y dentro de la vida de la comunidad, se les asignaban tareas más humildes. La portería, las cocinas, la vaquería, la enfermería, la sacristía, etcétera. Finalmente, los novicios prolongaban sus estudios cuatro años más; en ellos estudiaban teología, religiones comparadas, filosofía y humanidades. Antes de cantar misa se hacían votos mayores, y una vez hechos, para salirse de la orden hacía falta la licencia del provincial y el plácet del obispo. Su titulación, al acabar, era la de «padre». Al finalizar la etapa de estudiante y antes de proseguir para postulante había un descanso de tres meses en el que se reincorporaban a la vida familiar y meditaban su continuidad. Igualmente, entre el final de postulante y el principio del noviciado, se hacía otro parón de otros tres meses. Esteban estaba al corriente de los pormenores, ya que antes de decidirse su tía Elena le informó puntualmente de todo, amén de las entrevistas que tuvo para resolver su admisión. Se dio perfecta cuenta de lo que iba a emprender, y supo que desde que atravesara las puertas de la entrada hasta que cantara misa pasarían más de doce años. Prácticamente tendría casi treinta. Los estudiantes que venían de familias pudientes entregaban a la orden una dote para ayudar a su formación. Aquellos que no podían darla eran admitidos igualmente tras el correspondiente certificado librado por el párroco de su parroquia aseverando su condición.

El pequeño vehículo subía trabajosamente la cuesta entre jadeos y estornudos, y el corazón de Esteban palpitaba más fuerte que el vetusto motor. Al fin llegaron. Descendieron los seis muchachos precedidos del hermano Toribio. Cada uno agarrado al asa de su maleta.

El monasterio era majestuoso y respiraba una paz y una reciedumbre que templaba el espíritu. Los ojos de Esteban lo devoraban todo. La fachada tenía tres pisos y una longitud de más de cien metros. De ella y mirando hacia poniente arrancaban tres naves, por lo que, a vista de pájaro, todo el conjunto podía parecerse a un inmenso tenedor con tres puntas. En la puerta principal esperaba el padre director acompañado del prefecto y del magister de novicios. El grupo se acercó hasta ellos, y los jóvenes fueron pasando y besando la mano de los superiores, mientras eran presentados por su nombre por el hermano Toribio.

—Esteban Ugarte.

Se adelantó a saludar cuando le sorprendió la voz del prefecto.

—Su tía de usted es tornera en las clarisas de Santander.

—Sí, padre —dijo respetuosamente.

—Sabemos muchas cosas de usted, y esperamos mucho de esas cualidades que Dios le ha dado y que tiene que repartir con los demás. —La voz era grave y muy afectuosa.

Esteban enrojeció, pero quedó más tranquilo cuando se dio cuenta de que para todos había una frase amable.

—Luis Jiménez Lombarte —nombraba ahora el hermano.

Los acompañaron a dejar las maletas en la conserjería y lo primero que hicieron fue visitar la capilla. Ocupaba la misma la nave central de las tres que desembocaban en la fachada. A

Esteban le pareció preciosa. La puerta de hoja recia de roble cerraba un arco de medio punto, y entrando, en la parte posterior y en forma escalonada, estaba la colegiata de la comunidad, con los sillones y reclinatorios de los padres que formaban a los jóvenes. La iglesia era de una sola nave de estilo gótico. Seis columnas de estilo jónico separaban los paños de pared de los laterales, y en medio de cada uno de ellos una pintura representaba las imágenes del via crucis. En lo alto, las paredes laterales se juntaban en el techo formando arcos de nervadura y al llegar al altar mayor se cerraban para configurar el ábside. En el prebisterio, la mesa sagrada estaba alzada en dos escalones, y tras ella se elevaba un hermoso retablo churrigueresco conformado por una imagen central de Cristo del pantocrátor y a cada lado una ornacina; la de la derecha la ocupaba una imagen de san Juan Bautista y la de la izquierda un san Antonio de Padua. Encima de las tres y presidiendo la iglesia, una imagen bellísima de Nuestra Señora del Perpetuo Socorro. Todo el conjunto rodeado por multitud de ángeles, arcángeles, serafines, querubines, tronos y potestades aguantando capiteles, pequeñas columnas y bajo relieves en formas policromadas, panes de oro. Una mágica luz lo envolvía todo. Esteban alzó su cabeza y no pudo ver de dónde procedía. Luego, observando atentamente, descubrió que la parte alta del ábside abovedado encima del altar tenía forma de sierra y el lateral del diente que miraba hacia delante enmarcaba un vitral de colores que tamizaba la luz y daba aquel místico y recogido ambiente, cuya iluminación cenital hacía que todo el conjunto tuviera unos brillos y unas sombras de una belleza mística increíble. Tras el altar, una pequeña puerta daba a la sacristía y, a tres metros del primer escalón, una barandilla de hierro forjado y bronce, partida en dos, separaba el ábside del cuerpo principal de la nave y hacía de reclinatorio para las ceremonias que lo requirieran, como la comunión. Dos grandes lámparas de metal de estilo carolingio, con más de cincuenta puntos de luz cada una, estaban a ambos lados de todo el conjunto, para iluminar el altar en las ceremonias nocturnas. Lámparas más pequeñas del mismo estilo, seis por lado, pendían del techo y estaban colgadas de las entrecolumnas. Dos filas de bancos con reclinatorios de madera ocupaban la nave en toda su extensión. Las seis últimas hileras, próximas a la colegiata, tenían el genuflectorio almohadillado para los padres y hermanos de edad que habían dado lo mejor de sí mismos a la orden y regresaban a la casa madre a terminar sus días; de esta manera se cerraba el ciclo: de allí salían y allí regresaban. Los últimos eran un ejemplo vivo para los jóvenes. Encima de la grada donde se colocaban los superiores, el techo bajaba y soportaba las vigas de maderas que el tiempo había patinado. Sobre ellas estaba el coro al que se accedía por una pequeña escalera de caracol. En él y a ambos lados de un órgano de tubos del siglo XVI estaban los bancos que, colocados en forma de abanico, miraban hacia el altar de forma que los que allí se ubicaran pudieran atender perfectamente las señales que impartiera el maestro de música del monasterio.

Aunque su tía le había hablado mil veces de aquella maravillosa iglesia, Esteban decidió que se había quedado corta, todo superaba a lo que él se había imaginado. Los colocaron en los primeros bancos, y al cabo de un momento el recinto se llenó de todos los novicios postulantes y seminaristas que componían el alumnado, así como los padres y hermanos que lo regían o vivían en él.

Sonó el órgano y un canon precioso inundó el espacio mientras el gregoriano cantado en toda su majestuosa extensión llenaba el recinto de voces masculinas afinadísimas que entraban de una en una. Terminaron los cantos y, tras una oración, se sentaron en los bancos guardando un absoluto silencio.

El maestro de novicios llegó hasta el altar. Se arrodilló en el medio y se levantó para dirigirse a un pequeño púlpito lateral en el que asomaba el curvo flexo de un micrófono.

—Padre rector, padre prefecto, alumnos, hermanos, con tu permiso soberano, Señor sacramentado. Queridos hijos en Cristo, hoy, aquí y ahora, el Señor ha querido favorecernos una vez más con el fruto maravilloso de seis vocaciones. Hoy seis muchachos jóvenes ilusionados llegan a nosotros con el deseo de ofrecer su vida al servicio de Dios dentro de las reglas de nuestra comunidad. —Ahora se dirigía a ellos mirándolos directamente—. Vosotros, queridos y nuevos hijos, en la edad hermosa de los donceles, habéis optado libre y generosamente por el servicio de Dios y el amor a Él a través de vuestros prójimos, del más pobre, del más necesitado y del más solitario y enfermo. Jesús se encarna en cada uno de ellos y nos dice una vez más: «Aquello que hagáis por éstos, lo hacéis por mí». Aquí os ayudaremos, os formaremos y os daremos soporte en las horas bajas que vendrán. Desde hoy y para siempre seremos vuestra familia, y asumimos esta responsabilidad con alegría y confianza. Alegría porque alegre es el servicio del Señor, y confianza porque mal podemos pretender que confiéis en nosotros si nosotros mismos no confiamos en nuestras fuerzas. Vosotros sois la nueva semilla. Nosotros debemos ser el campo abonado donde fructifiquéis. La tarea que se os presenta no es fácil y el sendero no es un sendero de flores. El Maligno acecha siempre. Pero con la ayuda de Dios y las fuerzas que os enviará el Espíritu Santo iremos cumpliendo los tramos del camino, apoyados los unos en los otros. Hermanos, hoy es un día glorioso, un día en que debemos levantar nuestros corazones a Dios para darle gracias por la inmensa merced que nos ha concedido. Hermanos, bienvenidos a nuestra casa.

El órgano atacó el *Aleluya* de Hendel y el coro estalló en una cascada de notas cristalinas. Esteban tuvo la certeza de que en aquel momento forjaba su destino. Sus ojos miraron la leyenda que circunvalaba la imagen del Cristo del pantocrátor: «Yo soy el camino, la verdad y la vida». A continuación comenzó la santa misa.

Era ya de noche y en la paz de su pequeña celda fue repasando todos los acontecimientos de aquel su primer día. Las imágenes se sucedían en su mente y él las ordenaba y clasificaba para después, con el paso del tiempo, poder tener todo aquello tan claro y vívido como lo tenía en aquel instante.

Al salir de la iglesia, les asignaron a cada uno un novicio que iba a ser, allí dentro, algo así como su ángel custodio. Él les indicaría cuantas reglas y costumbres tuvieran que adquirir durante el primer año. Rafael Urbano se llamaba el suyo, y el título con el que se les distinguía era el de «mentor».

Lo primero que hicieron fue ir al ropero. Allí les esperaba el maestro de novicios, quien examinó sus pertenencias, ubicando las maletas que habían recogido anteriormente en la consejería. El ambiente era amable y tranquilo. Los armarios de los postulantes estaban todos juntos, adosados a las paredes y numerados. A Esteban le asignaron el número nueve. Allí colocó sus pertenencias. Ropa interior, calcetines marrones, zapatos de deporte, un par de jerséis y dos pares de pantalones, dos esquijamas. Su mentor le indicaba en voz baja cómo debía colocar las cosas.

—Seréis los amos de vuestro silencio y los esclavos de vuestras palabras.

El apotegma lo había dicho el magister de novicios mirando hacia el fondo, donde tal vez uno de los postulantes y su mentor levantaban la voz en demasía.

—Puedes coger el pijama, el albornoz y las cosas de lavarse —dijo Rafael.

Esteban asintió en silencio y se dispuso a salir tras dejarlo todo ordenado. Sobre el banco central que separaba el primer tramo de armarios había un par de libros y un juego de ajedrez que el maestro había requisado. El ropero ocupaba un extremo de la fachada por su parte posterior.

Desandaron el camino hasta la parte central donde el edificio principal hacía un crucero románico. En el brazo largo, dando a la parte trasera donde arrancaban las tres naves, se encontraba, empezando por un extremo, en primer lugar la enfermería, a continuación el antedicho ropero, el aula de música después y el almacén de suministros. Allí el brazo corto se interfería para proseguir por el otro lado; el aula de máquinas de escribir, la biblioteca pequeña y el aula de ciencias naturales. En el mismo brazo largo y en la parte anterior, donde por la mañana daba el sol a ambos lados del crucero, había una serie de aulas, que eran compartidas por todos ya que los profesores impartían sus clases siempre en un lugar, siendo los alumnos los que iban cambiando.

En el brazo corto del primer piso, en la parte anterior, se hallaban los despachos del padre superior y del padre prefecto. Y atravesando el cruce hacia atrás, el del magister de novicios y el del administrador. Siguiendo el brazo corto se llegaba a la escalera, que descendía y ascendía en dos tramos para ir hacia arriba a las celdas y duchas de los estudiantes y postulantes, y hacia abajo a la iglesia, que era la nave central. Las naves laterales eran la una un comedor y la otra un salón de conferencias y sala de visitantes. Toda la parte baja de la fachada principal estaba ocupada por el museo, a un lado, y por las tres secciones de estudio que siempre eran las mismas para los mismos; en cada una había un maestro de estudios, y las ocupaban los novicios, postulantes y estudiantes, por este orden.

Los dormitorios de la comunidad estaban en el tercer piso de la nave cuyos bajos estaban ocupados por el salón de conferencias, y en el segundo piso de la misma nave estaban la sala de reunión, la biblioteca de libros a los que no se accedía sin permiso especial y finalmente los servicios del primer piso.

Esteban, mientras transitaba por el edificio, lo miraba todo. Aquélla iba a ser su casa durante muchos años. Sin darse cuenta llegó a su celda.

El número que había en la puerta correspondía al que le habían asignado en el ropero, el nueve. Rafael se la mostró. Un catre con una colchoneta aún doblada y, a los pies, sábanas y mantas. Sobre la cabecera, el crucifijo. A los pies de la cama, un perchero de tres colgadores y, al lado de la misma, la mesa de noche. Las celdas no tenían techo y las paredes no llegaban al común del dormitorio. La puerta era de madera, con un pequeño recuadro horadado y de cristal en el centro.

—Ahora haces tu cama, cuelgas tu albornoz en el perchero, el pijama lo dejas bajo la almohada y lo de lavarte lo pones en la mesa de noche.

Lo hizo todo como le indicaban. Salieron, y el magister los esperaba frente a los lavabos. Éstos eran de piedra gris y corridos. Una cañería salpicada de grifos recorría el perímetro y no había espejo. En el medio, y para aquella ocasión, habían colocado tres sillas. Los esperaban dos hermanos. Los seis se sentaron sucesivamente. Les colocaron una sabanilla y les cortaron el pelo al uno, dejándoles en la parte posterior un círculo a modo de tonsura. Todo en silencio. Luego bajaron al economato y, según las tallas, les dieron una sotana negra, un cordón blanco y sandalias negras también. Se colocaron la primera pasada por la cabeza, y cada mentor ciñó la cintura de su pupilo con el cordón a modo de cíngulo. Después se calzaron. Esteban veía a los otros e imaginó que él estaría de pareja guisa. Así vestidos volvieron los trece a la capilla y oraron. Luego fueron al refectorio; un desayuno festivo inauguraba su primer día. Lo repartieron por las mesas de forma que cada uno con su mentor se incardinara en un grupo. Leche, café, chocolate, churros y pan blanco. Rezaron antes de comenzar, y durante el desayuno, en voz queda, se podía hablar al toque de campanilla de los respectivos maestros de estudios. El suyo, el de estudiantes, era el hermano Luis Galiano.

—¿De dónde eres?

—¿Cómo te llamas?

—¿Qué has pedido de trabajo?

Cinco eran los compañeros de mesa y cinco fueron las preguntas que le hicieron a bocajarro. Las mesas eran de seis estudiantes y un mentor, el mismo asignado al último incorporado. Rafael Urbano, que ya era postulante, ponía orden.

—Dejadle desayunar. Tiempo habrá de conoceros.

Esteban sonreía feliz e intentaba responder a las preguntas de sus jóvenes compañeros.

—He pedido la granja —contestó a la tercera pregunta.

Los estudiantes, según sus aficiones y aptitudes, eran asignados a un trabajo físico particular dentro de los estudios generales. Esteban provenía del campo y amaba a los animales. Cuando rellenó los cuestionarios previos al ingreso en la orden, en el capítulo de trabajos manuales preferentes contestó lo procedente al saber, por su tía, que el monasterio tenía una granja que lo nutría de muchos productos.

Salió del comedor y en un ventanal vio su imagen entera por primera vez vestido de aquella forma. Una emoción intensa lo embargó.

El día fue pasando rápidamente. Libros, clases, estudios, granja, capilla, refectorio. Eran las veintiuna horas, y tras él fue cerrada con pestillo desde el exterior la puerta de su celda. Su mente era un torbellino. Se quitó su hábito y, sin saber a ciencia cierta por qué, lo besó. Se puso el esquijama y, arrodillándose en el suelo, con los brazos apoyados en la cama, oró dando gracias por todos los bienes recibidos, oró por su madre, oró por sus hermanos, tíos y abuelos, oró por el mundo entero y se dispuso a ser un religioso ejemplar.

32

—Lo que te he contado es la verdad misma. No añado ni una tilde ni una coma. Le está haciendo un daño horrible al chico y lo peor es que no se da cuenta.

La que así hablaba era Mari y su interlocutora era Tere, que aprovechando un viaje de su marido había ido a ver a sus amigas.

—Me dejas de piedra. Consuelo ha sido siempre muy entera. La vida le ha pegado mucho y jamás habría imaginado algo así.

—Pues me quedo corta, Teresa. —Cuando entre ellas se llamaban sin el diminutivo es que el tema era grave—. Y no te quiero contar porque yo misma me niego a aceptarlo. —Hizo una pausa y continuó—: No sé, pienso que a veces confunde el amor de su hijo con otro tipo de amor.

—Pero ¿qué dices? —se alarmó Tere.

—De verdad que no lo entiendo y, además, es un tema que no se puede ni tocar. El otro día casi la tenemos. —Tere esperó aguantando la pausa para que la otra prosiguiera—. Estábamos en la tienda; era el sábado, creo..., sí era el sábado; pasó al probador porque se enamoró de una falda y una blusa muy majas que yo le había apartado por las rebajas. Hizo entrar al chico. El chaval ya tiene quince años; sí, ya los tiene porque Gusti va para catorce.

—Bueno, ¿qué importa eso? —terció Tere—. No lo iba a dejar en la calle.

—No me entiendes. En el probador. Lo hizo entrar en el probador. No llevaba sujetador y, debajo de los panties, nada. Se la veía..., bueno, tú ya me entiendes.

Tere se quedó pensativa. La otra prosiguió remedando la voz de Consuelo.

—«¿Te gusto, Carmelillo? ¿Está guapa mamá?» Toda la melena roja suelta y haciendo posturitas, como si fuera su marido. Yo qué sé. Y él: «Monísimo te queda esto. Tía Mari, ¿no lo tienes en fucsia?». Yo violenta, como te puedes imaginar; ella medio en cueros y él sin darle importancia. Y no quedó ahí la cosa. A los dos días se me ocurrió decirle que no me parecía bien, que fue muy violento. ¡Madre de Dios, qué has dicho, Mari! Que soy una reprimida, que si duermen juntos de vez en cuando, que si Carmelo es mucho más que un hijo para ella, tal cantidad de barbaridades que me dio el berrinche. Tuve tal disgusto que Gustavo se dio cuenta. Bueno, que me ha prohibido que me meta en nada, y que si se equivoca ya es mayorcita.

—Tiene razón —apuntó Tere.

—Ya lo sé, pero es la madrina de Gusti. —Al decir esto hizo un silencio forzado, como si hubiera estado a punto de escapársele algo.

—Mary —dijo Tere mirándola fijamente—. Mari, ¿qué es lo que no me dices? —insistió.

—No me atrevo ni a pensarlo, ¿cómo voy a decirlo?

—Mari —dijo en tanto le apretaba la mano a través de la mesa de la cafetería—. Soy Teresa. No hemos tenido un secreto jamás, ¿recuerdas?

—Mira, trabaja en El Corte Inglés y podría comprar allí lo que quisiera y con descuento. Viene a mi boutique precisamente para poder hacer el número y...

—¿Y?

—Pues que prefiero que Carmelo no venga a casa.

Tere se puso muy seria.

—María, Consuelo es nuestra amiga. Yo vivo en Barcelona. Si no me hablas claro, no la podré ayudar.

Mari estaba llorosa.

—Tere, Carmelo es raro. Tuve que ponerme seria en casa para que no cerraran con llave la puerta del cuarto de jugar. Yo no me chupo el dedo y sé lo que son los críos, pero ya era mayorcito, y tiene una influencia nefasta sobre mi hijo, y yo no sé qué hacer, Tere. —Se puso a llorar.

Tere dejó que se desahogara. Pasaron unos minutos y le alargó un clínex. Mari lo tomó y se secó los ojos.

—Lo siento —dijo—, estoy muy mal. Los quiero a los dos, pero más a mi hijo. Y no te voy a decir la que se armaría si Gustavo se enterara.

—Mari, dime todo lo que tengas dentro que te incomode.

—Son muchas cosas. Te lo juro, Tere. Y conste que lo siento. Anda extraño, se viste de chica en cuanto hay que disfrazarse. No es que me lo parezca a mí. Fíjate cómo habla, mírale las manos.

Tere callaba y asentía en silencio.

—Los genes son importantes. Pobre Consuelo. Sólo le falta eso. ¿De dónde habrá salido? Bernardo no podía ser más hombre y ella es un pedazo de mujer.

—No tiene que ver. Al lado de nuestra casa hay un matrimonio estupendo; nueve hijos tienen, todos fantásticos. El cuarto, que es chico, es homosexual declarado, de igual padre e igual madre. La naturaleza o Dios o lo que sea tiene estas cosas. Y los tarados y los subnormales, qué quieres, cada vez me asusta más pensar y no quiero tener más hijos.

—Pongámoslo todo en cuarentena. No hagamos juicios de valor prematuros. Yo hablaré con Consuelo.

—Por Dios, no le digas que yo...

—Mari, yo sé lo que tengo que decir y lo que voy a hacer.

Con cuidado... pero las dos somos sus amigas y hemos de ayudarla aunque el trago sea duro.

Carmelo salía del instituto a las cinco de la tarde, y veinte minutos después subía la escalera del estudio de Encarna López con el corazón en la boca. No era mal estudiante y amaba la cultura, pero lo que más le apasionaba del mundo era bailar. Doña Encarna fue una mediocre bailarina, pero en cambio resultó una excelente profesora, cosa bastante normal porque se había pasado muchas más horas ante el espejo y en la barra de ballet que ante el público. Su gran sueño era sacar algún día una figura, y su gran esperanza era Carmelo. Pero Carmelo era demasiado disperso para ceñirse únicamente a la disciplina del ballet clásico. Carmelo quería aprender también baile español.

—¿No te das cuenta de que el baile clásico es la madre de todo? Cuando lo domines, te será mucho más fácil cualquier otro tipo de danza. Tienes que aprender a manejar tu cuerpo. La expresión corporal es lo importante. —Esta palinodia era entonada cada día por la profesora.

Carmelo se vestía despacio como si de un ritual se tratara. Tenía su armario en el vestuario y en aquel alguarín guardaba sus tesoros: mallas elásticas de Repeto, calentadores de lana ingleses, zapatillas de piel de cabra, —con y sin punteras—, dos blusas de lunares, dos pantalones de flamenco con goma debajo y tres pares de botas de tacón, amén, claro está, del neceser con todos los artilugios de higiene y maquillaje. En el envés de la portezuela, fotos de sus ídolos: Tamara Karsavina, Romola Nijinski, la Bronsiskaya y la Lopokova..., esto en cuanto a mujeres; en cuanto a hombres, Roland Petit, Barisnikov, Gudonov y Nureyev. Todos en posturas de baile, *pirouettes*, *développes*, *entrechats*. Una foto color sepia era su preferida, la de Isadora Duncan. La heterodoxa bailarina americana, que no se sujetaba a norma alguna, había muerto trágicamente ahogada por su foulard de seda cuando éste se enroscó en el eje de una rueda del coche descapotable en el que iba de Montecarlo a Niza. Carmelo también tenía fotos de sus flamencos: Antonio, Antonio Gades, el Guito y Faíco. No había día que antes de entrar en clase no los mirara con deleite. Se cambió, se puso unas mallas violeta y unos calentadores. Pensaba hacer una clase perfecta. Se fue a la barra con la intención de hacer flexiones para estirar los músculos. La dueña paseaba entre medio de los danzantes, con una larga vara, corrigiendo posturas.

—Un; un, dos; un dos; un, dos, tres —rubricaba la voz con golpes leves de bastón.

Los bailarines iban marcando posiciones a ritmo, según las indicaciones de la profesora. La clase iba muy retrasada aquel miércoles, y Carmelo sospechó que pasaría bastante rato antes de que los principiantes aquellos terminaran sus evoluciones. Se deslizó silenciosamente y se fue al bar. Pasaron veinte minutos. Doña Encarna detuvo un momento su vara porque un ruido exterior ascendente tapaba el sonido del piano. La gente se miraba algo desconcertada. De repente, una lluvia de risas y gritos invadió el sacrosanto espacio.

—Paren, paren un momento —dijo y salió del salón.

Las risas venían del bar, y allá se dirigió. A través de la puerta, el barullo se adivinaba inmenso. Se asomó con cuidado. Encima de una mesa, tocado con un mantel a modo de mantón de Manila, y con otro anudado a la cintura como si fuera la cola de un traje de faralaes, estaba Carmelo imitando, mejor, calcando la voz y el gesto de Rocío Jurado. Cantaba «Lola la Piconera». La gente estaba tirada por el suelo.

33

—Ave María purísima.

—Sin pecado concebida.

—Padre, me acuso...

Esteban luchaba y luchaba contra el Maligno. Se encontraba sucio y miserable, y pecador reincidente. Con todo podía menos con aquello, y el vicio solitario atormentaba la paz de su espíritu.

—Pero, hijo, no te lo propones seriamente, siempre caemos en lo mismo. Sobre lo malo que ya es en sí mismo el pecado contra la pureza, piensa que vas a aumentar la gravedad con tus votos. ¡Seme puro!, ¡seme casto!, ¡seme un caballero de María!

—Ya lo sé, padre, y lucho. Pero caigo siempre y me desespero.

—No, hijo, no te desesperes. Jesús te ama y te perdona siempre. No te rindas. Lo importante es siempre levantarse aunque caigamos y caigamos. No hay que rendirse jamás. ¿Algo más, hijo?

—No, padre, nada más.

—Ahora te daré la absolución. En penitencia rezarás el santo rosario. *Ego te absolvo pecatis tuos...*

Esteban se levantó y fue a su lugar. Se hincó de rodillas y rezó el rosario. Al acabar, se sintió liviano y limpio, pero ¿hasta cuándo? Iba por la mitad de la segunda etapa de postulado y ya era postulante tras tres años de estudiante y el consiguiente parón. Tenía veinte años. Cuando iba a casa de su madre, se notaba de visita. Su casa, su auténtico hogar, era aquél. Desde el primer día trabajaba en la granja; le gustaba el contacto con el campo y el milagro cotidiano de ver crecer las cosas; el huerto, el ambulacro de los tilos, los animales y las leyes inmutables de la naturaleza. ¿Cómo era posible que alguien pudiera no creer en Dios? Él lo veía a todas horas y en todas las criaturas, desde el pistilo de una flor hasta la maravilla de un panal de miel.

Un día, por la mañana, el hermano Benigno le notificó que al día siguiente traerían un toro semental de Santander para cubrir algunas vacas. La imagen de la bestia poderosa, los mugidos, las vacas sujetas por el cabezal a la valla y el acto en sí le obsesionaron de tal manera que por la noche no pudo dormir.

Los días pasaban con rapidez y Esteban procuraba cumplir con sus tareas lo más puntualmente posible. Los estudios se le daban regular aunque ponía todo su afán. Era de los del medio. Su natural, bondadoso, hacía que su nota de espíritu fuera excelente.

—Esteban, le llama el padre prefecto. —El que así le hablaba era el hermano Luis Galiano.

Se levantó del estudio y se dirigió al crucero del primer piso, donde estaba el despacho del superior. Dio con los nudillos en la puerta suavemente.

—Entre —dijo la voz del padre.

Abrió la puerta y tras cerrarla a su espalda se quedó de pie, sin hablar, hasta que su superior le indicara su deseo.

—Siéntese, Esteban —le ordenó suavemente.

Esteban lo hizo al borde de uno de los silloncitos que se ubicaban frente a la mesa despacho del superior.

—Le envía un cariñoso saludo Rafael Urbano desde Popayán. Tengo esta carta para usted. —El padre le alargaba un sobre pulcramente abierto con la letra inconfundible del que había sido su mentor cuando entró en el noviciado.

—¿Cómo está? ¿Qué hace?

—Bueno, él siempre fue un adelantado de Cristo. Estuvo dos años en el colegio mayor de Salamanca. Y luego pidió misiones, y el provincial consideró bueno para él y para la orden enviarlo primero a Colombia, a Cali, y ahora está en Popayán. En su carta le explica todas sus peripecias e inquietudes. —Al decir esto, sonreía y le indicaba con los ojos el sobre que tenía entre las manos—. Si le he llamado ha sido para entregárselo en persona y para darle una noticia con el deseo de que le sea grata. —Hizo una pausa. Esteban esperó—. Mañana llegan al noviciado ocho nuevos estudiantes. Uno es de su tierra, de San Vicente de la Barquera. Me gustaría que fuera usted tan buen mentor del muchacho como lo fue Rafael de usted. —El superior sonreía.

—Padre, no sé si estoy capacitado...

—Lo va a hacer muy bien.

Dicho lo cual, el superior se levantó para dar por terminada la entrevista.

Querido Esteban en Cristo:

No te había vuelto a escribir desde mi último destino en Cali, pero al no tener respuesta tuya he supuesto que mi carta no te había llegado. Estoy en Popayán. No me puedo quejar, porque el Señor en su bondad me ha otorgado lo que yo tanto deseaba: poder trabajar con los más necesitados, aquí, en las misiones que tenemos en esta provincia. Espero que Él me dé fuerzas porque me noto incapaz. ¡Es tanta la mies y somos tan pocos los segadores! Me conforta pensar que los doce galileos asistidos por el Espíritu Santo catequizaron el mundo ellos solos. De momento, no hay que hablar de Jesús. Hay que hacer lo que Jesús quiere. ¡Son tan pobres! Carecen de lo más elemental. Antes que capilla hay que hacer dispensarios, y antes, comedor. Rezar se puede rezar siempre. ¡Cómo añoro la casa madre y lo que protegen sus paredes!

Estoy a treinta y ocho kilómetros de Popayán. Somos dos sacerdotes para una extensión mayor que tu Cantabria querida. Reza por mí para que la Santísima Virgen me ayude y me dé fuerzas, porque no sé por dónde empezar. ¡Qué bien me irías aquí para arreglar todo lo que tan bien dominas de la tierra y su cultivo! Yo siempre fui un ratón de biblioteca y no me aclaro. Pero ya aprenderé.

Bueno, querido hermano, si tienes algún momento y quieres, me haría muy feliz tener noticias tuyas. ¿Qué haces? ¿Cómo llevas el curso? Yo siempre te tengo presente en mis oraciones y jamás olvido que fuiste mi pupilo.

Recibe desde esta lejana tierra el abrazo fraterno de tu hermano en Cristo,

Rafael

Al día siguiente, por la mañana, en la portería, el hermano Toribio le presentaba.

—Esteban, éste es Fernando Rentería, que hoy entra en el noviciado. Usted será su mentor para que él le consulte cuantas cosas necesite saber de nuestra casa. Espero que le ayude lo mejor que sepa y pueda.

—Gracias por confiar en mí, hermano —respondió Esteban.

Frente a él, con los ojos abiertos, expectante, el postulante le sonreía entre tímido y feliz.

34

—La reunión será al final del patio, frente al portón. Dile que venga él, que no envíe a nadie, si no, no hay trato.

—¿De qué trato hablás? Sos vos los que nos llamás. Las condiciones, si las hay que poner, las pondrá Rambo.

—Tú dale el recado, ¿vale? —diciendo esto último Pedruelo y el Pibe se separaron para transmitir a sus respectivos jefes los correspondientes mensajes.

Paco Zambudio actuaba como una fiera acorralada. En la primera galería, Remigio Fuentes, su colega en el atraco al joyero de Badajoz, lo odiaba, sospechando que era él el que había puesto a la Guardia Civil sobre su rastro, para despistarlos. El Pablo Pimentel aquel resultó ser cuñado de aquel cabrón de sargento a quien apioló cumpliendo órdenes. Los políticos lo trataban como un traidor y lo despreciaban. Por parte de la Guardia Civil no podía esperar trato de favor alguno; jamás perdonaban al asesino de uno de los suyos. Su natural, que jamás fue abierto y que había empeorado aún más, no le granjeaba precisamente simpatía alguna por parte de nadie. Estaba realmente solo.

—Hay dos hombres interesados en la salud de uno.

El Domador paseaba con Rambo al lado del frontón del fondo, en tanto sus respectivos acólitos lo hacían unos metros más atrás.

—Y a mí ¿qué me dices?

—Bueno, es como una operación a tres bandas. Yo estoy muy ligado a una de las partes y me conviene estar al margen.

—Hay más familias aquí dentro, ¿o no? —respondió Rambo.

—La Estanquera es parte del problema, y no tengo confianza en la capacidad del Tatuajes. Es demasiado bruto. Además, tengo algo entre manos que te puede interesar a ti solo.

—Habla, soy todo oídos.

—Bueno, tú sabes que aquí dentro todo se sabe. Yo sé el producto que comercia tu familia. Me ha pedido protección un señorito de Madrid que tiene buenas conexiones en Galicia y Marbella. Si quieres mercancía te la hará llegar a Santander; para meterla, te vales de tus contactos. No cuentes con él para esto último, ni conmigo, claro, aunque algo te facilitaré.

—Y tú ¿qué ganas? Suponiendo que me convenga la operación...

—Bueno, digamos que hago un favor a un amigo mío,

que a su vez hace un favor a los políticos y a un compañero suyo de celda.

—Si no hablas claro no hay negocio. Primero, ¿qué es lo que hay que hacer? Segundo, ¿yo qué gano?

—Empecemos por lo segundo. ¿Qué tal cuatrocientos gramos de nieve sin adulterar, puestos en Santander?

—No está mal. ¿Y lo primero?

—Digamos que hay una persona poco grata en esta casa. Tan poco grata que los guris no investigarían demasiado si se accidentara.

—¿Por qué?

—No le tienen afecto. Se cargó a uno de los suyos.

—Me parece que sé por dónde caminas. Sigue.

—Verás, mi amigo no lo quiere. Traicionó a su compañero de celda. Los políticos dicen que es un traidor...

—¿Y tu señorito?

—Me pide protección para salvar el culito de la Estanquera y, a cambio, me da una mercancía que no es mi negocio. Lo justo es que te pase el asunto a ti, que tú lo cobres. Yo quedo bien con mi amigo, mi amigo queda bien con los políticos y con su compañero, los guardias te estarán agradecidos, y el día que te avise, no te será difícil entrar la nieve. Como ves, todo queda en casa.

—Y tú ¿qué ganas?

—Prestigio, sólo prestigio. Y más gente que me debe favores. Tú no lo entiendes.

El otro dudaba.

—Eres la persona indicada. La Estanquera es parte interesada. El Tatuajes no tiene calidad. El pago es de tu negocio. Todo encaja, ¿no? Ya te he dicho que era una carambola a tres bandas.

—Y ¿cómo sé yo que...?

—Palabra de Domador. Tú sabes que yo siempre cumplo. Uno tiene su buen nombre y no lo va a perder por una chorrada.

—De acuerdo. Es el Zambudio ese, ¿no?

—Tú lo has dicho. El día, el momento y el lugar lo escoges tú, ¿vale?

—Vale.

Se dieron un toque en la mano y se separaron. El Pibe y Pedruelo los siguieron, cada uno a su jefe. La sentencia de muerte de Zambudio había sido firmada.

Un Pablo Pimentel delgado, encanecido, mucho más viejo de lo que su DNI decía, miraba el paisaje por la ventanilla del vagón del tren que lo llevaba a Murcia quince años después. Quince largos años, y terribles, había pasado de su reenganche forzoso a la población penal. Todo había cambiado para él, no sólo en lo exterior sino también en lo interior. Quince años más seis que llevaba cuando sucedió aquello habían puesto un paréntesis de veintiún años en su vida, veintiún años que pasados allá eran cuarenta y dos. Se consideraba un viejo. No tenía amigos y se podía decir que tampoco familia. Volvía a Murcia porque de allí salió. Tenía dos casas y una tierra. Había pagado su deuda con la sociedad. Pretendía que lo dejaran tranquilo y en paz. Llegando iría al notario que se había ocupado de sus cosas. Se enteraría de sus rentas acumuladas y haría lo posible para poder vivir de ellas; no quería pasar por la humillación de tener que pedir trabajo a alguien que le preguntara de dónde venía. Si había que apretarse el cinturón, lo haría. Libros, televisión, un café próximo donde nadie lo conociera, eso le bastaría para poderse soportar.

El tren había parado en una estación. Había vaho en la ventanilla. Lo limpió con la palma de la mano. «HUÉRCAL» leyó en el cartel que indicaba la localidad. Le faltaban unos noventa kilómetros. Todo era nuevo. Lo recordaba de hacía veintiún años. El edificio era nuevo; los bancos, que antes eran de madera y que en número de cuatro estaban adosados a la pared del edificio, ahora eran de hierro. Más allá no se veía la caseta de los váteres, rotulada con los carteles de hombres y mujeres. Había mucha más gente. El ruido le molestaba. Un letrero de «CAFETERÍA» ocupaba el lugar donde antes ponía «BAR». Un pitido largo anunció el arranque del tren. Con un ruido de cadenas y chirrido de topes, la larga serpiente de hierro se puso en marcha.

—Billete, por favor.

Se sobresaltó. El revisor lo miró extrañado. Echó mano a la cartera y extrajo el cartoncillo. Se lo entregó. El hombre perforó con un percutor el comprobante y se lo volvió a entregar, prosiguiendo su ronda con los demás pasajeros. Cuando iba a guardar de nuevo su billete, vio en un compartimiento de su vieja billetera un recorte de prensa que amarilleaba por causa de su vejez. Lo extrajo, lo desdobló. Estaba plegado en cuatro, casi se partía por el medio. Buscó sus gafas de leer, se las colocó y leyó. Casi lo podía recitar de memoria, decía así: «Ajuste de cuentas en el penal del Dueso. Ayer al mediodía, alrededor de las doce, fue hallado en los servicios del penal el cadáver de un recluso con la garganta seccionada por un instrumento cortante, cuchillo o alambre, que le produjo la muerte al interesarle la yugular. La Guardia Civil sospecha que el asesinato se debe a un ajuste de cuentas entre internos. No se descarta, sin embargo, que hubiera una conexión del exterior. El infortunado recluso cumplía la condena máxima, y hacía cuatro años que había ingresado en el penal. Etcétera, etcétera». La fecha era de siete años antes. Dobló amorosamente el recorte y lo puso en su lugar. Algún día se lo entregaría a Consuelo. Aquel cheque al portador, si su hermana creía que él estaba en deuda, le demostraría que había pagado con años y con hechos. Guardó de nuevo la cartera, se arrebujó en su asiento y, dentro de lo mal que se sentía siempre, se encontró algo mejor.

35

Esteban había perdido seis kilos de peso en dos meses.

—Si sigue usted así, tendré que prescindir de su ayuda, y bien sabe Dios que me es muy necesario.

El que así hablaba era el hermano Benigno, el encargado de la granja del seminario.

—Hermano, he ido a la enfermería, me ha visitado el médico, me han hecho análisis y radiografías, no tengo nada. Por favor, déjeme trabajar aquí con usted.

—Lo primero que hace falta para servir al Señor es salud. Los trabajos de la tierra son duros. El hermano Toribio le encontrará otro lugar más acorde con su actual estado. Tal vez la biblioteca, el museo de historia natural o la sección de contabilidad.

—Hermano, por favor...

—No insista, o recupera peso o no lo quiero aquí.

Esteban pasaba una crisis tremenda. Estaba ya en el tercer ciclo de estudios. Tenía veinticinco años y le faltaban dos para profesar en el seminario. Se hablaba frecuentemente de las dudas que invariablemente asaltaban a los novicios al avanzar en el camino, pero lo suyo no era aquello. Lo suyo era tan grave, tan absolutamente inconsultable que le corroía la entraña y le carcomía por dentro. Él conocía los tirones de la carne y él, como todos, había luchado y luchaba denodadamente. Pero aquello era inaguantable. Todo lo probó, y ensayó maneras mil para el espíritu y para el cuerpo. Se refugió en la oración; se recogía en la capilla y rezaba, no solamente en los ratos a ello destinados sino también en sus asuetos y recreos; mortificó su cuerpo con cilicios y ayunó. Lo que sentía no podía ser, y sufría, sufría lo indecible. Lo único que le aliviaba tensiones era su labor en la granja; allí por lo menos no pensaba.

Vino a turbar su paz el conocimiento de Fernando Rentería. Cuando le encomendaron la tarea de ser su mentor se había aplicado a ella con la misma diligencia que en su día había mostrado Rafael Urbano hacia él. Sus obligaciones, los horarios, las costumbres, puso en ello todo su celo e interés. Luego, por las noches, en la soledad de su celda, se examinaba interiormente y se preguntaba cómo lo podía hacer mejor. Poco a poco, se fue dando cuenta de que en los rezos comunes lo buscaba con la mirada, entre los bancos de los postulantes, en el jardín, en los juegos. Se negó a sí mismo y quiso convencerse de que aquello era una amistad grande entreverada de un sentimiento de protección. Pero no, no era aquello. Amaba a aquel muchacho limpio y adolescente con todas las fuerzas de su corazón. «Dios, ¿qué has puesto dentro de mí?», se preguntaba una y otra vez, pero no había respuesta. Empezaron sus dudas. Se analizó profundamente. Tenía veinticinco años. Jamás había sentido algo parecido por nadie. Pero el horror llegó una noche cuando cayó en el vicio solitario y, sin darse cuenta, su pensamiento convocó a su pupilo. Al día siguiente se sintió muy mal y muy sucio. Fue la primera confesión mala que hizo en su vida. Soslayó el tema y lo explicó como otras veces. Durante toda la mañana no se atrevió ni a mirarlo.

—¿Te he ofendido en algo? —le preguntó por la tarde Fernando.

—¡Déjame! —le espetó violentamente. El muchacho lo miró con sus ojos grandes y asombrados como preguntándose qué es lo que había hecho mal.

Empezó sus ayunos y mortificaciones. Era inútil. Su terror se acrecentaba día a día. No podía hablar de ello con nadie. Se negaba una y otra vez a sí mismo. Que la carne pudiera más que él era grave. Que esa desazón se la proporcionara otro hombre era terrible, y que éste fuera un futuro religioso encomendado a su tutela no había nada peor. Él no podía ser homosexual.

—Esteban. —La voz del hermano Benigno lo llamaba desde la puerta de la cuadra.

Dejó el saco de forraje colgado en un gancho de la pared y acudió.

—Preséntese al hermano Toribio.

Se dio cuenta de que la voz tenía un tinte de ternura y afecto. No preguntó nada porque no procedía.

—¿Ahora mismo? —se limitó a decir.

—Sí, ahora.

Fue hacia el fondo para dejar el delantal.

—Deme, démelo a mí y voy.

Aquella prisa no era normal. En la paz monacal de aquellos pagos algo pasaba. Transitó a paso ligero el camino del huerto. Tras atravesar los campos de juegos, entró por la puerta central del edificio y luego subió por la escalera al primer piso. Al desembocar en el crucero, frente a su despacho, estaba el hermano Toribio, que en aquel momento salía de él, cerrando la puerta con llave. Aflojó el paso para llegar reposado.

—¿Me llamaba, hermano?

—Sí, Esteban. —Introdujo la mano derecha en el bolsillo de la sotana y sacó un papel azul doblado—. El Señor nos prueba siempre —dijo entregándoselo.

Esteban lo tomó presintiendo algo grave. El telegrama decía: «Abuelo Emilio falleció esta madrugada. Stop. Mañana once funeral en Santa Engracia. Stop. A las doce entierro. Stop. Si te lo permiten, a madre le gustaría que estuvieses. Stop. Abrazos. Rafael».

—Desde luego que puede usted ir. Vaya al administrador, ya he dado la orden para que le den dinero. Quédese usted en tanto sea necesario. Rezaremos por su abuelo y por todos sus familiares.

—Gracias, hermano.

Esteban se retiró y dirigió sus pasos a la administración. De repente se dio cuenta, con un regusto amargo en la boca, de que no pensaba en la muerte del abuelo... Pensaba en que iba a estar varios días sin ver a Fernando.

36

Querida Tere:

Espero que estés bien cuando recibas mi carta. Tenía muchas ganas de escribirte pero se me pasan los días sin sentir. Y cuando me doy cuenta ha pasado otra semana. Hoy es sábado, y me he dicho a mí misma: «De hoy no pasa». Y aquí me tienes.

No sé por dónde empezar, ya que como hace mucho que no estamos en contacto han pasado muchas cosas. Estoy sola en casa, pues Carmelito ha salido con sus amigos y no vendrá a cenar. He pasado el tiempo ocupadísima porque no quería que hiciera la mili el chiquillo. Primeramente es hijo de viuda. Después, mi sustento espiritual depende de él. ¿Qué hago yo aquí sola si se me lo llevan lejos durante un año? No te quiero ni decir si lo enviaran al Norte. Los hijos únicos que mantienen a sus padres se libran, ¿no? Pues yo te reconozco que dependo de él aunque no en lo económico. Hablé con el general Medina, porque ahora ya es general, y me dijo que haría lo posible porque era de justicia; para algo le había de servir la medalla que le dieron a su padre. Esta familia ya ha cumplido de sobras con la patria. ¡Vamos, digo yo! Las cosas de los dineros no marchan mal. Tengo un piso alquilado y la tienda pequeña también. La grande que compré no, porque le gusta a Carmelo y quiere poner el año próximo un café-cantante. Creo que hay un señor amigo suyo que pondría el dinero y yo pondría el local. Y yo le he dicho: ¿Para qué te pones en gastos y negocios si lo que yo tengo es para ti, te doy lo que te hace falta? Pero hija, ya ves cómo son los hijos. Quieren volar. Mira, en el fondo pienso que si tiene algo aquí, en Murcia, que lo ate y lo entretenga, mejor. Así se le van los pájaros de la cabeza de eso del artisteo, para lo que hay que irse a Madrid o a Barcelona. Y el mundo está lleno de lagartas.

Bueno, como te decía, la tienda pequeña está alquilada, pero ahora se van porque los comercios lo tienen muy difícil con El Corte Inglés. Por cierto, me han hecho encargada de la sección de lencería, con lo cual veo mucho menos a Gustavo; con Mari nos saludamos pero hola y adiós. No le perdonaré nunca lo que insinuó de Carmelo que ya te conté. No me hace falta el dinero que gano ahí, pero la vida es larga y me gusta trabajar. Nunca se sabe.

Con el que me hago de nuevo es con Pablo. Me da mucha pena, está muy solo; lo pasado pasado está, y no tiene remedio, y si no fuese por Carmelo, a ratos me parece que todo le pasó a otra persona. Fue tan corto y yo era tan joven... Fue muy duro, pero pienso que todo me compensa cuando veo a mi hijo.

Bueno, hija, no se me ocurren más cosas. Contéstame pronto, no hagas como yo. Un abrazo a los tuyos, y para ti, todo el cariño de tu amiga,

CONSUELO

Carmelo estaba en medio del local vacío con un saco de cuero a su lado, oteando las paredes e imaginando cómo sería todo. Vestía un vaquero ajustado y un jersey muy grande y flojo de lana muy suave, color corinto, y alrededor del cuello un pañuelo azul claro. Calzaba bota campera de baile, con borlas. Había entrado por la puerta pequeña que daba a la portería vecina. Dio la luz general desde el contador y una serie de bombillas puestas provisionalmente en todo el perímetro se encendieron.

La tienda era muy grande y simétrica. Sólo tenía dos columnas que no se podían tocar porque afectaban al edificio y que se ubicaban en el espacio principal. De éste partían dos pasillos muy amplios, uno más ancho que el otro, que desembocaban a dos calles diferentes, pues el conjunto ocupaba la esquina del inmueble. Esto último era muy importante ya que de no ser así no podía montar allí su sueño. El reglamento de policía de espectáculos era riguroso. Dichos pasillos se cerraban mediante las correspondientes puertas de persianas metálicas.

Súbitamente se colocó en postura de bailaor, y a la vez que daba tres patadas, sus manos batieron palmas. El eco de las mismas rebotó por las paredes. Había demasiada resonancia. Haría falta poner corcho o cajas de huevos en el techo. Se encaminó hacia las persianas metálicas del final del pasillo más ancho, no sin antes recoger su mariconera del suelo. Llegando al fondo, la abrió. Extrajo de ella una cinta métrica de arquitecto y una cajita metálica. Miró su reloj. Tardaba. Abrió la cajita y tomó de ella una tiza blanca. Al fondo sonó la puerta que daba al portal.

—Perdona el retraso, Carmelo, pero me marcan mucho.

El recién llegado que así hablaba era Gustavo, el hijo de Mari. Llegaba arrebolado.

—He venido corriendo —aclaró sin dar tiempo a Carmelo para responder.

—Quince minutos no son nada. Venga, vamos a trabajar. Tira de ahí —le indicó en tanto le daba la punta de la cinta métrica.

Fueron midiendo y marcando con tiza en el suelo. Ropero, barras, palcos, escenario, cabina de luces, entrecajas, dos camerinos, váteres, servicios de personal, vestuario... Carmelo estaba entusiasmado.

—Todo será color quisquilla. Debajo del tablao habrá que poner arena, si no, resonará mucho. ¿Cañones de luz? Harán falta dos para poder seguir cuando baile una pareja, o uno a la cara y otro a los pies cuando haga el final de la seguidilla. No, no. La cabina de sonido al lado del escenario. Cuando montemos micros no va a recorrer toda la sala el cable. Además, los cables de luz han de ir por separado de los de audio y, si no, a medio reostato, en un fundido, se acoplan.

Todo lo artístico le enajenaba. Gustavo iba más hacia la hostelería.

—No te caben dos neveras. Tendrás que poner dos botelleros en cada barra. El mismo que da la comanda en el office puede atender una barra, y así te ahorras uno de personal. Borra, borra esa raya. Retírala para atrás doce centímetros, así dejarás más paso a los que vayan cargados con el vidrio sucio a descargar a la pica.

El local terminó completamente instalado de líneas de tiza.

—Carmelo, me tengo que ir. He de llegar a casa antes de las diez —dijo Gustavo.

—¿No te puedes quedar un poco más?

—No será un poco más, será una hora. Lo siento.

—Más lo siento yo. Soy un imbécil. Es complicado verte, y en vez de aprovechar los pocos ratos que tenemos para estar juntos, me pongo a medir paredes. Soy un gilipollas —dijo Carmelo.

—No te preocupes, esta semana te veré —respondió Gustavo, y añadió—: No salgas enseguida, que nos pueden ver. Esto es un pueblo.

Se acercó. Se besaron. Y Gustavo salió rápidamente, como avergonzado.

37

Estaban todos. Parecía que el tiempo se hubiera detenido. La mente de Esteban plasmó una foto color sepia y la registró para sacarla cuando le conviniera a su memoria. Recuerdos de toda índole lo asaltaron. Su olfato lo retrotajo al tiempo que montado en su bicicleta llegaba a Santa Engracia para hacer de monaguillo. Cera, incienso y madera eran los olores dominantes, su retina fijó el cromatismo del altar, comenzando por la casulla del padre Soria. La parcela de su mente dedicada a movimientos extrajo el cartoncito referido al cura y comprobó que eran los exactos que tan bien conocía, sólo que más lentos. Repasó sin prisa las personas. Su abuela Elena estaba sin estar, como vacía. Todo el motivo de su vida y la finalidad de sus afanes cotidianos yacía en aquella caja de madera de pino. A su lado, casi alegre, tía Elena, abadesa del convento de Santa Margarita, veía feliz el nacimiento de su padre a la vida verdadera. Rafael y su mujer, a continuación. Al lado de ella, el hijo de ambos, Ignacio. Luego su madre, Engracia, con un sentimiento en la mirada más de hija que de nuera. A su lado, su hermano Emilio. Luego, gente, mucha gente; Eugenio y Edelmiro y los aparceros de su madre, Aurelio y Rosario, y tras ellos, sus hijos, Gabriel y Mayte, esta última, compañera de su niñez, ya casada y con su marido al lado.

Finalizó la ceremonia, dieron los recordatorios y salieron. El padre Soria dijo las últimas oraciones y con el isopo roció de agua bendita la caja. Luego la colocaron dentro del coche fúnebre y, repartiéndose todos entre varios vehículos, partieron hacia el cementerio.

Estaba éste en lo alto de una loma, a unos diez minutos de Santa Engracia. Un céfiro blando movía las puntas de los cipreses y hacía que la geometría de sus sombras fuera cambiante. Habían descendido de los coches. Todos los trámites oficiales estaban despachados. Entonces comenzó la parafernalia tercermundista de los entierros de los pueblos. Los familiares estaban recogidos alrededor formando un semicírculo. Tres hombres trabajaban. Se retiró la lápida de mármol, donde se leía: «Familia Ugarte-San Juan». Uno de ellos, provisto de una escarpa y un martillo, empezó a romper por los bordes la cubierta de tochana que cubría el nicho. Se fueron retirando los ladrillos y se fueron depositando en un capacho de caucho negro que tenía el hombre al lado. Al fin, la totalidad de la cubierta fue retirada. Empezaron las consultas. Esteban los oía hablar en voz baja. Había una caja llena de moho y telarañas, y por lo visto preguntaban si la empujaban al osario o sacaban antes al difunto. Tía Elena tomó el mando de las operaciones. Eran los restos de su bisabuela. Se despedazó la caja y, en tanto algunos se desviaban o se volvían de espaldas, se fueron depositando los despojos dentro de un saco de plástico con cremallera. Los trozos de la caja fueron retirados y doblada la cubierta de cinc.

Se bajó lentamente con dos gruesas maromas el féretro del abuelo. Los restos de su madre se colocaron encima de la caja. Algunos se asomaron para ver el fondo, mientras alguien hablaba de cosas acontecidas en vida de la bisabuela. Luego se colocó de nuevo la cubierta de ladrillos, aprovechando los extraídos anteriormente y completando con piezas nuevas los que se habían roto al ser sacados. Finalmente, utilizando un cilindro de madera, se deslizó la lápida hasta encajarla en su lugar primigenio. Sobre ella fueron amontonando coronas de flores, y terminada la operación, el padre Soria hizo una glosa sobre las bondades y méritos del abuelo. Al finalizar, la tía Elena condujo el padrenuestro. Todo acabó. Los deudos, amigos y familiares se fueron despidiendo, y cada uno se dirigió al vehículo correspondiente. Tía Elena, su madre y la abuela ocuparon el asiento trasero del coche de Rafael. Delante iban él, su mujer y su hijo. Miró a un lado y a otro y se notó solo y como olvidado. Se manejaba mal en el mundo exterior. Su hermano Emilio se iba con Eugenio y Edelmiro y un matrimonio que no conocía, y en aquel momento no podía recordar con quién había subido.

—¿Qué haces?

—¿Con quién bajas?

Dos voces, conocidas ambas, le hablaron simultáneamente. Eran el padre Soria y Mayte.

—No sé, da igual —respondió él, y sin saber por qué se dirigió al coche del marido de Mayte.

»Voy con ellos, padre. Así no lo desvío a usted.

Era verdad, pero sonó a excusa. De no haber sido así también habría evitado al sacerdote; éste y su tía Elena eran las dos personas con las que no quería hablar a solas en aquellos momentos. Bajaron lentamente la pronunciada cuesta en una marcha corta. Llegaron a un stop que marcaba el final del camino cuando éste se incorporaba a la comarcal. Nadie hablaba. Braulio, el marido de Mayte, miró a un lado y a otro para asegurarse de que no venía ningún vehículo. Aceleró suavemente y se incorporó al tráfico escaso.

—Si no te importa, he de parar un momento en la herrería para ver si han reparado los dientes del arado del tractor —dijo.

—No, por Dios, haz lo que te acomode. ¡Encima de que cargáis conmigo! —respondió Esteban.

El coche prosiguió hacia la herrería. Allí, luego de intermitir, Braulio lo detuvo. Abrió la puerta y descendió.

—No tardo nada —dijo.

—Haz lo que tengas que hacer.

Se quedaron solos. Súbitamente Mayte lo miró a los ojos.

—No eres feliz —afirmó—. Te conozco bien.

—Tú tampoco, Mayte —respondió él seguro de que acertaba.

—No, no lo soy. Nos hemos equivocado los dos. —Diciendo esto, alargó su mano sobre el respaldo de su asiento y la puso sobre la mano helada de Esteban.

Los grillos entonaban su palinodia monocorde en la oscuridad de la noche. Estaban ya en casa. Su madre, su hermano Emilio y él. Todo era igual que antes, pero renovado. La nevera era nueva, nuevo era el televisor. Habían cenado en silencio. Engracia contó muchas cosas del abuelo que tenía almacenadas en el arcón de sus más hermosos recuerdos. Se habló hasta de la noche en que el gran árbol abatió a su padre, tema tabú que siempre se obviaba en aquella casa desde tiempos inmemoriales.

—¡Era tan bueno y tan hombre! Si supierais, hijos, lo que me ayudó... —decía su madre.

Emilio hacía preguntas y Esteban llenaba los huecos que se producían en la conversación, porque si bien era consciente de que nadie podía saber nada de lo que pasaba en su interior, temía la intuición de su madre y prefería tenerla ocupada contando cosas que no interrogante frente a él.

La velada fue decayendo. Todo estaba recogido. En el reloj de la ermita dieron las doce.

—Me voy a dormir —dijo Emilio, y añadió—: ¿Vienes? —dirigiéndose a él.

—Saldré un rato a la era —respondió—. Quiero llenarme de todo esto.

Diciendo esto último hizo un amplio círculo con la mano extendida.

—Que descanses, Emilio. Y tú coge el tabardo, que el relente es traidor —dijo Engracia.

Los hombres se levantaron y dieron un beso a la madre. Emilio se dirigió hacia el dormitorio y Esteban hacia el armario de los abrigos. Tomó una pelliza.

—Madre, ¿por qué no tira este vejestorio?

—¡Dios te guarde! Era de tu padre. —Se la tomó de las manos, la volvió a colgar y le entregó una chaqueta con el cuello forrado—. No te entretengas, hijo. Yo me voy a acostar. Mañana quiero que me cuentes muchas cosas. Hoy estoy muerta. Ha sido un día duro.

—Tomo un poco el aire y subo.

Esteban salió y, tras cerrar la puerta, descendió la escalera que daba al cobertizo de los vehículos, en tanto se abrochaba el chaquetón. Faltaba el Land Rover nuevo. Se dirigió al brocal del pozo que estaba en el patio y aspiró profundamente el aire de la noche. Un cielo tachonado de estrellas jalonaba la primera noche de la eternidad de su abuelo. Una luna blanca, grande y redonda presidía el firmamento. A la derecha, Antares; frente a él, la del Pastor. Más allá el Carro pequeño, y a su espalda, si no le fallaba la memoria, Sirius. Se volvió rápidamente para comprobarlo.

Mayte, a tres metros, silenciosa y expectante, lo miraba.

—¿Qué haces aquí? —preguntó sorprendido.

—Lo mismo que tú —respondió ella tranquila.

—¿Y tu marido?

—Se ha ido al pueblo. Va cada viernes. Tiene partida de mus.

Esteban observó que la ventana del cuarto de su madre estaba encendida. Mayte siguió con la mirada los ojos de él.

—Ven —le dijo.

Y tomándolo de la mano llevó a Esteban al almacén donde guardaban la paja, como cuando eran niños. Entraron. No hacía falta encender la luz. Una sábana de luna plateada y amplia entraba por la ventana del techo. Ella se sentó en la paja y, tomándolo de nuevo de la mano, lo obligó a sentarse.

—¿Te acuerdas de cuando nos escondíamos aquí y nos cubríamos con la paja para que no nos encontraran los mayores?

—¡Cómo voy a olvidarme!

—¿Por qué te metiste a cura?

—¿Por qué te casaste?

—Porque te metiste a cura —afirmó ella.

Se hizo un silencio hondo y espeso que se podía palpar.

—Siempre te quise, Esteban, y siempre soñé que algún día sería tu mujer. Dios te me robó.

—No digas eso, Mayte, no está bien.

—¡Dios y la bruja de la monja! —añadió con rabia.

—¿No eres feliz?

—Ya te lo he dicho, no soy feliz, y tú tampoco. Me casé con Braulio por casarme y desde el primer día supe que no funcionaría. Te he amado desde los diez años.

Esteban se quedó silencioso. Ella lo miraba fijamente. De repente, sin prisas y sin dejar de mirarlo, comenzó a desabrocharse la blusa. Él la miraba hipnotizado.

Alumbrados por la luna aparecieron sus senos, turgentes y jóvenes, como dos palomos blancos con los picos rosa. Lo seguía mirando. Estaba él en estado catártico. La blusa acabó en el suelo como una mortaja blanca. Ahora, era su falda la que seguía la misma suerte. Sin dejar de mirarlo. Sus leves bragas se recogieron dejando ver suavemente mullido el monte de Venus. Lo seguía mirando fijamente. Tomó su mano y la condujo a su entrepierna, húmeda. Esteban, como sacudido por una descarga eléctrica, se puso en pie horrorizado. Su mente volaba hacia Fernando Rentería.

Dio media vuelta y salió trastabillando como un borracho. Al llegar a la puerta del pajar se volvió. Mayte tapaba su desnudez con la blusa.

—¡Malditos sean los curas que te han separado de mí! —masculló silbando entre dientes.

Esteban atravesó el patio corriendo y tropezando. Qué poco podía imaginar la muchacha lo que estaba pasando por su cabeza. Llegó al cobertizo agitado y sudoroso, y comenzó a subir la escalera. El ronroneo de un motor le hizo girar la cabeza. Unos faros doblaban el recodo del camino. Braulio regresaba.

38

El Bohemio quedó precioso. Jamás pensó Carmelo, ni en sus más locos sueños, que la realidad superara a su fantasía. El rótulo de neón rosa sobre la puerta principal, la puerta de madera trabajada primorosamente, completamente *art déco*, daba paso a un amplio pasillo, color quisquilla, a cuya izquierda estaba el mostrador del ropero, también trabajado en la misma madera. Sobre él, dos lamparitas con pantalla de vitral de colores. Tras él, una cortina azul daba paso al alguarín, que, atravesado por dos barras de hierro, hacía de guardarropía. Las perchas, forradas de terciopelo azul y pasamanería, lucían su correspondiente número. En la pared de enfrente, una vitrina con sus fotos en posturas de baile y disfrazado al uso de personajes famosos. Al final del pasillo, siempre en rosa quisquilla, una pesada cortina de terciopelo rojo, con dos cinchas centrales doradas rematadas por dos borlones y recogidas con sendos ganchos a cada lado, daban paso a la sala y podían cerrarse en el momento que hubiera actuaciones.

La sala, propiamente dicha, tenía forma de anfiteatro. En el centro de la parte más ancha y entre las dos columnas estaba el escenario, elevado del suelo ochenta centímetros; tenía seis metros de embocadura y cuatro de fondo. A ambos lados dos entrecajas, y cerrándolo, un ciclorama blanco. En la parte anterior, candilejas antiguas auténticas, encontradas por Carmelo en el desguace de un teatro de pueblo, y en el frontis, un carril de cortina que permitía a ésta, también roja y con flecos dorados, plegarse en greca.

Al lado del escenario, una puerta daba a dos camerinos, cada uno con un lavabo y servicio. Los espejos de los mismos tenían alrededor ristras de bombillas mate alojadas en tulipas rosa, provenientes del mismo desguace. Un mármol rosa fuerte hacía de tocador y una banqueta alargada se alojaba debajo del mismo, esperando al artista.

Al otro lado de la sala y frente al escenario, la cabina de luces y sonido. Finalmente, las había puesto juntas. En la primera, dos cañones de luz Rank Strong, con lámparas halógenas y cambio de seis colores. En medio de ambos, el pupitre del reostato que gobernaba todos los focos, diablas, cenitales, aguas, lámparas par, herces; al lado, la mesa de sonido. A ambos costados de la cabina, cuatro palcos por banda de ocho sillas cada uno, y entre éstos y el escenario, mesas antiguas de mármol, de las de casino de pueblo, con sillas de rejilla negra suficientes para alojar cuatrocientas cincuenta personas.

A la derecha, una barra con lamparitas iguales a las del ropero, y al final, tras ella, el botellero con fondo de espejo rosado. Dicha barra era de hierro forjado haciendo florones, al igual que los palcos. El sobre era de madera oscura y el posabrazos de terciopelo de color oscuro. Finalmente, al lado del fondo, arrancaba el pasillo de la salida de emergencia que iba, además, al office y a los servicios. El primero era muy funcional; neveras de acero, una máquina de hielo, un fregadero doble con limpiavasos, un mostrador botellero y una caja registradora, además de estantes de ángulo forrados de esponja para colocar vasos y botellas. Dos puertas permitían la circunvalación de camareros, para que no hubiera choques ni roturas. Los servicios fueron una de las obsesiones de Carmelo. El de hombres, gris claro de mármol sueco, con los separadores de urinarios de mármol negro. Al fondo, dos puertas negras con tiradores dorados y dos inodoros. En el de mujeres, dos espejos rosa cubrían de arriba abajo las paredes para que se vieran enteras. El mármol era también rosa, y las dos pilas tenían dibujos de lotos y cisnes. Los dos grifos por donde manaba el agua eran dos cuellos de cisne esmaltados de rosa y azul. Finalmente, en el punto más alejado de la sala, para que su ruido no perturbara el espectáculo, el cuarto con las máquinas de aire acondicionado, de ochenta mil frigorías de potencia.

Ésta era su obra y aquella noche iba a ser su noche. Todo estaba preparado para la gran fiesta. Carmelo había vivido allí las últimas setenta y dos horas. En el piso, sobre la tienda donde tenía el despacho para las cuentas, se había montado una habitación para él que le servía para sus furtivos y cada vez más espaciados encuentros con Gustavo. Ahora no quería pensar en eso.

—Yo no sé qué te cuesta dormir en casa —le había dicho su madre.

—Pero si no duermo... Sólo me echo un poco cuando tengo tiempo, y me servirá después para descansar cuando tenga función de tarde y noche —le había argumentado.

En el pisito había una pequeña cocina y dos cuartos más, de momento vacíos. Todo el montaje superaba los ochenta «kilos», pero ¡qué era aquello para Ramón Ledesma, uno de los industriales más importantes de la provincia! El palco central de la derecha estaba reservado para él, su mujer y sus dos hijas aquella noche, y desde luego todas las que quisiera.

—Hemos de hacer un contrato. Don Marcelo me lo ha dicho veinte veces —insistía la madre.

—Ya lo haremos, mamá. El más interesado es Ramón, y después yo. ¿No ves que el local es tuyo? O sea, él se fía de ti y tú de él no. Te prometo que en cuanto inauguremos lo haré.

—Sí, pero los contadores, los servicios, todo está a su nombre. La radicación... —insistió ella.

—Madre, basta. ¡Déjame en paz! Siempre me has de joder mis ilusiones —respondió déspota y altivo. No quería recordar eso ahora.

Emilia, la chica del ropero y amiga de la academia de baile desde siempre, llegaba atribulada con otro inmenso ramo.

—Ya no caben, Carmelo, no sé dónde meterlas. Los dos camerinos están llenos, y en el ropero no hay sitio.

El árbol, porque aquello era un árbol, era impresionante. Una altura de un metro de orquídeas blancas.

—Trae.

Carmelo alargó la mano y tomó el sobre. Lo abrió. Extrajo de él un tarjetón color crema de papel rugoso: «Lo mejor para ti esta noche. Tus deseos se han cumplido». Y firmaba Ramón.

Lo revisó todo por última vez. El bodeguero, el barman y la encargada de los aseos estaban en sus puestos. Los técnicos de luz y sonido en las cabinas habían ya terminado de probar. Los seis camareros, en la sala. La mujer del ropero, en el mostrador. Y Emilia, en un púlpito que en el futuro haría de taquilla y aquella noche servía para recoger invitaciones. La gente se agolpaba en la puerta.

—Venga, da la entrada. Me voy a maquillar. No quiero que me vea nadie antes de actuar. Ya saldré a la sala luego. Antes, da mala suerte.

—¿Y tu madre? —dijo Emilia.

—Mi madre tampoco —respondió Carmelo, dirigiéndose al camerino.

Una vez dentro, se miró en el espejo; un brillo de felicidad le temblaba en el fondo de los ojos. Todo olía a flores. Empezó a afeitarse cuidadosamente. Luego se desvistió y se puso un batín de seda sobre el braslip. Una base de maquillaje de fondo en la cara, difuminado en el cuello. Oía el barullo de la gente de fuera. Alguien rompió un vaso. Encima de los párpados, blanco; al borde del ojo, negro; el rabillo, alargado; los labios, rosados; purpurina de plata salpicando el final del ojo y las sienes. Se peinó, se vio; estaba magnífico.

Salió al escenario cerrado por la espesa cortina y colocó al fondo todo lo que le iba a ser necesario aquella noche para su actuación. ¡Maldita fuera! Gusti no estaba para ayudarlo. Puso todo por orden de personajes. Lo repasó varias veces. Lola Flores, Rafael, la Pantoja, la parodia de la Preysler, Lina Morgan, Sara Montiel y, al final, el número tragicómico de la drogata.

—Carmelo, esto va a reventar. No cabe un alfiler y en la puerta hay más de doscientas personas con invitación. Pero ¿cuántas has enviado?

—Vete a la mierda, déjame ahora. Ocúpate tú, Emilia, que para esto te pago —dijo iracundo y cruel.

—Bueno, no te cabrees. ¿Empezamos ya?

Él asintió con la cabeza.

—Mucha mierda, coño. —Emilia lo besó en la boca.

Las luces se fueron apagando poco a poco. Un círculo blanco y perfecto se dibujó en el centro de la embocadura. Sonó la música y una voz en off anunció el espectáculo. Tras la cortina, Carmelo preparado. Creyó que las piernas no lo aguantarían. La cortina se abrió lentamente. No veía al público. Sólo lo oía. Como por un milagro, súbitamente, los nervios se le relajaron. Se notó seguro y dueño de sí mismo. Empezó el espectáculo.

Estuvo increíble. La gente aplaudía, reía o lloraba según él quisiera. No hubo un solo fallo. Actuó dos horas y media. Cuando acabó la drogata, un silencio ensordecedor se abatió sobre la sala para estallar en un aplauso que duró cinco minutos. Hizo tres bises. Se habría querido quedar a vivir en el escenario. Al acabar dio las gracias sudoroso, con la toalla anudada al cuello.

—Hoy es un día muy especial para mí. Todo hombre tiene un sueño, y muchos no lo realizan nunca. Yo esta noche he realizado el mío. Quiero daros las gracias a todos porque sin vosotros esto no habría sido posible. Pero particularmente, debo lo de hoy a dos personas. A mi madre, que me ha dedicado toda su vida, y a Ramón Ledesma, que ha creído en mí y ha hecho posible el milagro.

Los dos cañones de luz buscaron a los dos nombrados entre el público. Consuelo se puso en pie, llorosa, y Ramón, desde el palco, alzó hacia el escenario, displicente, su copa de champán.

Luego se cerró la cortina y se desató el infierno en el camerino. Amigos, compañeros de colegio y de academia, gentes sin rostro; una barahúnda de personas que le daban la mano, le palmeaban la espalda y lo llamaban genio. Gustavo no apareció. Su madre entró llorosa y lo besó sin poder hablar. Todos fueron desfilando. Finalmente entró Ramón con su esposa e hijas. Le dio un abrazo largo. Sacó un paquete del bolsillo y se lo entregó.

—¿Qué es? —preguntó.

—Ábrelo y lo verás —dijo sonriente el hombre.

Carmelo rasgó el papel tembloroso y apareció un estuche. Lo abrió. Un Cartier de oro lo miraba desde su lecho de terciopelo negro.

—Pero... —Se quedó sin habla—. No sé qué decir.

—No digas nada.

Se abrazaron de nuevo.

—¿Estás contento?

—Soy el hombre más feliz del mundo.

—Pues hoy, de eso se trata.

—Si os vais y me dejáis vestir, tomamos una copa juntos.

La gente salió y Carmelo, ayudado por Emilia, se fue vistiendo.

—Oye, ¿qué es esto? —le dijo ella alargándole un sobre que había en el bolsillo del albornoz que estaba a punto de colgar en la percha.

Carmelo lo tomó y lo abrió. En una tarjeta color crema de papel rugoso, sin nombre, y con la letra que tan bien conocía, leyó: «Hoy has realizado tu sueño. A ver si algún día realizo yo el mío».

Emilia lo miraba. Carmelo dudó un momento. Se metió el tarjetón en el bolsillo.

—Era de un ramo. Lo he puesto yo antes y no me acordaba —mintió.

39

Regresó al convento completamente anonadado por el peso de la culpa entreverado de sus sentimientos y tendencias. La primera la aligeró en un confesionario de la iglesia de San Martín y ante un sacerdote desconocido, en Santander. La segunda le corroía el alma y no le dejaba descansar ni un momento. Perdió seis kilos de peso, y las ojeras denunciaban su perpetuo insomnio. Su cabeza daba vueltas a lo mismo miles de veces. ¿Cómo podía despejar aquella duda? Dejando aparte la castidad a la que lo obligaría el voto solemne que iba a pronunciar en breve tiempo, él quería saber, necesitaba saber, si aquel tirón de la carne que tan fuertemente había sentido era algo pasajero, producto de una vida célibe y cuasi casta, rodeado permanentemente de hombres, o bien si en la alternativa común que cualquier ser humano tiene a lo largo de su vida, él habría escogido la homosexualidad. Necesitaba saberlo. Para bien o para mal. Pero cualquier cosa era mejor que aquel no saber. Quería definir sus sentimientos. ¿Era aquello algo así como la nube que no es agua, ni hielo, ni rocío, ni nieve ni nada? ¿Sería acaso él un lujurioso total e incontrolado? Su miedo se sumaba ahora al hecho de su huida ante Mayte. Su mente evocaba mil veces la película de la situación. Pesaba y analizaba, desmenuzando todas sus sensaciones. ¿Era natural que él no se impresionara ante la desnudez de la chica? ¿Era normal que en aquel momento le viniera a la mente la imagen de Fernando Rentería? ¿Era coherente la sensación de infidelidad que sintió en su interior? Y si aquello había pasado una vez, ¿se volvería a repetir? ¿Lo sentiría en el futuro con otras personas? Si era así, ¿cómo podía él pretender educar y orientar a otros hombres? Su mente era un torbellino de ideas y su corazón un conflicto de afectos y fidelidades. Únicamente en todo aquel naufragio había un faro; cuando se arrodillaba a los pies de la imagen de Nuestra Señora en la capilla del noviciado, se sentía amado y reconfortado. Una voz interior le decía: «Lucha, no te rindas, es más importante levantarse una y otra vez que caer. Sobre todo no cometas pecado de escándalo. ¿Crees que a los demás no les asaltan otras dudas y otros problemas? ¡Adelante!». Pero su estado no le permitía seguir el paso de los demás, y su actitud misógina y retraída llamó la atención a su prefecto de estudios.

Una mañana, el hermano Luis Galiano lo abordó.

—Esteban, después del refrigerio me gustaría hablar con usted.

—Sí, hermano —asintió—. Como usted disponga.

—Tenga la amabilidad de acudir a la biblioteca grande cuando sus compañeros vayan a la clase de teología. Yo hablaré con el hermano Toribio.

Ya no encontró paz el resto de la mañana. No estuvo atento en la clase de filosofía y derramó un cubo de leche en la granja.

Comió en silencio; mejor, no comió. Y a las tres en punto, en tanto los demás se dirigían al aula, él se encaminó a la biblioteca. A través de los cristales biselados adivinó la silueta del hermano Luis.

—¿Puedo? —dijo golpeando levemente la puerta con los nudillos.

—Pase, hijo —respondió la voz del hermano, y él entró tímidamente—. Siéntese, Esteban.

Se sentó frente a él. El lugar era tranquilo y silencioso, como correspondía a la finalidad a la que estaba destinado. Hileras de libros en las estanterías, colocados por orden de temas y rotulados. Pupitres con lámparas de pantallas verdes, con separación a fin de que los lectores no se estorbaran unos a otros entre sí. Un archivo al fondo y el tresillo de cuero, muy raído, donde lo esperaba su superior.

El hermano Luis lo miró un largo segundo, con un afecto y una ternura grandes.

—Esteban, yo soy la persona que más lo conoce a usted de todo el mundo. Quizá más que su madre. Llevo doce años a su lado. Diez años en los que usted se ha hecho un hombre. Su madre le tuvo quince antes que yo, pero era usted un niño y luego un adolescente. —Hizo una pausa y prosiguió—: Yo soy un mal religioso, hijo. No soy inteligente, no sirvo para enseñar, no soy valiente para ir a misiones, no destaco por mis dotes organizativas... Si yo dirigiera un convento de la orden o lo administrara, lo arruinaría seguro y habría que cerrarlo. Y sin embargo, mis superiores en su bondad han querido ver en mí una cualidad de psicólogo y de celador de vocaciones. Siempre estoy en el noviciado. Han pasado por mí promociones de religiosos que hoy están por todo el mundo. Tengo setenta y dos años, y aún pienso ver algunas más. Llegan de chicos, se van de hombres, y el pobre hermano Luis Galiano sigue aquí. Muy estúpido tendría que ser si, con tanto tiempo, no hubiera aprendido a alertar el peligro que siempre acccha a las almas de mis novicios. Ellos piensan que sus inquietudes y problemas son únicos y que jamás los han tenido otros. Y yo le puedo decir, hijo, que las situaciones se repiten. Aunque una forma peculiar de soberbia nos quiere indicar que somos diferentes y singulares. Y no es así, Esteban. Me gustaría mucho, rezaré para merecerlo, que tuviera fe en el gran afecto que siento por usted en este momento y me dejara acercar para intentar ayudarle. Les quiero a todos, Esteban, pero el pastor debe conocer cuál de sus ovejas lo necesita más en cada instante, y usted hace tiempo ya que me necesita.

Esteban rompió a llorar desconsoladamente, mientras se arrodillaba frente a su superior. Éste se alarmó. Alargó sus brazos hacia él, alzándolo.

—Vamos, hijo, por Dios, todo puede arreglarse... ¿O cree usted que el Señor murió en la cruz para cuatro bobadas? Es en las situaciones serias cuando hemos de apoyarnos, rezar y tener fe.

Esteban se sentó de nuevo, con la cara entre las manos, hipando y sollozando. El hermano Luis intentaba extraer un pañuelo arrugado del bolsillo de su sotana, que, sentado como estaba, se le resistía.

—Maldita sea —dijo. Finalmente lo sacó—. Tenga, hijo, cálmese. Tómese todo el tiempo del mundo. No tengo otra cosa que hacer que estar con usted. No me arrancarían de aquí ni con aceite hirviendo. Aunque el hermano Toribio me lo mandara.

Era un navarro recio, de Barasoain, con un corazón que rebosaba amor hacia todos sus hijos en religión y que, cuando olfateaba el peligro como un viejo mastín, se ponía en guardia. Esteban se sonó tomando el pañuelo que le alargaba el religioso e intentó contener sus sollozos.

—No sé por dónde empezar, hermano.

—No empiece usted, hijo. Piense en voz alta, como si estuviera solo. Desahóguese. Respire hondo, y sepa que, sea lo que sea lo que le atormenta, no me voy a asustar; no soy quién para juzgar, y lo único que el Señor me pide es que le ayude.

Fue la primera vez en mucho tiempo que Esteban se esponjó. Empezó tímidamente. El hermano escuchaba, mejor, bebía las palabras de su discípulo; luego se fue atreviendo y después fue como una torrentera que entrecortadamente, mezclando hechos y sensaciones, sin tener en cuenta el orden cronológico de los sucesos, se desparramó incontenible por todo el ámbito de la biblioteca.

Terminó agotado, extenuado, pero tranquilo, mucho más tranquilo que al levantarse de sus últimas confesiones. Fue como una catarsis. El hermano Luis Galiano tenía el ceño fruncido del esfuerzo de asimilar en hora y media todo lo que durante tantos meses había atormentado a aquella oveja. Habló en plural y dijo:

—Tenemos un problema, Esteban —dijo—, un gran problema que, si bien no es único, no es común. Vamos a rezar los dos, mucho, vamos a pedirle a la Virgen que nos ayude. Pero ya conoce el refrán: «Con el mazo dando y a Dios rogando». A mí me gusta más así. Nunca entendí bien a los contemplativos. Me gusta más Teresa de Jesús. Vamos usted y yo a poner los medios. Y vamos a guardar esto para nosotros. Si Dios nos ayuda y lo podemos resolver, mejor no dar un cuarto al pregonero, aunque el pregonero sean nuestros superiores, y mucho menos a cualquier novicio compañero suyo... ¿Ha hablado con alguien de esto?

—No, hermano, sólo con usted y hoy.

—Bueno, pues, ni nombrarlo. El Maligno le ha tendido una trampa, una trampa astuta y sutil. Y a mí me quiere robar un novicio. Vamos a luchar, Esteban. Vamos a luchar con él, usted y yo. No le va a ser fácil. Si quiere se va a encontrar con el hermano Luis. En este instante le relevo a usted de la tutoría de Fernando. Va a destinar más tiempo a la granja y menos al estudio. Si pierde usted un curso, alabado sea Dios. Es mejor perder un curso que perderse uno mismo. Yo buscaré cualquier excusa, su salud por ejemplo, para que esté más tiempo al aire libre que encerrado. Rezaremos, le repito, Esteban, rezaremos los dos todos los días y hablaremos cuantas veces le sea necesario, de día o de noche. Pero no nos vamos a rendir. Venga, hijo, arriba ese corazón. Le quiero hecho un soldado.

El hermano se puso en pie. Había concluido. Esteban hizo lo mismo. Se encontró ligero y, si cabe, hasta algo alegre.

—Hermano, nunca le podré pagar lo que...

El hermano Luis lo interrumpió alzando la mano.

—¿Qué es lo que me ha de pagar, hijo? Yo he de agredecerle la confianza que ha tenido conmigo, la oportunidad que el Señor me brinda de ayudarle. Le voy a deber un poquito de cielo.

Y diciendo esto y tras tomarlo por el hombro, salieron de la biblioteca.

40

Habían tenido una bronca terrible. Los dos permanecían en silencio, uno frente al otro, como dos gallos de pelea, en el saloncito que Carmelo había habilitado en el piso de arriba de El Bohemio. Una mesa grande rodeada de sillas pulcramente colocadas, una librería con medio cuerpo lateral abarrotado de cintas de vídeo —habría más de quinientas—, un tresillo tapizado de pana color melocotón y, sobre el sofá, un cuadro de Gustavo con el torso desnudo sentado en un alto taburete de barra, marcos de plata con fotos, premios de emisoras de radio y de revistas, y un largo etcétera de objetos decorativos: elefantes, los tres monos de la discreción, ni ver, ni oír, ni hablar.

—Tú te lo piensas bien, pero así no seguimos —dijo Carmelo reemprendiendo el diálogo en un tono más tranquilo.

—¿Qué es lo que tengo que pensar? ¿Si soy a tu gusto, como un muñeco que tú trajinas como quieres? No, hijo, no. Ni lo sueñes. A mí no me compras tú. Me importan un huevo tus regalos. Y si cada vez que discutimos sale el Rolex, ya te lo puedes quedar. —Al decir esto Gustavo desabrochó el armís de oro de su muñeca y lanzó el reloj sobre la mesita, en medio de un montón de cáscaras de pipas.

—No entiendes nada, yo lo digo por tu bien. A mí me importa un bledo tu cultura, pero hemos de encontrar algo que te interese. No se puede estar todo el día medio tumbado en el sofá comiendo pipas y viendo vídeos, ¿entiendes? ¿Que me gustaría que te gustara la pintura? De acuerdo. Pero si no es así, búscate algún *hobby* que no sea fumar y ver películas, y comer chocolate.

—Pues mira, mis *hobbys* son los tres que has dicho, da esta puñetera casualidad. Y yo no entro ni salgo en lo que te gusta a ti —respondió Gustavo alterado.

—Apañados estaríamos que te metieras con lo que a mí me gusta.

—¿Por qué? ¿Por qué yo no puedo? Porque tú pagas, ¿no? ¿Es eso lo que quieres decir?

—Yo no he dicho que pago.

—Tú has dicho que yo no puedo opinar sobre ti y tú opinas sobre mí.

—No lo entiendes, imbécil. Si a ti te gustara la escultura o la danza, yo no diría nada. Pero nos hemos tragado *Aeropuerto* y *Rocky* cinco veces.

—Nos las hemos tragado para ahorrarme el encamarme contigo a todas horas. Éste es tu *hobby* y no aguanto ni como hueles.

—Pues si no lo aguantas, te largas. Porque pago yo, ¿vale? —dijo iracundo Carmelo.

—¿Ves? ¿Lo ves? Ya salió. Tú pagas. Claro que pagas, pero ¿te has mirado en el espejo? Pero ¿crees que con esa pinta de maricona flaca que se te ha puesto encontrarías a alguien que no fuera un chapero de al lado del río?

—¡Basta, no te aguanto más!

—Ni falta que hace. Te puedes quedar tu cadena y tu cruz; tu Rolex y tus mierdas. Me largo, y que te den por saco —dijo Gustavo.

—No me des consejos, dame direcciones —apostilló Carmelo con sorna e ira.

El otro se levantó. Se arrancó la gruesa cadena con una cruz de oro daliniana que llevaba en el cuello y tiró todo sobre la mesa. Se dirigió a una silla y tomó una cazadora de ante con el cuello de piel.

—Me la llevo porque es mía, y no te quiero contar los polvos que me debes porque te arruino, ¡cabrón! —Soltó el exabrupto y salió al pasillo seguido de Carmelo. Al llegar a la puerta del piso la abrió, y al cerrarla pegó un portazo que hizo que vibraran hasta los cristales del despacho. Carmelo abrió la puerta de nuevo.

—¡Gustavo! —chilló. Pero Gustavo descendía la escalera de cuatro en cuatro peldaños y no se volvió ni para contestar.

Hizo la función fatal. Se encontraba mal. No podía concebir la vida sin Gusti, y para acabar de arreglarlo había un público malo. ¿O era él el que no conseguía lidiar al toro? Los de la barra hablaban. Tuvo que parar dos veces. Alguien gritó: «¡Maricona!». Hizo parar la música.

—¿Quién ha sido el valiente que en la oscuridad se ha atrevido a insultarme? —dijo.

Una voz contestó al fondo:

—¡Yo!

—Por favor, denle foco al personaje que quiere hablar aquí porque en su casa su mujer no le deja —replicó Carmelo.

—¡Sigue, coño, que hemos pagado! —dijo otra voz.

—Yo ya querría, pero por lo visto hay un señor al que no le gusta mi espectáculo. De acuerdo, soy homosexual y lo digo. Además, no molesto a nadie. Le diré lo que vamos a hacer. Como hay muchos que me quieren ver y a usted le molesto, no deseo que tire su dinero. Barman —chilló—, pague al señor la gaseosa y que se vaya. Porque usted es de gaseosa.

Se armó un follón terrible. El de la barra no iba solo. Tuvo que intervenir la policía. Carmelo se fue para adentro. En el camerino mascullaba solo.

—La madre que los parió. ¡Será posible...!

Llegó Emilia.

—¿Vas a hacer el segundo pase? —preguntó.

—No trabajo, ¿lo oyes? No trabajo —chilló, en tanto un zapato salía volando hacia un rincón.

—¡A mí no me grites! Va a haber follón. La gente ha pagado la entrada y se va a cabrear.

—¡No trabajo!, ¿lo oyes? ¡Estúpida! La culpa es tuya por dejar entrar a todo Dios.

—¿Mía? ¡Anda ya! Y que te aguante tu madre... Una se

mata por tus cosas. No como, no vivo, estoy siempre a lo que digas, me mato por pagar las letras...

—¡Cállate!

—¡No me da la gana! Si no trabajas, devuelvo el dinero. Y sabes lo que dijo Ramón. Que tú has de pagar las letras de todo lo que es bodega, luz, electricidad, etcétera. Mañana hay que soltar cuatrocientos billetes y no están.

—¿Cómo que no están?

—¡Como que no están! —dijo Emilia gritando.

—¿Y dónde están? Esta semana hemos hecho más de seiscientas cincuenta mil pesetas.

—¿Te enseño los vales de caja que te has llevado? Un «kilo» costó el relojito de tu amigo, ¿lo oyes?

—Déjame ahora.

Ella se fue. Y Carmelo quedó solo. Al día siguiente iría a ver a Ramón y le pediría que adelantara dinero otra vez para la letra. Salió. La gente estaba arremolinada en el pupitre de Emilia. Unos querían el dinero, otros preguntaban por él. Dio media vuelta y se dirigió a la salida de emergencia. Antes entró en el office, se fue al teléfono del fondo y marcó el número del bar donde a esa hora sabía que estaría Gustavo.

—¿Los billares? —dijo.

—Sí, diga.

—¿Está Gusti?

—Sí.

—Dígale si se puede poner, soy Carmelo.

—Un instante, Carmelo, ahora voy.

Tardaba. El pulso se le aceleró.

—¿Sí? —La voz cortante de Gustavo sonaba al otro lado del hilo, pero se había puesto.

—Soy Carmelo.

—¿No estás trabajando? —preguntó Gustavo sorprendido.

—He suspendido por ti.

—No te creo.

—Pregunta a Emilia. Cuando discuto contigo no puedo trabajar.

Al otro lado silencio.

—¿Estás ahí?

—Sí.

—No te muevas que voy para allá. Quiero que hablemos de lo del Lancia Thema. Dijiste que te gustaba rojo, ¿no?

—Ven, te espero.

Clic. El auricular sonó al ser colgado.

41

Querida madre:

Le escribo a fin de que cuando me vea comparecer por casa no se asuste. Me encuentro bien. No estoy enfermo ni tengo nada físico que le pueda inquietar. Simplemente debo obedecer a mis superiores, y éstos han creído conveniente que deje el convento durante un tiempo. Creo que serán unos tres meses. Para afirmar, o mejor, definir mi vocación. Entré en religión muy joven y, por lo visto, estas crisis son bastante comunes. Cuando fui al entierro del abuelo tenía muchas dudas, no sobre religión, como usted comprenderá, sino sobre si yo iba a ser capaz de cumplir lo que se espera de un religioso. Espero que entienda lo que quiero decirle. He hablado con mis superiores. Ellos han decidido que haga un receso antes de la gran decisión. Al finalizar esta última etapa, ya he de hacer votos solemnes y cantar misa. No pienso engañarla, madre. Me asusta la responsabilidad. Tengo dudas, hace tiempo que las tengo. Deseo con todo mi corazón sentirme capaz de asumir mi compromiso, pero en última instancia es mejor ser un buen seglar que un mal religioso.

Deseo, madre, encontrarme a mí mismo. Pienso que el campo, la compañía de los míos y los silencios de la montaña me ayudarán.

Sé que esta carta le va a preocupar y lo siento. Pero en esta decisión va mi vida, y la vida es el camino para salvar el alma. Creo que dar con el camino adecuado es lo más importante.

Dé un abrazo a todos y usted reciba un beso grande de su hijo pequeño,

Esteban

Elena separó la vista del papel, se sacó sus pequeñas gafas y miró largamente a su cuñada. Engracia la examinaba atenta, intentando adivinar los pensamientos de la monja.

—¿Qué? —la interrogó escuetamente.

—No es tan sencillo, mujer.

—Bueno, pero opinarás algo, ¿no?

—Déjame que me haga la composición de lugar, dame un poco de tiempo —respondió la religiosa.

Estaban las cuñadas sentadas en un banco de la era hecho de dos medios troncos de árbol desbastado y charlaban. Engracia había recibido la carta el día anterior. Su cuñada Elena había anunciado su visita para el día siguiente; cada año iba a pasar tres días con ella aprovechando que era su cumpleaños. Cincuenta y dos cumplía. No comentó nada con Emilio y decidió no hacerlo con Rafael ni con su nuera. Si las aguas volvían a su cauce no había por qué hablar de todo aquello. Pero Elena era otra cosa; primeramente, era como la hermana que no había tenido; en segundo lugar, era la madrina de Esteban, y finalmente, era religiosa.

—¿A ti te pasó algo así? —preguntó ansiosa, casi deseando el sí.

—No, a mí no, pero a algunas monjas les ha pasado algo parecido.

—Pero ¿qué es lo que pasa?

—Graci, yo no sé lo que le pasa a Esteban. Lo que la carta dice es que tiene una crisis. Las crisis son de muy diversas índoles. Primeramente hay que conocer el tema a fondo, y si él no habla, yo no puedo intervenir oficialmente. Viene como cada año, a pasar tu cumpleaños contigo; es muy delicado. Él tendrá a su padre espiritual, a su confesor. Son hombres preparados que lo conocen muy bien. Ten calma, y no te metas. Son cosas de la Iglesia, y tu hijo no es un niño.

—Entonces ¿qué tengo que hacer? —preguntó Engracia.

—Nada, estar como siempre. Ser alegre. Que él se note cómodo y esponjado. Y, sobre todo, no preguntes. Sé que esto último es muy difícil —dijo sonriendo—, pero hazlo por su bien.

Ambas se callaron. Por la mente de la madre pasó en un segundo toda la peripecia vital de aquel ser tan poco deseado al principio y tan amado después. Y por la de la monja, la posible frustración de aquel deseo tantas veces suplicado a Dios de recibir la comunión de manos de su ahijado el día de su primera misa. Una ráfaga repentina de viento levantó un remolino en la era. Cuando amainó, tres hojas secas que habían girado juntas y veloces acabaron separadas y como tristes en tres puntos distantes del patio.

42

Querida Teresa:

Espero que al recibir la presente estéis todos bien, como nosotros también. Estoy pasando una mala temporada, muy mala. Tenía que haber ido a Barcelona, pero tal como están las cosas, de momento no voy a ir. No he tenido más remedio que reñir con Mari, ¡sabe Dios lo amigas que éramos! Pero lo último no se lo puedo aguantar. Tú sabes cómo es mi Carmelo, que se cae de bueno. Sabrás lo sensible que es y lo amigos que eran con Gusti. ¡Tú verás! Toda la vida... Pues bien, como te digo, Gusti es un vividor, no tiene oficio ni beneficio. Pero como Carmelo lo quiere tanto parece ser que le avaló las letras de un coche que el otro no ha pagado y que ha tenido que pagar mi hijo. La tuve con Carmelo morrocotuda, pero ¿qué quieres?, es tan bueno que lo engañan siempre. Pero el coche estaba a nombre de Gustavo, y se compró para cuando han de hacer galas por los pueblos, en nuestro tiempo se llamaban bolos. Pues bueno, ahora que viene el verano y va a hacer falta, viene Mari y me dice que ha prohibido a su hijo que lleve esa vida bohemia con Carmelo, y Carmelo no sabe conducir... Pero además, Gustavo se queda el coche, porque dice que no ha cobrado nunca lo que ha hecho por Carmelo. ¡Fíjate! Y mi hijo lo ha llenado de regalos para no humillarlo dándole una propina, que es lo que se merecía: Rolex, cazadoras, zapatos, un equipo completo de música, dinero... No te quiero ni contar; una millonada. Lo peor de todo es el disgusto de mi hijo; no me come, bebe más de la cuenta, se levanta tarde, está triste... Y todo por ese niñato zángano. Mira, Tere, jamás me habría imaginado una cosa así. ¡Vivir para ver! Bueno, no tengo humor para seguir, pero comprende el motivo por el que no puedo ir a veros ahora. Escríbeme que, ya ves, eres la única amiga que tengo. Un beso grande,

CONSUELO

P.D.: Me hago otra vez con Pablo, viene a verme. ¡Qué quieres! El tiempo lo mata todo. Además, es el único de mi familia a quien quiero y lo único que hacemos es intentar no hablar del pasado.

Esteban se despertaba al alba. Doce años eran muchos para no haber adquirido esta y otras costumbres. El canto del gallo levantaba en él sentimientos contradictorios. De un lado, su niñez y los sonidos familiares y queridos de su infancia. Del otro, la reminiscencia evangélica de la traición de Pedro, con la que se identificaba, lo carcomía por dentro. Sus movimientos eran pausados y automáticos. Le ocurría frecuentemente que cuando tomaba conciencia de una situación, presuponía que había hecho otras cosas antes y no se había enterado. Estaba de pie junto a la lumbre calentando un cuenco de leche para desayunar, completamente vestido y lavado, y no recordaba nada de lo hecho... ¿Serían las pastillas? A los dos días de regresar a su casa y a instancias de su madre, su hermano Emilio lo acompañó al médico. Tenía una depresión; era terrible. Era una angustia indefinible, una lasitud absoluta, una ausencia total de ganas de hacer cosas. Lo peor del mundo se iba a desencadenar sobre él. Era un cuarto en tinieblas, encerrado con todos sus demonios. La boca seca y la angustia total. El médico se lo explicó clarísimamente, y todos los síntomas de la enfermedad coincidían en él. No quería preocupar a su madre, máxime cuando lo estaba ya porque su hermano mayor, Rafael, con su mujer e hijo, se había ido a trabajar al extranjero.

—Algo te angustia en lo más profundo —le dijo el médico, y aunque así era, Esteban no le confesó su secreto.

Le recetó Dormodor y Anafranil 25 y, al cabo de una semana aquella garra que atenazaba la garganta de Esteban pareció remitir un poco.

Dormía mucho, pero durante el día. En cambio, al llegar la noche empezaba a angustiarse y la sola idea de apagar la luz lo aterrorizaba. Como las últimas semanas del seminario, se mataba a trabajar al aire libre, en lo que más le gustaba, que era cuidar los animales y limpiarlos, ordeñar... Pero sobre todas las cosas, lo que más paz le daba era salir al monte con las ovejas. Aquellos ratos largos en compañía de la naturaleza y acunado por los mil ruidos que el campo emite cuando se lo sabe escuchar le daban la sensación de paz más gratificante de todo el día.

Los suyos lo ayudaron mucho. Lo escucharon cuando quiso hablar, y respetaron sus silencios y sus ausencias. Se dieron cuenta de que estaba mal y se tomaron muy en serio su enfermedad.

La campana del reloj de la ermita de Santa Engracia daba seis espaciadas campanadas. Esteban terminó su frugal colación y descendió al cobertizo. En el rincón de siempre estaba la bicicleta. Palpó con el pulgar la presión de los neumáticos, con un gesto computerizado en su mente desde su niñez, y montando en ella se dirigió a la ermita para hacer de monaguillo en la misa de siete y ayudar al viejo cura como cuando era un chico. Pedaleaba y el viento matutino le daba en la cara. Mil olores familiares lo iban acariciando y por ellos, con los ojos cerrados, habría podido adivinar el tramo de camino que recorría. Ahora empezaba la cuesta. Puso el piñón de veinticuatro, atrás... Transpiraba. Fue subiendo lentamente hasta que al doblar el último recodo apareció ante él, entre la bruma, la querida, vieja y entrañable silueta de la ermita. Aflojó la marcha y paró. Desmontó y dejó la bicicleta apoyada en el muro. Retrocedió y se dirigió a la entrada principal. Abrió la puerta. Cinco mujerucas, ya mayores, esperaban la salida del cura.

Los olores volvían a ser tiernamente familiares: incienso y cera; los sonidos, también: el crepitar de velas y el crujir de alguna que otra madera. Se acercó a la sacristía. El cura no había llegado todavía. Salió y se arrodilló en el reclinatorio de un banca. Alzó los ojos y... ¿Siempre había sido así, o le parecía a él que algo nuevo había en el rostro de la imagen de Nuestra Señora? Dos lágrimas brillantes, dos gotas cristalinas, rebosaban sus ojos y descendían por sus mejillas. Se sintió mal. Se llevó la mano derecha a la frente. Se frotó los ojos. Notó un sudor pegajoso y frío. La señal que le hacía el cura desde la puerta de la sacristía lo hizo volver en sí. Miró otra vez la imagen; era la de siempre. Se levantó, dispuesto a prepararse para ayudar en el oficio divino. Estaba mareado. Notó que la ermita empezaba a girar y se desmayó.

43

—Come. Haz el favor de comer. —Consuelo se dirigía a su hijo, puesta en jarras, al lado de la mesa. La comida permanecía intacta. La sopa estaba fría, en tanto Carmelo le iba dando vueltas con la cuchara con un gesto ausente.

—Déjame, madre. Ya soy mayorcito. Y estoy harto de que todo el día te metas conmigo. —Diciendo esto, salpicó el mantel de potaje, se puso en pie y salió del comedor dando un portazo.

Ella se quedó paralizada del susto y sus labios emitieron un «pero, hijo», al tiempo que éste pasaba por su lado como un tornado y otro portazo marcaba el momento de la salida del piso.

La tarde griseaba. Carmelo miró al cielo y lo vio oscuro y cerrado como sus pensamientos. Unos nubarrones grises festoneados pasaban raudos hacia el oeste; comenzaba a llover. Del bolsillo del tabardo sacó una gorra y se la caló, y tras meter las manos en los bolsillos, se puso en camino inconscientemente hacia el casino. Estaba deprimido. Nada lo ilusionaba y no se veía con ánimo de hacer la función por la noche.

Comprarle el coche a Gustavo fue engordar para morir. Hubo una paz pactada y frágil que duró ocho días escasos.

Luego volvieron a las andadas. Daba igual que se opusiera o que cediera. Gustavo maniobraba para atacarlo siempre. Estaba harto. Lo malo era que había llegado a la conclusión de que él quería a Gusti. Pero a Gusti le importaba un pito. Ya estaba bien de humillaciones y de desprecios. Aquello se iba a acabar. Y si tenía que irse de Murcia, se iría porque, eso sí, no se sentía capaz de quedarse allí y no verlo. Y, además, el machaqueo de su madre se había vuelto insoportable.

Iba por la calle peatonal pegado a la pared para resguardarse de la lluvia y, sin darse cuenta, se encontró en la puerta del casino. Entró. Le gustaba aquel sitio. Respiraba solera por todos los rincones.

—¿Qué desea? —Un portero uniformado lo requería, intuyendo que él no era socio.

—¿Está don Ramón Ledesma? —preguntó.

—Sí. Está arriba. Tiene partida. No se le puede molestar.

—Usted dígale que está Carmelo —respondió aplomado.

El hombre se fue con la sensación de que le habían dicho que el que esperaba era el duque de Alba, por lo menos. Carmelo se entretuvo en mirar fotos de las paredes. En el tablón de actualidades se anunciaba una exposición de imaginería de Salcillo y una lista del campeonato social de dominó.

—¿Qué te trae por aquí? —La voz algo afónica de Ramón lo sorprendió. Venía pegado a su sempiterno puro y en mangas de camisa—. Fíjate que tengo ordenado que no interrumpan mi partida aunque mi mujer vaya de parto, pero tú eres diferente —dijo cogiéndolo familiarmente por el brazo y dirigiéndose a un tresillo.

—Hemos de hablar —respondió Carmelo.

—Hablamos siempre, ¿no?

—Sí, pero rodeados de gente, y cuando me doy cuenta, ya te has ido.

Se sentaron en el sofá.

—¿Qué quieres tomar? —dijo Ramón, en tanto su mano autoritaria llamaba al camarero.

—No sé, cualquier cosa.

El hombre llegó con la libretita y el bolígrafo a punto.

—¿Qué va a ser?

—Yo lo de siempre, y el señor...

—A mí tráigame un cortado —añadió Carmelo.

El hombre se alejó a buscar las comandas.

—Bueno, dime, ¿qué pasa? —Los ojos de Ramón lo interrogaban a la vez que las palabras.

—No sé cómo empezar —trastabilló.

—No hace falta que me lo adornes, porque me lo imagino. Pero somos amigos, ¿no? —dijo, algo menos risueño.

La llegada del camarero los interrumpió un instante, que empleó el hombre para dejar las comandas encima de la mesa.

—Venga, cuenta, ¡ánimo!

—Verás... —Carmelo dudó.

—Venga, anímate que todo tiene arreglo.

Carmelo lo miró e intuyó un brillo burlón al fondo de los ojos. Se animó. Lo que le hacía falta era una minucia para aquel hombre.

—Verás, las cosas no acaban de arrancar.

—¿Y eso?

—No sé. Yo me mato y siempre hay gente, pero como hay tanto gasto... de instalación y tantas cuentas atrasadas, pues no llegamos a final de mes.

—¿Cuánto? —preguntó Ledesma.

—No sé. Tal vez setecientas mil —dijo Carmelo.

Ramón dejó el puro mascado en el cenicero. Se llevó la mano a la parte posterior del pantalón y sacó su cartera. La colocó sobre la mesa. La abrió con una mano, en tanto tomaba con la otra una copa de coñac Napoleón y daba un corto sorbo. Extrajo un papelito. Leyó.

—Tres últimos meses, un millón trescientas mil; gastos del mes, setecientas cincuenta mil. Bodega, quinientas mil. Impuestos, dos millones doscientas mil. Pago de industriales, tres millones doscientas cincuenta mil. Esto es lo que te llevo dado desde que has abierto.

—¿Tanto? —respondió Carmelo con un hilo de voz.

—Y más. Las chorradas no las cuento. Mira, voy a ser muy franco contigo. A mí todo esto del arte me da igual. Tú eres un chico estupendo y si en vez de El Bohemio hubieras querido instalar una tienda de ultramarinos, también te habría ayudado. A mí lo que me importa eres tú. —Al decir esto colocó con familiaridad su mano derecha sobre la rodilla de Carmelo. Éste se puso tenso. Ramón lo notó y retiró la mano con naturalidad. Tomó las cerillas y volvió a encender el maloliente y apagado puro y prosiguió—: Carmelo, los dos somos adultos. Yo soy un hombre casado y feliz, pero...

Carmelo lo miraba expectante.

—Pero ¿qué?

—Bueno, la vida es muy rara, tú me entiendes. Y cada uno tenemos algo oculto que nos gobierna. Yo no soy homosexual en el sentido que se da a la palabra en este país de mierda, pero digamos que me habría gustado nacer en otras culturas, la árabe por ejemplo, o la griega; la mujer para parir en casa, y si te cabrea la cambias por una cabra; para el placer, un buen amigo. Lo que pasa es que aquí hay que esconderse porque está mal visto.

Se hizo un silencio tenso y áspero. Ramón se puso serio y prosiguió.

—Tú me gustas, Carmelo. Y lo que he hecho hasta ahora no es nada comparado con lo que podría hacer. Tendrías una situación estable, serías el propietario de El Bohemio, manejarías una cuenta corriente generosa, ¿comprendes?

—No, no comprendo. Y yo ¿qué tendría que darte a cambio?

Ramón dio una larga chupada al puro.

—Bueno, digamos que tendrías que ser algo más amable conmigo.

—Digamos que tendría que ser tu mariconcito particular.

—¡Qué vulgaridad! Hay palabras que molestan, Carmelo —respondió.

—Pues no, ¿lo entiendes? Jamás, jamás pensé que tú fueras así —añadió poniéndose en pie.

El camarero miraba de reojo.

—¡Siéntate! —Ramón lo asió por la muñeca y lo sentó bruscamente. Sacó otro papel—. Escucha... Vales de caja, un millón setecientas; regalos varios, dos millones doscientas; un Lancia Thema rojo... ¿Sigo?

—¡Yo con mi dinero hago lo que quiero! —chilló Carmelo. Estaba salido de madre.

—No chilles. Con «mi» dinero, de momento —subrayó el «mi»— insisto, con «mi» dinero. Será tu dinero cuando hayas pagado la modesta suma de once millones cuatrocientas noventa y dos mil pesetas, hasta ayer.

Carmelo estaba abatido. El otro se recostó en el respaldo del sofá.

—Esto es un negocio, chico, y por ahora el amo soy yo. No, no pervierto a ningún menor. Te he dejado jugar con el bujarroncito ese que te da mala vida y te propongo una vida mucho mejor, sin hacer el ridículo y molestándote poco, y tú me quieres montar un cirio por nada. No, querido. Hoy duerme bien y piensa. Mañana por la mañana te espero en mi despacho. O te avienes a mi propuesta y ya puedes contar con el dinero, o por la noche no hay función porque yo, que soy el amo, pago a la gente y cierro. Seré muy vicioso, pero no pago chulos a terceros. —Y diciendo esto y tras aplastar la colilla del puro en el cenicero, Ramón salió.

44

La sala de espera del obispado era majestuosa. La conformaba un rectángulo de unos doscientos metros cuadrados, de veinte metros de largo por diez de ancho. Una de las partes alargadas se abría hacia la calle Mayor en tres vitrales policromados terminados en su parte superior en arcos góticos de medio punto. Su luz matizada incidía sobre la otra pared, iluminando difusamente un mural ocupado en su totalidad con alegorías referidas al Apocalipsis de san Juan. En el centro, un monstruoso reptil coronado de siete cuellos distintos era aplastado por el pie de una grácil doncella que encarnaba a María Inmaculada. En derredor de él, una bóveda azul con miríadas de estrellas, y sujetando el manto azul más claro, una legión de ángeles. Bajo todo el conjunto, una amplia banda con unos versos de *La hidalga del valle* de Calderón. El suelo era de losa románica de mármol jaspeado, y una gran alfombra cubría su centro. A lo largo de toda la estancia, grupos de tresillos preparados para acoger a los distintos visitantes y, en medio de cada uno, una mesita con prensa diocesana: *L'Osservatore romano*, un pequeño volumen encuadernado en piel de los Hechos de los Apóstoles y un equirindión de las cartas de san Pablo y la *Imitación de Cristo* de Tomás de Kempis.

Dos de los espacios destinados a los visitantes estaban ocupados aquella mañana. Junto a un ventanal, consultando atentamente unas notas que había extraído de un portafolios, el deán de la catedral; frente a él, aproximadamente en el centro del gran mural, Esteban acompañado del padre provincial de su congregación. En tanto este último hojeaba *L'Osservatore romano*, Esteban examinaba por enésima vez los últimos acontecimientos de su vida que a tan grave decisión lo habían conducido, para resumirlos y poderlos explicar, si cabía, de la mejor manera posible a su obispo.

La estancia entre los suyos lo ayudó sobremanera a aclararse. Luchó lo inenarrable consigo mismo, pero recordó la frase evangélica. «Ay de aquel por cuya culpa viene el escándalo» y decidió no ordenarse sacerdote. Sopesó todas las circunstancias y consecuencias; pensó en los demás; pensó en su madre, en su tía Elena, ambas a nivel únicamente de no profesar en religión. Y luego pensó en su otra familia, el seminario, sus compañeros y sus superiores, y particularmente en el hermano Luis Galiano, que tanto le había ayudado y estaba en el fondo de su secreto. Hizo balance de todo y el saldo fue negativo. Tenía que irse, y desde luego no iba a volver a su casa para quedarse. Se iría a Madrid o a Barcelona. Allí intentaría recoger los restos del naufragio y subsistir.

En una ciudad grande no lo reconocería nadie ni nadie le pediría explicaciones. Amén de contar con la ayuda de su madre, intentaría ganarse la vida dando clases particulares, y estudiaría algo que lo tuviera ocupado, más por esto último que por ganar dinero. Tal vez un despacho, la contabilidad no se le daba mal; ya vería. En cuanto a su vida interior, no renunciaba a la castidad. Seguiría luchando.

Un ruido lo distrajo un momento de su monólogo mental. Un librito encuadernado en cuero se le había caído al padre provincial. Lo recogió y se lo entregó.

—Gracias, Esteban.

—Nada, padre.

El incidente le cambió el rumbo de su pensamiento. ¿Cuántas personas conocían su problema? Cuatro. Cuatro eran los que irremediablemente se habían enterado. El hermano Luis Galiano, el hermano Toribio, su confesor y el padre provincial. No tenía queja alguna de ellos; todos a su manera, cada uno, lo intentaron ayudar. El hermano Luis Galiano, desde el corazón. El hermano Toribio, desde el razonamiento cartesiano. Su confesor, desde la religión y la conciencia. Y el padre provincial haciéndole reflexionar sobre sus doce años perdidos e instándolo a luchar hasta el último momento, dándose cuenta de que perdía un hijo en Cristo, con la oración y el sacrificio. Fue inútil. Cuando todos lo entendieron, reaccionaron de diferentes formas. Al hermano Luis jamás le agradecería su comprensión y afecto. El hermano Toribio se mantuvo frío y distante. Su confesor lo animó a luchar y prometió escribirle. El provincial dio los pasos pertinentes para que dejara el noviciado. Y el último acto de aquella penosa historia iba a cerrarse aquella mañana en el palacete episcopal.

Su mente volaba. A sus compañeros se les dijo que no tenía salud para seguir. El último día quiso recorrer el seminario por última vez; los dormitorios, las aulas, la granja, el jardín, los patios de juego, el refectorio. Cada lugar le trajo un recuerdo. Se despidió de todos y de todo. Cuando lo hizo de Fernando Rentería notó que una garra le atenazaba el corazón, pero no flaqueó. Luego se encontró con la maleta en la puerta y como desvalido frente al mundo. Se dirigió al pequeño autobús que lo iba a conducir a la estación del ferrocarril. No lo hizo pero, de haberse vuelto, habría visto en la ventana del segundo piso que correspondía a la biblioteca, tras los cristales, el rostro triste y cariacontecido del hermano Luis, que había perdido su batalla.

La orden que le dieron fue la de regresar a su casa. Allí recibiría la citación para ir al obispado con el provincial. Ésta había llegado el viernes anterior y le habían citado con ocho días de antelación.

—Su Ilustrísima les espera.

Una puerta se había abierto y él no se había apercibido. El secretario los instaba a entrar. El padre provincial lo precedió y él lo siguió hasta la otra estancia. En medio de ella, en pie al lado de su despacho, la imponente figura de Su Excelencia Reverendísima los esperaba. Entraron. Cuando su superior estuvo a un metro y medio del señor obispo, éste extendió la mano y le dio a besar su pastoral anillo. Esteban oyó cómo la puerta se cerraba tras ellos.

Querida Teresa:

Espero que al recibir ésta estés bien. Yo estoy muy mal. Carmelo se ha ido de casa. Jamás habría creído que algo así me podía pasar. Das toda la vida a un hijo, sólo vives para él y ahora, cuando más falta me hace, se va a Madrid y me deja aquí sola.

Todo ha sido una pesadilla. Ya te dije en mi última carta que lo veía mal. Bueno, pues todo se fue acentuando. Tuvo tal disgusto por ese perdido de Gustavo que se negó a bailar, y tú sabes que el baile es su vida. Yo no entiendo de dineros, pero don Ramón Ledesma, que era su socio, riñó con él. Natural; sin Carmelo, a El Bohemio no iba nadie. Lo han cerrado. Y ahora me tienes a mí con abogados y líos. Lo que me faltaba. El local es mío pero todo lo de dentro es de ese señor, y por lo que me ha dicho mi abogado está muy quemado con Carmelo porque dice que lo ha dejado tirado y que él jamás habría hecho este tipo de negocio. Y tiene razón. De todas formas, esto es lo que menos importa. Lo económico tiene remedio, más tarde o más temprano. Lo que no tiene arreglo es mi soledad y mi pena.

Veo mucho a Pablo, como te dije en mi última carta, y me aconsejó que no le diera un duro a Carmelo, y dijo que las ciudades grandes son muy duras y que cuando se vea acorralado volverá. A mí, como tú comprenderás, se me rompió el corazón, pero no aflojé. Fue al banco y retiró todo lo que tenía en la cartilla, pero eso le durará unos meses; cuatrocientas mil pesetas, creo que tenía. Como tú comprenderás no va a tener ni para pipas. Yo estoy destrozada, creo que sin mi hijo no voy a poder vivir. ¡Cómo me gustaría que estuvieras aquí ahora!

¿No podrías hacer una escapada? Yo no me separo del teléfono por si me llama Carmelo. Siempre pensé que mi ración de penas en la vida ya la había tenido, pero por lo visto no es así. Y pienso yo, ¿vale la pena vivir para esto? Estoy muy mal, Teresa. Escríbeme cuando puedas, me hace mucha falta tu consejo. Recibe un fuerte abrazo de tu amiga que lo es siempre,

Consuelo

El triquitraque del tren, monótono y rítmico, le producía sueño. Faltaba aproximadamente una hora para llegar a Madrid. El compartimiento del vagón que ocupaba era antiguo, y todos los detalles denotaban su ancianidad. El tapizado de sus seis asientos, gastado; la redecilla del portamaletas, rota y parcheada con remiendos por varios sitios; los carteles, que prohibían cosas o instruían sobre usos de ventanas y números de asientos, vetustos, como de otra época.

Él iba de cara y al lado de la ventana. De espaldas al sentido de la marcha no podía ir porque se mareaba. Frente a él, nadie, de modo que podía estirar las piernas. A su lado un huertano que, según le había contado antes de quedarse roque, era viudo e iba a Madrid a ver a su hija, quien había dado a luz recientemente. Cuando el tren tomaba una curva a la derecha, la cabeza del hombre le caía sobre su hombro y ya lo había tenido que despertar un par de veces, amablemente, eso sí, ya que antes de caer dormido el hombre le había ofrecido comida y vino de una forma franca y cordial. Más allá, una mujer, y frente a ella, su hija. Ambas, por lo que pudo escuchar, regresaban a casa tras visitar a unos parientes. En un tramo del recorrido el compartimiento llegó a estar lleno. Ahora sólo quedaban los cuatro.

El triquitraque del tren variaba según el tramo por donde transcurriera la vía. Si el punto era estrecho y el ferrocarril pasaba entre paredes verticales, el ruido era más agudo. Si, por el contrario, a los lados se abría el campo abierto, el sonido era más grave. Su instinto musical le dijo que aquel rítmico sonido podía estar entre la debla y la seguidilla, y que desde luego era bailable. El huertano respiraba profundamente y de vez en cuando rompía su cadencia con un resoplido que anunciaba un cambio de postura. Su mano derecha palpó ligeramente el bolsillo interior de su cazadora para comprobar una vez más que allí estaba su dinero.

El pensamiento de Carmelo empezó a recorrer el camino de los últimos acontecimientos, y se dio cuenta de que en las últimas semanas había madurado más que en cinco años de su vida. ¡Cómo dolían pero cómo curtían los desengaños! Y ¡qué sorpresas se había llevado! La gente en quien más confiaba lo había defraudado. En cambio, personas que ni fu ni fa, y que inclusive alguna le había pasado desapercibida en sus afectos, en ellas había encontrado apoyo y ayuda. Entre los primeros, Gustavo y Ramón. Y entre los segundos, Encarna López —su profesora de baile—, su tío Pablo, sorprendentemente, y sobre todo Emilia. A su madre no la juzgaba. Su madre era aparte, porque comprendía su disgusto y le perdonaba las cosas que ella le había dicho; en el fondo, seguro que no las pensaba. También tenía la certeza de que su madre no le tenía en cuenta lo que él le había dicho a ella. En momentos de tensión y nervios se dicen muchas cosas que no se piensan, y él había pasado muchos en los últimos días. Lo de Gusti seguía sin entrarle en la cabeza. ¿Cómo una persona puede simular hasta ese punto? Se conocían desde críos, y su relación comenzó como un juego de niños. Pero cuando ya adolescentes le propuso formar pareja porque él había asumido totalmente su homosexualidad, y las chicas no le importaban en absoluto, Gusti aceptó sin reservas dando por sobreentendido que también él sentía lo mismo. Gustavo fue el centro de su vida, fue su amigo, su confidente, su apoyo y su amante. Por él hizo todo y a él le dedicó toda la intensidad de su amor. Pero de repente Gusti cambió, buscó mil excusas para romper, para terminar diciéndole que él no era homosexual, que lo atraían las mujeres, una en particular, y que el culpable de sus desvíos de niño había sido Carmelo. Y todo eso a los veintidós años; eso sí, regalos, dinero, coche... Se sentía mal, muy mal. Era consciente de que muchos chicos comienzan sus experiencias sexuales con compañeros de su edad; de acuerdo, ocho, nueve años. Pero ¿veintidós? Ahí no tragaba. A Gustavo le venía muy bien chulearle dinero, y cuando le convino le dio el pasaporte. Por más que se esforzaba no se lo podía imaginar con una tía en la cama. Jamás, se juró, jamás permitiría que alguien gobernase su vida.

Luego estaba lo de Ramón... ¡Qué asco! Casado y con dos hijas y, de repente, se descuelga con aquello. ¿Cómo se podía equivocar la gente de aquella manera? Él era homosexual, de acuerdo, pero lo que no era ni sería jamás era un puto; nadie le iba a dar dinero por acostarse con él. El amor, fuera el que fuera, tenía que ser amor. Si alguien pagaba, entonces todo se prostituía y se ensuciaba. No quería ni imaginar cómo se habría sentido siendo el mariconcito de un tío. Luego, cuando se hubiera cansado, lo habría largado y a otra cosa. No, jamás, jamás... Jamás descendería a algo así. Perdió El Bohemio; no le importaba. Tampoco se veía capaz de quedarse en Murcia y cruzarse cada dos por tres con Gustavo. No, se habría muerto. No tenía más remedio que irse a Madrid. Y es lo que estaba haciendo. Recordaba, hacía de eso dos días, cuando fue al local a recoger sus cosas personales con Emilia y un tipo que había puesto Ramón allí le impidió la entrada. A la hora de comer, se lo comentó a su tío Pablo, que almorzaba en casa de su madre. Su tío era un hombre taciturno y extraño; hablaba poco, y él conocía indirectamente parte de su vida. Al acabar la comida, le dijo que si quería lo acompañaba a El Bohemio, a ver qué se podía hacer. Allá que se fueron. Llamaron al timbre de la puerta metálica. Cuando los pasos del hombre se oyeron, Pablo le dijo: «Mejor que me esperes un poco apartado». Carmelo se retiró. La persiana se abrió. Su tío le dijo algo al hombre. Éste se puso pálido y no puso obstáculo para que pudieran retirar todas sus cosas, no sólo del local sino también del pisito de arriba. Cuando vio la sala por última vez, no pudo impedir que se le hiciera un nudo en la garganta. Salieron tras dos horas y, en una furgoneta que había alquilado Emilia, llevaron todo a casa de Pablo. Una vez colocadas todas las cosas, Emilia se fue.

—Quiero hablar contigo un momento —dijo su tío Pablo. Se sentaron en la salita—. No creas que soy tu madre y que no me entero de nada. Sé por qué te vas y lo respeto. Me alegro por ti. Eres demasiado artista para quedarte en Murcia y no hay mal que por bien no venga. No le pidas dinero a tu madre, sé un tío. Espabila tú solo y no me decepciones. Yo le he aconsejado que no te ayude. Los que no tienen hambre no espabilan nunca. Hay que ganarse las alubias. Cuando pase un tiempo, le escribes. Ya ha sufrido bastante en la vida, la pobre. —Hizo una pausa. Se quedó mirando al vacío y prosiguió—: Todos hemos sufrido bastante. Si te encuentras muy acogotado, recurre a mí. La familia es la familia, Carmelo, pero procura tirar *pa lante* solo. Demuéstrame que tienes lo que hay que tener. A mí me da igual que seas homosexual, pero sé leal con tus amigos y conmigo, ¿estamos? —Eso le dijo, y depués añadió—: Tú has luchado mucho para levantar ese cafetín, y no entro ni salgo, pero si quieres hablaré algún día con tu socio. No me parece justo acabar como ha acabado.

—No, prefiero que lo dejes —recordaba Carmelo haberle respondido.

Luego le había preguntado qué era lo que sabía de Ramón.

—Todo lo que hay que saber —le contestó su tío. Y no hubo forma de sacarle nada más.

Triquitraque. El huertano se había despertado y había eructado sin privarse. Carmelo no aguantó la peste y salió al pasillo. Ya debía de faltar poco. Se apoyó en el hierro interior de la ventana y reemprendió el hilo de sus pensamientos. Luego había ido a despedirse de Encarna López. Su maestra lloró de pena y de alegría; de pena porque no iba a verlo en mucho tiempo y de alegría porque siempre sostuvo que, si quería ser alguien en aquel difícil mundo de la danza, debía irse a Madrid. Le dio tarjetas y direcciones de academias, le insistió particularmente en la de Martín Vargas y finalmente le quiso dar dinero. Ni que decir tiene que él no lo había aceptado. Por último, la única que lo acompañó hasta la estación fue Emilia. Estaba llorosa pero aguantaba el tipo. Hablaron de cosas intrascendentes y vacías, como si fuese un día cualquiera en el bar o en la cafetería. Cuando entraba el tren en el andén, Emilia se desmontó. Recordaba que él le dio su pañuelo.

—Vete a la mierda —había respondido ella. En aquel instante Carmelo no supo qué hacer—. Toma —le dijo ella, alargándole un sobre—, te he escrito una carta larga porque a mí no se me dan bien las despedidas.

El tren ya pitaba. La abrazó y le dio un beso. La verdad es que era su gran amiga. Ya arrancaba. Metió la maleta y saltó adentro. Luego, cuando ya estuvo instalado en el compartimiento, sacó el sobre y lo abrió, y lo primero que vio fue un fajo de billetes de cinco mil pesetas. Al lado, una nota: «Aquí yo no tengo gastos. Te presto mis ahorros y ya me los devolverás. ¡Qué lástima que seas un maricón de mierda! Te quiere, Emilia».

Notó que le asomaba una lágrima y se frotó los ojos con el dorso de la mano derecha.

El triquitraque se hizo más lento cada vez. El tren estaba entrando en Chamartín.

45

José Antonio Seoane Carpio, marqués de la Vega Baja, abrió los ojos. La cabeza le zumbaba como una dinamo y las sienes le martilleaban dolorosamente. Cerró los párpados e intentó relajarse. Parecía que los sonidos remitían algo. Riiing, riiing. El timbre del teléfono empezó a sonar en la mesa de noche. Alargó la mano y cogió el despertador.

—Mierda —masculló entre dientes en tanto tomaba el auricular—. ¿Sí? ¿Diga? —ordenó más que preguntó.

—Ay, hijo, por Dios, qué susto me has dado. Es la tercera vez que llamo y nadie cogía el teléfono. ¿Es que no está Evaristo? Porque me imagino que no te habré despertado porque son las doce. Como hoy comes en...

—Madre, por favor, para que me duele la cabeza. Evaristo no está nunca en fin de semana, y sí, me has despertado.

—¿A las doce? —La voz de la madre sonaba alarmada.

—Sí, a las doce... O a la una, cuando me da la gana.

—Hijo, yo no quería molestar, pero como María Herminia...

—Ya lo sé, madre, ya lo sé que comemos en tu casa. No te preocupes que a las dos y media estaré sin falta. —La voz sonó ahora conciliadora.

—No, verás, te llamé para decirte que al venir pares en Embassy y me traigas una caja grande de *marron glacé*, si no te importa.

—No me importa. Descuida, que no me olvidaré.

—Gracias, José Antonio. Y perdona.

—Nada, mamá. No tiene importancia.

—Hasta luego entonces.

—Adiós, adiós.

Colgó el teléfono. Abrió el cajón de la mesita y al tacto

buscó la lama de papel de aluminio que alojaba el Tonopán. Apretó con el pulgar y extrajo tres grageas. Se las puso en la boca. Buscó a tientas el vaso de agua. Bebió dos sorbos y se tragó las cápsulas. Se quitó la almohada y la arrojó al suelo. Se echó completamente horizontal y esperó que aquel tormento remitiera. Pasaron unos minutos. El medicamento surtió efecto y empezó a coordinar ideas. Lo último que recordaba era la bronca con el portero de algún local, una visión borrosa de luces de neón y semáforos desde el asiento posterior de un coche grande. Alguien lo había traído a casa. Alargó el brazo y encendió la luz pequeña. Se incorporó sobre los codos. El cuarto era una leonera. Su traje oscuro, en el sillón sin doblar. En el galán de noche, la corbata, y en la bandeja, su reloj. Al fondo, un zapato. El otro no lo veía. No recordaba nada.

¿Qué era aquello?

Una nota, sí. En la puerta del baño había una nota pegada con un trozo de celo. Se sentó en la cama. ¡Cómo le dolía la cabeza! Buscó las zapatillas a tientas con los pies. Se las colocó. Se puso en pie. Sólo llevaba el pantalón del pijama. Fue hacia la ventana y abrió las cortinas gruesas. Le dio al botón de la persiana y ésta empezó a subir. Un peine de luz entró por el cuarto haciendo como un rastrillo de rayos con miles de motas de polvo en su interior. La persiana continuaba subiendo. Hacía un día ofensivamente espléndido. Le dio al botón de nuevo; no soportaba de momento más luz. Fue hacia la puerta del baño. Tomó el aviso y entró. Encendió la luz de encima del lavabo y leyó: «J. A., has cogido una mierda de capitán general, con mando y plaza y cruz de san Ermenegildo. Y la has cogido peleona. Como eras un peligro, te hemos traído a casa Julián y yo. Has dado bastante guerra. Te hemos metido en la cama, y espero que duermas. Llámame a la hora de comer si quieres ir al fútbol. Que descanses. Santiago. P.D.: La vomitona del salón no la hemos recogido. Ya sabrá perdonar

Su Excelencia. Tienes el coche en el parking y las llaves en la bandeja del recibidor». Vale. O sea, que era eso lo que había pasado.

Un rayo de recuerdos se abría paso dificultosamente a través de las brumas de su cerebro. Hizo una pelotita con el papel de la nota e intentó encestar en la papelera. Falló. Abrió el grifo del agua caliente de la gran bañera redonda y el potente chorro, inmediato y humeante, lo despejó un poco más. Se miró en el espejo. Era el retrato de Dorian Gray. Bolsas bajo los ojos; la piel cetrina; la barba abundante, con alguna cana; el pelo que empezaba a clarear en las entradas. Abrió el grifo del agua fría del lavabo y se mojó el rostro abundantemente; tomó la toalla y se rascó más que se secó.

Pareció que se había frotado el cerebro, y entre el agua fría y las pastillas, se despejó del todo.

El nivel de la bañera había subido rápidamente. Se despojó del pantalón del pijama y, tras cerrar el grifo, se metió rápido. Del estante lateral tomó la caja de las bolas de aceite espumosas. Echó dos. Un olor de fragancia intenso inundó el baño. Limón y verbena. Lo ayudó a relajarse. Se mantuvo inmóvil como haciendo yoga submarino. Su mente voló. Se contempló desde la altura de sus cuarenta y cuatro años y empezó a sentir vértigo. Se sintió mal. Cuando cumplió los treinta y nueve murió su padre y le gastó aquella putada fenomenal con el testamento. El marquesado era para él, con una renta ínfima que cada mes le pasaba humillantemente el administrador. El usufructo de todo, para su madre, hasta que muriera, y él no podía enajenar ningún bien inmueble sin la autorización de ella, que era decir del administrador. Las dos grandes fincas de Andalucía y Badajoz, El Sabinar y La Cazuela, ni tocarlas. Y la cabronada venía ahora: le correspondería una renta importantísima y paquetes de acciones notables el día que se casara. Si impugnaba el testamento, lo perdía todo. Y una parte del mismo, en codicilo, se abriría cuando tuviera un hijo varón. Todo porque no tuvo suerte en dos negocios y hubo de recurrir a su padre. La fábrica de embutidos y las bodegas no fueron bien, pero no fue culpa suya. Ciento noventa y doscientos sesenta millones, respectivamente, costó cerrar y limpiar las deudas. Él había avalado ambos negocios en los bancos a cuenta de su herencia y el viejo no se lo perdonó.

Tomó la esponja y el jabón líquido y se restregó vigorosamente. Abrió los chorros laterales y enfrió el agua. La sangre empezó a circular por sus venas más rápidamente. Se aclaró el jabón, cerró los grifos, manejó la palanca del desagüe y se puso en pie. Salió del agua. Con la gran toalla tibia se envolvió, hecho lo cual y tras notarse seco, se afeitó. Se dio loción en la barba y se peinó. Se encontró mejor, mucho mejor. Regresó al cuarto. Todo era un revoltijo. Evaristo tendría trabajo al regresar. Le debía dos meses, pero no le importaba. Evaristo lo adoraba. Hasta le había prestado dinero alguna vez, y cuando hablaba de ambos hablaba siempre en plural.

La vez que tuvo su fracaso en el segundo negocio le dijo: «Me parece, señor, que estamos arruinados». Fue al gran armario y, abriéndolo, escogió un terno gris, con rayitas finas azules, calcetines azules, corbata a rayas azules y rosa, zapatos de Pécari suaves y camisa rosa. Se vistió y mirose en el espejo grande; como decía Nacho Garnica, su ex compañero argentino del equipo de polo: «Con buena pilcha se cambia mucho». Salió del cuarto y, al pasar por delante del saloncito, un olor ácido y amargo lo asaltó. Entró. Menuda trompa habría cogido. Allá en medio una vomitona de vino manchaba la alfombra persa, regalo de su madre, y el sillón orejero. Más trabajo para Evaristo.

Tomó de la bandeja las llaves del coche. Salió del apartamento y llamó el ascensor. Raramente estaba desocupado. Se introdujo en el camarín y apretó el botón que correspondía al parking, descendiendo. Se detuvo y salió al garaje. Buscó el Audi con la mirada. No estaba en su sitio. Santiago lo había aparcado en la plaza del doctor Pombo, el ginecólogo. Igual se había cabreado. «Peor para él», pensó. Abrió la portezuela y se sentó al volante. Olía raro. Lo llevaría a lavar el lunes.

El motor ronroneaba afinado. Iría por la Castellana hasta Embassy y aparcaría un momento en doble fila para comprar los *marron glacé*.

María Herminia tenía treinta y seis años y no era agraciada. Era la candidata de su madre y él iba sopesarla a fondo. Tenía dinero. Su madre se avendría a todo si se casaba con ella. Socialmente le convenía y no tenía carácter para llegar a ser un estorbo. Si movía bien sus peones, arreglaría el testamento y sacaría tajada de la marquesa viuda.

Paró en Embassy. Dejó el coche en doble fila, descendió y se dirigió a la puerta de la pastelería. Entró. No había mucha gente. Pidió los *marron glacé* y, entretanto los envolvían, se dirigió al teléfono. Marcó el número de Santiago.

—Hola. —La voz que respondía tenía un deje argentino.

—¿Quién es? —respondió José Antonio sorprendido.

—¿Quién sos vos?

—Soy J.A. ¿No está Santiago?

—Sos un boludo. ¿No me conocés? Habla, Nacho.

—Claro que te conozco, ¿cómo estás? No te esperaba aquí.

—No tan bien como vos. Santiago me contó el quilombo que armaste anoche. Pero vos no parás, viejo. ¿Cuándo sentarás la cabesita?

—Este año sin falta —dijo con sorna—. ¿Está Santiago?

—Ahorita mismo se pone.

Esperó.

—J.A., me tenías preocupado. ¿Cómo estás?

—Bien, gracias por lo de ayer. No me acuerdo de nada.

—Ya te lo contaré cuando te vea. ¿Vas a venir al fútbol?

—No puedo. Como con mi madre. Para eso te llamaba. Nos vemos luego a las nueve en José Luis, ¿vale?

—De acuerdo, pero si pierde el Madrid no saldré.

—Me parece bien. Así podré irme a la cama pronto.

—Hasta luego.

—*Ciao*.

Colgó el auricular. Recogió los *marron* y pagó. Se sentía más optimista. Se dirigió al coche.

—¡Ya era hora! ¿Es que la calle es suya?

Un tío que no podía desaparcar se dirigía a él de malos modos. No valía la pena cabrearse. El otro seguía chillando. Se metió en su coche con dignidad, lentamente. Cerró la puerta, se volvió, hizo un corte de mangas solemne y aristocrático, y arrancó.

Esteban se alojó en una pensión de la calle Jiménez de Quesada que casi hacía esquina con la Gran Vía. La dirección se la dio su tío Rafael, ya que era allí donde él paraba cuando iba a Madrid. Estaba a la altura del tercer piso y todo el edificio eran casas de huéspedes. Hispania se llamaba la suya. La regentaba una viuda con su hija. El precio era asequible, pero era obligada la pensión completa. A él le interesó enseguida por varios motivos. El primero, que el cuarto era muy amplio, con lavabo incluido; la ducha y el váter estaban en el pasillo. En la habitación había una mesa de despacho que, aunque bastante desvencijada, permitía trabajar bien en ella. Fue lo primero que miró. También había un armario y dos camas. El segundo motivo, y según referencia de su tío, era que aunque la comida era normal resultaba abundante. El tercer motivo era que doña Lina, que así se llamaba la dueña, no permitía juergas ni ruidos a partir de las doce, lo cual le garantizaba el descanso y el posible trabajo nocturno, si lo tuviera. Esteban, si hubiera sido para pocos días, habría ido a un hotel mucho mejor. Su madre así lo quería; pero él, intuyendo que su tiempo en Madrid sería largo y no gustándole cambiar de lugar, hizo caso a su tío y se alojó en la pensión Hispania.

Llegó a ella a la una del mediodía. Los sucesos en los últimos días se habían encadenado. La visita y posterior despedida del señor obispo fue distante y fría. No esperaba otra cosa. Luego, tras obtener la dispensa, regresó a su casa. Todos los suyos, que ignoraban el motivo real de su salida del seminario y que lo atribuían a un enfriamiento o falta de vocación, se mostraron cariñosísimos con él y le colmaron de atenciones y afectos. Pero él no quería quedarse allí. Se le venía su niñez encima. Necesitaba estar solo y empezar algo en un nuevo lugar. Además estaba Mayte, y la verdad era que le tenía miedo.

Recordaba clarísimamente las palabras de su madre. Una mañana le preguntó si estaba totalmente decidido a partir. Lógicamente él respondió que sí.

—Muy bien, hijo. Prefiero que seas feliz lejos de mí que infeliz a mi lado.

Su madre era fantástica y fuertísima, mucho más que él. Se despidió de todo el mundo. De la abuela, de sus tíos y primos, y de su hermano Emilio, pues Rafael y su familia vivían en el extranjero. La última fue su tía Elena, quien le dijo: «Los caminos del Señor son muy extraños, Esteban. Tú estate atento que Él te necesitará para otra cosa». Después, sacando del bolsillo de su hábito una cajita, se la dio. «La guardaba para dártela el día de tu primera misa, pero te la doy ahora. Llévala siempre contigo.» Él abrió el estuche y extrajo de él un crucifijo pequeño de oro con su cadena. «Era de tu abuelo», añadió ella. Se notó indigno e hipócrita cuando se oyó a sí mismo responder a la monja: «Pónmelo, lo llevaré siempre».

Todos fueron a la estación a despedirlo. Cuando el tren

arrancó y el grupo se fue haciendo pequeño, le vino a la mente un latinajo de César de su primer curso de latín. *Alea jacta est*: La suerte está echada. En su última noche en casa escribió una extensísima carta a Rafael Urbano, prometiendo volver a escribirle y rogándole que le contestara y que lo tuviera presente en sus oraciones.

El comedor se fue llenando de huéspedes. Por lo que vio eran como de familia. Hablaban de una a otra mesa; casi todas ellas se ocuparon. Él estuvo amable y correcto con todos pero no participó en las conversaciones. No tenía nada que decir, y aquel nuevo mundo sin horarios fijos y sin campana lo desorientaba. Había dos músicos de una orquesta que tocaba en un local cercano, Pasapoga, creyó oír que se llamaba; dos viajantes de comercio catalanes; una madre y una hija que venían a un concurso de televisión; un comandante jubilado que hacía bromas a doña Lina, y a su lado, un par de mesas vacías. Al terminar de comer, le preguntó a la patrona dónde había una iglesia por allí cerca. La mujer lo miró extrañada, pero le indicó la más próxima. Pensó que aquel sobrino de don Rafael era un buen muchacho y que no le disgustaría que hiciera buenas migas con su hija.

Esteban salió a las cinco de la tarde y fue a la iglesia. Era pequeña, mucho más pequeña que la del seminario. Luego supo que era una capilla adyacente a un convento de monjas. Estaba muy oscura. Se arrodilló en el último banco y rezó durante una hora. Pidió fuerzas y luz para no equivocarse. A las seis y cuarto salió. Callejeó sin rumbo mirándolo todo con ojos asombrados. Quería conocer Madrid antes de decidir sobre su nueva vida. Al día siguiente tenía planeado ir al Museo del Prado y a las Salesas; a lo mejor se matriculaba en la facultad de filología. Quería hacer tantas cosas... Tantas, que le tuvieran ocupada la mente el mayor tiempo posible. Quería dejarse llevar, no planificar. A las nueve y cuarto subía la escalera de la pensión. Ni se le ocurrió tomar el ascensor. Llevaba trece años de entreno, y las costumbres adquiridas no se borran fácilmente. Fue a su cuarto, se lavó las manos y se pasó un peine para presentarse decente a cenar.

Llegó al comedor. Todos estaban ya sentados y la hija de doña Lina repartía la sopa ayudada por una camarera. Se dirigió a su mesa. Una de las dos mesas que por la mañana estaban vacías ahora estaba ocupada. Era la contigua a la suya. Se sentó y se recogió para orar brevemente y sin ostentación. Al terminar, la voz joven de su vecino lo sorprendió.

—Hola, me llamo Carmelo Montero.

—Yo, Esteban Ugarte —respondió.

46

El taxi se detuvo en la puerta de José Luis. La lluvia arreciaba, y apenas paró el coche y se encendió la luz interior para que él pagara la carrera, ya dos personas se disputaban el vehículo.

—Son trescientas setenta y cinco —dijo el conductor.

—Tenga y quédese el cambio. —Le dio un billete de quinientas.

—Gracias, señor —respondió el hombre, algo sorprendido. Descendió y se dirigió rápidamente a la puerta del local para resguardarse de la lluvia, en tanto un hombre y una mujer pugnaban por el taxi. Entró. Se encontraba allí como en su casa. Entre comidas y cenas, lo visitaría unas cinco o seis veces por semana. Le gustaba el sitio. Era de su exacto nivel.

—Don Santiago le espera en el bar —dijo la señora del ropero en tanto ya salía a recogerle la gabardina y el paraguas, que no había abierto al descender del taxi.

—Gracias —le respondió entregándole las prendas.

—No le doy número porque se lo pondré aparte. —La mujer hacía méritos para la propina.

—Perfecto.

La voz de Santiago ya lo saludaba desde la pequeña barra.

—Perdona por ayer, pero después de lo que pasó aquí enfrente no tuve ganas de salir. —Al decir esto señalaba con el brazo extendido el estadio Bernabeu.

José Antonio lo miró con sorna. A él le gustaba el fútbol, pero aquellos disgustos que se llevaba su amigo no los entendía.

—Perdona tú por anteanoche, y gracias por todo lo que hiciste por mí.

—No tiene importancia. Tú lo has hecho por mí otras veces.

—Pero no hasta ese extremo.

—Déjalo, que tenemos mucho de que hablar según me has dicho por teléfono.

—¿Toma lo de siempre, don José Antonio? —El barman, solícito, se dirigía a él.

—No. Hoy me pones un zumo de tomate picante. No quiero tomar alcohol tan pronto.

El hombre se retiró para al minuto dejar frente a él el rojo brebaje. Se acercó el maître.

—Mientras preparo su mesa, que ya se desocupa, si quieren ver la carta...

—¿Qué nos recomienda? —indagó Santiago.

—Tengo unos chipirones riquísimos. Luego hay civet de liebre.

—Yo sólo tomaré los chipirones —atajó José Antonio.

—¿Nos tomamos un caldo antes? —apuntó Santiago—. Lo digo para tener más tiempo para la charla, si no acabamos enseguida.

—Bueno, vale. Pero yo caldo no, una vichyssoisse.

—Entonces un caldo y la vichyssoisse, y luego chipirones para dos.

—Eso es —afirmó Santiago.

—Muchas gracias. —El maître les tomó las cartas y se retiró con la nota.

Cuando ya se quedaron solos los dos:

—¿Qué tal ayer? —indagó Santiago.

—Mal.

—Explica.

—Te llamé desde Embassy y fui a comer con mi madre. Tengo problemas..., problemas graves.

—Los de siempre, ¿no?

—Mira, Santiago, somos amigos desde toda la vida, y tú conoces la mía y a mi familia. Que yo esté a mi edad como cuando acabamos el colegio es ridículo.

—Coño, no me fastidies, no es lo mismo.

—Es lo mismo, pero aumentado y corregido. La vida va adelante y las necesidades crecen. Tú y yo hacemos otras cosas de las que hacíamos. Antes eran un par de chavalas y un café. Ahora si quieres hacer algo has de seguir el ritmo de tu generación. Hay que ir, Santiago, hay que estar en la pomada; si no, pierdes el carro. La relación lo es todo.

—Cuando quieran los señores, ya tienen la mesa —interrumpió obsequioso el maître.

Ambos dejaron sus copas con los restos en la barra y pasaron al comedor. Desde algunas mesas los saludaban. Al pasar al lado de la ventana un hombre de unos cuarenta y cinco años se levantó de una mesa sujetando la servilleta, que se le caía.

—Hombre, marqués, qué caro de ver que eres.

José Antonio se detuvo un momento en tanto Santiago proseguía.

—Te he llamado veinte veces y nunca estás —insistió el hombre.

—Perdona, Carlos, he estado muy liado.

—Pero ¿no te dan los recados en tu oficina o es mudita tu secretaria?

—Sí, claro, y te iba a llamar, pero...

—Venga, ¿cómo quedamos? O prefieres que vaya a tu mesa y tomemos café —interrumpió el otro.

—No. He quedado con un amigo. Tengo un asunto gordo entre manos. Mejor quedamos...

—¿Cuándo?

—Cuando tú digas.

El otro sacó una agenda Cartier y un bolígrafo de oro.

—Tú mandas. Yo para cobrar no pongo pegas —le dijo aumentando ligeramente el tono de voz.

José Antonio notó que se ponía rojo escarlata. Sacó también su agenda atropelladamente. Hizo como si consultara algo; en realidad la tenía vacía.

—¿Te parece el jueves?

—Me parece. ¿A qué hora y dónde?

—¿Comemos?

—No, porque cuando como me pongo facilón, y ya hemos comido muchas veces —dijo el otro, ahora más serio. Y añadió—: En mi despacho a las cinco.

—De acuerdo. Allí estaré.

—No me falles. No quiero tener que buscarte.

El marqués De la Vega Baja hizo como que apuntaba en su agenda.

—Hasta el jueves. —Y sin dar la mano al otro para despedirse fue a su mesa.

Santiago estaba ya sentado.

—¿Te importa dejarme tu sitio? —preguntó José Antonio.

—¿Qué pasa? —indagó el amigo, en tanto se levantaba.

—No quiero que me siente mal la comida mirando a ese zafio.

Santiago miró con disimulo al individuo al que había observado, sin darle más importancia, saludar a su amigo. Se cambiaron de sitio y se sentaron.

José Antonio quedó de espaldas.

—¿Quién es? —preguntó Santiago.

—Un mierda de constructor advenedizo pero con dinero. Me adelantó unos duros porque yo soy muy amigo de Herbás, que es el que daba las licencias de obras en el ayuntamiento del pueblo donde tengo El Sabinar, porque quería hacer una urbanización. Tú ya sabes cómo son esas cosas. Bueno, pues cuando ya lo tenía arreglado, me lo cambian y me ponen a uno del PC que no traga. El otro se queda con el dinero y yo, claro, en medio.

—José Antonio, que soy yo.

—Vale, me hizo falta. Necesité usarlo, pero se lo voy a devolver. Yo soy un señor y mi palabra...

—¿Cuánto? —lo interrumpió.

José Antonio hizo una pausa.

—Cinco.

—¿Cinco millones?

—Claro, no van a ser cinco mil pesetas.

—Vas mal, vas muy mal —murmuró Santiago pensativo.

El camarero llegó con la comida e hicieron una pausa. Al retirarse prosiguió el marqués.

—Tú no podrías...

Santiago tamborileó unos instantes con la cuchara en la mesa.

—José Antonio —dijo poniéndose serio—, tú sabes lo que yo te quiero, y te consta. Te lo he demostrado muchas veces, pero yo no tuve un padre rico y vivo de trabajar como un cabrón. Yo salgo los sábados y voy al fútbol los domingos, pero yo no voy a cacerías ni me pego la gran vida. Me debes seis millones, que para mí es dinero, y conste que no te los reclamo.

—Déjalo, no te he dicho nada.

—No, sí me has dicho, déjame acabar. He comprado, como sabes, la parte de mi socio de la agencia de publicidad y la estoy pagando. Dinero no puedo dejarte ahora. Lo que te ofrecí una vez y te vuelvo a ofrecer es que trabajes conmigo. Con las relaciones que tú tienes y con lo que yo sé, nos llevaríamos cuentas importantes. Y entre sueldos y comisiones...

—Déjalo, por ochocientas mil pesetas... Ya me lo ofreciste una vez, Santiago, gracias, pero no tengo ni para tabaco —terció José Antonio.

Callaron ambos y se dedicaron a terminar sus caldos. Llegó el camarero con los segundos. Cuando se retiró y para distender, dijo Santiago:

—Cuéntame qué pasó ayer con tu madre.

—Tengo un impás complicado.

Santiago esperó a que prosiguiera.

—¡No me dirás que no tiene miga el tema de la herencia! Me noto cogido por las pelotas.

—Si te organizaras un poco podrías vivir, y muy bien.

—Ahora ya no. Partiendo de cero tal vez.

—Pero vamos a ver, Pepo. —A veces Santiago, cuando quería estar convincente, lo llamaba con el mote del colegio—. ¿Cuánto te haría falta para empezar de cero?

—Mucho dinero.

—¿Cuánto?

—Cien o ciento veinte «kilos».

Santiago, que estaba a punto de beber un poco de vino, se atragantó y manchó el blanco mantel. El camarero llegó solícito y rápidamente intentó arreglar el desaguisado.

—¿Se ha manchado, don Santiago?

—No, nada; sólo ha sido el mantel. Lo siento.

—No se preocupe, eso tiene fácil arreglo.

En un momento cambiaron todo el servicio y le trajeron de nuevo la fuente de los chipirones junto con la botella del tinto de la casa, que era un Rioja joven y nada caro que tomaban asiduamente.

—¿Ciento veinte «kilos» has dicho? —replicó Santiago.

—Bueno, no sé exactamente, pero por ahí debemos de andar.

—Me dejas frito.

—Pues ¿por qué crees tú que estoy tan preocupado?

Hubo una pausa larga.

—Y ¿a quién debes?

—Bueno, a dos o tres acreedores y a mi banco. Ya me han llamado varias veces. Me vence el crédito y no me lo renuevan.

—¿Y tu madre?

—Nada que hacer. Ayer me volví a enganchar.

—Entonces, Pepo, no le veo salida.

Hubo otra pausa. José Antonio la alargó y dijo:

—Yo, sí.

Santiago dejó los chipirones y lo miró de frente.

—Oye, no me hagas luz de gas, que no me gusta jugar a Agatha Christie. Te estás lamentando de un tema económico que me planteas acuciante y resulta que tiene solución. ¿Cuál es?

—Casarme.

—¿Qué has dicho?

—Lo que has oído.

Santiago retiró el plato a un lado. El camarero regresó de nuevo.

—¿Ocurre algo, don Santiago?

—No, nada, no tengo apetito.

—¿Le apetece otra cosa?

—No, de verdad, está bien. Está bien todo, gracias.

José Antonio había terminado. No tomaron postres. Fueron al café directamente. De nuevo estaban solos.

—¿Casarte? ¿Por qué y con quién?

El marqués dio un rodeo.

—La diferencia entre hoy, ahora, y mañana al mediodía si me casara son setecientos millones de pesetas en papel, segurísimo, y una renta al mes de más de tres «kilos». ¿O crees que el banco me ha esperado tanto tiempo porque soy guapo?

—¿Y eso?

—Mi papá. El testamento de mi papá.

José Antonio, en un cuarto de hora, lo puso al corriente de todos los detalles, condiciones y peculiaridades del documento.

—¿Y con quién? —preguntó el amigo.

—Ahí está el detalle.

Dio José Antonio una larga calada a su Cohiba y prosiguió:

—Si escojo yo, pues lo que te he dicho, pero si me caso a gusto de mi madre, entonces El Sabinar o La Cazuela, con todo lo que ello comporta, monterías y demás, una de las dos sería seguro regalo de boda, y tendría permiso para hacer lo que me dé la gana en la otra.

—¿Y quién es su candidata?

Otra pausa de suspense y otra lenta encendida del apagado puro.

—María Herminia —dijo.

—¿María Herminia?

—Sí, ¿qué pasa?

—No sé, nada, pero me dejas parado... Siempre la he visto por tu casa, pero a otro nivel.

—¿A qué nivel? —El marqués se había mosqueado.

—Qué sé yo, como amiga de la familia o no sé.

—Da igual una que otra. Las ventajas de María Herminia son tres. La primera, libera el testamento de mi padre. La segunda, suelta el freno a mi madre. Y la tercera, tiene dinero. Además siempre ha estado enamorada de mí —replicó José Antonio en un tono algo pedante.

—Oye, yo también te quiero mucho, tío. ¿No le gustaría a tu madre que formalizáramos lo nuestro?

Y tras tomar sus cosas, que les llevó a la mesa la mujer del ropero, pagaron y salieron. Eran los últimos en abandonar el restaurante.

47

—Ese hombre no es para ti, Consuelo.

La que así hablaba era Tere, que había ido a pasar unos días con su familia a Murcia y de paso a verla a ella. El lugar, la cafetería Texas de la calle Mayor. Ambas amigas estaban sentadas frente a frente a una mesa al lado de la primera ventana. Fuera llovía, y la gente se arrimaba a las paredes de las casas para que los salientes balcones la resguardasen del agua. Consuelo miraba hacia fuera abstraída en tanto su mano derecha jugueteaba haciendo una bolita con la funda de papel fino de la paja de sorber. Tres cafés estaban servidos. Ella iba ya por el segundo.

—¿Me estás escuchando o hablo con la pared?

Consuelo lanzó un hondo suspiro y miró fijamente a su amiga.

—¿Me quieres contar mi maravillosa vida? ¿Te has parado a pensar en que el tiempo pasa, que Carmelo se ha ido y que sé que no va a volver? ¿Qué haré yo, Teresa? ¿Ir los domingos al cine? No, hija, no. Son muchas las horas que me quedo por la noche mirando al techo en mi cuarto. Lo que he encontrado no es lo perfecto, pero algo es algo.

—Pero nada, Consuelo, tú tienes derecho a otra cosa, y seguro que en algún sitio está el hombre que te conviene. Puedes casarte de nuevo, rehacer tu vida, te lo he dicho siempre. Pero no con ése.

—Ése me distrae, me entretiene y ha conseguido lo que no ocurría hace mucho tiempo: que a ratos me olvide de mi soledad y de que mi hijo no está.

—Pero ¿tú no conoces su historia? Porque yo he llegado a Murcia antes de ayer y lo sabe todo el mundo. Le da a la botella como el primero y no hablemos de faldas —replicó Tere.

—Teresa, ya soy mayorcita y sé lo que hago. Y si a mis cuarenta y pico me voy a la cama no será porque me engañen —replicó Consuelo airada.

—Pero ¿me quieres decir qué te ofrece?

Consuelo se puso seria y tras aplastar la colilla contra el cenicero rabiosamente, dijo:

—Compañía, ¿lo entiendes? Me ofrece compañía. Que es muy fácil aconsejar cuando se está en casa con un hombre y cada noche alguien te dice «hasta mañana». Pero cuando te das cuenta de que te puedes morir un viernes y que hasta el lunes cuando has de ir a trabajar nadie, absolutamente nadie, va a preguntar por ti, entonces la cosa cambia.

Tere se quedó pensativa.

—Fíjate lo que te digo, más que pena me da rabia —le dijo.

—No lo entiendes, Teresa. Todo el mundo tiene a estas alturas de la vida un pasado. Pero desde que sale conmigo ha cambiado y no toma una copa de más —argumentó Consuelo.

—Eres como una niña. Nadie cambia, y tú lo sabes. —Hizo una pausa y prosiguió—: ¿Lo sabe Carmelo?

—Con Carmelo no me escribo porque él no lo hace. Sé que está bien porque se encontró al hijo de mi prima en el Museo del Prado.

—¿Y Pablo? ¿Lo sabe tu hermano? —insistió Tere.

—Sí. No hace falta que insistas, me ha dicho lo mismo que tú. Y ha añadido que ojo con mi dinero. Te lo digo por si quieres saberlo.

—No me atrevía a decírtelo pero pienso lo mismo que él, lo siento.

Consuelo saltó.

—Pero ¿es que sois acaso perfectos? Porque si el pasado marca, mi hermanito no puede dar grandes consejos.

Tere la miró a los ojos con ternura.

—No lo comprendes, Chelo. Es por ti. Se está mejor solo que mal acompañado. Y lo pagarás caro, muy caro.

—El que no se moja el culo no coge peces —replicó tozuda.

—Haz lo que quieras. Tú lo has dicho, ya eres mayorcita. Pero recuerda la charla de hoy. No quiero que me digas algún día que no te avisé.

—No te preocupes. —Se apaciguó para proseguir—: Desde que se fue Carmelo sólo he tenido disgustos. El pleito para El Bohemio continúa, y los únicos ratos en los que estoy bien y me río son los que estoy con él.

Callaron las dos.

—Bueno, pues me alegro por ti y ojalá me equivoque. Te lo deseo de todo corazón y tú lo sabes. Es la vez de toda mi vida que más querría equivocarme.

Callaron las dos.

—Camarero, la cuenta —llamó Teresa.

—Tere, ¿haces el amor con Jorge? —El tono de Consuelo era íntimo.

—Pues claro, pero ¿qué importa?

—Importa y mucho. ¿Sabes que hace veinte años que no me había tocado un hombre? ¿Sabes que la vida pasa y eso es una de las pocas cosas que valen la pena?

—Con amor, lo entiendo; sexo sólo no me interesa.

—Cuando se tiene café es muy fácil despreciar el Nescafé, pero cuando no tienes nada...

El camarero les llevó la cuenta.

Carmelo y Esteban se compensaban. Ninguno había contado al otro el auténtico motivo de su venida a Madrid, pero sus vidas eran tan diametralmente opuestas que, de alguna manera, la de cada uno interesaba al otro. Carmelo era un curioso de las cosas y necesitaba una persona que tuviera nivel. Sus grandes broncas con Gusti habían sido por causa de su ignorancia y su pasotismo. Los cursos de humanidades, filosofía y teología y los conocimientos de Esteban sobre esos temas le llenaban.

A Esteban le ocurría lo mismo sólo que al revés. El mundo de Carmelo, su cultura musical, las figuras del ballet clásico y su simpatía lo atraían, y ejercían sobre él como un sedante ya que se olvidaba de sus problemas y se limitaba a dejar pasar los días. Cada uno había ocultado al otro parte del entramado de sus vidas. Carmelo, sin ningún recato, inventó una historia sobre la necesidad de vivir en Madrid si se quería perfeccionar en el arte y algún día llegar a ser figura. Obvió tocar el tema de Gustavo, y lo que dejó claro desde el primer momento fue que tendría que buscar trabajo rápidamente para subsistir, ya que su familia no quería que fuese artista y no esperaba la menor ayuda de su casa.

Esteban no mintió. La rectitud de su conciencia le impidió hacerlo, pero no dijo la verdad en su totalidad, sólo que había estudiado las disciplinas que Carmelo ya sabía y que, de acuerdo con su familia, había ido a Madrid a matricularse en filología y ya vería si en historia.

A partir del día siguiente de conocerse, y sin que ninguno instara al otro a hacerlo, compartieron la misma mesa de la pensión. Doña Lina estuvo encantada, ya que así le quedaba libre otra mesa. Al principio sólo se veían en el comedor, luego fueron alargando las sobremesas y adquirieron la costumbre de ir a tomar café al Fuima, que estaba en la esquina de Gran Vía con Callao. Éste a diario. Los sábados y festivos iban al café Gijón. A Carmelo aquel ambiente le alucinaba.

Era sábado y hacía exactamente seis meses que habían llegado ambos a la capital. Estaban sentados a una mesa del fondo del prestigioso local y Carmelo conversaba sin mirar a su reciente amigo, ya que no quería perderse la entrada de cualquier cara conocida que apareciese por la puerta. Muchas personas que conocía de verlas en televisión adquirían dimensiones humanas cuando las veía en aquel lugar. En aquellos meses vio en diversas ocasiones a José Luis Balbín, a Tip y a Coll, a Chumy Chúmez, a Mingote y a otros.

Un día tuvo la fortuna de toparse en la escalera que descendía a los servicios con Camilo José Cela, que por ella ascendía. Sin darse cuenta lo saludó cuando pasó por su lado, creyendo que lo conocía. El académico lo miró intentando acordarse de su cara, y respondió un «hola, hombre» campechano y natural que hizo a Carmelo feliz.

Esteban ya se había acostumbrado a hablar con su amigo sin que éste lo mirara directamente.

—Pero vamos a ver, Carmelo, me dices que te urge trabajar, que entre los gastos de vivir y tus clases te estás quedando sin dinero. Lees el anuncio de *El País* y vas a la entrevista. Me dices que te ha ido bien, que te han escogido. Y ahora me dices que no te interesa. No te entiendo.

—El horario, tío, el horario. Si yo no encuentro algo que

me permita seguir mis clases y dedico todo mi tiempo a un trabajo que no me gusta y es sólo un medio para subsistir, entonces me quedaré en él, y yo lo que quiero es ser bailarín.

Carmelo había entrado en la academia de Martín Vargas con la carta de presentación de su antigua profesora, quien había formado parte de su elenco cuando éste bailaba, sobre los años sesenta, con María Rosa, antes de debutar con la Chunga en el ABC de París.

Esteban seguía sorprendiéndose cuando lo llamaban «tío», pero en aquel tránsito brutal del seminario a Madrid se daba cuenta de que había vivido en una burbuja neumática de cristal y que su entorno era tan terriblemente distinto al anterior que había tenido que hacer un esfuerzo galopante para adecuarse a la nueva situación. Además, no era sólo Carmelo, sino que, matriculado en la facultad, oía hablar a sus nuevos compañeros, y trabajo le costó al principio entender aquella nueva jerga. El «ábrete», el «yo paso», el «estoy quemado» o el «alucino», no los había ubicado en su vocabulario porque no le salía, pero ahora por lo menos sabía lo que le querían decir.

—Entonces ¿qué vas a hacer? —preguntó.

—Mira, aquél es Antonio Gala —respondió Carmelo.

Esteban miró, pero le daba igual todo aquello que tanto excitaba a su amigo.

—Te pregunto que qué vas a hacer —insistió.

—¿Te acuerdas del domingo que fuimos al Museo del Prado? —dijo Carmelo.

—Claro que me acuerdo.

—¿Sabes que nos paramos a hablar...?

—Sí, con un pariente tuyo que es hijo de un primo de tu madre, me dijiste —interrumpió Esteban.

—No, coño, no quiero decir ése. El que iba en el grupo del guía que, al ver que tú ibas más empollado, se quedó con nosotros.

—Ya sé quién quieres decir.

—Evaristo se llama. Quedé con él y le di el teléfono mientras tú estabas comprando las postales para tu madre.

—¿Y?

—Salimos un par de noches. Es un cachondo y domina Madrid cantidad.

Esteban callaba y esperaba.

—Le conté lo de que busco trabajo que sea compatible con la academia, ¿me sigues?

—Claro que te sigo.

—Bueno, pues esta noche me lleva a un local, el Beethoven creo que se llama, le hace falta un camarero o un barman, y me va a presentar al dueño.

—Pero ¿tú qué sabes de eso?

—Nada, pero ya aprenderé —respondió Carmelo con aplomo, como si no tuviera la más mínima importancia—. Además, ya trabajé en un local de éstos aunque hacía otra cosa —añadió.

—Cada día me sorprendes con algo.

—¿Me acompañarás? —Y al ver que Esteban dudaba—: Oye, tío, que me he tragado tus Salesas tres veces y el Prado dos. En cambio, tú no quieres salir nunca de noche.

—He de estudiar —replicó Esteban vacilando.

—Pues hoy no estudias.

—Bueno, va. Te acompañaré.

48

Estaba nervioso, insomne y con su eterna migraña. La decisión tomada de su próxima boda con Herminia lo había vuelto huraño e irritable. Pero por más vueltas que le daba a su cabeza no encontraba otra salida para sus problemas. Todas las noches le pasaba lo mismo, se acostaba y se tomaba medio Roipnol. Leía hasta que el sueño venía a su encuentro. Al cabo de tres horas se despertaba invariablemente, y empezaba a dar vueltas a las cosas y ya no conciliaba el sueño de nuevo.

No se notaba en absoluto maduro para el matrimonio, pero las circunstancias no le permitían escoger. Y del mal, el menos. Herminia era aséptica. Además, estaba convencido de las otras ventajas que le expuso a Santiago, especialmente de que ella era la chica, de entre todas las que conocía, que menos se iba a meter en su vida y, por tanto, le permitiría seguir con sus costumbres. Las sienes le martilleaban de una forma inaguantable. El somnífero no le hacía efecto. Una infusión de aquellas hierbas que le preparaba Evaristo le vendría bien y, además, lo obligaría a conciliar el sueño. Buscó a tientas el pulsador del timbre. Lo encontró y lo apretó. Pasaron los minutos. Lo volvió a apretar. El timbre debía de estar sonando en la cocina. El criado, aunque estuviera dormido, no podía dejar de oírlo. Volvió a llamar. La cabeza le estallaba. ¡El gas! ¿No sería que Evaristo se había dejado el gas abierto? A lo mejor ésa era la causa de su gran dolor de cabeza. ¿Y qué le habría pasado al mayordomo, si su habitación estaba al lado mismo de la cocina? Sus aprensiones le dieron fuerzas para encender la luz y ponerse en pie. Tomó el batín del sillón; se puso una manga; no encontraba la otra. A tientas buscó las zapatillas. Salió al vestidor arrastrando los pies y apoyándose en la pared. Abrió la puerta. No percibía olor alguno. A lo mejor se había estropeado el timbre. Atravesó el salón y llegó al pasillo. Seguía buscando puntos de apoyo en los muebles. Llegó a la cocina y, pasando el office, alcanzó la puerta del cuarto de Evaristo.

—Evaristo —llamó. Nada—. Evaristo.

Esta vez golpeaba la puerta con los nudillos. La cabeza le retumbaba. Abrió la puerta despacio y se asomó. La luz del office iluminaba parcialmente la cama. Estaba cerrada e impoluta. Evaristo no estaba.

Hizo un esfuerzo enorme para situarse en el tiempo. Era la noche del miércoles al jueves. No era el día libre de Evaristo. Regresó a su cuarto dejando las luces encendidas. Se sentó en la cama. Tomó cuatro o cinco grageas del medicamento y se las puso en la boca. Dio un gran sorbo del vaso de agua de la mesa de noche. Tragó las pastillas y se echó hacia atrás quedándose atravesado en la cama, sin almohada e incapaz de hacer un solo movimiento más.

Salieron de la pensión y al pisar la Gran Vía la noche de Madrid rebasó la capacidad de asombro de Esteban. De hecho era la primera vez que salía en aquel medio año. Su mundo era diurno, y por la noche estudiaba, dormía o escribía cartas a su madre, a su tía Elena, a Rafael Urbano y al hermano Luis Galiano. La única excursión nocturna de aquel semestre fue una noche que tuvo que ir, a petición de doña Lina, en un taxi a buscar un medicamento para el asma a una farmacia de turno. Fue y regresó deprisa sin fijarse en nada, ya que el específico urgía. Era para un huésped, y recordaba que durante el día hubo mucha polución, inclusive él notó picor en la garganta.

La Gran Vía era la corte de los milagros. Mendigos, vendedores, busconas y un magma social electrizante. Esteban caminaba premioso y algo asustado al lado de Carmelo. No supo por qué pero tuvo la sensación de que todo el mundo lo miraba. Carmelo se había integrado plenamente a la noche madrileña. Vestía exageradamente y, sin embargo, se incardinaba mucho mejor en aquel paisaje urbano; jersey verde, pantalón tejano, botas de media caña, un foulard rojo de cachemir al cuello y, sobre el conjunto, un abrigo ceñido azul marino, muy largo, con cinturón. Nada de lo que veía lo asombraba. Desde su llegada había salido cada noche y recorrido todas las estaciones del ocio de Madrid. Conocía todos los locales y la programación de los mismos, y su gusto artístico se repartía entre los tablaos flamencos y los locales donde actuaba algún humorista: el Corral de la Morería, el Café de Chinitas, Torrebermejas se alternaron con Cleofás, Pasapoga o Xenón.

—¿Tomamos un taxi? —preguntó Esteban.

—Sí, será lo mejor. Está un poco lejos.

Se arrimaron al bordillo esperando ver la lucecita verde anunciadora de un vehículo libre. Tras unos momentos, Carmelo divisó uno. Alzó el brazo con autoridad. El coche se detuvo. Esteban abrió la portezuela para que su amigo entrara en tanto el taxista apretaba el botón del taxímetro. Se acomodaron dentro.

—Buenas noches.

—Buenas —respondió el hombre.

—Vamos a ver, ¿conoce usted el Beethoven?

—Sí, eso está detrás de Cuchilleros —dijo el conductor arrancando.

Esteban miraba por la ventanilla y se daba cuenta de lo pequeño que había sido su mundo hasta aquel momento.

—¿Qué? ¿Te gusta Madrid *la nuit*? —dijo Carmelo.

—Por ahora me asombra.

—Pero chico, ¿tú de dónde sales? Porque Santander es una ciudad importante. Yo vengo de Murcia, y el primer día, vale... Pero enseguida me he acostumbrado a la capital.

—Mi pueblo es muy pequeño, y en el campo se madruga mucho y se sale poco —argumentó Esteban.

—Pero la tele, ¿no veías la tele?

—No es lo mismo.

Callaron. El coche serpenteaba por el casco antiguo de la ciudad y tras un viaje de diez minutos se detuvo en la puerta de un local.

—¿Qué le debo? —Esteban se adelantó. Siempre que salían procuraba pagar sin humillarlo porque sabía que Carmelo andaba mal de dinero. Éste se dejaba invitar con naturalidad y como si todo le fuera debido.

El taxista dijo la cantidad tras mirar el contador. Pagó y descendieron del coche.

En el local se pagaba entrada. Se acercaron a una ventanilla. Esteban dudaba. Carmelo asomó la cabeza y se dirigió al hombre que despachaba las entradas.

—Oiga, yo no vengo a ver el espectáculo; vengo por una cosa de trabajo —dijo.

—¿Lo sabe don Arturo? —respondió el hombre.

—No lo conozco. A mí me ha citado un amigo para presentarme.

—Un momento.

En tanto decía esto descolgaba un telefonillo y apretaba un número. Habló unos instantes.

—¿Que cómo se llama su amigo?

—Evaristo —respondió—. Evaristo, se llama.

El hombre habló unos instantes más y colgó el auricular.

—Pasen y esperen en la barra —respondió.

Carmelo dirigió a Esteban una mirada triunfal.

Entraron. Nada más rebasar la puerta un olor especial los asaltó. Carmelo aspiró fuerte por la nariz.

—¡Qué cosa que cuando huelo un local nocturno me pongo cachondo! —dijo.

Esteban ya no se escandalizaba por la forma de hablar de su amigo.

—Huele a humo y a humedad.

—Y a moqueta, a alcohol y a gente. Es un aroma único e

inigualable —insistió Carmelo en tanto entregaba su abrigo a una mujer del guardarropía que tenía el pelo lila e iba maquillada como un coche.

—¿Usted no quiere dejar la gabardina? —preguntó a Esteban.

—Sí, gracias, perdone —dijo, entregando la prenda. Y como Carmelo lo miraba extrañado, añadió—: Es que estaba distraído.

La mujer colgó el gabán de Esteban en la misma percha donde había colgado el abrigo de Carmelo. Les entregó una única ficha. Esteban la tomó.

—Mira, el nueve, mi número —dijo.

—No sabía que fueras jugador —apuntó Carmelo con algo de sorna.

—No, no lo soy.

—¿Entonces?

—Era mi número de internado —aclaró Esteban dubitativo.

—Algún día me vas a contar tu vida. Eres tú muy misterioso.

Diciendo esto, Carmelo empujó a Esteban hacia el fondo. El local estaba a tope y el humo molestaba a los ojos. Se fueron acercando a la barra a costa de codazos y empujones. Ahora era Carmelo el que abría la marcha.

—No te despegues, que te pierdo —dijo volviendo un poco la cabeza.

Esteban iba pegado a él mirándolo todo. Aquello era la sucursal del purgatorio. Todo tenía un tono rojizo y estaba envuelto en neblina.

—¡Carmelo! —En la esquina de la barra un tipo pintoresco con la mano alzada los llamaba.

—¡Evaristo, que te he visto! —gritó Carmelo, alegre y correspondiendo al saludo.

Tras un esfuerzo final llegaron hasta él. Carmelo hizo las obligadas presentaciones.

—Mira, Esteban, éste es Evaristo Gracia, del que te hablé, del día del Museo del Prado, ¿te acuerdas? —Esteban asintió alargando la mano—. Y Esteban Ugarte —añadió Carmelo para presentar a su amigo.

—Huy, te conozco, y te tengo retratado desde aquel día. Tengo una memoria fotográfica increíble. Cuando una cara me interesa, ¡zas!, ya estás aquí —dijo Evaristo, golpeándose la frente con la mano izquierda en tanto la derecha apretaba la de Esteban—. ¿Qué queréis tomar? ¡Chico! —llamó a la vez al camarero que estaba atendiendo en aquel momento a una pareja.

El hombre se acercó y pasó un trapo por la barra frente a ellos.

—Un cubata —dijo Carmelo.

—Un café. ¿Puede ser? —pidió Esteban.

—¿Un café? No jodas. Aquí no hay café —apostilló Evaristo.

—Bueno, pues una Coca-Cola.

—¿No bebes alcohol? —indagó el otro.

—No, soy abstemio.

—Huy, el abstemio no tiene premio. —Evaristo rió su chiste.

El hombre se fue, trayendo al cabo de un instante el pedido. Carmelo y Evaristo empezaron a hablar en tanto Esteban miraba en derredor, asombrado, aquel mundo que descubría. Los ojos le dolían menos, y ya no estaba tan oscuro el entorno. El local no era muy grande y las paredes, de ladrillo visto, estaban como sin acabar, como si fuera una obra. Todos los tubos de aire acondicionado eran metálicos y las cañerías rojas, amarillas y azules. Todo tenía un carácter de provisionalidad. Al fondo, un pequeño escenario cerrado por una cortina blanca pintarrajeada de graffiti, y por todos lados, mesitas redondas de dos, cuatro o seis plazas y unas minisillas y taburetes. De estos últimos, bajo el asiento, salían como unas láminas metálicas con agujeros donde la gente colocaba el vaso. En la otra pared, escaleritas de mano de tres escalones, cubierto el último con un cojín de lona para que la gente se sentara.

La música sonaba fuerte y los oídos le dolían. El público colmaba su capacidad de asombro. Chicos con pendientes que hablaban gesticulando y tocándose unos a otros. Chicas con unas faldas cortísimas y mallas negras que silueteaban su anatomía. Miró a Carmelo de refilón y lo encontró esponjadísimo dominando aquel ambiente a la perfección. Súbitamente paró la música. Frente al escenario había una cabina con la parte superior acristalada y, dentro de ella, un chico de unos veintidós o veintitrés años que ponía discos. Lo vio coger un micrófono, y su voz amplificada se expandió por el local anunciando el espectáculo. La pista se fue desocupando y a la vez las mesas se fueron llenando de los que regresaban a sus sitios. La luz se apagó poco a poco y se abrió la cortina; al instante, un círculo blanco inundaba el espacio frente a él. Fueron sucediendo cosas. Un ballet de cuatro chicas medio en cueros, un tipo que contaba chistes sin ninguna gracia, una vedette con un casquete de plumas que llegaba al techo... Todo bastante penoso. Esteban no entendía, pero estaba claro que aquello era malo. La gente hablaba y alguien se metía con los artistas. Luego hubo una pausa, y en un apagón dos hombres colocaron un piano vertical en la pista y una sombra ocupó el taburete del mismo. Se encendió la luz. Sentado al instrumento apareció un músico con unos mangotes verdes y visera del mismo color que, acercándose a la boca un micrófono colocado en un pie de cigüeña, intentó, sin conseguirlo, hacerse escuchar. Cantaba una canción francesa. Pero el barullo era considerable. De repente, Esteban no podía creer lo que veían sus ojos. No supo de dónde, Carmelo apareció en la pista, al lado del ejecutante, y tomando con soltura el micro, se dirigió al personal.

—Señoras y señores —dijo—, son ustedes unos maleducados.

La gente fue callando entre curiosa, cabreada y divertida. Alguno pensó que el truco estaba preparado.

—Ser artista —prosiguió— es muy difícil. Lo único que hace falta para juzgar una actuación es respeto y silencio. Yo voy a trabajar para ustedes. Al terminar, si no les ha gustado mi interpretación silban, si quieren, o patean. Pero al terminar. —Luego se dirigió al pianista—: ¿Conoce «¿Y cómo es él?» de Perales? —El hombre asintió—. Pues, adelante, maestro. Ataque, pero flojo.

La gente empezó a reír. Esteban estaba asombrado. Carmelo cantó imitando a Raphael y luego al propio Perales. El público estaba entusiasmado. Luego imitó a la Pantoja. Y continuó con la Jurado y con Julio Iglesias. Esteban sabía perfectamente que Carmelo iba a la academia de Martín Vargas, pero jamás habría imaginado aquello. El número de imitaciones fue asombroso. Luego tomó un mantel y lo usó de mantón. Lola Flores fue el acabase. Se dirigió al público con acento andaluz.

—*Vozotros*, ustedes, creeréis que soy la más vieja. Pues no; cuando yo debuté en las cuevas de Altamira ya había un póster de Sarita Montiel, para que veáis *vozotros*, ustedes.

Al terminar, el follón fue indescriptible. Carmelo estaba eufórico. Evaristo se rompía las manos aplaudiendo. Los camareros habían dejado las bandejas en el suelo. El aplauso fue cogiendo ritmo de «otro toro», «otro toro». Carmelo aplacó con un gesto de manos el entusiasmo del respetable.

—Y para acabar, con todos ustedes voy a hacer yo solo el festival de Eurovisión, con locutor y jurado incluido.

Fue inenarrable. Imitó a los locutores de varios países en

sus idiomas, a los jurados dando la puntuación e incluso los ruidos incluidos de las diversas conexiones. Trabajó dos horas, y habría podido hacerlo cinco, tal era el entusiasmo de la gente. Al terminar, todo el mundo le hablaba y le palmeaba la espalda. Evaristo estaba hinchado como un pavo. El propietario del local se acercó y ordenó al barman que sacara champán. Empezó a hablar con Carmelo.

Esteban se notaba aparte y miraba todo lo que ocurría en derredor de él. Súbitamente entendió que él sobraba allí y su discreción le impidió interferirse en la noche triunfal de su amigo. Miró su reloj. Eran las cuatro de la mañana. Por lo visto, toda aquella gente al día siguiente no trabajaba. Se escabulló como pudo. Llegó al ropero.

—¿Me da el nueve, por favor?

La mujer tomó la percha.

—¿Cuál de las dos prendas es la suya?

—No, el gabán largo no, el otro.

La mujer se lo entregó. Él le dio cien pesetas.

—Mi amigo es el que ha actuado. Saldrá luego, pero yo ya le doy el número.

—A ver si lo convence usted de que venga a trabajar aquí —respondió.

—No sé, no sé —dijo sin saber qué contestar—. Adiós, buenas noches.

Salió a la calle. Hacía frío y estaban regando. Caminó sin rumbo buscando un taxi. A los cinco minutos lo encontró. Paró a su lado. Subió.

—A la calle Jiménez de Quesada, esquina Gran Vía —dijo.

El trayecto duró diez minutos. Pagó y se apeó. Al llegar al portal miró su reloj. Eran las cinco. «Maitines», pensó.

49

Querida madre:

Sé que soy un mal hijo y le pido perdón por ello. Ayer recibí su última carta sin haberle contestado la anterior y no tengo disculpa. Pero son tantas las cosas que le quiero contar y tan nuevas para mí que siempre que pienso en ponerme a escribir, sé que he de estar en ello mucho rato y nunca encuentro el momento. Perdóneme otra vez.

Todo es diferente a cualquier experiencia anterior que haya tenido. Mi infancia, usted sabe mejor que nadie cómo transcurrió; el campo, la escuela, el pueblo. Y mi experiencia de adolescente se remite a los años que creí e intenté con todas mis fuerzas tener vocación para ser un buen religioso. Fracasé, madre, y lo reconozco, pero no me pesarán jamás los más de trece años empleados en ello porque mi formación y mi conciencia para mí son un don precioso que debo a usted en la tierra y a Dios, que me indicó el camino.

Aquí al lado de la pensión, que es estupenda —dele las gracias al tío—, hay una pequeña capilla. Pertenece a un convento de monjitas, y es recogida y muy bonita. Todos los días, en un momento u otro, me acerco a ella para pedir por todos, particularmente por usted, y dar gracias a Dios.

Me he matriculado, aunque con retraso y por libre, en la facultad de filología. Me gusta lo que estudio y mi formación humanística me ayuda mucho. El choque con estudiantes más jóvenes que yo y que, como ellos dicen, «pasan» del tema religioso, ha sido muy fuerte. La ciudad y la vida les urge mucho y no tienen ojos más que para lo mundano. Yo no renuncio a hacer mi pequeño apostolado. A lo mejor el Señor ha querido que éste fuera mi camino.

He conocido a un chico aquí, en la pensión, que es de Murcia, muy simpático y muy artista. Da clases de baile clásico y su mundo nada tiene que ver con el mío, pero su forma de ser me ayuda a entender muchas cosas. Se llama Carmelo. Es muy alegre, y me gusta y distrae su compañía. Me río con sus cosas, y crea que me hace falta ya que la alegría es necesaria y a mí últimamente me ha faltado mucha. Me parece que yo también le influyo a él. Sin ir más lejos, el domingo pasado lo llevé a misa conmigo; poco es, pero por algo se empieza.

Me dice usted que ha llegado una carta de Rafael Urbano desde Colombia. ¿Cómo me pregunta si la quiero? Claro que la quiero. Ya sé que la tía Elena le aconsejó que no me recordara durante un tiempo nada de mi vida anterior, y que la vocación ha de ser probada sin ayuda, pero esto no tiene nada que ver. Rafael Urbano es un hombre admirable y un gran apoyo. Le ruego me envíe su carta en cuanto pueda.

Madre, me he sacado el carnet de conducir. Yo manejaba perfectamente los vehículos de casa, pero la circunstancia de mi vida me había impedido, mejor dicho, había hecho que no me fuera necesario el título. Ahora sí me hace falta, y me gustaría, si a usted le parece bien, comprarme un cochecito pequeño de segunda mano, porque gasto una fortuna en transportes y me es muy necesario.

Bueno, madre, le prometo que escribiré mucho más a menudo. Dé un beso a la abuela, a los tíos, a Emilio. Deme por favor noticias de Rafael y su familia. Y usted reciba un beso muy grande de este mal hijo que tiene pero que tanto la quiere.

ESTEBAN

A los dos días, junto con otra carta cariñosísima de su madre, le llegó la anunciada de Rafael. La abrió nervioso. Leyó:

Querido hermano en Cristo:
Un dolor lacerante y hondo agredió mi corazón cuando recibí tu última carta. ¡Cuántas cuentas me pedirá el Señor por lo mal que encaucé tus primeros pasos en la casa madre de forma que la semilla a mí confiada no fructificó como debía! Quizá Él te requiera para otras cosas y no está a nuestro alcance conocer sus designios.

Yo sigo aquí, y cada vez más comprometido con los pobres y los desahuciados del mundo. Esto, si no se vive, no se puede entender. Yo comprendo que hay que dar al César lo que es del César, y a Dios lo que es de Dios. Pero cuando ves tanto ser indefenso y el abuso que de ello se hace, hay que ser de pedernal para no tomar partido. ¿Cómo quieres que confíen en uno si cuando llega la ocasión ven que cierras los ojos y te apartas de ellos? Yo sé que la Iglesia no debe ser política y no debe inmiscuirse en las cosas terrenales, pero ¿cómo se hace? ¿Acaso hay otro mundo para apearse de éste? Y si no atendemos sus cuerpos, ¿cómo nos confiarán sus almas? El continente sur de América es un volcán. La droga la venden los niños colombianos en la calle. En El Salvador, no quiero ni contarte. Los países que habían sido ricos no son nada. En Argentina no hay medicamentos en las farmacias... ¿Y a nosotros se nos pide que enseñemos el Evangelio y digamos la santa misa y no nos metamos en nada? Es imposible. Tengo a mi cargo una comunidad de siete mil almas. No hay médico, y he de hacer cada día ciento cincuenta kilómetros por caminos intransitables en un viejo jeep que se está cayendo. ¡Cómo me habría gustado contar contigo y tu experiencia de granjero para ayudarme! Pero en fin, Dios dispone de sus hijos y para ti tendrá otros planes.

Bueno, Esteban, no dejes de escribir y reza por mí, que buena falta me hace. Recibe un abrazo fraterno de tu hermano en Cristo,

RAFAEL URBANO

50

Se despertó al mediodía en una cama grande de un apartamento desconocido. Le dolía la cabeza y tenía una resaca descomunal. Miró en derredor. La habitación era vulgar. Encima del tocador había un espejo y en medio de él, garabateada, una nota. La luz entraba a raudales por la ventana. Se levantó. Estaba desnudo. Se tapó con la colcha y se acercó al papel. «Carmelo —decía—, ha sido una noche divina. Eres un fenómeno. Cuando te despiertes no tengas prisa. El apartamento es de un amiguete que no está en Madrid. Úsalo y no lo ordenes, yo lo haré más tarde. En la cocina tienes el desayuno. En la nevera hay jamón y huevos. La leche está en la despensa. No he abierto el cartón porque aún no sé tus gustos... Me refiero a los gastronómicos; los otros sí los conozco, y me encantan. Me voy porque me van a despedir si llego y han notado mi ausencia, pero la locura ha valido la pena. Si no te llamo, recuerda que esta noche a la una has de estar en el Beethoven, y ten la cabeza clara. Hazme caso. No bajes de las veinticinco mil. Te las pagará seguro, porque lo volviste loco. Si puedo iré a hacerte de agente artístico. Un beso de Evaristo.»

Al terminar la lectura, hizo un esfuerzo mental e intentó rebobinar su memoria en tanto inspeccionaba el lugar. No tenía ni idea de dónde se encontraba. El apartamento era pequeño. Saliendo del dormitorio, un distribuidor con un baño a la derecha y un armario. Luego un saloncito con televisión y un tresillo funcional. Tras una puerta acristalada, otro dormitorio convertido en despacho, con una mesa llena de papeles, un ordenador, un bloc dietario y un teléfono. Y al otro lado del saloncito, la puerta de la cocinita y un poco más al fondo y a la izquierda, un minúsculo recibidor que salía a la escalera.

Recordaba frases de la noche anterior. Pero tenía lagunas notables, y junto a puntos que se le aparecían diáfanos, había lapsus de tiempo completamente negros. Súbitamente recordó a Esteban. No tenía idea de lo que había sido de él ni en qué momento de la noche se había marchado. Recordaba su interpretación. La rememoraba con deleite; había estado fantástico, y eso que él difícilmente quedaba totalmente satisfecho de sus actuaciones. Luego, los vítores y las ovaciones. Recordaba que regresó junto a Evaristo; en ese instante aún estaba Esteban. Luego le presentaron al dueño del local. Era un tipo gordito y bastante ordinario que le palmeó efusivamente la espalda y lo invitó a champán. Brindó con infinidad de personas sin rostro que lo llamaban «fenómeno» y otras lindezas. Ahí ya no recordaba a Esteban. Le pidieron que actuara más rato. Evaristo se negó en redondo, como si dependiera de él la decisión. Luego, cuando el día ya clareaba, salieron. No recordaba nada más, ni en qué ni cuándo llegaron al apartamento ni cómo empezó todo. Que se había acostado con Evaristo era evidente, pero no lo recordaba con claridad. Se sintió incómodo por una serie de cosas, y algo le hizo acercarse al teléfono y marcar el número de la pensión. Pasaron unos segundos hasta que descolgaron.

—Pensión Hispania, diga. —La voz era de Paloma, la hija de doña Lina.

—Soy Carmelo. ¿Está Esteban?

—Huy, no te conocía la voz. ¿Qué te pasa?

—Nada, estoy un poco afónico. Avisa a Esteban. —No había motivo, pero se sintió mal.

—Voy, está en el postre.

«Esteban», oyó que la chica lo llamaba. Y luego, cuando le entregaba el auricular, oyó que decía: «Es Carmelo».

—¿Qué hay, Carmelo? ¿Dónde estás? Me tenías preocupado.

—No pasa nada, no te preocupes. Sólo que ayer te fuiste sin decir nada y me encontré que me había olvidado la llave —mintió—, y como era de madrugada, para que no se cabreara doña Lina me fui a dormir a casa de Evaristo. Me acabo de despertar.

—Pero ¿estás bien?

—Sí, fantástico. ¿Sabes que me quieren contratar en el Beethoven?

—No me extraña, ayer me dejaste asombrado. Se lo estaba explicando en el comedor a doña Lina.

—No pensabas tú que tu amiguete fuera tan bueno, ¿eh?

—No, la verdad es que no.

—¿A qué hora te fuiste tú?

—A las cuatro. Vi que estabas muy liado, y como tenía que levantarme pronto, me retiré. Pero te dejé el número en el ropero. —Hizo una pausa y prosiguió—: Esta mañana en el desayuno no me he enterado de si estabas, porque nunca te veo, pero a la hora de comer, cuando han repartido el correo, la verdad es que me he alarmado un poco.

—¿Tengo carta?

—Sí, una.

—Mira el remite y dime de quién es. —La voz de Carmelo sonaba extrañada.

—Voy, espera un momento.

Esteban fue al comedor y regresó junto al teléfono, leyendo el remite.

—¿Oye?

—Sí.

—Espera, no entiendo mucho. ¿Puede ser Emilia La Borde?

—Sí, puede ser. Gracias, Esteban. Guárdamela. Voy para allá. Ya he comido. Tomaremos café en Fuima, ¿vale, tío?

—De acuerdo, hasta ahora.

Colgaron.

Querido Carmelo:

No te he escrito antes porque no te dignaste a escribirme y no sabía tu dirección. Tío, eres la leche. Te cabreas con Ramón, vale. Riñes con Gusti, eso ya lo veía venir. Das un disgusto de muerte a tu madre, no me meto en líos de familia. Pero ¿yo? ¿Qué te he hecho yo? Somos amigos de toda la vida. Me he matado por tus cosas. He aguantado tus neuras. Y un buen día te largas y ¡ahí queda eso! Voy a El Bohemio a recoger algunas cosas que me había olvidado y no me dejan ni entrar. Pero eso no importa, ya me las arreglaré. Bueno, lo primero es que me alegro de que te vayan bien las cosas. No he entendido muy bien eso de que tengas un amigo que parece un cura, no te pega nada. Ya me contarás lo del otro, ya me pega mejor. ¿Evaristo dices que se llama? ¿Qué tal la academia de Martín Vargas? ¿Es como la de Encarnación?

Bueno, paso a contarte novedades de aquí. Lo de Gustavo no tiene nombre. Se pasea con «tu» coche y tiene novia. Agárrate. Y además maneja pasta y yo no lo veo trabajar. O sea, que te ha sacado los hígados y se está vendiendo tus regalos. Imagino que es para pescarla porque es hija única y su padre tiene dinero. Ahora, el tema de fondo, pedazo de cabrito: me encontré a tu madre. Aunque discutáis, aunque no quiso que te fueras, aunque no te dio un duro, ¿crees que hay derecho a hacer las cosas como las has hecho? Eres un borde. Ella ha vivido para ti y lo menos que puedes hacer es escribirle. Más te diré, no te distraigas mucho que yo soy mujer, y tu madre está sola y en muy mala edad porque ya pierde el último tren. No te he dicho nada, son pálpitos que tiene una y no quiero hablar.

Bueno, majete, no tardes en contestar. Y no te pierdas en la gran ciudad. Un beso en los morros,

EMILIA

P.D.: Me he reincorporado al gremio de las bordadoras y acuso el recibo del dinero que me envías. ¿De verdad no te hacen falta? ¿Ya no las necesitas? Vale. Te quiero otra vez. Tuya siempre.

EMILIA

A la una en punto de la noche, Carmelo entraba en el Beethoven. El portero lo reconoció y lo saludó obsequioso. Su éxito de la noche anterior había corrido por el personal como reguero de pólvora.

—¿Cuándo debuta usted? —le dijo.

—No sé, no sé, no depende de mí.

—Pues si es por la casa, está hecho.

—Muchas gracias. ¿Ha llegado mi amigo?

—¿Cuál? ¿El que vino con usted o don Evaristo?

—Don Evaristo —dijo.

—Sí. Hará una media hora —respondió el hombre mirando su reloj.

—Gracias.

Carmelo entró. La señora del ropero le sonreía de oreja a oreja. Carmelo olía a buenas propinas y a mucho público.

—¿Viene solo?

—Sí, mi amigo estaba ocupado hoy —se oyó decir a sí mismo, como autoexcusándose.

Había tomado café con Esteban en Fuima y había leído la carta de Emilia, pero luego no dejó que lo acompañara por la noche porque se dio cuenta de que entre Evaristo y Esteban había malas vibraciones. Además, cuando salía con él se notaba frecuentemente en *offside*, era algo así como una especie de conciencia. Estaba incómodo. Entregó el abrigo a la señora del ropero.

—No le doy número, usted es de la casa.

Carmelo buscó en su bolsillo una moneda de veinte duros y se la dejó en el mostrador.

—Coja esto.

—No me dé nada que no quiero —respondió la mujer.

—Pero ¿por qué no?

—Quite, quite, ¿cómo va a pagar un artista como usted?

Carmelo se engordó.

—Diga que un aficionado a artista.

—¿Usted aficionado? En cuanto le conozcan, acaba usted con todos.

—Muy amable.

Carmelo estaba eufórico. Le encantaba que le dieran coba. Hasta la barra fue un recorrido de plácemes y palmadas. Allá estaba Evaristo. Sólo verlo se abalanzó sobre él y le dio dos besos con una sonrisa cómplice. Carmelo lo entendió.

—¿Cómo estás, monstruo?

—Bien, un poco desorientado. Son demasiadas cosas para un solo día, demasiadas cuerdas para un violín.

—Te comprendo. Vamos a hablar ahora de negocios al despacho de don Carlos. Luego hablamos tú y yo.

Carmelo asintió. Evaristo se volvió al barman.

—Anuncie a don Carlos que ha llegado Carmelo.

—Ahora mismo. —Y diciendo esto el hombre agarró el telefonillo y habló con el despacho—. Que pasen ustedes cuando quieran.

—Gracias. ¿Vamos, Carmelo?

—¿Saben dónde está? —dijo el barman.

—Sí, me lo han dicho, arriba de la escalera a la derecha.

—Exacto.

Evaristo dio un último sorbo a su cubata y subieron. El camino era corto. No tenía pérdida. Llamó Evaristo con los nudillos a la única puerta que había hacia aquel lado.

—¿Se puede?

—Adelante.

Abrieron la puerta cuando ya Carlos Lucarda, el dueño, salía de detrás de la mesa.

—Bienvenidos a vuestra casa —dijo, e indicando los dos silloncitos que estaban en el despacho, añadió—: y sentaos, por favor. ¿Queréis tomar algo?

—No, gracias. Ya hemos tomado abajo.

Se sentó tras la mesa.

—¿Fumáis?

—No, yo no fumo —dijo Carmelo.

—Yo sí, gracias.

Don Carlos alargó la cajetilla a Evaristo dando un seco golpe de muñeca para que asomara el cigarrillo. Evaristo lo tomó, y en la otra mano de don Carlos apareció el mechero encendido. Hubo una pausa mientras Evaristo encendía el Winston.

—¿Qué? ¿Qué le pareció mi amigo?

Los ojillos del hombre se achicaron tras una voluta de humo.

—Bien, bien. Es un excelente aficionado. En esta casa puede aprender mucho.

—No me irá usted a decir que no es mucho mejor que todo lo que ayer actuó antes de que cogiera el micrófono, ¿o no vio cómo aplaudía el público?

—Es diferente, no es lo mismo. La gente siempre jalea lo nuevo cuando se le regala. Pero cuando se es profesional, ya no hay sorpresa; entonces es mucho más exigente.

Carmelo iba a intervenir, pero la rodilla de Evaristo le avisó con un pequeño roce.

—Bueno, nosotros creíamos que estaba usted entusiasmado, pero si no, no hay problema. Tras lo de anoche no creo yo que en el Marfil no quieran hacer una prueba... —dejó caer Evaristo. El Marfil era otro local cercano y parecido, competencia directa del Beethoven.

—No va usted a compararlo con mi casa.

—No, preferimos su casa, pero no queremos entrar con calzador. Si usted no está convencido...

—No es eso, coño, que no me he explicado bien.

Evaristo terció.

—Mire, don Carlos, Carmelo se ha estado preparando, y ayer no hizo nada comparado con lo que puede hacer. Yo le voy a decir lo que nos interesa y usted ve si le cuadra. ¿Que llegamos a un acuerdo? Estupendo. ¿Que no? Otra vez será.

Don Carlos masticaba el puro.

—¿Y a qué acuerdo pensáis que podemos llegar? ¿Qué quiere cobrar? —dijo dirigiéndose a Carmelo.

De nuevo intervino Evaristo.

—El dinero es lo último. Primero queremos hablar de otras cosas.

Don Carlos pareció respirar algo aliviado.

—¿Como qué?

—Carmelo, explícate. Explícale tu forma de actuar —dijo Evaristo, quien no tenía una idea exacta de lo que sabía hacer su amigo.

—Bueno, verá, yo necesito actuar solo.

—Me parece bien, puedes cerrar la primera parte.

—No me ha entendido. Al decir solo quiero decir que ocupo dos horas y que me hace falta la totalidad del escenario —arguyó Carmelo.

Evaristo reaccionó enseguida como si estuviera enteradísimo del tema.

—Todo lo que tiene usted ahora y Carmelo no pueden ir juntos.

—Pero ¿qué hago con la programación? —dijo don Carlos.

—Tiene usted tiempo de esperar que finalicen los contratos. Yo tampoco puedo debutar enseguida —replicó Carmelo.

—Vamos a ver si lo he entendido. ¿Tú pretendes que yo monte la noche en base a tu actuación, sin mujeres ni otros artistas, ni músicos ni nada?

—Exacto.

—Pero comprende que eso no puede ser. El público de mi casa está acostumbrado a ver un *variétés*.

—No será por el caso que les hacían ayer. —La respuesta fue de Evaristo.

—Hay noches que el show no camina sin que nadie sepa por qué. Entonces...

—Mire, don Carlos —dijo Carmelo—, yo tengo una forma de montar el espectáculo. Si usted quiere, muy bien, y si no puede, no pasa nada.

Don Carlos, que había entrevisto la calidad del filón que era Carmelo, no quería dejarlo perder.

—Veamos, ¿tú cuándo querrías empezar?

—Nos da igual —respondió Evaristo empleando el plural.

—Cuando usted pueda cumplir los contratos de los artistas que ahora tiene o arreglarlo de alguna forma. Yo no tengo prisa —dijo Carmelo.

El hombre sacó un dietario y empezó a mirar su programación. Carmelo y Evaristo se miraron.

—En veinte días han acabado todos menos Mari Merche, pero la podría pasar al Albatros —dijo don Carlos, refiriéndose a otro local, mucho más cutre, de su cadena.

—Bueno, ya nos va bien, ¿verdad, Carmelo?

—Sí. Si entre que escribo a mi tío para que me envíe la ropa y pongo en orden el espectáculo, veinte días son los que necesito.

—O sea, ¿que ya habías actuado?

—Desde luego, no empecé ayer. Pero ni en Madrid ni en Barcelona me han visto.

—Ya me parecía a mí... Bueno, hablemos de otra cosa: tiempo y dinero.

—No sé, diga usted.

Don Carlos hizo ver que miraba de nuevo el dietario. Pero tenía clarísimo que no iba a perder a Carmelo, y quería ligarlo con un contrato muy largo.

—Podríamos firmar ocho meses, porque al principio no te conoce nadie... Y cuando la publicidad surta efecto, ya han pasado cuatro. Entonces...

—Huy, no, eso es mucho tiempo —dijo Evaristo, sin saber por qué pero intuyendo que si el otro quería un contrato largo a Carmelo le interesaba uno más corto, lo justo para darse a conocer y luego dar el salto a otro local más importante o al menos el salto económico.

—Pero comprendedme... Por el bien de Carmelo, he de hacer mucha publicidad y eso, si no es con un contrato un poco largo, no me aprovecha a mí —dijo el hombre.

—Bueno, dejemos eso aparte —apuntó Evaristo—. Hablemos de dinero.

—Antes de hablar de dinero, yo quiero dejar claras algunas cosas —apuntó Carmelo.

—¿Como qué?

—Durante el pase, no se puede servir ninguna copa.

—Pero, hombre, no voy a tener a un cliente seco dos horas.

Carmelo se mantuvo firme.

—Cuando haya empezado, ha de estar todo el mundo sentado y servido.

—Pero ¿y las segundas?

—No hay segundas. Eso es un requisito indispensable.

—Don Carlos, es que a Carmelo no se le puede distraer ni interrumpir.

—Calla, Evaristo. Eso lo hablo yo. —Carmelo estaba serio. El hombre pensaba.

—Bueno, y ¿cuánto? —dijo.

—Bueno, ¿qué ofrece? —dijo Evaristo.

—Yo no ofrezco, pregunto —respondió el hombre.

—¿Cuánto le cuesta ahora todo el espectáculo? —dijo Evaristo.

—Hombre, por Dios, no es lo mismo. Ahora hay seis artistas y tres músicos.

—Que le llenan dos horas, y ahora las hará él solo —dijo Evaristo indicando, al decir él, a Carmelo—. Y se ahorrará usted un montón en Seguridad Social.

Evaristo no tenía un pelo de tonto. El hombre estaba bastante blando.

—Haciendo un esfuerzo, ¿qué os parece treinta mil? —indagó.

—Cien —respondió rápido Evaristo. Carmelo callaba.

—Pero ¿cómo le voy a dar cien mil pesetas cada día durante ocho meses? Es un disparate.

—Es usted el que quiere ocho meses; nosotros queremos dos.

—Haciendo un esfuerzo, cincuenta y una gran publicidad. Pero pensad que...

—Cien —insistió Evaristo.

Carmelo miraba a uno y a otro como si fuera un partido de tenis.

Discutieron una hora. Finalmente, salieron triunfantes. Noventa mil diarias, seis meses de contrato y un millón de publicidad controlada por Evaristo. El debut, a los veinte días.

—Eres un fenómeno de mánager —dijo Carmelo a Evaristo de nuevo en la barra—. ¿Dónde has aprendido el oficio?

—No lo he aprendido, pero lo aprenderé. Es lo mismo vender coches que bacalao. Yo soy un buen vendedor, lo he sido siempre.

—¿Sabes que me has sacado, quitando las fiestas, dos «kilos» y medio al mes y que en seis meses son quince «kilos»?

—Menos dos y pico míos, que yo cobro el quince por ciento.

—Desde luego y encantado. Toda la vida me han chupado y no he sacado nada.

—Yo también te chuparé, pero serás muy feliz.

Dijo esto Evaristo mirándolo a los ojos con un brillo pícaro muy especial en los suyos. Carmelo se sintió incómodo.

Germán Suñer no había trabajado nunca en toda su vida y presumía de ello. En una ocasión en la que él aseveraba el hecho, alguien lo contradijo recordándole una fecha en la que se había ocupado de vender los cuadros de un pintor durante el tiempo que duró su exposición en una sala de segunda fila, y él saltó rápido y, como excusándose, dijo: «Vale, pero sólo fueron cuatro días». Y cuatro días en cincuenta y dos años no era mucho. Había cumplido el último febrero los cincuenta y dos, pero estaba igual que a los cuarenta y dos, o a los treinta y dos. A lo sumo alguna cana más y las sienes algo más plateadas, lo que le daba un raro atractivo de cara a las mujeres. Pero su aspecto era siempre el mismo: enjuto, moreno de piel, repeinado, el traje brillante y fatigado, pero la camisa y los zapatos impecables. No iba al café de Marcelino, vivía allí; a cualquier hora se lo podía encontrar. En la barra, jugando a los dados, daba igual el mentiroso que el picabu que la vuelta a Francia antes de las comidas. Por la mañana, en una de las mesas de billar, carambolas, americano o chapó. Y de cinco a nueve o desde once de la noche hasta la hora que tuviera lugar, en las mesas del fondo, póquer o dominó. A todo era bueno, y al final del año se había divertido y había vivido. No debía nada a nadie, pero no tenía un duro ni donde caerse muerto. Nadie le conocía parientes ni sabía de dónde había salido. Era un personaje incrustado en el paisaje urbano de una ciudad pequeña. Si no hubiera existido, algo habría faltado. Siempre estaba invitado al fútbol o a los toros, y en ocasiones solemnes, hasta completaba una mesa en el Rincón de Pepe. Tenía fama de donjuán, pero era discreto. Cuando le preguntaban se limitaba a sonreír y a otorgar, pero no hablaba de sus conquistas. Sostenía en la charla del café que un hombre de su edad que no se hubiera acostado con doscientas mujeres, al menos, no era hombre ni era nada. De eso a mentar el nombre de una sola había un abismo, y ese abismo él no lo saltaba nunca. De ahí su éxito. «Perro ladrador, poco mordedor», decía.

Aquella mañana tenía un partido de chapó y le divertía cantar la jugada antes de hacerla.

—Tito... —Germán siempre llamaba «tito» a todo el mundo—. Dos bandas y la roja a palos.

Estaba enyesando la suela de su taco y mirando la posición de las bolas mientras hablaba. Se colocó en postura de tirar. Cuando iba a hacerlo le distrajo la entrada en el café de una hembra interesante. Treinta y muchos, bien plantada, pelirroja... Se acercó a la barra pidiendo cambio para el teléfono. Cosa rara en él, Germán falló la bola. Y al oír decir al chico, tras buscar en el cajón de la registradora, que no tenía cambio, Germán tiró el taco en la mesa y dijo:

—Os doy la partida.

Luego se acercó a la mujer.

—Si me dejas invitarte a un café y gozar un minuto del cielo de tu presencia, te compro la Telefónica. —Y diciendo esto, le ofreció en la mano un montón de monedas.

Ella quedó al momento algo parada, luego sonrió.

—Me hace favor, porque tengo urgencia de hacer una llamada —respondió.

—Si fuera yo el afortunado que la recibiera, vendería mi alma al diablo —dijo Germán.

Consuelo rió francamente. Le aceptó cinco duros, y pensó que si tomaba café con aquel tipo tan simpático no hacía daño a nadie, y a fe que le hacía falta distraerse un poco.

Apreciado sobrino:

Por tu carta veo que las cosas te van bien, de lo cual me alegro mucho. Nunca he dudado de tus cualidades artísticas y no me extraña que te hayan contratado en ese sitio. Ya me he ocupado de ir al transportista y enviarte lo que me pides en tu carta. Las dos maletas de ropa limpia de la tintorería las he vaciado, y lo he puesto todo en el baúl grande. En una de las bolsas van las pelucas; no sé cómo te llegarán. Tu micrófono inalámbrico va cerrado y precintado. Y los zapatos de baile y los de las imitaciones van en otra bolsa; alguno creo que ya no te servirá porque está cortado del sudor. Si te falta algo dímelo.

Me parece prematuro que te cambies a un apartamento tan caro aunque lo paguéis entre dos. Tú piensa que el dinero del artista no es seguido, y que después de un contrato se para y el alquiler cae cada mes. Tú eres muy manirroto.

Carmelo, tu madre está en un momento difícil. Comprendo que te marcharas de aquí dadas las circunstancias, y sé que ella se cerró en banda y no te quiso entender. Pero tú eres su hijo y debes romper el hielo. Mi hermana es muy tozuda, y cuarenta y cuatro años son malos para una mujer. Voy a ser muy claro. Sale con un sinvergüenza. Eso sí, muy simpático; lo recordarás porque alguna vez vino a El Bohemio, Germán Suñer se llama. Va por el dinero. Te lo aviso porque un día u otro harás las paces, y las mujeres cabreadas hacen muchas tonterías... Al fin y al cabo, dos pisos en Murcia y tres tiendas no son despreciables, y te corresponderán el día de mañana. Este pájaro es capaz de dejarla sin un duro. Pregunta por él en Valencia, éste es mi consejo. Yo la he avisado y me ha dicho que no me meta en su vida, que no sirve para estar sola. Yo que tú le escribiría o me presentaría de repente. Sabes que te quiere mucho y que enseguida hará las paces contigo. Entonces te vuelves a Madrid, pero ya de otra forma, y le vas escribiendo y viendo de vez en cuando. Eso le hará de freno.

Bueno, mi consejo ya está dado. Creo que los hombres tienen que tomar, cada uno, sus decisiones, y tú ya lo eres. Recibe un abrazo de tu tío,

PABLO

51

La lluvia repiqueteaba en los cristales y Carmelo, tras la ventana, miraba indolente las luces encendidas de la noche madrileña en tanto sonaba en el compact disc la música caliente de Manhattan Transfer. La salita estaba a oscuras y él, sentado en un sillón de cuero negro y acero, se dedicaba a observar las gotitas de agua deslizándose, ora lenta, ora rápidamente, cristal abajo. Resbalaban, se paraban, se juntaban dos, aumentaban el caudal del reguerillo, se separaban de nuevo, una seguía, la otra se quedaba. Le vino a la mente que eran como las vidas de las personas que el destino une y separa. De repente caminan juntas, siguen un tramo, pero uno se queda... ¡Qué raro era todo!

En la mesita frente a él, el embudo de hacer vahos. Aquella noche tenía fiesta y además estaba afónico. La aprovecharía para pensar. Se cerró la bata sobre el chándal y dejó volar los pájaros de sus pensamientos. Hacía ya tres meses que trabajaba en el Beethoven y era consciente de que había vuelto la casa del revés, pero eran tantas las cosas que le habían sucedido que le costaba un esfuerzo de concentración ubicarlas en el tiempo. Le llegó la ropa arrugadísima y en malas condiciones; tuvo que desechar la mitad; los zapatos, todos. De modo que se vio obligado a rehacer su vestuario. Se quedó sin dinero, y como no quería pedir adelanto alguno antes de debutar, acudió a Esteban; estaba completamente seguro de que si podía, lo ayudaría. Esteban no puso objeción alguna, al contrario; le dijo que a él no le hacía falta ya que sus necesidades eran pocas y estaban cubiertas. Se había comprado un Volkswagen nuevo y su vida transcurría de la facultad a la pensión. Los días de fiesta, una salida a Segovia o a Toledo, algún museo y algún que otro teatro. Carmelo le pidió trescientas mil pesetas y Esteban le ofreció quinientas mil. Ni tan siquiera le preguntó cuándo se las iba a devolver. Realmente era un amigo cojonudo. Por el contrario, no se le pasó por las mientes recurrir a Evaristo; no se planteó el porqué, pero no lo habría hecho jamás. Evaristo era un tema aparte. Dejó su trabajo para dedicarse plenamente a él y resultó muy competente. Su vida había sido intensa y variopinta; desde fogonero de barco hasta mayordomo lo había hecho todo. Su familia era oriunda de Galicia, y la componían un padre y una madre mal avenidos y tres hermanos, una chica y dos chicos que, por lo que le había contado, no había por dónde cogerlos. A ella ya le había pagado dos abortos, el primero con quince años. Uno de los hermanos había falsificado la firma de su padre y casi lo arruina, y el otro no tenía oficio ni beneficio y siempre le sableaba.

Tres broncas gordas había tenido con Evaristo. La primera había sido por culpa del hermanito. Vino a Madrid para pasar ocho días y se tiró un mes. Era zafio y grosero. Y no tenía ni tan siquiera la delicadeza de intentar no hacer ruido por la mañana, cuando él dormía, y nada más levantarse ponía el tocadiscos a todo volumen hasta que lo despertaba. Cuando no dormía ocho horas seguidas, Carmelo se ponía afónico y de muy mala leche, y hacía la función mal. A la tercera vez lo echó a la calle, y a la hora de comer la tuvo gorda.

Se levantó del sillón y fue a la cocina a hacerse un café fuerte y corto. Su mente retrospectiva fue repasando hechos y circunstancias de su pasado reciente. Los ensayos en el Beethoven, antes de su debut, fueron un calvario. Toda la pléyade de artistas estaba en su contra; había corrido la voz de que no prorrogaban contrato a causa de aquel presuntuoso novato que iba a debutar. Aquél era él. El café ya hervía y el vapor salía silbante por el pitorrillo de la cafetera. La retiró del fuego. Tomó una taza y un plato, y buscó el azucarero y una cucharilla. Cuando lo tuvo preparado, regresó a su sillón con todo colocado en una bandeja. Se sentó. Se tapó las piernas con una manta de cachemir y bebió un sorbo del oscuro líquido. Quemaba. Lo dejó a un lado y siguió con su discurso mental.

El sonido del Beethoven era un desastre, y tras discutir

con don Carlos, quien decía que era estupendo, decidió embarcarse en la compra de un buen equipo que además fuera ligero y transportable. Miró varias marcas y finalmente compró un equipo completo Bosse de dos mil quinientos watios. Tuvo que recurrir de nuevo a Esteban para dar la entrada y avalar las letras. Y de nuevo Esteban lo ayudó. Eso originó el segundo follón. Evaristo insinuó que Esteban era maricón y que estaba enamorado de él. La tuvieron descomunal. Estuvieron dos días sin dirigirse la palabra. Y eso, coincidiendo con los nervios propios de los últimos ensayos, proporcionó a Carmelo un estrés tal que casi le impide debutar.

El café se había enfriado algo y pudo dar un par de sorbos sin quemarse. La lluvia había amainado y el tránsito de detrás del Retiro sonaba alejado desde aquella altura. El día del debut fue tan glorioso que hizo las paces con todo el mundo. Los artistas que habían acabado contrato y que habían ido a presenciar su fracaso se rindieron a su arte y todos se disputaban el honor de haber profetizado su triunfo. Don Carlos se fumó tres puros, frotándose las manos por el éxito económico que se le venía encima. Evaristo daba abrazos a diestro y siniestro, y no hizo ningún comentario cuando trajeron un paquete y Carmelo le ordenó, ya que estaba desmaquillándose, que le leyera la tarjeta. Era de Esteban. Un retablo de una virgen preciosa y cuatro palabras: «Que Ella te ayude». Lo colocó en el sitio de honor del camerino y decidió que lo tendría allí y fuera a donde fuera. Recordaba... Hizo tres horas de espectáculo y un sinfín de bises. Terminó afónico pero feliz.

Giró una página. No sabía exactamente cuándo empezó su relación con Evaristo. Antes del debut habían tenido dos o tres encuentros fugaces. Fue después, cuando le dijo: «Un artista como tú no puede vivir en una pensión de la calle Jiménez de Quesada. Dentro de tres días la prensa querrá saber quién eres y hay que recibirla dignamente». Y así fue. Evaristo encontró aquel piso tras el Retiro. Era en la planta catorce, y en verano funcionaba la piscina. Lo tomaron a medias. Hubo que pedir un adelanto a don Carlos. Ahora ya no le importó porque trabajaba en la casa, pero estaba, aunque con una proyección de futuro magnífica, lleno de deudas. Compraron muebles, y les pidieron un depósito. Y compraron, ropa, vajilla, electrodomésticos... Dinero, dinero, mucho dinero que pusieron entre los dos, Evaristo de sus ahorros y él de sus futuros ingresos. Y entonces se montó la tercera bronca. Carmelo quería dormir solo y Evaristo se intentó oponer. Se salió de madre.

Recordaba que al principio intentó razonar en base a la diferencia de horarios. Carmelo alegó que tenía el sueño muy ligero y que estaba acostumbrado a dormir solo. El otro, erre que erre, que si eran pareja estable y que si se avergonzaba de ser gay. Lo envió a la mierda, pero Carmelo consiguió montar dos dormitorios. Pasaron varios días sin hablar de otra cosa que no fuera lo meramente profesional. Luego Evaristo tragó y las aguas volvieron a su cauce. Carmelo no tenía apremios sexuales y menos cuando estaba volcado en su trabajo. Además su relación no fue jamás como la de Gusti.

Los días transcurrían entre la academia de Martín Vargas y su show en el Beethoven. Por la mañana dormía hasta las dos. A esa hora lo llamaba la interina y se levantaba para comer. Digna, que así se llamaba la mujer, era limpia y guisaba bien. Los días que tenían alguna emisora, que ya empezaba a haberlas, acudía sin poner pegas a la hora que le dijeran. Si le coincidían dos, Evaristo ponía orden. Y si ya se encontraba en la calle, iba a algún cine o llamaba a Esteban. Luego, a las nueve, ya se iba al local. Ecualizaba el sonido todos los días y se metía un par de horas antes en su camerino, donde no le gustaba que lo molestaran antes de actuar.

Ring, ring. El timbre del teléfono lo despertó de sus cavilaciones.

—¿Sí?

—Carmelo, ¿qué tal va esa afonía?

Era Esteban, que sabía que estaba mal y cuando pasaba algo negativo lo llamaba siempre.

—¿No lo notas?

—Claro, por eso te pregunto. Nada más oírte el «sí» me he dado cuenta de que tienes la garganta tocada.

—Pues aquí me tienes, haciendo vahos, abrigado como una vieja y aburrido.

—¿No está Evaristo?

—No. Se ha ido a Lugo a ver a sus padres, aprovechando mi afonía y los tres días de puente.

—Oye, se me ha ocurrido una cosa, a ver qué te parece.

—Dime.

—Siempre me dices que me debes mucho.

—Sí, ¿y?

—¿Por qué no aprovechamos el fin de semana, ya que no trabajas, y nos vamos en mi coche a Murcia a ver a tu madre?

Hubo una pausa en el teléfono. Carmelo meditó un momento. Esteban siempre le pedía lo mismo, y la verdad era que se merecía que lo complaciera alguna vez tras tanta ayuda.

—Vale, de acuerdo. Voy a hacerlo por ti.

—¿De verdad? No te puedes imaginar cuánto me alegra oírlo y lo que te lo agradezco.

—Esteban, gracias por haberme convencido. Soy un imbécil. ¿Cuándo salimos?

—¿Te parece mañana por la mañana a las nueve y llegamos a la hora de comer?

—Un poco más tarde. No importa la hora de llegada, pero si madrugo mucho me va mal para la garganta, y no se me irá la afonía.

—Pues di tú.

—A las once, ¿te parece?

—Allá estaré.

—Llámame antes de salir, ¿vale?

—De acuerdo, Carmelo. Hasta mañana.

—Adiós, tío.

Colgó y se encontró mejor.

52

Sonó el timbre de la puerta y se sobresaltó. Los timbrazos lo angustiaban; ya fuera el teléfono o la calle, casi siempre para él eran malas noticias. Gentes desagradables que pretendían cobrar facturas irrisorias y que se dedicaban a perseguirlo hasta en su casa a las horas que incluso el más elemental tratado de urbanidad dice que son sagradas. Recordaba haber leído que en el siglo XIV había una ley en Inglaterra que prohibía a la policía entrar en casa de un delincuente para detenerlo de las nueve de la noche a las ocho de la mañana. Y de la una del mediodía a las tres de la tarde el domicilio era sagrado. Pero aquello era en Londres, y Londres es Inglaterra e Inglaterra es Europa.

El timbre sonó de nuevo. Se levantó del sillón de lectura y se dirigió al recibidor sigilosamente mientras se ceñía el batín de seda. No encendió la luz y pegó el ojo a la mirilla para reconocer al visitante antes de decidir si abría o no la puerta. Era Santiago. Encendió la luz y abrió.

—¡Coño, marqués! ¡Cuánto honor! ¿Cómo tú ejerciendo el servil oficio de mayordomo?

—Calla, cachondo, y pasa.

—¿Puedo? ¿No interrumpiré algún encuentro galante?

—No interrumpes nada. Lo que ocurre es que no está Evaristo.

Santiago entró y en tanto se quitaba el loden y lo dejaba en una banqueta del recibidor inquirió:

—¿Se te ha largado?

—No. Pasa al salón y te cuento.

Caminaron el pasillo y entraron en la estancia. José Antonio se dirigió al televisor, que estaba encendido, y lo apagó.

—Nunca me canso de mirar tu casa. Me encanta, y me consta que te la has montado tú porque aquí no ha entrado ningún decorador —dijo.

—Generaciones en sábanas de hilo, querido, como decía mi difunta abuela, que en paz descanse. El estilo es la sublimación del buen gusto, y esto hay que mamarlo.

Se sentaron.

—¿Quieres café?

—No me digas que me vas a hacer café, porque sería algo como para contarlo a mis nietos.

—¿Quieres o no?

—Dame un coñac, en serio.

José Antonio se levantó y se dirigió al mueble bar. Lo abrió. Tomó una copa balón y una botella de Petit Caporal, y regresó junto a su amigo. Sujetó la copa en sentido horizontal y tras sacar el tapón de la botella con los dientes escanció el dorado líquido hasta que llegó al borde de cristal. Luego la puso vertical y la dejó en la mesa frente a él, junto a la botella, que tapó con el corcho. Santiago tomó la botella en la mano y miró la etiqueta.

—¿Qué me das? Muy bien, buen coñac. ¿Qué quiere decir VSOP?

—*Very special old product* —aclaró José Antonio.

—Claro, tú lo aprendiste de pequeño. Como en mi casa mi padre tomaba Fundador... ¡Qué quieres que te diga! Son lagunas culturales insalvables.

—¿Te parece que nos dejemos de coña y hablemos? Porque cada día que pasa se acerca la fecha, me acongojo y... ya tengo los congojos aquí. —Diciendo esto José Antonio se llevó la mano al cuello.

—Oye, ¿qué pasa con Evaristo? —preguntó Santiago.

—Pasar no pasa nada. Hemos variado nuestra relación laboral. Eso es todo.

—Si no lo quieres, yo me lo quedo ya.

Santiago era un tipo muy listo y un gran trabajador. Sus padres eran gente sencilla y él había empezado en la gestoría de su padre, haciendo recados y pegando sellos. Hizo económicas y posteriormente publicidad. Empezó con una pequeña agencia y dos socios, y en ocho años se había cambiado de piso, ocupaba una planta completa en Jorge Juan, tenía a veintidós personas trabajando para él y había comprado la parte a sus socios. Lo único que envidiaba era la cuna y el abolengo de algunos. La gente del *Hola* lo subyugaba.

—¿Y qué harías tú con un mayordomo? —preguntó José Antonio.

—Aprender, eso es lo que haría. Aprender. Me refiero a un mayordomo como el tuyo, no a cualquier mindundi ni a uno con chaquetilla. Te lo digo en serio, si no lo quieres, yo me lo quedo.

—Evaristo quiere cambiar de oficio, eso es lo que pasa. O por los menos eso es lo que me ha dicho.

—¿No me digas? Cuenta, cuenta —dijo Santiago curioso.

—Si quieres que te diga lo que yo creo, eso no es todo. Tú ya sabes que es marica. Bueno, la cosa empezó hace algunos meses, cuando le pesqué varias noches que no vino a dormir. Como a mí me funcionaba muy bien, mientras cumpliera con su trabajo, si llegaba a las ocho de la mañana, la verdad, me daba igual. Imaginé que se me había enamorado. Todo esto se mezcla con el anuncio de mi boda; cuando se lo comuniqué no dijo nada, pero lo noté serio y con un cambio de actitud. Al cabo de unos días me dice que va a cambiar de trabajo, y que se va a dedicar a hacer de manager de un artista y que se va.

—¿No me digas? —Santiago escuchaba asombrado.

—Yo colegí que lo que él no quería era un ama de casa con autoridad sobre él y que lo controlara. Entonces le dije que era un momento para mí muy importante y que no me podía dejar tirado. Y aquí es donde viene el cambio laboral.

—¿Y cuál es el cambio?

—Él tiene un apartamento y no duerme aquí, pero cada día viene a las once y se va a las nueve de la noche. A mí me funciona y él puede atender a su artista, que trabaja de noche.

—¿Y quién es ese artista?

—No lo sé bien. Sólo sé que trabaja en el Beethoven.

—No me jodas.

—¿Por qué?

—Estuve la otra noche con Julián. Hay un tío que te aseguro que será figura. Fíjate que se lo he ofrecido a un cliente para hacer un spot publicitario.

—¿Qué me dices?

—Carmelo, se llama. Si es el que te digo, es un fenómeno.

—Debe de ser éste porque me dijo que actuaba solo.

—Pues vale la pena que lo veas. Cuando quieras, vamos. A mí no me importa repetirlo. Lo que hay que hacer es reservar mesa.

—¿Que hay que reservar mesa en el Beethoven?

—Está lleno todos los días.

—Pues mira, mientras me pongo una americana, ya puedes llamar y vamos esta noche.

Diciendo esto José Antonio se levantó y se dirigió a su dormitorio. Desde él oyó que Santiago hablaba por teléfono. Se quitó el batín, y se puso una corbata y una chaqueta sport. No le había dicho a su amigo que le debía cuatro meses a Evaristo. Dentro de veintidós días todos sus problemas económicos quedarían solventados. Con el horizonte despejado y la seguridad de podérselo devolver, Santiago le haría el último préstamo; si no recordaba mal le debía seis «kilos». Ahora que venían sus vacas gordas no lo olvidaría.

Se miró en el espejo y se encontró bien. Irían a tomar algo, no le quería pedir el préstamo en su casa. No era de buen estilo. Además quería hablar de la última entrevista con su madre. Todo lo que rentaba La Cazuela y todas las monterías que él organizara era el regalo de bodas que le hacía la marquesa. Y quería también consultar a Santiago lo del viaje de novios. Entró en el salón.

—Lo siento, hoy no vas a ver al artista porque está afónico. He reservado para la semana que viene.

José Antonio se quedó pensativo un momento.

—Ahora me explico yo que Evaristo me pidiera permiso para irse a Lugo a ver a su familia este fin de semana.

53

El coche dejó la autopista y tomó la nacional hacia Quintanar de la Orden. Esteban levantó el pie y aminoró la marcha. El día era espléndido y los campos de trigo se doraban al sol, esmaltados de rojo por grupos de amapolas. Ambos disfrutaban de su mutua compañía. Esteban apreciaba a Carmelo y a su lado se reía, y la risa no había sido hasta el momento una presencia frecuente en su vida. Le interesaban mucho sus cosas, tan ajenas, por otra parte, a sus tareas cotidianas y a sus aficiones. Jamás se habría atrevido a vestirse como él, pero no le apuraba entrar en cualquier sitio en su compañía porque Carmelo llevaba toda aquella policromía con naturalidad y soltura. Lo miró con el rabillo del ojo; tejano rojo, camisa a cuadros granate y gris, cazadora de ante y el foulard de cachemir al cuello para proteger su garganta. Se miró a sí mismo; continuaba siendo un seminarista de paisano; pantalón negro, jersey gris marengo y camisa gris más clara. ¿Se atrevería algún día a ponerse algo de colores vivos?

Carmelo iba cambiando continuamente las cintas del radiocasete. Jamás esperaba a que terminara una. Él buscaba una canción precisa y exacta. Cuando la había escuchado, buscaba otra. Todo ello a instancias de Esteban, que, sabiéndolo afónico, le decía a cada momento que no hablara; pero era inútil, o peor, porque continuamente tarareaba las canciones o imitaba las voces en su exacta tesitura.

Carmelo estaba feliz. Esteban lo relajaba, le daba paz. Con él no estaba en continua tensión como le ocurría con Evaristo y, anteriormente, con Gusti. Analizó el porqué y llegó a la conclusión de que con Esteban no tenía que correr para acabar una frase. Esteban lo escuchaba siempre y no lo interrumpía, amén de que lo que él decía parecía realmente interesarle. Era como un bálsamo. Siempre había pensado que la palabra charlatán no tenía contraprestación hasta que conoció a Esteban. Esteban era un escuchador nato. Además había otro motivo que lo hacía feliz. Pese al desastroso final, pese a que seguía creyendo que él tenía razón y pese al hecho de que era un egoísmo por parte de ella cerrarse en banda y no dejarlo salir de Murcia, adoraba a su madre y era consciente de que le había dedicado su vida. Le importaban un pito los pisos y las tiendas que le recordaba su tío Pablo en la carta, y volver a Murcia no le apetecía. Gustavo aún le dolía dentro, y Ramón Ledesma le daba asco. Lo único positivo, aparte de su madre, era llamar a Emilia y acercarse a la academia a ver a Encarna. Entre Esteban y él se había establecido un pacto tácito de silencio. Hablaban de lo divino y de lo humano —jamás fue mejor empleada la

313

frase—, pero nunca entraban en el terreno personal. Él se dio cuenta de que algún misterio ocultaba la vida de su amigo, no sabía el qué pero intuía algo. Por otra parte, asumía dignamente su condición gay, pero no la iba pregonando con actitudes desmesuradas y erróneamente orgullosas. Él era así y punto. Esteban era un supercarca, lo arrastraba el domingo a misa, y él, que empezó a ir por complacerlo, acabó yendo a gusto. Eso era lo divino. Por otra parte, cada vez que ensayaba una nueva canción, que estrenaba una peluca o montaba un número, llamaba a Esteban y Esteban opinaba con una rara intuición, por cierto, que hacía que él le hiciera caso, mucho más caso que a Evaristo, que no se enteraba. Eso era lo humano. Lo que Evaristo hacía bien, como le dijo la primera vez, era vender. Y tal como lo recordaba, igual un coche, que un bacalao, que un artista. De cualquier circunstancia sacaba dinero. ¿Que nombraba una marca de televisores en el espectáculo? Hacía que le regalaran uno. ¿Que era un whisky? Dos cajas para casa. Amén de esta cualidad, tenía otra. Cuando por alguna circunstancia suspendía, y era consciente de que lo había hecho demasiado a menudo, daba siempre la cara, y sus suspensiones no eran sólo por afonía, pues cuando le cogía la depre era incapaz de salir a actuar. Le entraba la llorera y sólo quería estar a oscuras sin ver a nadie, echado en su cama. Las dos veces que ocurrió, Evaristo llamó a Esteban, y éste, con su paciencia y su saber escuchar, consiguió que se levantara. Decididamente era un bálsamo. Esteban era un auténtico bálsamo.

—¿Te parece que comamos en el parador de Don Quijote? —La voz de Esteban interrumpió sus pensamientos.

—Como quieras, no hay prisa. No nos esperan, y a dormir llegamos.

—Aunque tardemos una hora y media, llegamos entre siete y ocho —dijo Esteban lanzando una mirada al reloj del tablero.

—¿Cuánto falta para llegar? Porque tengo un gusano en el estómago —preguntó Carmelo.

—Tal como vamos, menos de media hora.

—Písale un poco, que sean quince minutos.

—Yo no corro nunca, no me gusta.

—Pero, tío, es que no pasas de ochenta.

—Es a lo que hay que ir en carretera. Y si todo el mundo hiciera como yo, no habría ni la mitad de accidentes.

—Pero ¿qué pasa? ¿Que si aprietas un poco se baja el santo? —chanceó Carmelo señalando una estampa de san Cristóbal que llevaba Esteban en la bandeja.

—No cambiarás nunca. Pero hoy te dejo por lo contento que me tienes de que hagas las paces con tu madre.

Carmelo cambió de registro.

—Yo también estoy contento —dijo.

—¿Evaristo sabe algo de todo esto?

—No, Evaristo no escucha. —Y tras una pausa añadió—: Y yo tampoco.

—No digas sandeces, a mí me es muy fácil conectar contigo.

—Pues eres de los pocos. Con Emilia también me entiendo muy bien. Hoy te la presentaré. Es una tía co... —Hizo una pausa—. Una tía como Dios manda. Es muy legal.

Esteban agradecía que hablara sin tacos y él procuraba complacerlo.

—Mira, a un kilómetro está el parador.

Carmelo, que por lo visto tenía apetito, había divisado el anuncio del Don Quijote. Esteban se fue arrimando a la derecha señalando con el intermitente. Otro letrero indicaba la salida a quinientos metros. Prudentemente aminoró la marcha para tomar el desvío de la entrada. Hicieron un pequeño bucle y entraron en el aparcamiento. Había unos cuatro o cinco coches. El Volkswagen quedó colocado entre dos rayas paralelas en diagonal. Esteban cerró el contacto y descendieron. Carmelo cogió del asiento de detrás un suéter de manga larga y se lo echó a la espalda, anudándose las mangas al cuello, en tanto se quitaba el pañuelo de cachemir, que le daba demasiado calor. Al unísono y sin querer, cerraron las puertas respectivas de un seco y único golpe.

—¡Cómo se nota que es alemán! —dijo Carmelo—. Dos portazos y un solo clac.

Esteban sonrió. Entraron en el parador y se dirigieron al comedor. Unas cuantas mesas estaban ocupadas. Una camarera con uniforme negro y delantal blanco les indicó una mesa a la vez que les llevaba dos cartas.

—Si quieren el menú del día —dijo la chica de memoria—, hay sopa castellana, tortilla de trigueros o entremeses, y conejo a la cazadora o bistec.

—¿Tú qué? —dijo Esteban.

—Yo todo. Tengo un hambre de lobo. No, en serio, la sopa, la tortilla y el conejo —dijo Carmelo cerrando la carta.

—Pues a mí tráigame la sopa y el conejo; con tres platos no puedo.

La chica se retiró, y Carmelo empezó a picotear pan en tanto Esteban iba al lavabo. Cuando regresó ya estaba en la mesa una sopera para dos abundantísima.

Se sirvieron los platos humeantes. Carmelo se quemó.

—Pero, chico, espérate un poco. Sopla —dijo Esteban mientras llenaba la copa de agua de su amigo. Carmelo bebió un sorbo precipitado.

—Coño, con la sopa. Si me descuido me desuello vivo.

—¡Qué exagerado que eres!

Esteban soplaba y daba lentas vueltas con la cuchara. Terminaron sin hablar; había apetito. La chica retiró los platos y trajo la tortilla de Carmelo.

—¿El señor se espera o le traigo el conejo? —preguntó a Esteban.

—No, me espero. Traiga los dos conejos juntos.

—Gracias.

La chica se retiró.

—¿Quieres probar? Está riquísima —dijo Carmelo ofreciéndole en su tenedor, pinchado, un trocito de tortilla.

—No, come, come, que estás hambruno.

—Esa palabra es del norte, ¿no?

—No sé, mi madre la decía siempre —respondió Esteban.

—Tu padre... Oye, nunca me has hablado de tu padre —dijo Carmelo.

—No lo conocí, soy póstumo. Cuando yo nací, mi padre había muerto.

Carmelo paró de comer.

—Yo no recuerdo al mío. Era tan pequeño cuando él murió... Mejor dicho, lo mataron. Era sargento de la Guardia Civil. Lo mató ETA. —Al decir esto se puso serio.

—No me lo habías contado nunca, Carmelo.

—¿No? No sé.

Estaban circunspectos.

—No lo voy contando por ahí, y no me gusta que la gente lo sepa. Estas cosas marcan mucho.

—El mío murió de accidente. Le cayó un árbol encima cuando estaba talando con otro hombre.

—Tampoco tú me habías contado nada. —Hubo un silencio—. Oye, mejor que no tengamos muchas cosas así en común —dijo Carmelo intentando romper el embarazoso momento.

Esteban insistió curioso:

—Y ¿se supo quién mató a tu padre?

—Sí, le echaron cuarenta años, y creo que lo mataron en el penal, en el Dueso —añadió.

—Eso está muy cerca de mi casa —dijo Esteban.

Tomaron el postre pensativos. A las siete llegaban a Murcia.

317

Esteban aparcó el coche donde le indicó Carmelo, ya que él no conocía Murcia y menos aún dónde se encontraba su casa.

—Ciérralo y guarda el casete en el maletero, que aquí hay más chorizos que en Madrid —apuntó Carmelo.

—A mí me protegen desde arriba. A todo el mundo le han robado alguna vez y a mí jamás. Cuando voy a la facultad muchas veces me olvido de sacar la radio y nunca me han tocado nada —replicó.

—Tú hazme caso a mí, no sea que se distraiga el de arriba y te limpien el coche.

Esteban obedeció las indicaciones de Carmelo.

—¿Sacamos nuestras bolsas ahora? —preguntó. El plan era, tras el abrazo de Vergara, dormir en casa de Carmelo.

—No, primero subiremos sin nada para que mi madre nos diga que nos quedemos. Si subimos las bolsas se verá demasiado que he venido a hacer las paces. Prefiero que piense que únicamente vengo a darle un abrazo y que me olvido de todo lo que me dijo, y cuando me lo pida, me haré rogar un poco, como si pensara dormir en casa de mi tío Pablo o de Emilia. Luego haré ver que aflojo. ¿Te parece?

—Una forma muy rara y muy poco humilde de pedir perdón es ésa, pero tú sabrás. Para mí con que os deis un abrazo es bastante. —Esteban cerró el maletero de un golpe—. Oye, y si te parece que me espere aquí o que no suba, me espero en el coche, lo que tú digas.

—Anda ya, te chupas por mí cuatrocientos kilómetros y ahora te voy a dejar en la calle... Tú no carburas bien de la azotea, chico.

Esteban sonrió y se dispuso a seguir a su amigo.

—Estamos a tres minutos de casa, pero si llegamos en coche no aparcamos —dijo Carmelo.

Caminaron.

—¿Nervioso?

—No, qué va, pero me doy cuenta de que he sido muy burro. Ya verás qué madre tengo. Si tiene el día, es más cómica que yo... Y esta noche no, porque no está preparada, pero mañana te vas a comer el arroz a banda mejor de tu vida.

—Eso es fácil. No lo he comido nunca.

Llegaron. Carmelo, que aunque no quería reconocerlo estaba nervioso, se paró un momento mirando el portal.

—He sido un imbécil. Lo que habrá sufrido. Yo conocí poco a mi padre, pero ella ha sido padre y madre en una pieza.

—En eso somos almas gemelas. Algún día, si Dios quiere, conocerás a la mía. Siempre que leo lo de la mujer fuerte de la Biblia pienso en ella.

—Oye, ¿tú no crees que tu padre, en vez de *aizkolari*, no fue obispo? —dijo Carmelo en clave de chiste.

—¡Qué bruto eres! No me gustan esas bromas.

—No te cabrees, es que estoy algo nervioso, ésa es la verdad.

Entraron en el portal. No había nadie, y en el ascensor colgaba un cartelito de «No funciona».

—Lo siento. Hemos de subir a pie.

—No importa. Llevamos todo el día sentados.

Comenzaron a subir ligeros.

—¿Qué piso es? —indagó Esteban.

—El segundo primera.

—Pero si no vale la pena. Yo en Madrid siempre subo la escalera de la pensión aunque funcione el ascensor. Así hago algo de ejercicio.

Al llegar al último tramo, Carmelo se volvió y, llevándose el índice a los labios, indicó a Esteban que no hiciera ruido.

—¿Qué pasa? —preguntó éste.

—La sorpresa es un factor importante —respondió Carmelo sonriente en tanto extraía de su bolsillo un llavero y de entre las llaves escogía un llavín—. Cuando me fui no atiné a dejarlo y ahora me alegro.

Y diciendo esto subió el último tramo y se acercó a la puerta.

—Y si tu madre no está, ¿la esperamos o nos vamos?

—Sí está —dijo, viendo que había luz en la ventana de la salita.

—No la vayamos a asustar —apuntó Esteban.

—A mi madre no hay quien la asuste. Lo que va es a ponerse histérica de alegría, te lo aviso. Es muy extrovertida y muy simpática, y cuando se entere de que eres el culpable del reencuentro te va a adorar.

Diciendo esto Carmelo introdujo suavemente el llavín en la cerradura, y mientras que con la mano izquierda tiraba hacia él del pomo central, con la derecha dio medio giro a la llave. Los pestillos del cerrojo saltaron silenciosamente. Carmelo empujó la puerta despacio, procurando que los goznes no chirriaran. La abrió. Él y Esteban se introdujeron en el piso como dos ladrones, y tras sacar la llave de la cerradura, Carmelo cerró la puerta suavemente cuidando con el dedo índice de que la percusión del cierre no sonara. Esteban estaba agitado como si estuviera haciendo algo malo. Al fondo veía una puerta acristalada con un visillo, tras el cual se adivinaba la tenue luz de una lámpara de pie.

—Está leyendo en la salita, es su hora —dijo Carmelo quedamente.

Avanzaron de puntillas por el pasillo. Carmelo iba delante para impedir que su amigo tropezara con algún mueble. Llegaron a la puerta; iban muy juntos. Carmelo miró a través del visillo. Súbitamente su mano izquierda se crispó sobre el antebrazo derecho de Esteban. Éste se dio cuenta de que algo le pasaba a su amigo y se asomó al cristal para ver lo que era, no fuera a ser que algo malo le hubiera ocurrido a su madre.

Lo que vieron sus ojos lo dejó paralizado. La pantalla de la lámpara que expandía un círculo blanco sobre un sillón de lectura dejaba en semipenumbra una *chaise longue*. En ella, un hombre desnudo, de aspecto agitanado, se retorcía agitado mientras una mujer de unos cuarenta años, entrada en carnes, estaba sentada a horcajadas encima de él y brincaba y gemía con la cabeza hacia atrás y la melena pelirroja colgándole por la espalda. El hombre le intentaba sujetar los pechos saltarines con las manos en tanto las nalgas de ella se aplastaban y se expandían sobre las piernas de él. Súbitamente, por la mente de Esteban pasaron varias imágenes. Sin saber por qué, recordó el día que a la granja del convento llevaron al semental para cubrir las vacas. Luego tuvo un flash de los senos de Mayte iluminados por la luna en el almacén de paja de su casa. Finalmente, ante el volumen sonoro de los gemidos que ahora habían aumentado al abrir Carmelo la puerta, tuvo la premonición exacta de que en aquel momento iba a pasar algo tremendo. En una fracción de segundo se desencadenó el infierno.

—¡Puta! ¡Maldita zorra!

La voz de Carmelo restalló como un látigo en tanto se abalanzaba hacia la mujer, la asía por la melena y, de un tirón salvaje, la descabalgaba. Ella cayó al suelo de lado y, girando la cabeza, gritó un «hijo» tan largo y desgarrado que cubrió la voz de Carmelo. El hombre se levantaba sorprendido mirando con odio al intruso. Esteban lo veía todo paralizado. El tipo, enjuto y nervudo, con el miembro todavía turgente, alargaba la mano hacia un jarrón de cuello largo que había en un arrimadero. Carmelo no le dio tiempo. Con la agilidad felina que le había dado el baile le arreó un puntapié en los testículos, sin por ello soltar a su madre del pelo. El hombre cayó al suelo retorciéndose de dolor y soltando el jarrón, que quedó volcado hacia el sofá.

—¡Carmelo! ¡Déjame que te explique!

—¿Qué quieres explicarme? ¿Que follas en nuestra casa en cuanto yo me voy? ¿Que estabas cachonda?

—¡Por Dios, hijo! —Ella se levantaba e iba hacia él.

—¡No me toques! ¡No me toques nunca jamás! ¡Puta! ¡Más que puta!

Carmelo lloraba rojo de ira. El hombre se había recuperado y se estaba poniendo en pie. Carmelo lo vio con el rabillo del ojo, y sin darle tiempo a incorporarse, tomó el jarrón del sofá y lo estampó en la cabeza del individuo. Éste cayó desmadejado sobre la moqueta gris, que empezó a mancharse con un reguerillo de sangre que le manaba de la sien.

Esteban estaba como ausente. La mujer miraba al hombre tendido en el suelo y a su hijo. De repente, Carmelo apartó a Esteban de un manotazo y pasó por su lado como un tren expreso, abriendo la puerta de la calle. Esteban salió tras él. Miró por el hueco del ascensor y vio al otro bajando la escalera saltando los peldaños de cuatro en cuatro. Lo siguió. Llegó a la portería. Carmelo ya corría calle adelante. Él paró un segundo, jadeante.

Arriba, aumentando su eco por el hueco de la escalera, una voz de mujer ululante como una sirena repetía: «Hijo, hijo».

54

José Antonio y Herminia se iban a casar en el Cristo de la Salud porque era la iglesia habitual de ella. La marquesa viuda era feliz. Por fin su hijo sentaba la cabeza y lo hacía con su candidata de toda la vida. La que iba a ser su consuegra era amiga de la niñez, y a Herminia la conocía prácticamente desde la cuna y le constaba que desde que era una cría siempre había estado enamorada de José Antonio. Se llevaban diez años, y la falta de decisión de él había hecho que ella rebasara ya la treintena. No era una mujer guapa, pues sus facciones eran algo caballunas, pero tenía una gran distinción. Además, aunque el título de la familia recaería en su hermano mayor, ella era poseedora de una más que respetable fortuna por herencia directa de su abuela y madrina. Su padre le había regalado un piso de gran categoría situado en Montesquinza. La casa tenía ocho balcones y hacía esquina. La compró amueblada pero no al gusto de ella, y la marquesa viuda se vio obligada, ante la generosidad de su consuegro, a pagar íntegramente la reforma, de la que se encargó Mariano de la Concha. El mobiliario quería pagarlo José Antonio, pero José Antonio tenía problemas.

—Aquel cabrón de constructor que me paró aquel día que comimos en José Luis me hace chantaje —le dijo a Santiago.

—Pero, coño, dile que se espere, que en cuanto te cases le pagas —respondió su amigo.

—No traga, o le pago o me monta un cirio. Dice que se entera todo Madrid y no hay boda. Los demás acreedores, banco incluido, los tengo a raya, pero como no me case, me tengo que ir de España.

—No lo entiendo.

—Yo tampoco, pero es así. Además ha sabido que no pagué al tipo de la licencia de obras, quien también me busca. Bueno, que me han dado cuarenta y ocho horas para pagar. Y si no, van con Herbás, el ex concejal, quien me ha pedido otros dos «kilos» por daños morales, a ver a mi futuro suegro y, como dice el gaucho Garnica, «le echan la mierda al ventilador». Y de verdad que si eso ocurre, me pego un tiro.

Estaban sentados a una mesita frente a dos cafés en Embassy. José Antonio se atrevió.

—Santiago, tú que eres mi amigo y tú que sabes seguro que vas a cobrar, ¿no podrías echarme un capote?

El amigo meditó un momento.

—Vamos a ver. Tu madre sabe mucho mejor que yo lo de tu herencia, ¿ella no puede ayudarte, unos pocos días antes de la boda?

—No lo entiendes. No puedo explicarle lo que debo, ni a quién ni por qué. Además ya ha hecho mucho, y sé seguro que me va a ceder La Cazuela para que la administre yo y pueda hacer monterías. No voy a jugarme todo eso por una mierda de veinte millones.

—¿Cómo veinte? ¿No eran cinco? Cinco y dos, si no se me ha olvidado sumar, son siete.

—Tengo otros gastos urgentes, y he de pagar la boda... Y el tapicero me ha pedido dinero y, bueno, están también los muebles.

—Déjalo —terció Santiago.

Hubo un silencio en el que sólo se oían las cucharillas removiendo el azúcar del café.

—Veinte millones, ¿y de dónde saco yo veinte millones?

—Coño, Santiago, veinte cochinos millones. ¿Tú puedes creer que teniendo en la mano setecientos no puedo recurrir a nadie más que a ti?

—¿Y tu piso? Hipoteca tu piso.

—Ya está hipotecado en veinticinco millones. Además, una hipoteca no se arregla en cinco días.

Santiago pensaba.

—La hipoteca son veinticinco. Te hacen falta otros veinte... Y me debes seis.

José Antonio frunció el ceño.

—¿Adónde vas a parar? —dijo.

—Vamos a ver, estoy pensando en voz alta y a bote de pronto. Si digo un disparate, lo dejamos correr por ambas partes.

Al marqués se le encendió la luz de la esperanza.

—¿Qué has pensado?

—Véndeme tu piso. Me explico. Yo invierto cuarenta y nueve «kilos». Pagamos la hipoteca. Quedan veinticuatro. Y seis que me debes son treinta. Pagas tus deudas, la mía incluida. Tu piso siempre me gustó y ahora tienes casa nueva. Antes que a otro me la vendes a mí, y no has de explicar nada a nadie.

—Yo no pensaba vender mi piso; además, vale más —respondió José Antonio con un hilo de voz.

—¿En cinco días y con una hipoteca? No lo creo.

—Le tengo un gran cariño. Las paredes han visto muchas cosas —insistió.

—Lo siento. Si no es así... Y así y todo no sé si podré ayudarte.

—Déjamelo pensar hasta mañana.

Al día siguiente el marqués se decidió. No había otra salida. Cogió el teléfono y marcó.

—¿Sí? —Era Santiago.

—Hecho —dijo.

—¿Estás seguro?

—No tengo más remedio. Además tienes razón, mejor tú que otro.

—De acuerdo. ¿Cómo quedamos?

—Depende.

—¿De qué depende?

—¿Quieres ir al banco, retirar la hipoteca y luego ir al notario, o cómo lo quieres hacer? —preguntó José Antonio.

—He hablado con Barreiros, mi notario, y me ha dicho que se puede hacer todo junto en su notaría.

O sea, que Santiago ya había hablado antes de que él se decidiera.

—¿Estás ahí? —interrogó Santiago.

—Sí, claro.

—Pues ¿qué pasa?

—Nada; me choca que des pasos antes de tener mi respuesta.

—Si no quieres, lo dejamos.

—No, no, de acuerdo. Ahora llamaré al banco para ver cómo lo monto y te llamo otra vez.

José Antonio colgó el teléfono. Vio claro que el cabrón de Santiago se aprovechaba. Conocía mejor que nadie su necesidad e iba a quedarse con su piso. Amigos... De acuerdo. Lo tendría en cuenta. Una relación amor-odio se estableció en sus circuitos mentales. Por un lado, Santiago le compraba el piso en horas y, gracias a Dios, él podía salir de todos sus problemas. Por otro lado, aquellas paredes que con tanto amor lo habían acompañado durante veinte años, los mejores de su vida, iban a pertenecer a otro. Habló con el banco y luego otra vez con Santiago. Por la tarde fueron al notario y cerraron la operación. Por la noche, Santiago lo invitó a cenar a Horcher. Al final brindaron con Kruger.

—Por nuestro piso —dijo Santiago levantando su copa.

—Por nuestra amistad —respondió José Antonio—. Me imagino que hasta el día veintidós me puedo quedar sin pagar alquiler —añadió.

—Desde luego, y además yo pago la mejor despedida de soltero del año de todo Madrid.

Chin-chin.

Esteban estaba muy preocupado. Paloma se dio cuenta de que algo pasaba. Entró en la cocina cargada de platos y cubiertos.

—Mamá, a Esteban le pasa algo.

—A todo el mundo nos pasan cosas —respondió la mujer, atareada.

—Yo sé lo que me digo, madre... Son ya unos meses, y lo conozco bien.

—Demasiado te fijas tú. Parece que sólo tengamos un huésped. Lleva el postre a los músicos, que tienen que entrar a las diez en Pasapoga.

—No ha tocado el pescado y hoy casi no ha comido al mediodía —insistió, terca.

—Y ¿qué quieres que haga yo? ¿Que le ponga en una trona y le dé potitos? —Doña Lina estaba en jarras, y no era ésa precisamente una buena señal.

La chica se fue a la cámara y sacó un flan.

—Esta noche hay fruta —dijo la mujer, y Paloma se volvió.

—No ha probado bocado en todo el día. Me ha pedido un flan, y le llevo un flan. Si usted quiere lo pago yo —gritó la chica saliendo de la cocina.

La madre se quedó un momento parada y murmuró: «Jóvenes, todo lo quieren para ayer». No tenía nada en contra de Esteban, era un huésped ejemplar; pagaba puntualmente y jamás creaba el menor problema. Era un chico majo, pero no quería que su Paloma se entusiasmara con él porque su instinto de madre le decía que en aquel pozo no había agua para su hija. Por otra parte, y con un canto en el pecho tenía que darse, chicas como la suya había pocas. Paloma tenía veinte años, era seria y trabajadora, ella la había educado a la antigua y, además de ser guapa, hasta decir basta, tenía tipazo. Recordaba a aquella madre que había estado en la pensión con su hija, hacía ya unos meses, para ir al concurso de televisión... al lado de su Paloma, esa chica era un gato. Pero últimamente, Paloma no estaba para la faena.

—¿Quieres un poco de nata? —preguntó Paloma a Esteban mientras ponía frente a él el plato con el flan.

—No, gracias.

—¡Eh! ¿Para mí no hay flan? —dijo en broma, desde el rincón, el comandante jubilado.

—¡No! Para usted no hay —respondió ella con desparpajo—. ¿No ve que está malito?

—Paloma, por favor —dijo Esteban violento.

—Déjalos, envidia cochina que tienen —dijo esto arrastrando y separando las sílabas como si estuviera interpretando *La verbena de la Paloma*.

Todos rieron. El comedor se fue despejando. Los músicos, que tenían ensayo, se fueron los primeros. Luego el viajante, y una pareja de recién casados. Después, poco a poco, todos. Sólo quedó Esteban. La chica apareció de nuevo con la infusión que él tomaba siempre y un cortado para ella. Los dejó sobre la mesa y apartó la silla de enfrente.

—Permiso —dijo. Esteban intentó sonreír. Ella se sentó—. Pero ¿qué pasa, chico? Tú no eres así.

—Estoy pasando malos días —se oyó Esteban decir a sí mismo, de puras ganas de descargar en alguien sus tensiones.

—¿Y eso? —Ella estaba seria.

—Es inútil, Paloma, no puedo hablar.

La chica alargó su mano por encima de la mesa y cubrió la de Esteban.

—Puedes confiar en mí.

Él retiró la mano rápidamente y se puso en pie.

—Lo siento, no puedo decir nada.

Y tras decir esto se retiró, dejando la infusión de manzanilla intacta. Fue a su cuarto con la respiración agitada. ¿Qué pasaba? Ya no era religioso, tenía casi veintiocho años. Paloma era una guapa mujer, y él notaba que le gustaba a ella porque cada vez que levantaba la vista del plato se encontraba con sus ojos pendientes de que no le faltara nada. Le asustaba el sexo contrario. Se sintió mal. Se miró en el espejo del lavabo. Tenía mala cara. Se desnudó lentamente, se puso el esquijama y metió la ropa sucia en una bolsa dejándola en la cama de al lado de la suya. Tras lavarse los dientes, se arrodilló a los pies de la mesa de noche y oró, pidiendo como siempre por todos los suyos, y ahora también por Carmelo. Luego se acostó y se dispuso a leer un rato en la cama. No pudo, no se concentraba, le bailaban las letras.

Dejó el libro a un lado y repasó la pesadilla, desde la salida de la casa de Carmelo en Murcia. Recordaba. Lo persiguió por la calle hasta que Carmelo se detuvo y se apoyó en la pared llorando e hipando. Lo tomó del hombro, sin decir nada, y le habló suavemente intentando consolarlo. Poco a poco lo consiguió. Fueron a una cafetería a tomarse un café y a lavarse algo la cara. Cuando estaban en el lavabo, Carmelo dio un puñetazo en la puerta del váter y se abrió los nudillos. Empezó a llorar otra vez. Vuelta a empezar. Lo curó. Fueron al teléfono y llamaron a Emilia. La chica dijo que acudía. Carmelo le anunció que le iba a contar a ella todo lo que había pasado. Él recordaba que le aconsejó que no lo hiciera; fue inútil. Cuando ella llegó, tras presentársela, se lo explicó todo. No supo por qué, pero pensó que la chica no iba a contar nada a nadie. Eso en una mujer era raro. Cenaron algo. Hablaron entre ellos de cosas que le eran absolutamente ajenas. Fueron después a un par de sitios, y a las doce de la noche salían para Madrid. El viaje duró cinco horas, una pesadilla. Hasta que los nervios hicieron que Carmelo se durmiera, yendo así las dos últimas horas de trayecto. Llegaron. Lo despertó. Carmelo le pidió con la voz completamente afónica que no lo dejara solo el fin de semana. Esteban, al que no esperaban hasta el domingo por la noche, accedió. Subieron en el ascensor hasta el piso catorce. Carmelo se dejaba llevar como un zombi. Entraron. Carmelo se desmadejó en el sofá del salón y empezando los llantos de nuevo. Esteban se sentó a su lado, lo pasó el brazo por los hombros y lo consoló. Carmelo apoyó la cabeza en él y se quedó dormido. Esteban no se atrevió a moverse en dos horas, por no despertarlo.

Cuando ya entraba la luz por la ventana de la salita eran las siete y cuarto. Se levantó con sumo cuidado y estiró a Carmelo en el sofá. Buscó una manta y lo tapó. Cerró la persiana a continuación para que la luz no molestara. Fue al cuarto de baño. Tenía el brazo derecho dormido y le hormigueaba. Después salió, se sentó en un sillón y cayó roto.

Hacía ya quince días de aquello, y no podía quitarse la tremenda escena de la cabeza.

55

Evaristo y Carmelo entraron en el Beethoven por la puerta de mercancías. Dos grandes cubos negros llenos de botellas vacías y de desperdicios casi cerraban el paso del angosto pasillo.

—Un día tendremos que entrar por el techo —comentó agriamente Carmelo.

—Por algún lado tendrán que sacar la mierda, vamos, digo yo —replicó Evaristo, que desde su regreso de Lugo había notado un cambio sustancial en Carmelo y no sabía a qué atribuirlo.

—Evaristo, ha dicho don Carlos que cuando lleguéis, subáis a su despacho. —El que así les hablaba era el bodeguero, que en aquel instante estaba cargando las neveras.

—Sube tú. Yo voy a descansar y luego a maquillarme. ¿Qué se cree?, ¿que esto es un cuartel?

—Joder, si nos quiere ver a los dos, tendrá que dejar el recado para que nos lo den, ¿o no?

—Yo antes de actuar no veo a nadie. Y si le gusta bien, y si no que lo deje. Puerta y a casa. Que quien después se deja el hígado en la pista soy yo —chilló Carmelo. Y añadió—: Además, cuando le quería ver yo a él para que pusiera un cristal que aislara el ruido de las chicas en la barra de abajo, entonces no se asomaba por el camerino.

—Vale, vale... No grites, que te pones afónico. Ya subo yo —replicó el otro.

Al llegar al final del pasillo, Carmelo se fue al tablero a buscar la llave del camerino y Evaristo se dirigió a la escalera. Dos camareros estaban montando los rangos según las reservas de la noche. El de más edad, con la lista en la mano.

—¿Cómo andamos hoy? —inquirió Carmelo.

El segundo maître lo vio y se acercó solícito.

—Brincaremos los trescientos cincuenta; o sea, que reventamos otra vez. Fenómeno, que eres un fenómeno.

La coba, por otra parte honesta porque el hombre lo admiraba mucho, guardaba relación directa con las propinas. Las últimas semanas la brigada había repartido el punto a cuatro mil doscientas pesetas; es decir, que el hombre se había llevado, además del sueldo o porcentaje que tuviera acordado con la empresa, un plus de veinte o veinticinco mil pesetas.

—¿Este grupo tan grande...? —preguntó Carmelo, señalando unas sillas colocadas formando una gran herradura en el centro mismo de la presidencia de pista—. ¿De quién es?

—Una despedida de soltero de un título de Madrid.

—Ya la hemos jodido.

—¿Por qué? —preguntó el hombre.

—Todos quieren hacerse el gracioso a costa del cómico —replicó.

—Si quieres los coloco más atrás.

—No, mejor aquí. Los tengo más controlados. —Hizo una pausa—. ¿Te importa traerme al camerino un vaso de leche caliente y miel? —Siempre era muy amable con el personal.

—Ahora mismo —dijo el hombre, dejando el planillo de las reservas sobre la mesa y dirigiéndose a la bodega de servicio.

Carmelo fue hacia su camerino.

Evaristo llamó con los nudillos a la puerta del despacho de Carlos Lucarda.

—Pase —se oyó decir desde dentro.

Evaristo abrió la puerta y asomó la cabeza.

—¿Me querías ver? —preguntó.

—¿Dónde está Carmelo? —repreguntó el hombre, con la cara seria y el gesto hosco.

—Está con sus vahos y sus leches en el camerino.

—Pasa y siéntate.

En tanto Evaristo dejaba su gabardina y se sentaba intrigado, intuyendo otra bronca, Carlos abría la carpeta del despacho y extraía un folio lleno de flechas y cruces.

—En sesenta días ha suspendido catorce. Como tú comprenderás, esto no puede seguir así.

—¿Y qué quieres que yo le haga? —Evaristo se colocó a la defensiva.

—Mira, a mí no me importa que el artista exija si vale, y eso yo no lo discuto. Pero que me tome el pelo, por ahí no paso. —Había tomado carrerilla el hombre y prosiguió—: Al mes de debutar me pidió que separara la barra de las chicas de la sala; lo hice. Luego, me pedisteis más publicidad, otro millón; vale. Evaristo, si no firmamos la prórroga dentro de once días, ya no cobráis más por los adelantos que habéis pedido. He pagado hasta los días que no ha trabajado, de manera que el contrato debe durar ya catorce días más. Te he propuesto la prórroga veinte veces, y me has pedido más dinero. He dicho que vale, pero no firmamos. ¿Qué coño pasa? —Ahora había levantado la voz y había dado un puñetazo en la mesa.

—Oye, a mí no me grites, que así no vamos a ninguna parte —contestó Evaristo—. Y si quieres prorrogar no será que te está yendo demasiado mal con Carmelo —añadió.

—Carmelo es muy bueno, pero yo lo he dado a conocer... Y mi sala no puede suspender catorce veces y devolver el dinero, porque se hunde. Vosotros os iréis y yo me quedaré aquí. Además, tampoco es bueno para él que corra la voz de que es poco profesional, y te advierto que ya corre. —Esta vez el tono era otro.

—Y ¿qué quieres que haga? Si tiene la garganta de cristal... —se defendió Evaristo.

—Oye, que yo no soy gilipollas. En este oficio todo se sabe. Que aquí suspende y luego está hasta las tres de la mañana metido en una juerga de mariquitas en «Camelias». No trago.

—Eso fue un día. No abrió la boca en toda la noche, y era el cumpleaños de un amigo que no pudimos evitar.

—Y cuando el día once suspendió y se fue a recoger el premio del artista revelación o no sé qué leches al Sotavento, ¿eso era otro cumpleaños?

Evaristo no tenía argumentos.

—Haré lo que pueda. No creas que a mí me gusta suspender, pero Carmelo es muy especial.

—Bueno, habla con él. —Ahora ya había amainado—. Termina contrato y descansa un mes. Y luego hace otros ocho meses a ciento cincuenta mil. Eso, claro está, sin actuar antes en ninguna discoteca ni sala de fiestas de Madrid. Y le hago una publicidad monstruo.

—Veré lo que puedo hacer —respondió Evaristo evasivamente. Se levantó.

—Haz lo que puedas, porque os conviene —replicó Carlos entre amenazador y convincente.

Evaristo se retiró y se dirigió al camerino. Ya había aprendido que antes de actuar no se podía hablar de nada con Carmelo. Pero al terminar la función, no tenía otra que coger al toro por los cuernos. Entró sin llamar. Carmelo estaba tomando a pequeños sorbos el vaso de leche con miel, sentado en la banqueta del camerino, con el albornoz puesto sobre el braslip y unos calentadores en las pantorrillas. A su lado, los zapatos de charol, con los calcetines negros de seda dentro. La caja de maquillaje estaba abierta ante él con algún cajoncito de la misma extraído.

—¿Te importaría llamar a la puerta de mi camerino antes de entrar? Te lo he dicho veinte veces, pero parece ser que no lo entiendes.

—Pero ¿no ves que soy yo?

—¡Lo veo cuando ya has entrado, leche! Y me sobresalto porque estoy en bolas y no sé si eres tú o alguien que se equivoca. Un poco parvo ya eres.

Evaristo no tomó candela y se dirigió al baúl armario para colgar en la barra los disfraces y artilugios que Carmelo iba a usar aquella noche.

—¿Vas a hacer la pasota?

—No. Acabaré con el verso, si acabo. Porque estoy fatal de la voz y no quiero forzarla.

Evaristo miró de escorzo a Carmelo y éste, al notar la mirada, lo retó.

—¿Qué pasa? ¿Te parece mal?

—Hay mucha gente, es sábado y la pasota es mucho mejor final —dijo.

—Sí, pero el que se jode la garganta soy yo. —Y al decir

esto tiró el perfilador de cejas contra el mármol—. Además, ¿desde cuándo entiendes tú de esto?

El otro calló y Carmelo atacó de nuevo.

—¿Por qué en lugar de ocuparte de mi repertorio no te preocupas de que el biombo tenga las bombillas completas, por ejemplo? —Carmelo comenzaba el espectáculo sentado de espaldas al público como si estuviera acabando de arreglarse ante un tocador que se plegaba en tres hojas. Sobre el estantillo tres linestras se encendían, y Carmelo empezaba hablando al espejo, por el que veía al respetable. El último día una bombilla estaba fundida, y ahora lo recordaba... Como recordaba cualquier ínfimo detalle que tuviera que ver con su acto escénico, para el que era un perfeccionista maniático.

—Ya está cambiada —respondió Evaristo escueto.

—Y a ver si pasáis el cable de la corriente por detrás hacia la entrecaja, que el último día casi me mato.

—Ahora voy a decirlo. —Evaristo no picaba.

—Y ponme el espejo de manera que vea yo bien la primera fila.

—¿Por qué? —curioseó el otro.

—Porque he dicho veinte veces que en sábado no quiero ni bodas ni grupos grandes. Pero da igual. A ese hijo de puta de Carlos, con tal de ganar más dinero, le importa un huevo si yo trabajo a gusto, o me mato o me reviento a cortisona.

—Hoy no es culpa de Carlos. La reserva la he hecho yo. —Evaristo prefirió decirlo antes; de todas maneras, se iba a enterar.

Carmelo lo miró inquisitivamente por encima del espejo de aumento.

—Es la despedida de soltero del marqués para el que estuve de mayordomo tres años. Es un buen tío, amigo mío. Ha venido a verte varias veces, está entusiasmado contigo, y me llamó expresamente para guardar esa mesa. Sabe comportarse, y no va a meter la pata nadie.

—Más te vale que sea así. ¿Cuántos son?

—Catorce.

—¿Parejas?

—¡Y yo qué sé, Carmelo!

—Pues entérate. Yo catorce tíos solos en primera fila no los aguanto.

—Vale, no te pongas nervioso.

Y antes de que Carmelo pudiera decir algo, Evaristo ya había salido.

El Beethoven se llenaba todas las noches, pero los fines de semana reventaba. Había corrido la voz de que había un artista diferente a todos, y Madrid, con ese sentido instintivo especial que tiene para detectar cuándo nace un fenómeno, se había volcado. Sólo le faltaba a Carmelo dar el salto a un local importante para que la crítica se ocupara de él. Hasta aquel momento, más que cualquier publicidad, lo que había funcionado era el boca a boca.

En el hall se apretujaba la gente. La mujer del ropero, ayudada por su hija, no daba a basto. La mesa de las entradas era la guerra. El portero contenía como podía a la gente que se arracimaba en la calle, y los dos maîtres, con el plano de reservas en la mano, acomodaban a la gente como podían, ya que cada grupo venía con uno o dos más, y cada fin de semana se acababan los taburetes y los almohadones. Las propinas de dos y tres mil pesetas caían a cada momento, y había reservas con quince y veintiún días de antelación. En las paredes de la entrada, fotos de todos los personajes que Carmelo hacía. Cinco o seis políticos, un cura, una pasota, las folclóricas, cantantes...

Los comentarios eran diversos, pero todos laudatorios. Entre los nuevos y los que repetían espectáculo, y presumían ante sus amigos de haberlo descubierto, se habría llenado fácilmente un aforo triple al del Beethoven.

—Te va a entusiasmar. Es un monstruo. Pero ¿de dónde ha salido? Debe de ser marica, ¿no?

Aún no era suficientemente famoso para que nadie aseverara con certeza que era maricón o drogadicto. Una foto particularmente llamaba la atención del personal. En ella, Carmelo lucía un traje brasileño con un tocado altísimo de plumas de malabú y frutas tropicales, a lo Carmen Miranda, y la verdad era que estaba de moja pan y come. No era un artista disfrazado; Carmelo tenía las facciones pequeñas y perfectas, y en la foto era una mujer guapísima.

La gente había ido ocupando sus mesas y nadie bailaba. Todo el mundo venía única y exclusivamente a ver el espectáculo. Evaristo estaba nervioso. Miraba por el agujerito de la cortina de embocadura, que ahora era nueva, y veía como islote codiciado las catorce plazas por él reservadas que a brazo partido defendían los maîtres. Habían dado la tercera y Carmelo iba a salir, y ¿cómo no?, antes de hacerlo miraría por donde él lo hacía, como cada día.

—¿Me permites? —Ya pintado y preparado lo apartó por el brazo. Evaristo se dispuso a callarse dijera lo que dijera. Carmelo miró un largo segundo—. Por lo visto, el marqués de «bufalagamba» ese de mierda es más importante que yo y quiere cerrar mi espectáculo —dijo—. Cuando acabe, hablaremos.

Evaristo palideció.

Por el intercomunicador que conectaba la cabina de luces y sonido con el escenario sonó una voz metálica y distorsionada.

—¿Vamos? —preguntó.

Carmelo se dirigió al aparato.

—No vamos —chilló—. Esperamos cinco minutos. —Y

volviéndose a Evaristo añadió—: Dile a Agustín que venga.
—Y sin más regresó a su camerino.

Evaristo salió como una moto a buscar al maître en tanto
él irrumpía en el cuarto y se sacaba rápidamente la chaqueta
de lentejuelas, colgándola de nuevo en su percha. Ya por el
pasillo se oían los pasos de más de dos personas. Entraron
Carlos Lucarda, Evaristo y el primer maître.

—¿Qué pasa, Carmelo? —indagó el empresario en buen
son.

—¡Pasa que tengo los cojones llenos de decir que no
quiero huecos en la pista cuando salgo! ¡Pasa que cuando voy
por el segundo número se sientan cotorreando! ¡Pasa que
cuando voy por el tercero piden las bebidas! ¡Y pasa que en el
cuarto se las sirven! ¡Y pasa que en el quinto todos los de alrededor están distraídos y yo me descentro! ¡Y así pasa que
no trabajo, y se acabó!

Evaristo estaba desencajado.

—Pero ¿de quién coño es esta mesa? —preguntó Carlos
al maître.

—Es del marqués de la Vega Baja, y la he reservado yo
hace dos semanas —se adelantó Evaristo—. Ya se lo he dicho
a Carmelo; es muy buen cliente y hoy celebra la despedida de
soltero. Ya le dije que llegaran puntuales.

—Carmelo, la casa no tiene la culpa —se excusó el hombre.

—Si no llega a ser una mesa de don Evaristo, yo no la
guardo —argumentó el maître, aliviado al ver que la tempes-
tad se alejaba de él.

—Ahora voy a empezar y nada más salir diré que todos
los que estén detrás de las columnas pueden pasar delante
—dijo Carmelo.

—¡No me jodas! Carmelo, no me puedes hacer eso —dijo
Evaristo.

—¿Que no? —chilló.

—¡Agustín, Agustín! —Era la voz del segundo maître desde la puerta del escenario—. Los de la cuatro y la cinco ya han llegado —dijo.

—Pues venga, ya está. Carmelo, tranquilo, que no pasa nada. —Y volviéndose al maître, Carlos añadió —: A partir de ahora, sea de quien sea la reserva, a la hora de empezar quiero la pista llena; si no, se acabaron las propinas, ¿estamos?

—Como usted diga, don Carlos —dijo el maître.

Salieron todos y se quedaron Carmelo y Evaristo. Éste tomó la chaqueta y le ayudó a ponérsela. Carmelo no abrió la boca. Eso aún era un síntoma peor, pero Evaristo sabía que si tenía éxito, lo cual era irremediable, al terminar, luego de repartir fotos y firmas en el camerino, la tormenta, si la había, sería mucho más leve. De nuevo la voz del intercomunicador sonó interrogante.

—¿Vamos?

—Cuando quieras —respondió Carmelo.

—Mucha mierda —dijo Evaristo, deseándole suerte.

El otro ni se volvió. Estaba cabreado y, además, cuando se metía en el personaje ya no oía nada. Las luces de la sala bajaron lentamente y el círculo blanco buscó a Carmelo por el sitio habitual de su salida en tanto sonaba la música de *Cabaret*. El espectáculo había comenzado.

Evaristo esperó a que Carmelo llegara a la primera frase en que el público invariablemente reía y, cuando así sucedió, haciendo el mínimo ruido, abandonó la bambalina para salir a la sala y ubicarse en su sitio de costumbre, al fondo, al lado de la cabina. Allí, si había algún fallo, lo subsanaba, y además podía ver la reacción del público.

Pasó como pudo hasta el fondo y se instaló en su sitio. La gente ya había arrancado y estaba desbocada. ¡Qué mala leche tenía, pero qué bueno era el cabrón! Dominaba la escena.

Hacía lo que quería con el público. Ahora venía el número de participación. Bajaba una pantalla que hacía de pizarra y en ella se proyectaban diapositivas, y él, con un puntero, daba clases y el personal hacía de alumnado. Había noches en las que sacaba al escenario al que él intuyera que valía y lo colocaba cara a la pared con orejas de burro, y lo gordo era que lo dejaba castigado, eso sí, hablando con él diez minutos o más, y el otro se quedaba quieto sin atreverse a bajar. Su mirada se dirigió a la mesa del marqués. Desde allí lo divisó, y también a Julián, a Santiago, al marqués de Béjar y a dos más que no conocía. Todos con una chavala al lado, y todas guapas; parecían modelos. Y finalmente, en el extremo, dos sillas desocupadas. Evaristo tragó saliva; como se diera cuenta Carmelo... No, no era fácil. Se habían puesto muy anchos y en todo caso él diría que la reserva había sido de doce, el maître se podía haber confundido. Ahora, de la mesa de al lado hablaban con el marqués. Perfecto, una de las dos sillas había sido ocupada por un tipo gordo que prácticamente desbordaba su taburete. Ahora sí que era imposible que Carmelo se diera cuenta.

La función fue transcurriendo pautada por las carcajadas del respetable que atronaban el espacio. Carmelo estaba crecido. El tiempo fue pasando sin sentir. Evaristo miró el reloj. Dos horas treinta y cinco minutos, y la gente pedía más.

—Gracias, muchas gracias, son ustedes muy amables... casi todos. —Carmelo dijo esto último mirando a un patoso que al principio lo había interrumpido dos veces—. Si me lo permiten voy a ofrecer un último número a un amigo de un amigo que hoy celebra su despedida de soltero, es decir, cambia de gremio. —Ahora se dirigía a José Antonio—. No comprendo cómo pudiendo hacer felices a muchas, te has empeñado en hacer desgraciada a una sola.

La gente lo ovacionó. El marqués, puesto en pie, con el puro en la boca, le aplaudía con distinción. Evaristo salió disparado hacia el camerino. Carmelo era imprevisible. Después del pollo gratuito que le había formado al empezar, ahora le dedicaba el número al marqués. Cuando le aplaudían de aquella manera todo se le olvidaba. Mejor. Llegaba ya al camerino. La pasota no la podía hacer. No iba maquillado. Carmelo, con la puerta abierta, se estaba cambiando.

—¿Qué vas a hacer? —preguntó.

—La putita mimosa —contestó Carmelo—. Dame la falda estrecha y las tetas de goma —añadió. Aquél era un número que estaba montando.

—Pero ¿y el texto? —preguntó Evaristo mientras le alcanzaba lo pedido.

—Me lo voy a inventar. A ver si funciona. Hoy es una noche cojonuda para probarlo. Abróchame —ordenó. Evaristo le abotonó la presilla de un sujetador que estaba macizado con dos pechos de gomaespuma. Encima iba un jersey muy apretado, y tras calzarse los zapatos de tacón, y retocado el maquillaje, Carmelo ofrecía el aspecto de una tía buenísima—. Que Eduardo saque el farol —dijo—. Y que suelte la música de la Piaf.

Evaristo salió disparado al interfono y dio las pertinentes órdenes. El regidor, que hacía de attrezzista, colocó en medio de la pista un farol de Montmatre que al enchufarse entre la primera y la segunda caja quedaba encendido. Todo se hizo a oscuras. Luego sonó la música, y Carmelo se colocó apoyado en el farol fumando y dando vueltas a un bolsito con cadenilla. Allí cantaba con la voz ronca de la Piaf uno de sus números cumbres, «Padam». Luego ordenaba parar la música y se iba a sentar a las rodillas de varios señores, diciéndoles barbaridades y haciendo que cantaran con él y luego le metieran mano. Pero como el número aún no estaba terminado de montar, y Evaristo no se lo quería perder, salió de nuevo a la sala y se dirigió comprimido entre la gente hasta su lugar acostumbrado. Al fondo, iluminado por la luz de emergencia, le pareció ver a... No, no era. Sí era, sí. Acababa de llegar; aún estaba con el abrigo puesto. Aquel argentino fanfarrón que tan mal le caía. ¿Cómo se llamaba? Sí, el gaucho Garnica, eso era. Fatuo, presuntuoso y gorrón hasta decir basta. ¡Qué cosa tan rara que no llevara con él una chavala! Explotaba al máximo su condición de ex jugador de polo de Venado Tuerto. Tuerto no, pero venado sí lo era. A Evaristo le fastidiaban los tipos que iban por la vida de supermachos, y éste lo iba. Se acercó cuanto pudo para asegurarse de que era él. Sí, seguro, lo era. Y miraba hacia la mesa del marqués.

Carmelo estuvo sublime. Se sentó en las rodillas de tres tíos. Los hizo cantar y hablar para, finalmente, estamparles un beso dejándoles en la cara las huellas del carmín de los labios. Y cuando el respetable estaba dislocado, terminó. Saludó sin hablar y, tras hacer un mohín gracioso, se fue para adentro, consciente de que su actuación había sido perfecta.

Llegó al camerino y cerró la puerta tras él, reiterando al ayudante de turno la orden de que hasta que él avisara, no entrara nadie. Se quitó la blusa, empapada, y la falda. Luego se sentó en la banqueta e hizo lo mismo con el sujetador y los zapatos. Se colocó las chancletas y se dirigió al lavabo para desmaquillarse. Terminó. Fuera había un barullo tremendo. Se oían voces de gentes que querían entrar. La puerta se abrió y entró rápidamente Evaristo.

—¡Cómo has estado, tío! Cada noche te superas. No dejas jamás de asombrarme.

Carmelo, que desde el regreso de Murcia estaba distante con él, en vez de responderle algo relativo a la actuación, dijo:

—Se ha terminado la crema para desmaquillarme. ¿Tienes otra?

Evaristo tenía orden de que hubiera un recambio de todo.

—Sí.

Se fue a un cajoncito del baúl armario. Abriéndolo, tomó un bote y fue a dejarlo en el estante del lavabo, retirando el agotado y echándolo a la papelera.

—¿Quieres la pastilla? —interrogó.

—Claro, déjala ahí. —Carmelo señaló el tocador con la barbilla. Siempre tomaba al terminar un medicamento que se disolvía en la boca y le desinflamaba el edema que tenía en las cuerdas vocales.

—¿Puede entrar ya la gente?

—¿Hay muchos?

—Cuando yo he entrado la cola llegaba a la sala.

—¿Cuántos, ¡coño!? ¿Cola de a uno o de cinco en cinco? —preguntó de mala manera.

—Carmelo, no fuerces la voz. Unos treinta más o menos —le respondió Evaristo mansamente.

—Que pasen, pero no más de cuatro a la vez; si no, me ahogo.

Evaristo se dirigió a la puerta.

—Antes de abrir, tira un poco de ambientador y saca las flores, que no puedo respirar. El ramo de rosas déjalo —dijo Carmelo.

El otro cumplió la primera orden y tomando el ramo más grande lo sacó al pasillo, ordenando al ayudante de la puerta que sacara los demás.

—¡Evaristo! —llamó una voz. Era Agustín, el maître. Evaristo dejó el ramo en el suelo y se volvió hacia él interrogándolo con los ojos—. Los de la mesa cuatro, que si puede ir un momento.

—Diles que ahora voy.

Se dirigió a Carmelo, que en aquel momento estaba firmando unos programas de mano. Esperó que lo hiciera y terminara el recital, que consistía en dar una rosa a cada mujer y decir invariablemente a ellas «tomad, bonitas» y a los hombres «a vosotros no os doy». En ese instante, en tanto salían unos y entraban los siguientes, aprovechó:

—Carmelo, si no quieres nada, me llaman fuera un momento. Tienes más postales en el segundo cajón, si te hacen falta.

—No tardes, que hay que recoger todo esto.

—Es un minuto.

Cuando Evaristo ya estaba en la puerta oyó de nuevo el invariable «¿os ha gustado?» con el que Carmelo saludaba al siguiente grupo. ¡Tan ingenioso que resultaba en el escenario y qué monocorde y parco resultaba fuera de él!, pensó. Pero veinticinco mil diarias era mucho dinero para dos horas al día de trabajo. Su relación desde la vuelta de Lugo se había vuelto tensa e incómoda. Prácticamente no se hablaban fuera del trabajo. Salió a la sala. Se había vaciado en un setenta por ciento. El público, cuando terminaba la actuación, no se quedaba a bailar. La mesa cuatro era un islote otra vez, pero a la inversa; quedaba sola, en medio, ocupada, y nadie alrededor.

José Antonio lo divisó enseguida. Se levantó y lo saludó alegremente con la mano. Lo apreciaba de veras, y lo asociaba invariablemente a sus mejores años de francachela y soltería. Fue hacia él y se encontraron a medio camino. Los demás acompañantes siguieron en lo suyo. Habían sacado tres botellas de Dom Perignon y brindaban y reían. Se besaban, y una de las chicas estaba sentada en las rodillas de Julián imitando a Carmelo.

—¡Hola, Evaristo! —dijo dándole un fuerte apretón de manos—. Tu artista se ha superado, ha sido algo increíble. —La voz de José Antonio era algo pastosa y empezaba a denotar el exceso de alcohol.

—Sí, realmente ha estado muy bien. ¡No sabe lo que he

pasado para guardar la mesa! —respondió recordando el incidente.

—Si es que hemos terminado de cenar a las quinientas —se excusó el marqués—. ¿Qué? ¿Cómo te va todo? ¿Te gusta tu nuevo oficio?

—Va todo bien, muy bien. Y sí, me gusta. Es algo muy diferente, pero a mí me gusta variar.

—¡Cuánto me alegro! De todas formas, si un día cambias de parecer ya sabes que en mi casa siempre tendrás un puesto. Los tiempos difíciles no se olvidan.

—¿Y si no le gusto a la futura señora marquesa? —chanceó Evaristo.

—¡Pues que se vaya ella! —respondió riendo el marqués.

Evaristo, que conocía perfectamente a José Antonio, sabía que aquel diálogo no era el auténtico motivo de su llamada y que había un trasfondo.

—Oye... —El marqués, mientras miraba al grupo, tomó a Evaristo confidencialmente del brazo en tanto se llevaba con la otra mano la copa de champán a los labios. Dio un sorbo y se le acercó al oído—. ¿Cuánto cobra Carmelo por una actuación?

—¿Qué quiere decir? ¿Aquí, a diario?

—No, fuera de horas, por una actuación especial —respondió el otro.

—¿Por una gala?

—Sí, por actuar expresamente para alguien.

Evaristo pensó que el marqués lo quería contratar para el día de la boda.

—Bueno, depende. Tendría que ser un día que tuviera fiesta, porque si no, su trabajo no se puede hacer dos veces. Además, fuera de Madrid hay que contar...

—¿Cuánto?

—Ochocientas mil pesetas —interrogó más que respondió Evaristo.

—Yo se las doy, ahora mismo.

Al decir esto el marqués dejó la copa en una mesa vacía y sacó la chequera. Evaristo alucinaba; hasta aquel día el caché más caro que Carmelo había cobrado había sido cuatrocientas mil pesetas por una actuación en una convención de una firma de cosmética en el hotel Ritz.

—Pero ¿dónde y cuándo? Porque según y cómo...

—Aquí y dentro de veinte minutos, cuando esto se vacíe.

—No puede ser, está muy cansado.

—Te explico. He alquilado la sala y la cierro para nosotros. El gaucho Garnica ha llegado tarde y le hemos dicho que Carmelo ya había terminado. Venía de otra fiesta y llevaba copas, y le ha entusiasmado «la mina», como él dice, que salió la última y la quiere conocer. Dile a Carmelo que le siga el carrete, que nos vamos a reír cuando se dé cuenta. Él, que siempre va de macho... ¡Será para morirse! Además, total es un cuarto de hora.

Evaristo pensaba a la velocidad del sonido.

—No va a querer.

—¡Un «kilo» le doy!

—¿O sea, que lo único que ha de hacer es repetir el último número? No sé si querrá...

—Venga, vuela. Si lo consigues te regalo aparte veinte mil duros.

Evaristo salió disparado. El camerino se vaciaba en aquel momento, y Carmelo despedía al último grupo. Evaristo ya había pensado en el trayecto cómo venderle el borrico.

—Carmelo —dijo—, mi amigo el marqués está alucinado. Dice que eres mejor que Charlot y Buster Keaton juntos.

A Carmelo le iba el halago más que a un tonto un lápiz.

—¿Le he gustado? —preguntó.

—Tanto que va a alquilar la sala para ti si repites el número final que te has inventado, que hasta a mí me ha dejado alelado, porque dice un íntimo amigo suyo ha llegado tarde y no te ha visto. ¡Agárrate! Le he sacado seiscientas mil pesetas por veinte minutos.

—¿Qué dices? —Carmelo lo miraba incrédulo.

—Seiscientos billetes, y sin ir a ningún sitio ni tener que montar nada.

Carmelo hizo ver que meditaba.

—Vale, pero haré la folclórica.

—No. Quieren el de la putita porque les entusiasma la canción francesa.

—De acuerdo. —El reto incentivaba a Carmelo—. Descanso un cuarto de hora. Avisa a cabina que lo voy a hacer.

Evaristo salió disparado. El veinte por ciento de seiscientas mil más cuatrocientas mil de margen más cien mil de regalo... La noche, que había empezado fatal, iba a terminar para él magníficamente. Habría que dar propina a los técnicos. Ya lo arreglaría. Salió a la sala para anunciar el éxito de su gestión. Y los veinte minutos de espera. En la mesa del marqués había ya siete botellas de champán, y el marqués de Béjar y Julián estaban volcados en las chavalas en franco toqueteo. José Antonio le interrogó de lejos con un signo de cejas. Él afirmó con la cabeza, y con la mano le hizo un signo para que se acercara. El otro se levantó.

—Me ha costado mucho porque está afónico, pero lo he conseguido.

—Eres un fenómeno —le dijo el marqués con voz pastosa.

—Si le parece, me paga ahora, porque yo me iré cuando termine... Ustedes se pueden quedar. —Evaristo pensó que en el estado en que estaban más valía pájaro en mano.

—*No problem*, Evaristo, *no problem*.

José Antonio sacó el talonario, se sentó en una silla y, apoyándose en una mesa vacía, escribió. Cuando Evaristo leyó por encima del hombro la cantidad se mareó. El marqués arrancó el talón sin llenar la matriz y se lo entregó con una sonrisa.

—Ahora hay fondos siempre —dijo haciéndole un guiño.

—En un cuarto de hora empezamos. Me voy a preparar las luces —dijo.

Cuando iba hacia la cabina se tropezó con Carlos Lucarda.

—Oye, amigos de estos trae siempre que quieras —dijo, sacándose el sempiterno puro de la boca.

—Carmelo va a repetir un número —explicó.

—Lo que quieras, la casa es vuestra.

Cuánto le habría sacado, pensó Evaristo. Daba igual, no era asunto suyo.

—¡Champán, traiga todo el champán de la casa!

En la mesa del marqués pedían más. Evaristo se fue a las luces. Carlos ya había dado orden de que nadie se moviera de su sitio hasta que él lo dijera. El discjockey ponía lentos.

—Pedro, Carmelo va a repetir el último número —dijo.

El otro lo miró sorprendido.

—¿Va a actuar después de la paliza que se ha pegado?

—Sí, lo hace por un amigo mío —añadió Evaristo hinchado como un pavo. Tener un amigo que cerraba la casa daba tono.

—Por mí, cuando digas.

—Te avisaré por el interfono.

Evaristo salió disparado de nuevo hacia el camerino. Carmelo ya estaba preparado. Se había maquillado con sumo cuidado.

—Oye, ¿sabes que estás monísima? —dijo con tono afectado.

—¿Está todo listo? —preguntó Carmelo.

—Todo está a punto. El que no te ha visto es el del extremo izquierdo según tú mires desde el escenario, el de la corbata roja con escudos.

—Enséñamelo.

Fueron hacia la cortina y Carmelo, tras hacerlo Evaristo, miró por el agujero.

—Parece que están animados, ¿no? —dijo.

—Locos por verte es lo que están —replicó el otro.

—Venga, da el aviso.

Evaristo se fue al intercomunicador y apretó el botón de cabina.

—¿Sí? —dijo la voz metálica.

—Adelante, Pedro, dispara.

Las luces se apagaron y el círculo blanco buscó de nuevo la salida. El farol ya estaba puesto en el centro y los acordes de la música ya sonaban. Carmelo salió y en esta ocasión, en vez del bolsito llevaba una larga boquilla. Unos aplausos desacompasados y patosos, excesivamente largos, acompañados de risas, lo saludaron. Empezó a cantar. No callaban. Las risas le molestaban. Súbitamente el nivel sonoro del barullo aumentó. El foco no le dejaba ver con claridad. Alguien se había levantado y se dirigía hacia él por el medio de la pista. Un tipo corpulento lo tomó del brazo.

—Dejate de macanas —dijo una voz. Carmelo intentó desasirse, pero se vio levantado del suelo en volandas. Los compases de «Padam» se vieron apagados por el jolgorio y las carcajadas—. Papaíto os va a *haser* un nene —dijo la voz con deje de borracho y con soniquete argentino, en tanto una mano le buscaba entre las piernas—. ¡Pero che, manga de boludos, si tiene paquete!

Carmelo consiguió desasirse y le clavó las uñas en el rostro, haciéndole sangre. Las risas aumentaban de decibelios. La música había parado. Se encendieron las luces.

El tipo soltó la presa, se llevó la mano a la cara y la retiró roja.

—Hijo de puta, sos un hijo de puta —chilló, soltándolo.

Carmelo se puso en pie pálido de ira. Dio media vuelta y se dirigió al camerino atravesando la pista. Carlos Lucarda iba serio tras él. Carmelo ya llegaba a la cortina de embocadura. Oyó una voz que gritaba:

—¡Evaristo, joder! ¿Por qué se pone así? El cachondeo me ha costado más de un «kilo». Podría tener un poco más de correa.

Esteban dormía profundamente. Unos golpes secos y firmes sonaron en la puerta.

—¿Quién es? —indagó medio dormido.

—Esteban, te llaman al teléfono —dijo la voz queda de Paloma.

Encendió la luz. ¿Qué hora era? Las cinco menos cuarto de la madrugada. Nada bueno podía ser a aquella hora.

—¿Quién me llama? —preguntó en tanto se ponía las zapatillas y abría la puerta.

—Me parece que Carmelo, pero no estoy segura —respondió ella.

—Pero ¿no has preguntado? —dijo al tiempo que avanzaba por el pasillo.

Ella no contestó y se quedó prudente un poco atrás. Esteban tomó el auricular.

—¿Diga?

Al otro lado del hilo sollozos.

—Carmelo, ¿eres tú? —La voz de Esteban indicaba alarma.

—Sí.

—¿Qué te pasa?

—No te lo puedo contar por teléfono. —Entre el llanto casi era imposible entender las palabras—. ¿Puedo ir a dormir a la pensión?

—Pero, Carmelo, ¿qué ocurre?

—¿Puedo, por favor? —insistió.

—Espera. —Esteban tapó con la mano la bocina del auricular y preguntó a Paloma—. ¿Hay alguna habitación libre? —La chica negó con la cabeza. Esteban decidió rápidamente—. Vente. Te espero despierto —dijo.

—Gracias, ahora voy, gracias.

Ambos colgaron.

—¿Qué pasa? —preguntó Paloma.

—No lo sé, algo importante. Carmelo estaba llorando, va a venir a dormir. En mi cuarto hay dos camas.

Ella se quedó extrañada.

—No está hecha —añadió.

—Da igual.

—No, espera, vamos a hacerla en un momento. Mi madre no ha oído el teléfono, tiene el sueño muy profundo.

—De acuerdo —dijo él.

Se dirigió a su cuarto para retirar sus cosas del lecho contiguo. Ella llegaba ya con sábanas, una manta y funda de almohada. En un momento la cama quedó preparada.

—Gracias, Paloma. Mañana hablaré con tu madre para que me cobre lo que sea.

Ella había dado la vuelta camino de la salida. Súbitamente, al pasar por su lado, le echó los brazos al cuello y lo besó en la boca, apretando su joven cuerpo, cubierto únicamente por la fina tela del camisón, contra el suyo. Cuando la pudo apartar, se frotó los labios con el dorso de la mano y se oyó decir a sí mismo con un susurro de voz:

—Pero ¿qué haces Paloma?

El timbre sonó en la puerta.

56

Esteban regresó de la biblioteca a las dos del mediodía. No encontró aparcamiento para su Volkswagen y tuvo que dejarlo en el parking subterráneo de la plaza de los Mostenses. Guardó el ticket en la guantera y tras cerrar el vehículo salió a la calle, subiendo ligero por la Gran Vía, en dirección a Callao, para llegar en pocos minutos a la pensión. Su mente volaba. Además de la preocupación que le proporcionaba toda la peripecia de Carmelo, quien la noche anterior antes de caer dormido se la había esbozado elípticamente a grandes rasgos, afónico y entre sollozos, estaba el hecho de la actitud de Paloma. Con la llegada de su amigo, lo de la chica había pasado a segundo término; pero ahora, a medida que transcurría el tiempo, aquello cobraba su propia dimensión y lo sumía en un mar de dudas y confusiones. Cavilaba en dos planos convergentes pero distintos; el hecho en sí y sus propias sensaciones. Paloma era una persona estupenda y le tenía aprecio. En sus primeros días en la capital, ella había ocupado en el corazón de Esteban la plaza de la hermana que nunca tuvo, la imagen femenina que siempre necesitó y que hasta el momento había desempeñado en su totalidad su madre. Pero su madre no estaba en Madrid, y la visión de las cosas desde un prisma más próximo a su edad y desde la óptica de una chica joven y urbana le había ayudado mucho a comprender situaciones y hechos que, sin Paloma, habrían sido auténticos jeroglíficos. ¿Que ella tenía una querencia hacia él? Siempre lo atribuyó al hecho de que el único huésped joven de la pensión, hombre o mujer, era él. Sus sobremesas, sus cafés o sus charlas las había visto, hasta el momento, tan normales que no se podía imaginar a la chica departiendo con el comandante jubilado, los viajantes o los músicos cuarentones y casados de la orquesta de Pasapoga. Con los otros huéspedes que entraban y salían con frecuencia, no había tiempo material de intimar. Lo que realmente lo tenía apabullado era la revelación de la noche anterior. Sin darse cuenta, su pensamiento evocó el recuerdo de Mayte y el suceso del pajar. Por yuxtaposición de similitudes, se analizó para recordar si esta vez le había asaltado la imagen de Fernando Rentaría, y llegó a la conclusión de que no, no había acudido a su mente ni una fracción de segundo. Pero..., y esto era el segundo plano, ¿y sus sensaciones? ¿Qué había sentido ante el contacto físico del cuerpo tibio, turgente y perfectamente formado de la chica? Nada y terror. Nada en cuanto a reacción de él, absolutamente nada. Y terror ante la evidencia de que el hecho femenino no lo atraía en absoluto. Aquellas dudas del noviciado al no haber conocido otra opción se disipaban en negativo; él no era normal. Por otra parte, ¿cómo iba a ser ahora su relación con la muchacha? Se negaba a hacerle daño, y tampoco quería perder su amistad.

Ahora su pensamiento, como un caballo que galopando salta una valla y cambia de prado, se traspoló a Carmelo. Se había sentido muy cerca de él. Desde el día del tristísimo suceso de Murcia, le daba mucha pena, y para analizar la humillación y frustración de su amigo, imaginaba lo que sentiría si le hubiera sucedido a él. Era inimaginable... Y, desde luego, de su boca no había salido ni el más leve comentario, e inclusive con Carmelo intentaba obviar el tema, aunque éste, seguramente para desahogarse, sí lo sacaba a veces. Aquel tipo, Evaristo, le cayó mal desde el primer día, era el clásico aprovechado. Intuía que él tampoco debía de serle grato y presagiaba, no sabía por qué, complicaciones.

Llegó al portal de la Hispania. ¿Se habría despertado Carmelo? ¿Qué actitud adoptaría Paloma? Ante lo anómalo del hecho, ¿qué diría doña Lina? Por una vez, en lugar de subir a pie tomó el vetusto ascensor, llegando entre crujidos y chirridos al rellano. En cuanto se detuvo el camarín abrió las puertas y salió, cerrándolas de nuevo. Llamó al timbre de la Hispania y esperó nervioso. Abrió Paloma.

—Hola.

—Hola, Esteban. —El tono de la chica era algo distinto, y sus ojos tenían una mirada preocupada.

—¿Se ha despertado Carmelo? —dijo Esteban, en tanto ella cerraba la puerta.

—No. Mi madre quiere hablar luego contigo.

—Dile que no voy a comer, que no tengo hambre. Voy a estar en mi cuarto, y a la hora del café saldré a hablar con ella.

—Hoy hay cocido, te gusta mucho —respondió ella.

—De verdad que no tengo hambre, Paloma, gracias —repuso.

Entraron los dos. La muchacha se fue hacia el comedor y Esteban siguió el pasillo hasta el fondo, donde estaba su habitación. Abrió la puerta con sumo cuidado para no hacer ruido.

—Estoy despierto, Esteban. —La voz de Carmelo sonaba tremendamente afónica.

—¿Quieres seguir durmiendo? —preguntó.

—No, no, abre la persiana.

Esteban se fue hacia ella, tropezando con un zapato. Tanteó la pared con la mano derecha hasta que encontró la cinta de lona, la asió por la parte alta con ambas manos y tiró firmemente. Las lamas de madera se fueron separando, permitiendo la entrada de la claridad de la calle.

—Así, no abras más, por favor —dijo Carmelo en tanto se incorporaba en la cama y se colocaba tras la espalda el cuadrante que yacía en el suelo.

Esteban tomó la silla del despacho donde estudiaba y la giró hacia la cama de su amigo.

—¿Cómo te encuentras?

—He descansado bien gracias a ti, pero me he despertado hace una hora y he pensado mucho.

—Estás fatal de la garganta —dijo Esteban ante el tono ronco y totalmente opaco de la voz de Carmelo.

—Sí, estoy muy mal. Tendrás que llamar a Carlos, porque no voy a poder seguir trabajando. Me estoy matando.

—Espera, ten calma, ya he pensado en eso. Hasta el miércoles noche no tienes función y vamos a hacer las cosas bien. Hoy es domingo; descansas todo el día si quieres. Mañana vamos al médico a ver qué dice, y el martes y el miércoles te estás callado. Entonces a la noche ves cómo te encuentras y tomas una decisión más tranquila.

—Estoy fatal de una cuerda, ya lo sé, y no quiero pincharme. La cortisona, como emergencia, vale, pero no quiero tomar cada día. Además, esto ahora no me preocupa.

—Pues lo demás, todo se arreglará. Dios sabe por qué hace las cosas. Lo primero es tu salud.

—Esteban, tú has estado muy cerca de mí desde que nos conocemos. A veces creo que he pisado mierda.

Esteban calló para que prosiguiera.

—Lo de mi madre fue terrible, aún no lo he encajado. Y ahora esto. Ese hijo de puta me vende para que se diviertan unos mierdas de señoritos a los que no les importa un bledo mi arte y lo único que quieren es gastar una broma a un borracho para que me meta mano. Además, resulta que Evaristo me miente y se queda un dinero; me dice que le pagan seiscientas mil pesetas y me entero de rebote de que le han dado más de un millón.

—¿Que dices que qué?

—Lo que oyes.

Carmelo relató con pelos y señales todo lo sucedido la noche anterior.

—Conclusión, el único que se portó como una persona fue don Carlos, y no quiero volver a ver nunca más a Evaristo.

Esteban iba introduciendo en el ordenador de su cerebro todos los datos que le estaban suministrando.

—Despacio, Carmelo, poco a poco; las cosas no se pueden hacer así. Tienes un piso montado a medias y pagas todo lo que hay dentro a medias con esa persona. Has de hacer balance y recuperar lo que es tuyo, o bien pagarle a él y que se vaya.

—No lo quiero ver ni para arreglar cuentas, Esteban. Prefiero perderlo todo. Ya lo volveré a ganar. Y ese piso ni pisarlo.

—Pero, chico...

—Esteban, por favor, ocúpate de mí. Yo soy un artista, no sirvo para estas cosas. Ordéname la vida. La única persona que me ha ayudado siempre y no me ha pedido nada eres tú.

—Pero yo no entiendo de este oficio... ¿Qué sé yo de esto?

—Da igual. Lo que sí eres es honrado. Una cosa es que te equivoques y otra muy distinta es que te estafen. Por favor, desde que me he despertado sólo he pensado que la única persona de la que me fío eres tú.

Esteban se quedó pensativo. Se levantó y dio un par de vueltas por la habitación.

—Te diré lo que vamos a hacer —dijo—. Primero es tu salud; te has de cuidar. Y si eso pasa por dejar de trabajar un tiempo, pues eso harás. Después, hay que quedar bien con don Carlos, que me parece una persona correcta y algo arreglaremos. Y finalmente, hay que hablar con Evaristo para deshacer la relación laboral —recalcó lo de laboral— y zanjar de una forma u otra el tema del piso.

—Pero ¿me vas a ayudar? —preguntó Carmelo con un hilo de voz.

—Voy a hacer lo que pueda —respondió Esteban.

Carmelo pegó un brinco en la cama, saltó y le dio a Esteban un abrazo fuerte e intenso.

—Eres un amigo fenómeno —dijo por primera vez en muchos días—. Creo que mis pesadillas van a terminar.

Esteban procedió con orden. En primer lugar habló con doña Lina y le comunicó que a partir de aquel día su habitación, que era doble, se usaría sin el descuento que le hacía por ocuparla solo, cosa que a la mujer le había convenido porque Esteban era un huésped para todo el año, y añadió que Carmelo usaría la otra cama a pensión completa. Esteban le explicó a medias la situación y no hubo problemas. La mujer quitó hierro a lo que le quería decir al respecto de la llamada telefónica en la madrugada anterior y se hizo cargo de que había sido una emergencia.

Por la tarde, y con Carmelo vestido con ropa de él, tuvieron una larga reunión con Carlos Lucarda. Éste se hizo cargo de que con aquella afonía no podía actuar y comprendió que no era cosa de tres días. Acordaron suspender el contrato y hacer otro nuevo por el que Carmelo se comprometía a no actuar en ninguna sala de fiestas de Madrid y provincia hasta no cumplir los seis meses que debía al Beethoven, de los cuales se descontarían los adelantos percibidos. Don Carlos se comprometió a hacer la misma publicidad que hasta el momento. Carmelo puso como condición, sine qua non, el que Evaristo no podía entrar en la sala cuando él estuviera trabajando, y Lucarda contestó un «no hay problema» preñado de amenazas, ya que Evaristo no era santo de su devoción y lo de la noche anterior había sido un atropello. Al salir del Beethoven, Carmelo estaba relajado y feliz. Quedaron que el martes iría a desmontar su camerino.

—Lo has hecho muy bien, Esteban, gracias. No lo olvidaré —dijo.

—¿Estás contento?

—Muy contento —afirmó Carmelo.

—¿Quieres que lo esté yo? —preguntó Esteban.

—Desde luego.

—Acompáñame a misa de ocho en las monjitas.

—Eso está hecho.

Al día siguiente, lunes, fueron a un médico que les recomendó el mismo Carlos. Esteban lo prefirió porque al ser amigo del empresario todo sería mucho más claro. El galeno, tras un profundo análisis, le encontró un edema y una cuerda muy tocada que había perdido elasticidad, y le recomendó un mes de absoluto reposo, además de vahos, calor y medicamentos.

Luego vino lo más peliagudo; Esteban se entrevistó con Evaristo. Quedaron en el California del lado de Pasapoga. Cuando llegó éste, Esteban ya estaba esperando sentado a una pequeña mesa frente a la larga barra. Se saludaron secamente y pidieron sendas consumiciones. El diálogo fue tenso.

—Bueno, ¿qué le pasa a la Pantoja? —comenzó Evaristo hiriente.

Esteban no entró al trapo; era muy tranquilo pero no carente de firmeza.

—Carmelo ha ido al médico, debe dejar de trabajar por un tiempo largo.

—La culpa es suya. Si no se tirara dos horas y media cada noche soltando moralinas que a nadie interesan, no le pasaría nada de todo esto.

—No sé, yo no entiendo de artistas. Lo único que sé es que está muy mal de la garganta y que no desea prolongar su colaboración contigo.

—Coño, ¡qué bien! Yo me he comido los huesos y ahora que va a haber carne, una patada en el culo y a la calle. Vamos, eso que ni lo sueñe.

Esteban iba informado.

—Mira, no tienes ningún contrato firmado, en primer lugar...

—¡Yo me despedí del trabajo por él y te consta, tío! —chilló.

—Tú has ganado con él, en este tiempo, ciento veinticinco mil pesetas semanales. En tu trabajo las ganabas al mes; creo que has salido ganando —respondió Esteban.

—Pero yo en mi trabajo comía y dormía; en cambio, me he metido en gastos por su culpa —volvió a gritar.

Esteban estaba tranquilo.

—No levantes la voz que no ganamos nada. Él dice que se metió en gastos por tu culpa. Tú fuiste el que le instó a meterse en el lío del apartamento y de los muebles.

La discusión se prolongaba.

—El contrato con el Beethoven lo hice yo, y cuando vuelva a trabajar la comisión es mía. —Evaristo se alteraba de nuevo.

—Si te asomas por el Beethoven, no trabaja. Además, ya te has quedado un millón que ayer pagaron por no sé qué historia —dijo Esteban en un tono raramente fuerte en él.

Al cabo de dos horas llegaban a un acuerdo. Todo lo relativo al trabajo de Carmelo, como equipo de sonido, vestuario, etcétera, se lo quedaba éste pagando los plazos que restaban. Y el piso con todo lo que había era para Evaristo, asimismo pagando él. Esteban iría al día siguiente con el Volkswagen a retirar los efectos personales de Carmelo, y si hacía falta, haría varios viajes. Carmelo no quería ni pisarlo.

Al día siguiente, todo se hizo según lo acordado. Cuando Esteban ya se iba a retirar tras la última carga, Evaristo, en la puerta, con una ira contenida y para lastimarlo, le dijo:

—Te advierto que no hace falta que tú y yo nos enfademos. Te lo cedo. No vale la pena. En la cama es bastante malo.

Esteban hizo lo que jamás había hecho en toda su vida. Dejó caer la ropa que llevaba en las manos y, sin meditarlo, largó un puñetazo a Evaristo que le hizo trastabillar.

57

Querida madre:

No le he escrito antes porque ando metido en plenos exámenes y querría sacar el curso limpio. Creo que lo conseguiré, pese a que empecé con un mes de retraso respecto a los demás y pese a que ahora he de examinarme de todas las materias, ya que yendo por libre no he tenido la ventaja de hacer parciales durante el curso.

Estoy muy bien y contento. Y finalmente veo con claridad que no tenía la vocación firme para entrar en religión. Siento darle esta noticia a la tía Elena, pero mi decisión es definitiva y absoluta. Me he ido acostumbrando a la vida en la ciudad. Todo es muy diferente y las personas son como islas, cada uno va a lo suyo y a nadie le importa la vida del vecino, no es como en el pueblo.

Voy teniendo amigos, y aquellas soledades de los primeros tiempos han quedado aparcadas en el olvido. Ya le he hablado otras veces de Carmelo. Me gustará que lo conozca. Es mi mejor amigo y la persona que más me ha hecho reír de cuantas conozco. Este verano, después de ir a casa a verla y a pasar unos días descansando, que buena falta me hace después de tantas tensiones como he pasado, hemos decidido dar una vuelta turística por España en el coche, porque creo que es el medio apropiado para conocerla a fondo, parando mucho y viendo lo que interesa; hay lugares famosos mundialmente, y yo no conozco nada.

He ido al médico; no se asuste usted, no tengo nada. Simplemente me encontraba muy cansado y me costaba mucho levantarme por la mañana, cosa que jamás me había ocurrido. Lo ha atribuido a mi curso académico y a mi esfuerzo por ponerme al nivel de los demás. No le he explicado nada respecto al problema que arrastré todo el año pasado y que yo creo que es la verdadera causa de este cansancio. Me ha recetado unas inyecciones de vitaminas y un reconstituyente que lleva fósforo. Pero repito que no es nada importante.

Me alegro mucho de las dos noticias de su última carta. Su tercer nieto que va a llegar deseo que sea una niña, porque usted siempre ha estado rodeada de hombres, tres hijos varones y dos nietos. Sé también que a Rafael le hará más ilusión una cría. Y por fin se nos casa Emilio. Le ha costado un poco, cosa que comprendo, ya que estando usted sola, Rafael en Alemania y yo en el seminario y él al cargo de todo, entiendo que no tuviera tiempo para dedicarse a su vida. Aunque me da usted detalles de «ella», la verdad es que no la recuerdo, aunque, claro está, sé quiénes son su familia.

No se preocupe del dinero, que no me falta. No soy gastoso, y con las clases que doy a dos chavales de BUP me ayudo bastante. Si me falta algo se lo pediré. Un abrazo a Emilio y a los abuelos, en especial a la abuela Elena. Al tío Rafael le escribiré en cuanto tenga tiempo y a la tía Elena también, aunque sé que le doy un disgusto. Y usted reciba todo el amor de su hijo pequeño,

Esteban

P.D.: Me escribo bastante frecuentemente con Rafael Urbano. Es de los seres mejores y más admirables que conozco.

Querido Carmelo:

Lamento darte el disgusto. Tu madre se casó el viernes pasado con Germán Suñer. La boda fue civil, ya que él no quiere saber nada de curas. Antes de que te enteres por otros te lo digo yo. Fui de testigo; es mi hermana y me da lástima. Soy consciente de que comete el error de su vida, pero ya se lo he dicho y es mayorcita.

De entrada te digo que no le caes bien a él. Un par de días antes, en el Marcelino, hablamos y le expliqué tu tozudez y el motivo de vuestro distanciamiento. Me contestó que él se casaba con tu madre, y que la había conocido sola y que ya le había avisado que él no quería saber nada de hijos. Dijo que si volvías a Murcia a él le daba igual que ella te viera, pero vivir con ellos, de eso nada. Te aviso para que estés al caso.

Fermín no quiso ir a la ceremonia porque el historial de vividor que Germán tiene llega a toda la provincia. Él ya sabe lo que yo pienso porque se lo he dicho yo mismo. Ya me conoces.

No hace falta que te diga que cuando pares por aquí mi casa está a tu disposición.

Tu madre ha llegado a un acuerdo con Ramón Ledesma. No me ha explicado cuál ha sido, pero he visto que estaban desmontando El Bohemio, y en la puerta había un cartel de «Se vende» y el teléfono de tu madre.

Me encontré a tu amiga Emilia. ¿Sabes si le pasa algo conmigo? Me pareció que me rehuía y que no tenía ganas de hablar. Será que tenía un día tonto. Mujeres.

Me alegro de que hayas entrado en razón y por fin hayas encontrado un amigo decente. Según me cuentas, ya era hora, porque ¡tienes un ojo...! Primero, el Gustavito de marras, y luego ese sinvergüenza de Madrid. Por cierto, el padre de la chica que salía con Gusti le ha dado puerta, y ahora lo veo bastantes veces a pie. Creo que se vendió el coche para pagar pufos.

Bueno, sobrino, ya sabes dónde me tienes para cualquier cosa. Deseo que todo te vaya bien, pero si algo puedo hacer por ti sólo tienes que pedírmelo, tengo amigos por todas partes. Un abrazo de tu tío,

PABLO

Se casaron. Se casaron en el juzgado. Firmaron como testigos Pablo y un amigo de Germán Suñer. Consuelo iba con un traje de chaqueta gris, y él iba de azul marino con un clavel rojo en la solapa, el pelo engominado y planchado. A la salida se fueron a comer al Rincón de Pepe. El novio estaba dicharachero y salido. Pablo se notaba incómodo y deseaba que todo aquello terminara cuanto antes. Durante el café quedaron ambos hermanos solos. Germán había bebido bastante y se fue al lavabo, y su amigo se fue a telefonear. Ella estaba ensimismada.

—¿En qué piensas? —dijo Pablo.

Consuelo suspiró profundamente.

—En Carmelo —dijo—. Y, ¿por qué no decírtelo?, en mi primera boda. ¡Qué distinto fue todo!

—Las cosas nunca son iguales porque nosotros tampoco somos los mismos. Antes buscabas amor, ahora buscas compañía.

—No sé lo que busco —respondió ella.

Él cambió el tercio.

—¿De qué vais a vivir? —preguntó.

—De mí. Esto ya lo sabía antes de dar el paso. La compañía hay que pagarla, hermano.

—Mientras te dé buena vida, yo callo. Si te hace desgraciada, dímelo.

—No, Pablo, ha sido mi decisión. Jamás volveré a hablar. Ya hablé una vez y te costó demasiado caro.

Regresaba el marido. Pidieron la cuenta y se despidieron. Consuelo y Germán se dirigieron a casa de ella, donde él ya había instalado sus cuatro pertenencias antes de ir a la ceremonia. Consuelo había preparado una mesa para dos muy bien puesta, con mantel de hilo y su mejor vajilla; inclusive puso dos pequeños candelabros con dos velas.

Abrieron la puerta, Consuelo esperaba ilusionada la frase que él dijera al darse cuenta de sus desvelos. Germán observó todos los preparativos que había hecho ella amorosamente.

—¡Hombre! ¡Está agradable esto! Hoy me quedo —dijo.

58

Sucedió durante el mes de descanso de Carmelo. Esteban había terminado exámenes, y estaban ambos relajados y felices. Iban combinando sus aficiones y se complacían mutuamente. Todas las tardes iban al cine o al teatro, y alternaban las noches y las mañanas. Si salían después de cenar e iban a algún espectáculo que interesara a Carmelo, al día siguiente se levantaban tarde. Si, por el contrario, cedía Carmelo y se retiraban pronto, tras leer un rato en la cama, al siguiente día madrugaban, visitaban museos o realizaban en el coche alguna excursión cercana con algún fin cultural. A Carmelo no le costaba esfuerzo alguno complacer a su amigo, ya que era un curioso infatigable de todas las cosas y recordaba la de veces que se había quejado de la falta de inquietud de Gusti por instruirse.

Esteban reorganizó las finanzas de Carmelo. Hizo inventario y le ordenó los pagos.

Lucía un sol espléndido y habían ido a visitar Toledo. Recorrieron la ciudad subiendo y bajando por sus empedradas y empinadas calles. Esteban recitó:

> *Se ve la imperial Toledo*
> *dorada por los remates*
> *como una ciudad de grana*
> *coronada de cristales.*

—¡Qué razón tienen algunos versos! —dijo.

—Realmente éste es precioso —añadió Carmelo, deleitándose con la vista que ofrecía el mirador.

Visitaron la judería, la casa del Greco, El Cigarral... Hicieron fotos, y se rieron cuando Carmelo enfocó a Esteban y, tras colocar la pequeña máquina en un muro y apretar el disparador de tiempo, se pegó el gran morrón al irse a poner a su lado.

—¿Te has hecho daño? —preguntó Esteban jocoso mientras ayudaba a Carmelo a levantarse, ya que la risa le impedía hacerlo solo.

—No, qué va. Ya veremos lo que habrá salido.

Se fueron a comer a un figón y pidieron lo típico del lugar. Durante el ágape charlaron sin parar.

—Mira, Carmelo, tienes un gasto al mes de ciento ochenta mil pesetas de letras durante catorce meses, y además has de vivir, aunque de esto último no te preocupes.

—Claro que me preocupo. Y sé que te debo dinero.

—Eso no te importe. Ya me lo devolverás cuando te sobre. Lo importante es que se te acabe de curar la garganta y puedas actuar. Entonces, con las cifras que se manejan en este negocio, no tendrás problema.

—Le he dado muchas vueltas al coco —dijo Carmelo.

—¿Qué quieres decir? —indagó Esteban.

—Mira, cuando vuelva a debutar en Madrid, he de cumplir el contrato con Carlos, ¿vale?

—De acuerdo —asintió Esteban.

—Suponiendo que en quince días esté en condiciones, nos metemos en julio.

—¿Y?

—Pues que julio y agosto son dos meses pésimos en los cuales no queda nadie en la ciudad, y tras el éxito que he tenido no quiero fracasar. En cambio, sé que si vuelvo en octubre o más tarde será gol seguro.

—Pero ¿cómo vas a pagar las letras? —preguntó Esteban inquieto.

—Tranqui, tío, tranqui. Tengo en la pensión cantidad de tarjetas de representantes artísticos que me han venido a ver actuar, ¿vale?

—Vale, sigue.

—Yo no puedo trabajar en Madrid, pero sí en otros sitios. Hacemos más pósters de la foto que tanto te gusta del final del espectáculo, y el viaje turístico lo hacemos según el itinerario de las galas que me salgan, ¿comprendes?

Esteban meditó un segundo mientras tomaba una cucharada de helado.

—¿Y cuántas crees que puedes hacer? —dijo.

—Con que en dos meses haga cinco o seis ya está.

—Pero ¿cuánto vas a pedir por gala?

—Yo no, vas a pedir tú. Yo sé que a Evaristo le estaban ofreciendo quinientas o seiscientas mil para el verano.

—No me jodas —dijo Esteban.

—¡Anda lo que has dicho! ¡Qué pecado más gordo! —Carmelo rió.

—Lo siento, de verdad, pero como todo el mundo habla fatal...

—Pero ¿qué pasa, tío? Ya era hora de que te humanizaras un poco.

—Sigamos —dijo Esteban—. O sea, que cinco galas a quinientas mil son dos millones y medio.

—Menos el quince por ciento para el agente, nos quedan dos millones ciento veinticinco mil. Pago las letras correspondientes, viajamos, conocemos España y nos divertimos.

—Pero ¿tú crees que esto es así? —argumentó Esteban incrédulo.

—¡Ver para creer!, como santo Tomás. —Y al decir esto Carmelo engoló la voz imitando el sermón de un cura.

—No me tomes el pelo, ¿quieres?

—En serio, te aseguro que cinco galas mínimo me salen.

—Hay una pega.

—¿Cuál?

—Yo tengo que ir a ver a mi familia del uno al diez de julio.

—Bueno, pues empezamos luego del diez.

—Entonces habrás perdido casi medio mes.

—No adelantemos acontecimientos. Además, ¿qué pasa si vamos a ver a los tuyos del veinticinco de junio al cinco de julio?

—¿Vas a venir? —dijo Esteban alborozado.

—Si me invitas... —respondió.

—Claro que te invito. No sabes la de veces que le he hablado de ti a mi madre.

—Pues ya está, lo vamos a pasar bomba.

Terminaron de comer y en el camino de regreso, sin darse cuenta, Esteban le fue contando su vida, subrayando el motivo principal de su abandono del seminario, que atribuyó a su falta de vocación.

—Ya sabía yo que tú eras medio cura —chanceó Carmelo sin darle importancia.

Llegaron a Madrid a las nueve de la noche. Desde el Vip telefonearon a Paloma para que no les guardara cena. Tomaron unos bocatas y luego fueron al cine Callao. A la una de la madrugada fueron a la pensión, radiantes y dichosos de su mutuo conocimiento. Se acostaron y, como de costumbre, leyeron; Esteban, *Azteca* de Gary Jennings, y Carmelo, *Niñas... ¡al salón!* de Vizcaíno Casas. Al cabo de tres cuartos de hora, a Carmelo le rindió el sueño y, tras cerrar el libro, hizo un guiño cariñoso a Esteban y le dio las buenas noches. Éste, para no molestar, se colocó la lucecita de leer en el libro y apagó la lámpara de la mesilla de noche. Pasó otra hora. Súbitamente, Carmelo, como en alguna otra ocasión, se puso a gemir; tenía una pesadilla. Esteban dejó el libro a un lado, saltó de la cama y lo intentó despertar con suavidad. Carmelo lloraba más fuertemente y hasta le saltaban lágrimas.

—Carmelo, Carmelo —llamó Esteban susurrante.

Carmelo se despertó asustado. Se incorporó y se abrazó a Esteban.

—Tengo miedo, Esteban. He tenido una pesadilla horrible.

—Ya ha pasado, tranquilo.

Esteban le pasaba la mano, acicalándole el pelo. Ni supieron cómo empezó todo. La lamparita del libro alumbró la primera noche de entrega de aquellos dos angustiados seres.

Por la mañana, la cruz y la cadena que la tía Elena había puesto al cuello de su sobrino yacía en el mármol de la mesilla de noche.

Querido hijo:

Me parece una idea estupenda que tu amigo te acompañe en esta corta visita. Sólo por el bien que te ha hecho, yo ya lo aprecio. Me parece perfecto que adelantes la fecha y lleguéis el veinticinco. Por mí os podéis quedar todo el tiempo que queráis. Ésta es y será siempre tu casa. Os prepararé el cuarto de delante para no hacer cambiar a Emilio, pero estaréis muy bien. Le enseñarás nuestra tierra e iremos a ver a la abuela y a mis padres. La tía Elena siempre pregunta por ti. Le avisaré de tu llegada, por si puede bajar a verte. Lo único que me fastidia es el tiempo; no está haciendo bueno, y tú sabes cómo cambia esto con sol o con lluvia.

El otro día me encontré al padre Soria. Me preguntó por ti. Está muy mayor y me ha dicho que éste es el último verano que estará en Santa Engracia. ¡Cómo pasa el tiempo! Parece que era ayer que le ayudabas de monaguillo y ya han pasado diecisiete años.

Me ha escrito Rafael. Le han hecho una ecografía a su madre y esperamos niña. Dios haga que todo vaya bien. Estoy muy contenta.

Emilio ha decidido ponerme una ayuda en la casa. La verdad es que me viene bien. Ya tengo cincuenta y cuatro años, y ya no soy la que era. Cuando vengas conocerás a Gloria. Sólo verla la reconocerás enseguida, claro que cuando tú te fuiste ella era una criaja. Creo que tu hermano será feliz; se pegan mucho.

Bueno, Esteban, aquí te dejo esperando que llegue el día veinticinco. Te lleno la cara de besos como haré cuando te vea. Saluda de mi parte a Carmelo. Estoy deseando conocerlo.

MAMÁ

Fueron unos días tensos y hermosos. Pese a los temores de Engracia, el tiempo acompañó. Todo, dentro y fuera de Esteban, estallaba en una cascada de colores y sensaciones. Había asumido finalmente su identidad y estaba tranquilo. Su espíritu había vagado veintinueve años tanteando la vida sin decantarse, hasta que fue evidente para él que la naturaleza, un cromosoma o lo que fuere le había gastado una broma cruel. Lo que sí tenía muy claro era que por causa de él jamás se escandalizaría nadie. Era homosexual. Todo su instinto le conducía a ello. Era profundamente religioso por principio y por formación. Aquello no era culpa suya, había nacido con ello. Nunca fue débil en la tentación. Lo suyo no fue vicio. Se había mantenido fuera del contacto de la carne toda su vida. Su decisión estaba tomada. No le entraba en la cabeza que estuviera haciendo algo malo. Si él era así, nunca sería promiscuo. Había decidido ser fiel a Carmelo y no cambiar jamás de pareja. Además soñaba con enderezar el camino de su amigo y acercarlo a Dios. Deseaba ser para él una influencia benéfica. Y por encima de los hombres, al acabar su periplo vital, el Sumo Hacedor, que era todo bondad, lo juzgaría.

Carmelo, a los dos días de llegar, se había ganado el afecto de todos. Entró como un torbellino en las vidas de sus familiares. La novia de Emilio, Gloria, tocaba muy bien la guitarra y cantaba. Una noche montaron en el patio de la era una rueda de sillas, y Carmelo cantó, imitó y recitó, acompañándose con la guitarra de la chica. Estaban allí Engracia, Elena, la abuela, el tío Rafael, Gabriel y Rosario —los aparceros—,

Mayte y Braulio —su marido—, Emilio y Gloria, Edelmiro con su mujer, Eugenio..., en fin, todos. Engracia dijo que jamás había habido allí una noche como aquélla. Esteban miraba a su amigo con orgullo. La voz corrió por el pueblo y las alquerías vecinas, y al sábado siguiente, a petición de todos, lo repitieron. Carmelo estaba fantástico de voz. Se reunieron más de quinientas personas, y los entretuvo y entusiasmó durante dos horas. Luego cantó Gloria, no sin decir que tras Carmelo no se podía actuar. Y finalmente, le pidieron a Esteban que cantara. Esteban tenía una bonita y cuidada voz educada en el coro del seminario, y acompañado por Gloria cantó una serie de canciones de la región. Ahora el sorprendido fue Carmelo. Al terminar, Esteban pasó el platillo y se recogieron más de veinte mil pesetas. Finalmente se subió a una silla y dio las gracias a todos diciéndoles que aquella cantidad abría una colecta para el padre Soria, que había dedicado su vida a aquella comunidad y que era su deseo regalar, antes de terminar el verano, un nuevo manto a la Virgen de la ermita. La ovación fue cerrada. A las dos y media de la madrugada se retiraban los últimos. Eulalia, la muchacha que había sido la canguro de su hermano Emilio y de él, había acudido con su marido; ella tenía ya cuarenta y cuatro años, pero estaba igual.

—A ver si venís más a menudo. Noches como la de hoy no hay muchas. Eres mejor —dijo mirando a Carmelo— que todo lo que nos echan por televisión.

—Gracias, Eulalia. Eres muy amable.

La reunión se deshizo y todos se retiraron. Cuando Esteban subía la escalera del cobertizo, los ojos de Mayte lo siguieron hasta que desapareció.

Se dieron las buenas noches y cada uno fue a su cuarto. Las luces de la alquería fueron apagándose.

Carmelo ya hacía media hora que estaba acostado. La voz de Esteban, susurrante, traspasó la oscuridad.

—Carmelo, ¿duermes?

—No.

—Quiero darte las gracias por la noche que has regalado a los míos.

—No me las des. Las gracias te las doy yo a ti. Yo siempre estaré en deuda contigo.

59

Regresaban a Madrid felices y optimistas. Esteban le había pedido a su madre la furgoneta de la alquería aduciendo que iban a llevar mucha carga en su viaje y que igual una noche se veían obligados a pernoctar en ella, lo cual no dejaba de ser verdad. En cambio su Volkswagen se quedó allí, no porque hiciera falta, vehículos sobraban, sino porque estaría bien guardado y en dos meses y medio no le iba a ser necesario, amén de ahorrarse el garaje. Por otra parte, la furgoneta era prácticamente nueva y por carretera lograba una buena media.

—¿Tienes sueño? Si tienes sueño mejor paramos un rato —dijo Carmelo tras fijarse en la expresión de Esteban.

—No, qué va. Estoy bien —respondió—. Lo que pasa es que últimamente estoy algo cansado.

—¿Ya tomas las vitaminas y lo del fósforo?

—Sí, ya llevo dos cajas de inyecciones, pero no acabo de estar en forma.

—He pasado unos días increíbles con tu familia —dijo Carmelo.

—Ellos lo han pasado aún mejor contigo, y yo he sido muy feliz. Por primera vez en mi vida tengo las cosas claras.

En cinco horas se plantaron en Madrid. Al llegar a la Hispania, tras once días de ausencia, Paloma les entregó el correo y la lista de las llamadas telefónicas. Entre el primero se encontraba una carta de Emilia a Carmelo, y entre las segundas, dos llamadas de sendos agentes artísticos con los que había contactado antes del viaje. Esteban, una vez deshechas las maletas y ordenadas las cosas, se dispuso a llamar por teléfono en tanto Carmelo abría el correo.

Querido Carmelo:

Me imagino que ya lo debes de saber, pero faltaría a la buena ley que te tengo si no te diera mi versión de la noticia. Tu madre la ha cagado, y perdona la expresión. Ya sabes que soy muy mía, y al pan, pan y al vino, vino. Uso este participio porque el casarse con Germán Suñer es tener todos los números de la rifa para hundirte en la miseria. Como aquí todo se sabe, te diré que se fueron a comer al Rincón de Pepe. Punto. Tema zanjado. Ya he cumplido. Vaya, lo que creo que debes saber. Los bajos donde tenías El Bohemio se han vendido, y por aquí suena la cifra de veinte «kilos», más o menos. Imagino que es lo primero que vende tu madre y que no será lo último. Siento decirte que tendrá marido en tanto tenga cosas para vender, y cuando ese pájaro lo haya liquidado todo, la dejará en bragas y se largará. Que yo que tú haría algo, no sé qué, pero no estaría mano sobre mano, por muy dura que fuera la escena que me contaste y que, no hace falta decirlo, no ha salido de mi boca. Además, al fin y al cabo, se ha casado y, hoy en día, que una señora de su edad pegue un casquete no es para rasgarse las vestiduras por muy hijo que seas. Piensa que si hubieras llegado media hora antes o media hora después, ahora no tendrías este problema.

Otra noticia tengo que darte. Me encontré a Gusti, y tras no sé cuánto tiempo me saludó y estuvo amable conmigo. Ahora viene lo bueno. ¡Agárrate! Me pidió tu dirección. No vi nada malo en dársela y, si te he de ser franca, me cogió de sorpresa. Luego pensé que debería haberte consultado.

En fin, que si te escribe, la culpa es mía. *Sorry!*

Bueno, guapito de cara. Aquí sigo bordando. Escribe y cuéntame cosas, que tus cartas me divierten más que el *Hola*. Te besa en los morros,

EMILIA

Esteban venía por el pasillo eufórico.

—Ya tienes tres galas seguras y dos probables —anunció.

—¿Sí? Cuenta —respondió Carmelo haciendo una pelota con la carta de Emilia y tirándola a la papelera.

—Dos te las da Ricardo Rodríguez y la otra un agente de Barcelona. La agencia se llama... —Esteban consultó un papel—. Fantàstic, espectáculos internacionales.

—¿Y para dónde son?

—Las de Rodríguez, para el Mau-Mau de Marbella y para una fiesta que se hace cada año al aire libre en una plaza pública de Granada.

—¿Y la de Barcelona? —inquirió.

—Es para una sociedad de Sitges. También al aire libre.

—¡Fantástico!

—Espera, espera. La de Barcelona es de seiscientas cincuenta mil, y las otras son de quinientas mil.

—¿No te lo dije? ¿Y las probables? —insistió.

—Una para Gandía y otra para Alicante.

—Vamos a pasarlo bomba y a ganar dinero, ya lo verás.

—Oye, Carmelo, cámbiate si quieres, que dentro de media hora he quedado con Rodríguez en la cafetería Río Frío, de al lado de Boccaccio. Vamos, si quieres venir; si no, voy solo.

—No, no. Voy contigo.

Carmelo se levantó para adecentarse y Esteban se sentó en el despacho para anotar pequeños gastos, ya que llevaba las cuentas de un modo escrupuloso. A los veinte minutos estaban en la calle.

—Ahora sí que estamos colgados. La camioneta no nos sirve para callejear —dijo Carmelo.

—Nos quedan pocos días de Madrid. Cuando tenga algo más claras las cosas, reservaré en los sitios donde actúes una cosa que esté bien y que no sea un lujo, y nos quedaremos para hacer turismo.

—Me parece cojonudo.

A Esteban el lenguaje coloquial de la gente ya no le escandalizaba. Pararon un taxi.

—A Boccaccio —dijo Esteban—, y justo en la esquina, pare.

—¿Por qué lo has citado allí?

—Yo no lo he citado. Me ha citado él a mí. Me ha dicho que tiene la oficina cerca —aclaró.

—Es un tío muy legal. Ya verás. Vino a verme al Beethoven varias veces.

—Eso me ha parecido por teléfono.

Llegaron relativamente pronto. El tráfico estaba raramente fluido. El taxi los dejó en la misma puerta de la cafetería. Carmelo descendió antes, en tanto Esteban pagaba. Luego, al bajar, sacó la libreta y apuntó el importe del viaje.

—¿Qué haces?

—Apuntar los gastos.

—¿Un taxi de trescientas pelas? No vale la pena.

—Los gastos han de apuntarse. No importa si son grandes o pequeños, Carmelo, a ver si te enteras.

Carmelo, como siempre, se fue de un tema a otro.

—Un día —dijo— debutaré allí. —Y al decir esto señaló al otro lado de la plaza Colón.

—¿Dónde, allí?

—Cleofás. Es la mejor sala de Madrid —aclaró.

Entraron en Río Frío. Carmelo buscó con la mirada, y tras una breve inspección, metido tras una mesa de las adosadas a la pared, leyendo el periódico, estaba Ricardo Rodríguez. Hasta que estuvieron encima mismo de él no alzó la cabeza. Cuando los vio, se levantó. Puesto en pie era ligeramente más alto que sentado. Realmente era bajísimo, pero todo lo que tenía de bajito lo tenía de encantador. El tronco era normal, lo que le fallaban eran las piernas.

—¿Cómo estás, Carmelo? —saludó.

—Muy bien. ¿Conoces a...? —indicó a Esteban.

—No tengo el gusto.

—Esteban Ugarte. Es la persona que se ocupa de mis cosas —aclaró.

—Sí, ya hemos hablado por teléfono —dijo Esteban alargando la mano.

—¿Ya no te lleva Evaristo? —indagó el otro en tanto estrechaba la de Esteban.

—Ése no me llevó nunca. Él se limitó a presentarme a Carlos Lucarda y punto. Lo que pasa es que él presumía de manager.

—No, no. Si a mí me da igual. Por cierto, que al Beethoven, desde que te fuiste, no va nadie. Me han dicho que vas a volver.

Ante la cara peculiar del hombre, ambos callaron. Esteban preguntó.

—¿Por qué?

—No es sitio para Carmelo. A un artista de su categoría hay que llevarlo con mucho tiento. No se puede empezar mal el queso. Tú, de ahí enfrente —dijo, refiriéndose al Cleofás—, puedes ir a donde quieras, pero si te encasillas en la línea del Beethoven o del Doble Cero o sitios como ésos, ya no sales.

—Pues nos guste o no, en el Beethoven ya ha estado. —Esteban argumentaba para que el otro largara y así poder aprender.

—Bien, bueno, en algún sitio hay que darse a conocer, pero lo que no debe hacer es repetir.

—Es que tengo un contrato firmado —dijo Carmelo.

—Ese contrato habrá que verlo y, en última instancia, indemnizar. Pero yo que tú, no volvería.

Esteban zanjó:

—Si os parece nos sentamos y hablamos un poco de todo.

Se sentaron y acudió el camarero. No habían comido y pidieron sándwiches. Ricardo Rodríguez tomó el sexto café.

—Conste que te he hecho llamar porque tienes fama de honrado en la profesión, y yo, la verdad, ya estoy harto de listos —dijo Carmelo.

El otro sonrió.

—Para destacar por honrado en mi profesión, con poco basta.

—Hombre, no será para tanto —dijo Esteban violento.

—No, no, lo digo en serio. Para cualquier cosa hace falta una preparación. Con esto, tristemente, todo Dios se atreve, está lleno de mangantes. Todos los desechos de las profesiones se dedican a vender artistas y así nos va —dijo removiendo el café que le había servido el camarero y dando luego un sorbo—. Es como los relaciones públicas de las discotecas. Todos los balas perdidas, eso sí, simpáticos, de las familias bien que antes eran mangantes de la vida ahora son relaciones públicas... Un blazer, una camisa limpia y, ¡hala!, a triunfar.

A Esteban le gustó el hombrecillo.

—¿Y cómo se resuelve un contrato firmado para no cumplirlo si no conviene? —preguntó.

—Lo primero, ya he dicho, hay que ver el contrato. Siempre hay agujeros y se intenta por las buenas, se pacta lo económico, etcétera.

—¿Y si no se puede pactar? —repreguntó.

—El artista siempre tiene la sartén por el mango, ¿comprendes?

—No, no comprendo.

—Se pone afónico día sí, día no. O le duele la barriga, hasta que la empresa se cansa.

—Pero eso no está bien.

—No hay nada que esté bien. Si éste —dijo, y señaló a Carmelo, que estaba comiendo su sándwich— súbitamente se olvidara de cantar o se volviera malo, ya verías tú en qué quedaba el contrato del Beethoven.

—¿Y si hay un adelanto? —insistió Esteban.

—Pues se devuelve, y santas pascuas. El adelanto es un préstamo, y un préstamo en cuanto se liquida se acabó, ¿comprendes?

—Ya, ya voy comprendiendo. Soy nuevo en esto. Perdona que te pregunte tantas cosas.

—Nada, por favor. Para eso estamos. —Hizo una pausa—. ¿Hablamos del niño? —dijo.

Más de tres horas duró la entrevista. Carmelo se aburría y habría querido irse antes, pero Esteban lo obligó a quedarse aduciendo que de todo lo que allí se estaba tratando él era el personaje central. Rodríguez le fue de mucha ayuda para comenzar a internarse por los vericuetos de aquella extraña y nueva actividad que no se podía aprender en los libros de texto.

—Si ya tenéis el equipo de sonido, yo que vosotros compraría cuatro focos. En muchos sitios, no tienen de nada, y si vendes a un artista muy bueno pero desconocido que lleva su equipo, facilitas las cosas. ¿Comprendes lo que te quiero decir? —Se dirigía a Esteban—. No son empresarios, y no puedes pretender que la comisión de fiestas de un pueblo pequeño tenga de todo. Lo que hacen es alquilarlo, pero les dan gato por liebre y luego el que sale perdiendo es el artista.

—Yo te diré lo mínimo que necesito para montar mi espectáculo. —Ahora intervenía Carmelo, porque la parte técnica le apasionaba—. Ha de ser suficiente pero de poco peso y metido en baúles. Eso lo hace Stone muy bien.

—¿Y cuánto puede costar todo eso? —preguntó Esteban.

—Hombre, según —respondió Rodríguez.

—Lo que sea, Esteban, lo que sea. Se paga a plazos y...

—Se paga a plazos, pero se paga, Carmelo. Y querría que al acabar el verano tuvieras dinero.

—Ahora vas bien —dijo el hombre—. Así es como se gana la pasta. Lo que sí tenéis que encontrar es un técnico, y ahora están todos, vamos todos, quiero decir los buenos, ya ocupados.

—Eso ya se verá —respondió Carmelo.

—En cuanto a lo que me has preguntado antes sobre el cobro —dijo el hombrecillo—, yo en mis contratos pongo una cláusula que dice que te han de pagar en metálico, fíjate bien, en metálico, antes de que empiece el espectáculo. Y te aconsejo que en los que yo no te haga, exijas lo mismo. Cuando un artista ya ha trabajado, no hay nada que hacer, y en esta profesión encontrarás mucho golfo.

Y así siguió la charla, rozando todas las vertientes y trucos de aquella, para Esteban, rarísima profesión.

—No te puedes dar idea de lo que he aprendido hoy —dijo.

—Eso es la teoría, y hoy no he hecho nada más que empezar. Luego viene la práctica. Ya me lo sabrás decir cuando haya pasado el verano. Te vas a asustar —respondió el hombrecillo.

—¿Todavía más? Porque ya lo estoy, y mucho.

—No me lo acojones, que me planta antes de salir —intervino Carmelo.

—Ya me callo. ¿Nos miramos los contratos? Si os parece...

—De acuerdo —contestó Esteban.

Rodríguez sacó de una cartera una carpeta y de ella dos contratos, por triplicado, en hojas blancas, rosa y azules. Rellenando la primera quedaban impresas las demás, pues eran de papel de calco. La única diferencia, además del color, era

que en la parte superior izquierda ponía en el primer contrato; empresa; en el segundo, artista, y en el último, agente.

—Ahora los rellenamos y los firmáis. Mañana los envío a
las empresas respectivas, y cuando me devuelvan firmados el
mío y el que os corresponde a vosotros, os doy el vuestro y
me quedo el otro.

Esteban leyó despacio hasta la última de las cláusulas y
preguntó todas aquellas cosas que no vio claras. El otro explicó en detalle. A Carmelo aquello le aburría y no dejaba de dar
golpes a Esteban en la rodilla.

Finalmente se despidieron, y el hombre se ofreció para
aclararles cualquier duda sobre cualquier contrato que tuvieran que firmar y que no fuera suyo. Acordaron que el precio
mínimo por gala sería de quinientas mil pesetas. Se empeñó
en invitarlos, y aunque Esteban se levantó, el camarero, que
sabía que Rodríguez era cliente, no le quiso cobrar. Salieron
juntos y se despidieron.

—Oye, Carmelo, todo esto es nuevo para mí y lo quiero
hacer lo mejor que pueda. Cuando pregunte algo no me des
con la rodilla, porque hasta que termine no pienso irme.

—¡Coño, es que lo preguntas todo! Y al final era un purazo.

—Los purazos harán que al terminar el verano hayas ganado dinero.

—¿Vamos caminando hasta casa? —preguntó Carmelo.

—No, la verdad es que estoy cansado.

—Pero si hemos estado sentados toda la tarde —insistió.

—Tú haz lo que quieras, yo cogeré un taxi.

—No, no, yo voy contigo.

La carta llegó justo a la semana, tres días antes de partir hacia
Marbella. Por otra parte, las galas de Gandía y Alicante salieron
ambas; eran para el Pepe y para el Gallo Rojo respectivamente.

Carmelo regresaba de la calle. Había ido a revisar los baúles que había encargado para encajar el equipo de sonido, y por la tarde tenía que acudir con Esteban para cerrar el trato con la casa de los focos. Este último había ido a la facultad a recoger los resultados de sus exámenes.

—Toma, Carmelo. —Paloma le alargaba un sobre.

—Gracias —dijo.

Buscó el remite, pero no lo había. La letra era de máquina. Rasgó el sobre llegando a la puerta de su cuarto, y una vez dentro, cerró y se acercó a la ventana buscando más luz. Sólo ver los rasgos de la escritura, supo que la carta era de Gusti.

Querido amigo:

Te llamo así porque me has demostrado sobradamente que lo eras mío en tanto yo no he sabido serlo tuyo. No sé si leerás esta carta o la tirarás a la papelera; merezco que la tires. He escrito el sobre a máquina y sin remite para tener la certeza de que al menos leerás el encabezamiento. Los humanos nos equivocamos, y yo soy humano. Sé que no merezco tu perdón, pero te ruego que te lo pienses. Fuimos amigos desde pequeños y yo me acostumbré tanto a tenerte cerca que no supe valorar lo que tenía. Tenías razón en todo lo que me decías, y sólo te pido otra oportunidad, no ya como pareja, a tanto no me atrevo... Simplemente, si me dieras la opción de trabajar contigo y merecer tu confianza me daría por satisfecho. Tu dirección me la dio Emilia, e imagino que por ella sabrás que las cosas me han ido mal, pero no es por eso por lo que recurro a ti. Desde que nos separamos de aquella manera no he dormido en paz. Créeme, Carmelo. Te juro por lo que fuimos que estoy totalmente arrepentido de cómo te traté. No aguanto aquí; se me cae encima todo esto. Cada rincón me recuerda algo nuestro. No me escribas. Y si me llamas, lo haces a los billares; allí me darán tu recado, y te buscaré donde me digas. Esperaré tu respuesta como el condenado a muerte que espera el indulto. Te envío un beso por si me lo aceptas,

GUSTAVO

Terminó de leer y tras unos momentos dobló la carta en cuatro pliegues y la guardó en la cartera.

Los pasos de Esteban resonaban en el parquet del pasillo. La manija de la puerta se movió, pero ésta no cedió; estaba el pestillo puesto.

—¿Carmelo? —llamó en tanto golpeaba levemente la madera con los nudillos.

—Sí, voy.

Pasó un segundo y oyó el ruido característico que hacía la falleba al ser retirado el pasador.

—¿Por qué te cierras? —preguntó.

—Ni me he dado cuenta —mintió Carmelo. Y para cambiar de tema añadió—: En cuanto comamos, vamos a cerrar lo de los focos.

—He aprobado todas las asignaturas —dijo Esteban, tímidamente alborozado.

—A las cinco y media nos espera el técnico. Me he enterado, y le podemos pagar siete u ocho mil diarias y las dietas; si sabe conducir, mil quinientas más. ¿Qué te parece?

—Bien, me parece bien —respondió Esteban algo desilusionado, guardando de nuevo las papeletas de los exámenes que estaba extrayendo del bolsillo.

—Me lavo las manos y comemos.

En tanto Carmelo iba al lavabo, Esteban se acercó al despacho.

—¿Quién te ha escrito? —preguntó tomando el sobre en la mano.

—¿A mí? ¿Quién? —Carmelo se sobresaltó—. No, nada, era una publicidad —dijo.

—Qué raro sobre —comentó Esteban sin maliciar nada.

—¡Pues lo era, era una publicidad! —Había levantado la voz.

—¿Qué te pasa, Carmelo? A mí me da igual lo que sea. ¿Por qué te pones así?

—No me pongo de ninguna manera; me molesta que no me creas.

—Si yo te creo —respondió mansamente—. Sólo que el sobre no es, vamos, parece no ser de publicidad.

La cosa quedó ahí y se fueron al comedor. Paloma no había visto a Esteban, había sido doña Lina la que le había abierto al llegar.

—¿Has aprobado? —preguntó nada más verlo, como si el examen hubiera sido de ella.

—Sí, dos notables.

—¿Y lo demás?

—Raspando —respondió Esteban.

La chica dejó la sopera que traía en las manos y, tras secarse en el delantal, pegó un gritito y le dio un abrazo delante de todos. Esteban se violentó.

—¿No te lo decía yo? ¿Lo ves? —Estaba alborozada.

—Felicidades. —El comandante, desde su mesa, levantaba la copa de vino. Los demás huéspedes lo imitaron.

—Gracias, gracias a todos —dijo Esteban, en tanto se sentaba.

—¿Por qué no me has dicho que te había ido bien?

—Nada más llegar te lo he dicho.

—A mí no me has dicho nada.

Carmelo sabía que se lo había dicho, pero le daba rabia no ser él el primero en felicitarlo y, en aquel momento, no ser la vedette del comedor. Al llegar los postres, apareció Paloma con una tarta.

—La he hecho yo. Fíjate si tenía confianza en que aprobabas.

—Y si llega a suspender, ¿qué? —preguntó Carmelo irónico.

—Calla, calla, que eres un cenizo —dijo ella entre jocosa y ácida. No le gustaba Carmelo.

—Oye, por favor, Paloma, te has pasado —dijo Esteban.

Ella sin hacer caso estaba troceando el pastel y sirviendo una porción a cada huésped.

—A ver si apruebas algo todos los días —bromeó el comandante.

—A mí no me pongas, el dulce no me va —dijo Carmelo.

Por la tarde salieron a acordar la compra y el pago de los focos, no sin algún momento de tirantez, ya que Carmelo exigía más de lo necesario. A las cinco se encontraron en el bar frente al teatro Calderón con David, que así se llamaba el técnico. Tenía un buen currículum, y en principio estaba libre porque aquel verano no había querido salir por causa de la salud de su madre —era hijo único—, pero la mujer había fallecido, y ahora su plaza ya estaba ocupada. Llegaron a un rápido acuerdo. David era fuerte, conocía España y el oficio. Además tenía carnet de conducir. Les mostró una carta de Justo Alonso que acreditaba su competencia y los años que había ido con sus compañías. Quedaron para ir a cargar la furgoneta con los focos y el equipo de sonido al día siguiente. Lo último que meterían serían los cestos de mimbre con la ropa de Carmelo. Y el jueves a las nueve saldrían hacia Marbella para debutar el sábado por la noche.

Llegaron a la pensión y Esteban no quiso cenar. Paloma le preguntó si quería que le llevara un vaso de leche caliente.

—No, gracias. Estoy muy cansado. Prefiero dormir —respondió.

A la media hora, Esteban dejaba el libro y, tras dar las buenas noches, se dispuso a dormir. Carmelo siguió leyendo con la lamparilla de la mesa de noche encendida. Después, Carmelo a su vez se retiraba el cuadrante y, al dejarlo en el suelo, vio a Esteban despierto.

—¿No estabas tan cansado? —inquirió.

—Con luz no puedo dormir.

—Haberlo dicho.

Esteban no respondió. El otro apagó la luz y murmulló.

—Un poco raro ya eres, tío.

—Que descanses, Carmelo.

60

Era de noche. Salían de Granada por el puerto de la Mora, aprovechando que el sol poniente aligeraba los rigores de las temperaturas. Además de por ellos mismos, lo hacían, a indicación de David, por el motor de la furgoneta. Iban con exceso de carga y todavía se estaba desfogando. Arriba en la litera iba echado Carmelo, descansando su tobillo derecho de la torcedura que se había provocado al caerse de sus coturnos en la imitación de Mary Santpere en el «Fumando espero».

Conducía David con prudencia por la alagartijada pendiente atento al ruido del motor y a cualquier crujido que le indicara que algo fallaba en la estiba de la carga. Esteban iba en el asiento del copiloto, con aquel dolorcillo soportable pero penetrante en la boca del estómago, buscando la postura más favorable para sentirlo menos. A cada uno le vagaba el numen por sus laberintos particulares. Carmelo involuntariamente pensaba en Gusti y lo cotejaba, sin darse demasiada cuenta, con Esteban. El primero era inculto, exigente, imprevisible y egoísta. En cambio, cuando estaba de buenas, era divertido y, a nivel de piel, apasionante. Esteban era la bondad, la honradez, el orden y la cultura. Como alternativa, lo sacaban de quicio sus silencios, su mansedumbre en las discusiones y su terquedad en lo económico, y sus momentos íntimos inexpertos y carentes de iniciativa. El primero lo había hecho

sumamente desgraciado y absolutamente feliz. El segundo le
había dado paz y seguridad. ¡Qué lástima no poder cogerlos a
los dos y mezclarlos! Habría sido la perfección. Las dos primeras galas habían sido un éxito, y estaba satisfecho porque
le habían salido dos morlacos completamente distintos. En el
Mau-Mau un público elitista y hablador, gentes que iban a
verse unas a otras y a salir en la foto del *Hola*. Cuando los
miró antes de actuar, pensó: «La memocracia al poder». Pero
los hizo suyos. Y al finalizar su sorpresa fue grande cuando
apareció en el camerino el marqués de la Vega Baja y, pidién-
dole excusas por el incidente de su despedida de soltero, le
presentó muy circunspecto a su esposa.

—¿Conoces a mi mujer? —preguntó. Y dirigiéndose a
ella—: Herminia, éste es Carmelo, el artista del que te hablé.

Ella, caballuna pero muy distinguida, le apretó la mano.

—Es usted lo mejor que he visto en toda mi vida. José
Antonio ya me había dicho cosas, pero jamás pensé que fuera
usted tan absolutamente fantástico.

—Es usted amabilísima —recordaba haberle dicho.

Luego, Granada. El público fue totalmente distinto. Mul-
titudinario y popular. Era una plaza cerrada en la que habían
habilitado un escenario con cámara negra. David montó unas
luces, dentro de sus limitaciones de medios, con un gusto en el
que se notaba su raíz teatral. La gente rió, gritó y se metió con
Carmelo, pero cuando estaba fino era lo que más le gustaba. Al
terminar el número del «Fumando espero» tropezó y cayó
desde sus altísimos zapatos, dándose una bofetada espectacu-
lar. Todos creyeron que el truco formaba parte del show y aún
rieron más. Terminó como pudo, y al día siguiente le hicieron
un examen radiológico en una clínica y le diagnosticaron una
distensión de los ligamentos externos del tobillo derecho. Le
aplicaron luego un fuerte vendaje compresivo. El dolor remi-
tió y pudo poner el pie en el suelo. Menos mal que para la gala

del Pepe de Gandía, adonde ahora se dirigían, faltaban dos días y ya hacía cuatro del percance. Se amodorró con el bamboleo del camión y se quedó dormido.

Estaba Esteban terriblemente cansado; aquello no era normal. Cuando acompañó a Carmelo a revisarse el tobillo recordaba que éste se había apoyado en él y en David para subir los diez escalones de la entrada de la clínica. Esteban llegó arriba roto. No dijo nada, pero sabía que aquel sudor frío que lo invadía era el anuncio de una lipotimia. Se sentó en la sala de espera en tanto los recibían, y debía de estar tan pálido que David le preguntó si se encontraba mal. Él le dijo que tal vez fuera un corte de digestión. Pero no, no lo era. Porque ya en la última semana en Madrid, cuando en un cruce de peatones intuía que el verde del semáforo se iba a terminar, en vez de correr, como era lo normal a sus veintiocho años, esperaba tras el rojo el segundo cambio a verde para cruzar y seguidamente miraba si a su lado había alguien joven para apoyarse en caso de emergencia. La torcedura de Carmelo le vino bien porque hicieron turismo en un taxi, y cuando pasearon por la Alhambra y el Generalife lo hicieron muy despacio. Todo le entusiasmó, y a través de aquella egregia cultura que duró siete siglos comprendió por qué España era un crisol irrepetible y único de razas. Su mente volaba. En la gala anterior tuvo la ocasión de conocer Puerto Banús y Ronda. El primero no le interesó en absoluto; el segundo, sí. La historia de la guerra de las Alpujarras, Aben Humeya, Aben Abo, la casa del alcalde, lo obligaron a pensar que todas aquellas gentes y aquellos hechos fueron y pasaron, que todo es un soplo, y se sintió una hormiga en los planes del Creador. Cuando fue a cobrar antes de la actuación de Carmelo, se sintió violento y mal. Sin embargo el propietario lo encontró de lo más natural y no hubo el menor problema. Al terminar Carmelo, Esteban se quedó en la sala. David lo acompañó en la furgoneta al hotel. Tras recoger la ropa del camerino se tuvo que sentar y tomar aire; el calor, que era terrible, lo agotaba y no se vio con ánimos de esperar el final. Aquellos horarios inusuales lo rendían. La gala fue el sábado noche. Al día siguiente se levantó tarde. Buscó una iglesia, y oyó misa y pidió por todos como hacía siempre.

David conducía. Pensó que en sus largos años de teatro jamás había conocido una pareja tan dispar, tan peculiar y tan distinta como aquélla. Su sueldo era bueno, prácticamente mandaba en lo técnico y aquel tipo era un fenómeno. Si su carácter no lo traicionaba, como a tantos cómicos que él había conocido, la temporada se presentaba buena, y la próxima, si se hacían bien las cosas, podía ser un tiro. Detrás oía algún que otro ronquido. Miró de refilón a su lado y vio al seminarista —él lo había bautizado así— con la cabeza abatida sobre el pecho. Al reflejo de la luna, tenía una palidez cérea que recordaba el perfil al escorzo de un Cristo. Se concentró en la carretera y se olvidó de todo.

Llegaron a Gandía madrugando el alba. Una rara quietud invadía todo. Era la hora bruja, esa en que las sombras se baten en retirada. Río arriba, por el falso estuario, ascendían, panzudas y preñadas de peces, dos grandes barcas de pesca. En la proa de la primera se veía a un hombre como de setenta años, con camiseta blanca de manga corta, pantalón azul arremangado, pies descalzos, faja ancha y negra, asomando por ella el chisquero, la cabeza cubierta por una gorra negra color ala de mosca, de capitán de barco, y la cara atezada y surcada de tantas arrugas como la mar. En la boca, una pipa de espuma apagada. Parecía un mascarón de proa.

Mírala cómo llega.
Mírala cómo zarpa.
Rebosa su bodega.

Ésta es mi barca.
Barca de mis amores.
Mujer desnuda.
Cuídate de la mar.
Porque hace viudas.

Esteban, que venía adormilado, ante la belleza del paisaje mediterráneo recordó al poeta.

—Hay tipos asombrosos. Seguro que tiene un mote. Es tan de aquí como el río o el puente. Son esas gentes que integran los paisajes —dijo Esteban. Y añadió—: Para y preguntemos, ¿no?

—Ahora paro, espera, en cuanto venga alguien por mi mano. Una mujer venía. Tras frenar, David preguntó:

—¿Me puede usted indicar si voy bien para la calle Amílcar?

—Va bien. Siga recto. Tuerza a la derecha hasta la segunda bocacalle. No podrá entrar porque es contra dirección, pero está al lado.

—Muchas gracias —dijo.

Siguieron adelante. Las instrucciones de la mujer eran exactas. Llegaron a la esquina. Se veía desde allí un edificio pequeño rotulado con una madera en la que se podía leer «Pensión Montmar». David detuvo el furgón.

—¿Ya hemos llegado? —Carmelo asomaba su cabeza desde la litera superior en tanto se frotaba los somnolientos ojos.

—Ya estamos, Carmelo. ¿Has descansado?

—Más o menos.

Esteban prosiguió.

—Bajamos Carmelo y yo con las maletas, tú busca un parking vigilado, no vayamos a tener algún disgusto. Dejas la furgoneta y te vienes. Comemos algo y dormimos unas horas. A la tarde ya iremos al Pepe a descargar.

David asintió. Estaban rotos. Esteban no se había visto con ánimos para relevar a David al volante en toda la noche.

Bajaron los maletines de los tres. Carmelo tomó el suyo, y Esteban el de él y el de David, en tanto la furgoneta arrancaba despacio. La pensión estaba prácticamente en la misma esquina. Subieron los tres peldaños; abrieron la puerta de cristal con el nombre del establecimiento serigrafiado en mate y, llegando al mostrador de recepción, dejaron las maletas en el suelo.

—Pero ¿qué te pasa, chico? —Esteban jadeaba.

—No lo sé, pero algo no funciona. Apenas hago un esfuerzo y me agoto.

—Pues en cuanto descansemos, llama a un médico.

—¡No! Si ya sé lo que tengo. Ya fui. Lo que ocurre es que las vitaminas y lo que tomo, para hacer efecto, necesitan un tiempo.

—Pero, leche, si cada días estás peor.

En el ínterin compareció una mujer joven en el mostrador.

—Tenemos reservadas dos habitaciones —dijo Esteban.

—¿A nombre de...? —preguntó ella.

—Esteban Ugarte Salaverria.

Ella consultó un libro.

—Sí. Dos noches.

—Exacto, esta noche y mañana noche —aclaró.

—Muy bien. ¿Me dan un DNI?

Ambos buscaron sus documentos.

—Con uno tengo suficiente —aclaró la mujer.

—Tenga, pues. —Esteban dio el suyo—. Ahora vendrá nuestro compañero, que está aparcando. Él va a la individual.

—Luego, cuando bajen, tendrán el carnet de identidad en el casillero. Firme aquí, por favor —dijo alargándole un cartoncillo. Esteban firmó—. La de ustedes es la nueve. Su amigo está en la veintinuno.

—Mira, tu número —dijo Carmelo.

—¿Les llamo a alguna hora? —inquirió la mujer.

—¿A qué hora se come? —preguntó Esteban.

—El primer turno es a la una. El segundo turno, a las dos y media.

—Al segundo, ¿no? —Esteban se dirigía a Carmelo.

—Sí, está bien. Así descansamos más.

En aquel momento llegaba David.

—¿Has encontrado parking? —preguntó Carmelo.

—Sí, todo está en orden.

—Toma, tienes la veintiuno —dijo Esteban alargándole la llave—. Te llamarán a las dos para comer.

—Me parece cojonudo, porque estoy muerto —dijo el hombre—. Cargar en Granada y toda la noche al volante es mucha paliza.

—¿No lo has relevado? —se extrañó Carmelo.

—No me he visto con ánimos. Me caía de sueño. —Y dirigiéndose a David—: Lo siento —dijo.

—No pasa nada, sólo al final me he notado un poco machacado.

—Venga, vamos para arriba y descansemos una horas —dijo Carmelo.

Subieron. La nueve estaba en el primer piso y la veintiuno en el segundo. Al llegar a la primera planta se despidieron y David continuó.

—Hasta luego.

—Espere un momento, que lo acompaño —dijo la mujer.

—No, no hace falta. Ya me arreglo. Ya la encontraré.

—Bueno, como quiera. Por aquí, síganme —añadió.

Los acompañó hasta la habitación número nueve y, tras abrir la puerta, los precedió para abrir a su vez los postigos. Dejó la llave en la mesita redonda y se despidió, no sin recalcar que a las dos los despertaría. Y, tras cerrar la puerta, se alejó.

Dos camas, la mesita entre ambas, un armario; una habitación como todas las de pensión. Al lado, una puerta que daba al baño.

—¿Te importa? —dijo Carmelo dirigiéndose a ella en tanto se aflojaba el cinturón—. Porque si no, me voy a mear encima.

—No, no, ya me espero.

Diez minutos tardó en salir Carmelo. Cuando lo hizo, Esteban dormía profundamente, echado sobre la cama más cercana al balcón, desmadejado como un muñeco roto.

Desde su boda, a Germán Suñer le había cambiado la suerte. Por un lado, para bien; el nivel de sus partidas y, por lo tanto, las apuestas en la mesa eran mucho más jugosas. Pero, y esto era la otra vertiente, pasaba una mala racha, no tenía suerte. Sin embargo, sostenía una teoría: las rachas había que pasarlas para que cambiaran. Lo que un jugador de casta no tenía que hacer era irse en la mala; lo bueno era pasar la mala cuanto antes.

Aquella noche la partida era complicada. Había empezado a las seis de la tarde en uno de los reservados del casino. A las doce, de la cafetería se habían hecho subir unos sándwiches y, tras una pausa de veinte minutos, habían proseguido. Esteban Pepe Almendros, constructor importante y amiguete, que era quien había introducido a Germán; Leocadio Fuenlabrada, fabricante de pastas para sopa; Fernando Montenero, cuyos abuelos ya eran millonarios e, hiciera lo que hiciese, sus nietos también lo serían; y Ramón Ledesma, industrial del azafrán. Con este último la mujer de Germán tuvo pleitos y problemas por aquel cabrón de hijo que tenía ella; pero a él, a Germán, no sólo le tenía sin cuidado, sino que toda persona enemiga de Carmelo era automáticamente amiga suya.

Humo espeso de cigarros flotando en la habitación. La luz blanca baja, sobre el tapete verde. Las caras en penumbra y, cada diez manos, barajas nuevas. En aquel momento Germán perdía un millón seiscientas mil pesetas. Había un bote corrido acumulado que ya subía seiscientas mil. Era necesario abrir a importe, y el mínimo era pareja de reyes con diez. Leocadio daba cartas. Germán esperó que las cinco estuvieran sobre la mesa para recogerlas juntas y mirarlas pinchando. A su izquierda estaba Pepe, y a su derecha, Ramón Ledesma. No se oía el vuelo de una mosca.

—Paso.

—Paso.

Fernando y Pepe no llevaban juego. Germán sonrió por dentro sin mover ni un músculo de la cara. Pinchó sus cartas. Una dama, un rey, otro rey, otra dama; su adrenalina aumentó. Su suerte había cambiado. Abrió la última con sumo cuidado. Era un diez. Tenía la apertura. Dobles de reyes, damas. Dejó el puro en el cenicero y cogió seiscientas mil pesetas en fichas, avanzándolas hacia el centro de la mesa.

—Abro —dijo mirando las caras de todos.

—Voy —sonó a su derecha la voz de Ramón Ledesma, mientras impulsaba otras seiscientas mil pesetas hacia el centro.

—Paso. —Leocadio se iba.

—Paso.

—No voy. —Pepe y Fernando también.

—¿Cartas? —preguntó Leocadio.

—Una —pidió Germán. La puso encima de las cuatro y dejó las cinco sobre la mesa, sin verlas de momento.

—Servido. —La voz de Ledesma lo sorprendió. No era posible que aquel cabrón tuviera tanta potra.

Tomó sus cartas pinchándolas, la última con muchísimo cuidado. Un nueve. Sus facciones no reflejaron nada. Empujó sobre la mesa fichas en tanto su voz más neutra decía:

—Cuatrocientas mil más.

—Cuatrocientas tuyas y cuatrocientas más —dijo Ledesma.

Germán notó que empezaba a sudar. Era un jodido farol que se estaba tirando. Dominó sus nervios.

—Tus cuatrocientas más seiscientas —dijo.

El otro no se arredró.

—Lo que has puesto y medio «kilo» más.

¡Hijo de puta! Seguro que era un farol. Pensó.

—No llevas nada —dijo.

—Para saberlo hay que pagar —retó el otro.

—Veo —dijo poniendo el envite sobre el tapete—. Dobles de reyes, damas.

—Escalera al as —exclamó sonriendo Ledesma. Y mientras, le golpeaba la espalda con una mano, en tanto la otra comenzaba a recoger fichas. Casi cinco millones estaban encima la mesa.

—Si os parece lo dejamos por hoy —dijo Pepe, serio.

—Sí, sí, ya es tarde —dijo Montenero.

—Yo no digo nada; el que gana no puede levantarse —comentó Ledesma en tanto se estiraba perezosamente.

—Te haré un talón, si no te importa, para pasado mañana —se oyó Germán decir a sí mismo.

—Si hay fondos, perfecto. Tú sabes que las deudas de juego son sagradas.

—Pasado mañana estará cubierto, no lo presentes antes.

Terminaron y salieron. Eran las seis de la mañana. Germán llegó a su casa. Consuelo estaba despierta en bata, sentada en el comedor. Entró en el piso cerrando la puerta sin ni siquiera molestarse en no hacer ruido.

—¿Tú te crees que éstas son horas...? —empezó ella. No le dio tiempo. La mano voló y un bofetón terrible se estrelló en la cara de la mujer.

A las cuarenta y ocho horas estaba cubierto el talón, y un moretón negro liláceo cubría medio rostro de Consuelo, que no pudo ir a trabajar en varios días.

61

La gala de Gandía fue un tormento insoportable para Esteban. Carmelo estaba como siempre, pero el camerino caía un poco lejos del escenario y él no llegaba a los cambios. El local era al aire libre y eran las fiestas. Un castillo de fuegos artificiales obligó a parar el espectáculo, y Carmelo, entre cohete y cohete, la armó. La gente se tiraba al suelo, y desde un balcón de una casa de vecinos que veían el espectáculo se inició un toma y daca con Carmelo, que alargó el show veinte minutos. Eso era lo que más lo divertía.

Ya sólo faltaba un cambio. Según la frase que Carmelo dijera desde el escenario, Esteban debía llevar tras la cortina todo el disfraz, peluca incluida, que usaba el otro para la putita mimosa o bien la bata de cola y el tocado para Lola Flores. Preparó ambas, esperando la contraseña. ¿Qué era lo que estaba diciendo Carmelo? No podía ser. Mary Santpere no lo había preparado. Sabiendo como sabía que su tobillo no estaba en condiciones, ahora se le ocurría a Carmelo cerrar con ella. Apartó todo a un lado. Abrió el baúl. Sacó los coturnos, el traje, la boquilla y la peluca. Corrió como pudo hasta el escenario. Carmelo ya estaba nervioso.

—¿Qué te pasa, coño?

—Nada, nada, perdona. Es que no pensaba...

—No pienses y estate al loro —susurró silbante Carmelo. Abrió el micro inalámbrico y, en tanto se cambiaba, habló al público, haciendo comentarios y metiéndose con la cremallera que se le enganchaba. Se oía al público reírse tras la cortina esperándolo. Ya preparado, salió. Esteban recogió como pudo la ropa del penúltimo número y arrastrándola, y arrastrándose, llegó al camerino. Se encontraba fatal. Se sentó en una banqueta y puso los pies encima del baúl pequeño. Aquel frío y viejo conocido sudor comenzó a inundarlo de nuevo. Los aplausos y bravos le anunciaron el fin del espectáculo, sonando una vez más. Carmelo no hizo ningún bis y entró rápidamente, intuyendo que algo anómalo estaba pasando. Nada más ver a Esteban se asustó. Tiró a un lado la peluca de Mary Santpere y se bajó de los zapatos.

—Esteban, ¿qué te pasa?

—Hay gente que quiere verte —decía David desde la puerta.

—Cierra, coño, no voy a ver a nadie. Que se quede alguien en la puerta, y tú ven. Esteban se ha puesto malo —ordenó.

Cerró David y salió disparado.

—¿Qué tienes, Esteban? No me acojones —suplicaba como un chico pequeño.

—Se me pasará, Carmelo, se me pasará. Es lo de siempre.

David volvía con el gerente de la sala y un guardia, este último para que impidiera el paso a los cazadores de autógrafos. Acompañaba a los dos un desconocido.

—Carmelo, le he dicho al señor lo que pasaba —dijo David, y señaló al gerente—, y ha llamado a un médico.

—Es amigo mío y te ha estado viendo. El doctor Solá —presentó.

—Doctor, es mi manager. Se encuentra muy mal.

El galeno fue al grano.

—Abran las ventanas. Échese en el suelo. Acerquen esa bolsa. Los pies más altos que la cabeza.

Tumbaron a Esteban, y el médico le tomó el pulso y lo examinó someramente preguntándole qué le había pasado y si le ocurría frecuentemente.

—Parece una lipotimia. Traigan coñac.

—David, ¿no oyes? —chilló Carmelo.

—Calma, calma. Bueno, así es muy difícil y no es mi especialidad, yo soy endocrino. Pero este muchacho mañana sin falta ha de hacerse un chequeo completo y un análisis para poder juzgar con conocimiento de causa.

En cuanto llegó David con el coñac, el doctor puso un dedo del dorado líquido en un vaso y, agachándose y sujetando la cabeza de Esteban, lo obligó a beber.

—No se mueva de como está. ¿Podemos hablar en un sitio algo menos agobiado? —preguntó.

—¡Cómo no! —dijo el gerente, y abrió la puerta para conducirlos a otra estancia.

Carmelo iba descalzo, vestido aún con el traje de Mary Santpere.

—David, quédate al cuidado de Esteban —ordenó.

Llegaron los tres a un despacho. Se sentaron. El gerente tras la mesa y el doctor y Carmelo en dos sillones.

—Vamos a ver —dijo el médico—, yo voy a decirle lo que habría que hacer. Se puede hacer de más y de menos, depende de su trabajo y de...

—Mi trabajo no importa —intervino Carmelo—. Usted diga, que lo que usted diga se hará.

—Yo iría rápido a Alicante. Su amigo tiene el pulso muy bajo y poco tenso. Hay que hacer análisis y pruebas y, según los resultados, diagnosticar y proceder. ¿Conocen algún médico de su confianza?

—No, nosotros venimos de Madrid. En Madrid sí conocemos. Y mi amigo ya ha ido a su médico, y está tomando vitaminas y otras cosas. Pero aquí no, no conocemos a nadie.

—Sospecho que tendrá que tomarse algo más que vitaminas. Mire, como es verano y todo el mundo está fuera, yo les voy a hacer una carta para un internista amigo mío que es jefe de servicio de hospital de Alicante y que está seguro, porque su mujer ha salido de cuentas. —Diciendo esto el médico sacó un bolígrafo.

—Por favor, doctor, siéntese aquí.

El gerente se levantó del sillón del despacho para dejar su sitio al médico. Éste, tras dar las gracias, sacó la cartera y de ella una tarjeta, y cuando ya iba a escribir preguntó:

—¿Cómo se llama su amigo?

—Esteban Ugarte Salaverria —respondió Carmelo.

En tanto el médico escribía, el gerente se dirigió a Carmelo en voz bajita.

—Has estado fantástico —dijo—. Si el mes de agosto quieres volver, ya sabes.

—Muchas gracias. Ahora no sé lo que voy a hacer.

—Claro, claro. Lo primero es que tu manager se ponga bien. Cuando quieras cobrar, ya lo sabes.

—Primero recogeremos todo. Luego, si le parece.

—Cuando quieras —repitió.

El médico había terminado y entregaba la tarjeta a Carmelo.

—Doctor, dígame lo que le debo.

—Por favor, con la noche que me ha dado usted de risas, no me debe usted nada. Mejor dicho, una foto suya dedicada a Merceditas, ¿puede ser?

—Eso está hecho, doctor.

Salieron. Fueron de nuevo al camerino. Carmelo firmó la foto en tanto el médico daba unas palmaditas en la cara a Esteban. Luego se despidió.

David ya había recogido casi todo y Esteban estaba sentado en la silla.

—Lo siento, Carmelo.

—Pero ¿qué coño dices? Lo que tienes que hacer es ponerte bueno. Y no me contradigas, porque yo sé lo que vamos a hacer ahora. ¡David! —llamó.

—Dime.

—Mira, ahora me voy a desmaquillar y a vestir. Recoge todo. No hay prisa. Luego iré a cobrar. Cuando te avise me llamas un taxi y le dices que es para ir a Alicante con Esteban. Y hazme una reserva en el hotel que sea.

—Pero, Carmelo, mañana podemos...

—¿Te quieres callar, Esteban? —Y volviéndose a David—: Haz lo que te he dicho —ordenó.

Se estaba ya desmaquillando cuando el gerente regresó. Habiendo hablado con David, se había ocupado de la confirmación de la reserva del hotel. Era el Carlton y también traía el dinero del contrato en metálico.

—¿Cuándo tienes la próxima gala? —preguntó.

—En el Gallo Rojo el próximo sábado.

—Entonces perfecto, porque tenéis seis días y ya estáis en Alicante.

Carmelo se sentó para firmar el recibo y, sin contar el dinero, metió el sobre tal como venía en la bolsa.

—Ya sabes, cualquier cosa que queráis, aquí estamos.

—Gracias por todo —dijo Carmelo.

—No sabe cuánto lamento ser un incordio —añadió Esteban.

—Nada, nada, a recuperarse pronto. —El hombre se fue.

—Carmelo, cuenta el dinero.

—Vete a hacer puñetas, Esteban.

David ya llegaba.

—El taxi está en la puerta.

—Ahora iremos a la pensión a buscar lo nuestro. Tú vete a dormir, y mañana desmontas el sonido y tranquilamente te vas a Alicante. Estamos en el Carlton. Ayúdame a llevar a Esteban al taxi.

—Yo puedo. No os preocupéis.

Esteban se levantó, lo intentó, pero tuvo que apoyarse en su amigo. Fue saliendo y dejándose llevar.

—Tiene usted una úlcera de descarga lenta.

El que así hablaba era el doctor Benítez, que los había recibido de inmediato gracias a la tarjeta de presentación que les había hecho el doctor Solá en Gandía.

—¿Y eso qué es, doctor?

—Eso es que de aquí se va usted directo a ingresar.

—Pero ¿qué me dice?

—Se lo voy a explicar. Usted tiene un hematocrito paupérrimo. Está usted... —Tomó un análisis—. Está usted a un millón setecientos mil glóbulos rojos, y eso es grave. Si llega a dar un bajón así en un accidente, súbitamente, no lo cuenta. Pero su organismo se ha acostumbrado lentamente a vivir con poca sangre. Me explico. Los glóbulos rojos son como obreros que trabajan donde hacen falta. Cuando usted hace ejercicio, van a la musculatura. Cuando usted come y hace la digestión, van al estómago. Y cuando usted hace el amor, al sexo. —Esteban se notó incómodo. El médico prosiguió—: Sus obreros, en vez de cinco o seis millones, son sólo un millón seiscientos, y, claro, no llegan a todo. Usted está cansado, tiene sueño siempre.

—Exacto, eso es lo que le pasa, doctor —dijo Carmelo.

—Lo que no me explico es cómo no se ha dado cuenta de que sus deposiciones son negras —dijo el doctor.

—La verdad, no lo miro nunca.

—¿Quiere decir oscuras? —preguntó Carmelo.

—Negras, negras como la pez brea —añadió el hombre—.

O sea, que ahora mismo vendrá una camilla y le llevará a una habitación, y entonces empezaremos a funcionar.

—Pero, doctor, debería recoger ropas de dormir —insinuó Esteban.

—Está usted bajo mi responsabilidad. No va a ningún sitio. Y no da un paso. —Se había puesto serio.

—Tú vas a hacer lo que te diga el doctor. —Carmelo estaba asustado.

—No, no, lo que usted diga.

—¿Tenéis algún seguro? —preguntó.

—No —dijo Esteban.

—Eso no importa, doctor, se paga lo que sea y ya está —añadió Carmelo.

El médico habló por teléfono y al minuto vino una camilla con ruedas. Dos camilleros echaron a Esteban y, acompañado por Carmelo, lo subieron en el ascensor habilitado para personal. Bajaron en el segundo piso. A una habitación espléndida, televisor incluido y nevera.

—Vas a estar como un cura —dijo Carmelo.

—¡Carmelo!

—Jamás mejor dicha la frase. —Rió para aliviar la situación.

Lo acostaron. Le pusieron un pijama y, al cabo de unos minutos, tenía puesto un gota a gota. Llegó el doctor con otro médico. Lo examinaron y comentaron los análisis.

—No se va usted a levantar, ni para orinar, hasta que yo lo diga. Y ahora le vamos a hacer una transfusión de sangre.

Carmelo estaba pálido.

—Si quieren yo puedo dar sangre —se ofreció.

—No hay tiempo de ver su grupo, porque la vamos a hacer ya. De todas formas, si mañana quiere dar, el hospital se lo agradece... Y ayudará a otro enfermo, seguro que lo hará. —y diciendo esto, salieron.

Le hicieron la transfusión y Esteban, al rato, quedó dormido. Carmelo fue al hotel. Subió a la habitación y, tras buscar en la maleta de Esteban lo necesario, regresó al hospital, no sin dejar dicho en recepción que preguntarían por él. David era el nombre de la persona. Debían decirle que si no estaba en el hotel, telefoneara al hospital, preguntando por la habitación número veintinueve, que era la de Esteban. Hecho todo esto salió a la calle, tomó un taxi y dio de nuevo la dirección del centro hospitalario. Llegando a él, descendió del vehículo y entró en el edificio. Se dirigió al ascensor, y tras subir al segundo piso, enfocó el pasillo que desembocaba en la habitación de su amigo.

Abrió con cuidado la puerta. Esteban seguía durmiendo. Lo notó muy pálido. Estaba inquieto. Durante la tarde subió y bajó varias veces a tomar café, a comprar prensa. Fue anocheciendo. Le habían preguntado si iba a dormir en la cama del acompañante y dijo que sí. Entró de nuevo. Esteban estaba tomando una dieta blanda.

—¿Cómo estás? —preguntó desde la puerta.

—Fantástico. Mejor que nunca. Es como un dulce sueño. Creo que además estoy contento porque me han encontrado un motivo. No eran normales mis cansancios.

Carmelo tomó un medicamento que había en la mesa de noche.

—Ranitidina —leyó.

—Oye, vete a dormir al hotel.

—No pienso. Y además, no me mandes nada que no voy a hacerte caso.

—Pero lo estás pagando y es una pena.

—Tú no te preocupes. Luego le diré a David que no coja habitación en ningún sitio, y así duerme en la cama de al lado de la mía y amortizamos.

—Me parece perfecto. Para la gala del sábado ya verás como estoy bien.

—No te preocupes ahora. Ya me las arreglaré.

Terminó la cena. Entró la enfermera a retirar la bandeja. Revisó el gota a gota y dio las buenas noches. Esteban se quedó dormido de nuevo, casi al instante. Carmelo se sentó en el sillón, bajo la luz, para ojear la prensa. El teléfono sonó. Se precipitó a cogerlo para que Esteban no se despertara. Lo miró. Vio que rebullía inquieto un momento, pero no abrió los ojos.

—¿Sí? —dijo quedamente.

—Carmelo, soy David. ¿Qué ha pasado?

—Pues ya lo ves. He tenido que ingresar a Esteban.

—Pero ¿qué pasa?

—No es para teléfono. ¿Cómo has hecho el viaje?

—Sin novedad, pero tardé en desmontar y cargarlo todo. Además, antes de venir al hotel he buscado un parking. No he querido dejar la furgoneta en la calle.

—Bien hecho. Vente para acá. Te espero en la cafetería del hospital. No cojas habitación porque dormirás ahí.

—¿En este hotel? —La voz sonaba extrañada.

—Sí. Ven y te cuento.

—Vale. Estoy en diez minutos.

—Te espero abajo.

—Pues salgo para allá.

—Hasta ahora.

A los veinte minutos estaban sentados el uno frente al otro en un café de al lado mismo del hospital, ya que cuando Carmelo bajó para esperarlo ya estaban cerrando la cafetería. Se dirigió a la puerta y, apenas lo divisó, salió a su encuentro para no perder tiempo.

Le explicó el motivo del cambio de planes durante el trayecto, y tras pedir la comanda le hizo un resumen de todo lo acaecido desde su precipitada despedida en Gandía hasta aquel mismo instante.

—Pero ¿es grave o no es grave?

—Podría haberse muerto, fíjate.

—Coño, no me asustes.

—Como te digo. Lo que pasa es que hemos llegado a tiempo. Y si le cierran el agujero y su médula fabrica glóbulos rojos más la transfusión, pues bueno, de aquí irá para arriba.

—Menos mal. Pobre chaval. ¡Tan buena gente!

—Es la mejor persona que he conocido. A mí me ha arreglado la vida. Es el mejor amigo que he tenido —dijo Carmelo con voz contenida y una lágrima a punto de rebosar en sus ojos.

—No entiendo cómo no me he dado cuenta —dijo el otro para distender—. Últimamente cogía una maleta y ya resoplaba.

—Sí, es que tiene huevos la cosa. Se desvive por mi tobillo y él se está muriendo.

David cambió el tercio.

—Y ahora ¿qué hacemos? Porque imagino que por lo menos en veinte o treinta días no podrás contar con él, y en ese tiempo tienes tres galas y tus cambios no se aprenden en dos días. He pensado que podría enseñar las luces y el sonido al técnico de la casa y ayudarte yo tras la cortina.

—Ni hablar. Sería peor. ¿No ves que yo dependo de las respuestas del magnetofón y las entradas clavadas de la música?

—Entonces ¿qué?

—No lo he pensado, pero puedo cambiar el espectáculo y hacer menos personajes. No sé...

—Yo no haría eso. Ahora el show está redondo, y es tu primera vuelta por España y tienes que dar lo mejor de ti mismo. Es sembrar para recoger el año próximo, máxime tú, que no quieres ir a televisión.

—No sé... Vamos a esperar a ver qué dice el médico mañana, y tú te acercas al Gallo Rojo para descargar y, de paso, me dices si el camerino cae muy lejos del escenario.

—Si no te importa, buscaré alguien para la descarga. Uno solo es una paliza.

—Haz lo que te convenga. ¿Tienes dinero?

—Mejor dame algo.

Carmelo sacó del bolsillo interior de la cazadora el sobre que le habían dado el día anterior.

—Pero ¿adónde vas con esto, Carmelo? ¿No ves que pueden atracarte?

—No pasa nada. —Apartó cuatro billetes de cinco mil pesetas y se los entregó.

—Pero si no me hace falta tanto —dijo David devolviéndole uno.

—Guarda por si acaso, y ya pasarás cuentas con Esteban. Tú ve apuntando lo que yo te vaya dando.

—Comprendo que te manguen. Eres tú el que ha de apuntar lo que das.

—Coño, tú eres un tío legal.

—Da igual. No todo el mundo es como yo.

—Bueno, dejémonos de historias sin importancia y vete a clapar, que tienes cara de cansado. Mañana cuando vuelvas del Gallo nos veremos.

—Me gustaría ver a Esteban por la mañana —replicó.

—Mejor por la tarde. Por la mañana le han de hacer pruebas y cosas. Creo que le meten por la boca una cámara pequeñita de televisión, una bombillita y un tubito de goma para inflar el estómago y ver bien la úlcera.

—Podrá ser todo muy pequeñito, tío, pero hay que tragárselo, ¿no? ¿Lo dormirán?

—No sé, pero lo marearán y no estará en la habitación.

—Dile que lo siento y que quería ir a verle antes pero que iré por la tarde.

—Descuida, yo se lo digo.

Pagó Carmelo y se despidieron. David cruzó la calle y él entró en el hospital. La cabeza le bullía para resolver el problema del espectáculo. El ascensor llegó. Se abrieron las puertas automáticas y salieron tres personas. Él entró y apretó el pulsador del segundo. Al llegar, recorrió el pasillo hasta el veintinueve. Abrió la puerta con tiento. Esteban dormía y únicamente estaba encendida una luz de guardia mínima. Fue al lavabo y se cambió allí por no molestar. Se lavó y se puso el pijama y, apagando la luz, entró de nuevo en el cuarto. Fue a su cama y se acostó; los muelles crujían. Su cerebro, preñado de ideas, no paraba. Tenía que encontrar la forma de cambiar el show tal como le había dicho David, mínimamente.

Querido Emilio:

Te he escrito a la dirección de Edelmiro para que te dé la carta y madre no se asuste. El sobre en el que a su vez iba éste era grande y tenía una nota explicativa para que no meta la pata. A casa he enviado una carta normal diciendo únicamente que nos quedaremos en Alicante veinte días como mínimo y que todo marcha fantástico. Paso a explicarte.

Últimamente me encontraba muy cansado y no sabía a qué atribuirlo. Bueno, pues resulta que aquí en Alicante, aprovechando que Carmelo trabajaba en un local, me hice un chequeo rutinario y me han encontrado una pequeña llaga en el principio del duodeno que ya está cicatrizada. ¡Oh maravilla de los medicamentos modernos! Lo incómodo es que para detectarla y comprobar luego si ya se ha cerrado te meten por la boca un artilugio semirrígido con el que te miran todo el estómago. Me sentí como una oca de las landas cuando quieren hacer *foie gras* con su hígado. No es doloroso pero sí molesto, en dos puntos particularmente: cuando el cacharrito de marras pasa la glotis y cuando abre el píloro; todo esto según me han contado. Comprende que no diga nada a madre, porque se preocuparía y no vale la pena; ya pasó.

Carmelo se ha portado sensacional. Va a dar un donativo importante para engrosar la suma que recogimos en casa para el padre Soria y poder comprar antes el manto para la Virgen de Santa Engracia en agradecimiento por mi curación. ¡Qué fenómeno!, ¿no?

Cuando me escribas, hazlo al hotel Alemán, a la calle del Dos de Mayo; no sé el número, pero no tiene pérdida. La localidad es Sitges, y la provincia, Barcelona. Y si en casa tengo carta de Rafael Urbano, me la envías allá. Etcétera, etcétera.

La carta comentaba todo el recorrido turístico por Granada y Ronda, y se despedía quitando toda importancia al percance. Esteban cerró el sobre y lo puso en la mesilla para entregárselo a Carmelo y que éste lo echara al correo.

La puerta de la habitación se abrió algo y Carmelo asomó la cabeza. Esteban tenía colocadas dos botellas en el gotero.

—¿Te ponen súper o normal? —bromeó Carmelo.

—No empecemos, y no me hagas reír que no es bueno.

La puerta se acabó de abrir. Tras Carmelo venía David.

—¿Qué? ¿Cómo sigues? —preguntó.

—Hola, David, gracias por venir. Estoy como nuevo. Deseando salir de aquí.

—¿Te han hecho el análisis? —Era Carmelo el que preguntaba.

—Tres millones y medio de obreros ya tengo.

—O sea, que eres un capitalista de mierda.

—Pues pienso ampliar a seis millones en cuanto pueda. —Esteban rió.

—Los que hemos de ampliar somos nosotros —dijo David—. Hoy hemos ensayado en el Gallo Rojo, y pasado mañana, o lo resuelve éste de alguna forma o ha de cambiar el espectáculo. —Señaló a Carmelo.

Esteban puso cara de preocupación.

—No me lo asustes, que está malito. Vete a lo tuyo que yo le comento a Esteban lo que te he dicho.

David se despidió y salió. Cuando estaba ya en la puerta lo detuvo la voz de Esteban.

—David —llamó—. Tírame esta carta al correo, si eres tan amable.

—Está hecho —dijo el otro retrocediendo para tomarla. Salió y cerró tras de sí.

Esteban interrogó con la mirada a Carmelo. Éste tomó una silla y la colocó al lado de la cama, frente a Esteban.

—Hemos llegado con David a la conclusión —dijo— de que el show está clavado y que no es bueno cambiar nada. Sería demasiado complicado, ¿vale?

—Completamente de acuerdo. ¿Y?

—Esteban, es que querría que lo entendieras como es y no te imaginaras lo que no es. Por eso le he dicho a David que se largara.

—El que no se entera soy yo.

—Sólo hay dos personas en el mundo que en este momento puedan hacer mis cambios. —Esteban frunció el ceño ligeramente. Carmelo prosiguió—: Una eres tú, ¿vale?

—Vale.

—Y la otra es Gustavo.

Sin saber por qué ambos se pusieron serios y hubo un silencio largo.

—Lo llamo, hablo con él. Como es verano y son estas fechas, no tendrá nada que hacer. Le ofrezco un dinero para un mes. Cuando tú estés bueno, te ayuda y tú no cargas durante tu convalecencia. Va en la furgoneta con David; él también conduce. Y tú y yo vamos en avión o como nos convenga, como unos señores.

Lógicamente Carmelo no había hablado con Esteban sobre la carta de Gustavo.

—Me parece una solución fantástica si es que él puede. Y yo estoy encantado de que lo perdones. Al fin y al cabo a mí no me ha hecho nada.

—Esteban, tú me entiendes. Lo mío y de Gusti es agua pasada. Se trata de una solución laboral.

—Carmelo, yo tengo toda la confianza del mundo en ti. No se me ha ocurrido ni remotamente otra idea. Llámalo —dijo Esteban indicando el teléfono.

—A esta hora no lo pillaré. Yo sé dónde llamarlo para que no tenga que explicar nada en su casa.

La cosa quedó ahí y la tarde fue pasando. Hablaron de cosas fútiles que, ambos lo sabían, no eran importantes. Sobre las seis y media, Esteban insistió.

—¿Por qué no pruebas de encontrarlo?

—No está, Esteban. Hasta la doce no va al bar.

—Hace mucho tiempo de lo que me dices. Igual ha cambiado de costumbres.

—Que yo sé lo que me digo, Esteban, yo lo arreglaré. No te preocupes.

Esteban se quedó serio.

—Oye, si lo prefieres cambio el espectáculo. A ver si ahora por esta chorrada haces otra úlcera.

—¡Pero qué dices! ¿Cómo vas a cambiar nada cuando el único culpable de este follón soy yo?

—Esteban, no digas chorradas. Aquí nadie tiene la culpa. Has tenido la mala suerte de caer enfermo, y lo mejor para poder seguir el trabajo es lo que yo te ofrezco. Si no quieres, cosa que entiendo, pues cambio y...

—Calla, coño, Carmelo. Lo comprendo perfectamente. No hablemos más.

Carmelo calló, y ni tan siquiera hizo el comentario jocoso que siempre hacía cuando a Esteban se le escapaba un taco.

A las doce en punto, en los billares sonó el teléfono.

—¿Está Gustavo?

—¿Me lo parece a mí o eres Carmelo?

—No te lo parece, lo soy. ¿Eres Sebastián?

—Exacto. ¿Cómo estás? ¡Cuánto tiempo sin oírte! Espera, espera. ¡Sí!, es para ti. ¡Coño, que no se pega fuego en ningún sitio!

Carmelo oía el diálogo. La voz sonaba tapada por la mano que sujetaba la bocina del teléfono.

—¡Carmelo! —La voz era de Gusti y se oía de nuevo clara—. ¡Qué alegría me das! ¿De dónde llamas?

—De Alicante, Gusti. ¿Cómo estás?

—Ahora que te oigo, muy bien. ¿Recibiste mi carta?

—Sí, por eso te llamo.

—Ya desesperaba de que lo hicieras. Pensaba que igual no querías saber nada de mí, o que no la habías recibido.

—No, la recibí en su día, pero salía de galas y no he tenido tiempo. Además, tenía que pensarlo despacio.

—Lo comprendo, pero me has llamado y me compensa todo.

—Gusti, ¿qué estás haciendo ahora?

—¿Cómo qué estoy haciendo? Hablo contigo.

—No. De trabajo, quiero decir.

—Nada, no hago nada. Y estoy fatal en mi casa. Reñí con la chica. Lo dejé yo —mintió—, y se me cae esto encima.

—Bueno, te explico. Estoy en Alicante y pasado mañana debuto dos días en el Gallo Rojo. Mi ayudante se ha puesto malo y durante un mes no podrá trabajar. Si quieres, coge un tren y vente para acá. De aquí voy a Cataluña, a Sitges. Trabajas un mes, ya sabes que yo pago bien, y sales de Murcia y descansas. —Hubo un silencio—. ¿Estás ahí?

—Sí, pero estoy tan contento que no tengo palabras. Gracias por la oportunidad, Carmelo, no te fallaré.

—Pues venga, te espero mañana.

—Cuando llegue, ¿adónde voy?

—Al hotel Carlton. Pregunta por mí, y si no estoy, que procuraré estar en la estación, te esperas a que yo llegue. Me imagino que de Murcia no vendrán muchos trenes por la mañana.

—¿Al hotel Carlton has dicho?

—Sí.

—¡Coño, cómo vives!

—¿Me has entendido?

—Mañana, en cuanto me levante, cojo el primer tren. Y gracias otra vez, Carmelo. No merezco la oportunidad que me das.

—Venga, te espero.

—Hasta mañana, y gracias otra vez.

—Adiós.

Colgó Carmelo y tras pagar en el bar, subió a su habitación del Carlton. Al día siguiente tenía ensayo, y en la cama del hospital, entre las entradas nocturnas de enfermeras y los madrugones, no descansaba. En la cama de al lado dormía David. Al día siguiente le diría que buscara una habitación para Gusti y para él. No quería hacer diferencias entre ambos y, por otra parte, deseaba estar solo. Además, demasiadas confianzas acababan mal. Tras lavarse y cambiarse se acostó. Le excitaba volver a tener a Gustavo cerca, y la pequeña venganza de perdonarlo le producía una rara satisfacción. Tomó el despertador y lo preparó para que sonara con la suficiente antelación. Debía levantarse con tiempo suficiente para arreglarse e ir a la estación a esperar la llegada del primer tren de Murcia.

Querido Esteban:

Me alegró mucho tu carta, y celebro que lo estéis pasando tan bien. No te puedes imaginar los comentarios que aquí se hicieron de la noche que pasamos con Carmelo. Todo el mundo pregunta si vais a volver. Con decirte que el padre Soria, cuando fui a entregar la colecta y le expliqué de dónde procedía, me dijo que si Carmelo vuelve y repite una noche igual quiere ir a agradecerle el donativo y a verlo actuar; con esto te he dicho todo.

Tienes una sobrinita nueva. Creo que es una monada. Nació anteayer en Frankfurt y pesó tres kilos doscientos, que para una niña está muy bien. La quieren llamar Lucía, como su madre. A mí me gusta mucho, y en cuanto tenga un mes, me la traerán para que la conozca. Me encantaría que volvieras con Carmelo y que os quedarais unos días para esas fechas.

Tía Elena ha estado pachucha; tuvo una piedra en el riñón. No se sabe, pero por lo visto es dolorosísimo. La fui a ver y estuve con ella; es fantástica. No salió una queja de sus labios en los tres días que tardó en expulsarla. Ella dice que el Señor sufrió más; ya sabes cómo es.

¿Qué tal os funciona la furgoneta? El otro día Emilio se fue a Santander con Gloria y se llevó tu coche; dijo que para hacerle unos kilómetros y que no se descargara la batería. Volvió encantado. Por lo visto gasta menos que un mechero.

Bueno, hijo, cuídate mucho. Sé bueno. Da un beso de mi parte a Carmelo, y tú recibe todo el amor del mundo de tu madre, que tanto te quiere.

MAMÁ

P.D.: Te mando la carta de Rafael Urbano que llegó hace tres días.

Querido hermano en Cristo:

Recibí tu última carta explicándome tu vida seglar. Creo que has acertado con tus estudios de filología, y sé que tus alumnos de BUP sacarán provecho de tus enseñanzas. Mi vida sigue aquí, llena de dificultades que únicamente puedo empujar con la ayuda de Dios. En estos momentos lo que más me cuesta es el voto de obediencia, y muchas veces me planteo qué es lo que espera el Señor que yo haga. Me pregunto si los hombres que viven alejados de estas realidades terriblemente palpables están cualificados para ordenar cosas que vividas de cerca son contrarias a las más elementales normas de la caridad... Has de saber que si esta carta no fuera a ti dirigida, jamás exteriorizaría nada parecido. Pero quizá porque eres tú y estás secularizado, eres para mí una válvula de escape.

Tengo noticias de que este año me envían a España. Tú sabes que lo hacen cada quinquenio, y yo llevo aquí ya para seis años. ¡Dios mío, cómo pasa el tiempo! Cuando vaya, si es que voy, haré por verte. Te llevo un rosario de cuentas de cinamomo. No tienes idea del olor de esa noble madera... Así cuando reces te acordarás de mí. ¿Recuerdas a Luis Jiménez, que entró de estudiante en tu época? Pues pidió misiones y lo han destinado a Perú. Su tarea va a ser ingente. Vienen tres, aunque a los otros dos no los conozco. Su misión será asistir, en lo posible, a los reclusos de las cárceles de ese país. La situación allí es terrorífica. Hay hombres que hace cuatro años que esperan juicio por haber robado cuatro huevos. Se comercia con perros para comer y la moneda común es pasta de coca. El peor sitio de la cárcel es la enfermería y el presupuesto por preso es de tres pesetas. De cada cien kilos de la comida que se manda para ellos pierden sesenta, y luego las revenden.

En fin, que lo más frecuente que te encuentras en esta parte del mundo es la injusticia y la prepotencia. Tengo un libro, cuyo título no viene al caso, que guardo por una nota que incluye en el prólogo. Te la brindo. Dice así: «Estando descontento Zeus del comportamiento de todos los otros dioses en el mundo, los obligó a regresar al Olimpo. Quedáronse en la tierra la injusticia, la lujuria, la opresión, la ira, la envidia y la miseria, y no sabiendo qué hacer con todo ello, hizo al hombre». No necesito decirte que el autor es pagano, pero viviendo en esta parte del mundo, suscribo muchas cosas.

Bueno, hermano, hoy mi carta es pesimista, pero así es mi ánimo. Perdóname. Y con la esperanza de darte pronto un fraternal abrazo, se despide de ti,

RAFAEL URBANO

62

Gusti llegó al día siguiente por la mañana en el primer tren. Se detuvo en la estación de Alicante, y Carmelo lo vio descender mucho más flaco y desmejorado de como lo recordaba.

Cuando Gustavo lo divisó empezó a correr hacia él golpeando con la bolsa de deporte a todos los viajeros que lo precedían. Carmelo no sabía bien qué actitud adoptar. No tuvo tiempo de pensarlo. El otro, al llegar junto a él, dejó la bolsa en el suelo, tirada, y le echó los brazos al cuello, cosa extemporánea que hizo que las gentes se volvieran a mirarlos porque la escena era de viaje transoceánico. Carmelo, violento, le palmeaba la espalda con una sola mano.

—Carmelo, gracias, gracias, me has salvado la vida —le decía quedo junto al oído.

—No exageremos, Gusti, lo pasado pasado está. Creo que al fin y a la postre me hiciste un bien —dijo mientras se desasía de su abrazo.

Salieron de la estación y tomaron un taxi.

—Al Gallo Rojo —ordenó Carmelo. El coche arrancó.

—Te he de contar tantas cosas... —dijo Gusti.

—Tiempo habrá para ello. Lo primero es el trabajo, y mañana debuto.

—No te preocupes. Conozco tu show perfectamente.

—He cambiado muchas cosas.

—No importa. Mientras me digas el orden de los personajes y me indiques qué es lo que te pones, la mecánica es siempre la misma y yo me la sé de memoria.

—Por eso te he llamado.

—¿Sólo por eso?

—Sí, sólo —dijo Carmelo.

Al día siguiente, el espectáculo no salió redondo para Carmelo, pero sí lo suficientemente perfecto para que el público que no lo conocía se fuera encantado. Los comentarios eran excelentes, y David, siguiendo su costumbre, se colocó en la salida para escuchar las conversaciones y luego contar todo a Carmelo. «Es fantástico. Debe de ser maricón. Dice demasiados tacos. A mí me ha entusiasmado.»

Éstas y otras eran las expresiones de la gente.

—Has estado fenomenal —dijo Gusti en el camerino cuando ya los cazadores de autógrafos se habían retirado.

—No, no he estado bien. Hay días que sale mucho mejor.

—Será que yo no te veía hace tiempo, pero he notado un cambio tremendo.

—Bueno, El Bohemio no es Madrid, ahí el público es mucho más exigente; se aprende.

—Bueno, a mí me hace falta cogerte un poco el ritmo, pero cuando...

Carmelo lo interrumpió.

—Lo has hecho muy bien, Gusti.

Entró David.

—Bien, ¿no? La gente ha salido encantada.

—Solamente bien; yo no he estado centrado.

—Ha sido mucho follón el de estos días. Tú has estado

muy bien; la verdad es que me has sorprendido. —Se dirigía a Gustavo, que en el ínterin iba recogiendo todos los bártulos de Carmelo como si no hubiera hecho otra cosa en toda su vida.

—Mañana por la tarde haremos un pequeño ensayo para que Gustavo pesque bien todos los cambios de los personajes que no conocía —dijo Carmelo—. Si quieres, en cuanto acabéis de recoger os podéis ir, que yo cogeré un taxi.

—No, Carmelo, me espero y vuelvo contigo, así charlamos...

—No. Vete a dormir que casi no has parado desde que llegaste, ya hablaremos mañana.

—¿Mañana a qué hora irás al hospital? —preguntó David.

—Sobre las doce —respondió Carmelo.

—Entonces nos veremos allá.

—Yo también iré. No conozco a Esteban, pero me gustará conocerlo.

Fueron terminando, Carmelo de vestirse y Gusti y David de recoger. Salieron juntos, y podía Carmelo haber regresado en la furgoneta, pero no tenía ganas de hablar más aquella noche y su pensamiento estaba en el hospital. Decidió tomar un taxi.

El domingo al mediodía, tras la segunda gala del Gallo Rojo, David y Gustavo salieron para Sitges, en tanto Carmelo se quedaba hasta el miércoles con Esteban. Aparte del trabajo, con Gusti habían hablado de trivialidades, ya que él procuraba no pegar la hebra; no tenía ganas. Antes de la llegada de Gusti sintió una curiosidad expectante por la reacción de sus sentimientos al verlo de nuevo. Al final había pasado lo mejor: nada; ni amor ni odio; nada. Y, por el contrario, sus sentimientos hacia Esteban se habían reafirmado. Gustavo no conocía a Esteban más que en calidad de amigo y colaborador de Carmelo; pero este último, que lo conocía a la perfección, cuando se lo presentó en el hospital supo que a Gusti no le cayó bien. No dijo nada, no pasó nada. Gustavo estuvo amable y correcto, pero Esteban le había usurpado algo que había sido indiscutiblemente suyo y el usurpador era aquel personaje longuilíneo, pálido y barbudo parecido a Juan el Bautista, que yacía en aquellos momentos en el lecho del dolor.

Eran las tres de la tarde y ya hacía dos días que la furgoneta había partido para Sitges. Esteban estaba adormilado y Carmelo leía los comentarios de prensa que versaban sobre sus galas en el Gallo Rojo. Estaba cabreado porque al día siguiente ya se iba, y no le gustaba dejar a su amigo solo. Súbitamente, se abrió la puerta.

—Emilio, ¡qué alegría! —Esteban se había despejado de golpe.

—¡Emilio!

—Hola, hermano. ¿Cómo estás? ¡Qué susto me has dado! —Había llegado al lado de la cama y, tirando su maletín sobre un sillón, abrazaba a Esteban. Fue un abrazo largo y hermoso. Cuando se separaron, se volvió hacia Carmelo—. ¡Hola, Carmelo! —También se abrazaron afectuosamente—. Bueno, ¿qué ha sido? —preguntó ansiosamente, como aquel que intuye que se le ha ocultado algo.

—Te aseguro que exactamente lo que te expliqué en la carta.

—Ya lo arrastraba hace tiempo —intervino Carmelo.

—¿No le habrás dicho nada a madre?

—¿Crees que soy imbécil?

De una forma inconexa y atropellada le fueron contando a dúo todo el proceso de la úlcera de Esteban, que Emilio no terminó de creerse hasta que el médico lo ratificó. Al cabo de dos horas todos sabían todo.

—No sabes cuánto me alegra que te quedes aquí unos días, porque mañana salgo para Sitges... Tengo dos galas, y me daba no sé qué dejar a éste solo.

—Vete tranquilo, que yo me lo he montado para quedarme hasta que mi hermano esté de pie.

—¿Y Gloria? —dio Esteban—. ¿Sabe algo?

—Sí, se lo he dicho para que no le extrañe mi ausencia. Pero tranquilo, que ella no dirá nada.

La tarde fue transcurriendo y Esteban se empeñó en que se fueran a cenar los dos y que no regresaran hasta el día siguiente; Carmelo, a despedirse, y su hermano, a hacerle compañía. Aunque no lo confesaba, se alegraba infinito de su inesperada visita. No lo había dicho por no hacer gravosa la partida a su amigo, pero la idea de quedarse solo no le apetecía en absoluto.

—Nada, te dejas tu maleta en mi hotel y nos vamos a cenar por ahí.

—Que no, que no te molestes, que yo me busco...

—Te lo buscas mañana, si quieres. La cama de mi lado está vacía, y hoy duermes allí y te dejas de historias.

Esteban los oía. Los conocía a ambos. Por un momento pensó en lo que ocurriría si Emilio supiera la auténtica verdad de todo. Pero las verdades eran muchas: la de los hechos, la de los sentimientos, la de sus tendencias. Si un día su hermano lo juzgaba tendría que lidiar con todas ellas. Se despidieron de él y salieron, y lo último que Esteban oyó cuando ambos estaban ya en el pasillo fue:

—No te imaginas la que armaste la noche que actuaste en casa —decía Emilio.

La furgoneta había llegado a Sitges y Gustavo alucinó con los diversos ambientes de la blanca Subur. David se había confundido y había abandonado la autopista en la salida anterior, entrando en el pueblo por el lado del Terramar. La riqueza de la costa catalana era notoria. Las torres con altos muros de piedra o de ciprés se ocultaban a las miradas demasiado curiosas de los paseantes. En el interior de los jardines se adivinaban piscinas, y pistas de tenis y de *paddle*. Había calles cerradas a los vehículos, y los guardias municipales los desviaron dos veces de su ruta.

—Oiga, pero es que tengo que descargar en «El Prado» —alegaba David ante la cerrazón del municipal que, a golpe de pito y con gesto adusto, le indicaba que circulara.

El hombre se acercó a la ventanilla con paso chulesco.

—Lleve el equipo de sonido y los baúles del artista que actúa mañana y el sábado —argumentó David señalando el local.

—Ahora no puede pasar, es imposible.

—Entonces ¿qué hay que hacer?

—Tienen que venir antes de las ocho de la mañana.

Piii. Dio un pitido seco, y gritó a un automovilista que subía dos ruedas sobre la acera.

—¡No me aparque ahí!

—Bueno, vale. ¿Dónde puedo dejar la furgoneta?

—Si quiere dejarla sin problemas, en el aparcamiento municipal.

—¿Y si no?

—Donde encuentre sitio. Pero se la puede encontrar sin ruedas.

—Pues sí que me anima. Y el aparcamiento ese... ¿dónde cae?

—Gire aquí mismo. Suba por la próxima y salga a la estación. Allí le indicará un compañero.

David hizo la oportuna maniobra y tras un cuarto de hora de calles, cruces y preguntas dejó la furgoneta pertinentemente guardada, hecho lo cual se dirigieron ambos al hotel Alemán, que estaba ubicado en la comúnmente llamada calle del Pecado. Sólo pisarla, Gusti se enamoró de ella.

—Estos catalanes son la leche. Esto es Europa. Esta calle no la encuentras en toda España.

Llegaron al hotel, se inscribieron y David, que venía acalorado y sudoroso, tras dejar las maletas quería ducharse y refrescarse.

—Ya te ducharás luego —le urgía Gusti.

—Tío, yo quiero refrescarme y lavarme. Si tanta prisa tienes, me recoges dentro de una hora para cenar, ¿estamos?

—Pues yo prefiero darme una vuelta. Dentro de una hora, en la recepción.

—Vale.

—Hasta luego.

Salió a la calle. La pensión estaba arriba del todo, en la parte de montaña. Fue descendiendo y mirando los bares, las terrazas, los chiringuitos y los tipos hasta llegar al paseo del Mar. Hizo el recorrido tres veces. Camisetas, torsos morenos y desnudos, pendientes en las orejas de los chicos, miradas cómplices y, sobre todo, una gran mayoría de gente guapa... ¿Por qué los rubios nórdicos, ellos y ellas, eran tan atractivos? Se metió en un bar. La música de «Hotel California» sonaba muy fuerte. En el fondo un televisor gigante de dieciséis pantallas múltiples hacía mil y un efectos. Ora las dieciséis imágenes se convertían en una sola. Ora eran distintas. Un calidoscopio cromático las iluminaba con colores preciosos en tanto cambiaban los vídeos.

—¿Qué vas a tomarrr?

La voz de una chica increíblemente rubia le interrogaba sonriente. No supo por qué, pero sus dientes perfectos le recordaron el blanco teclado de un piano.

—Lo que tú quieras —dijo.

—A mí me da igual. Yo soy aquí para servirrr...

—¿Hasta qué hora? —interrogó.

—Vas muy deprrrisa, chico español. Venga. ¿Qué tomas?

—Ponme una Coca-Cola —dijo, quedándose clavado mirando a la chavala.

—Aquí tienes.

Gusti notó indefinible su acento.

—¿De dónde eres? —preguntó.

La diosa de los dientes sonreía.

—A verrr si lo adivinas.

—De Copenhague —dijo.

—Uy, ¿y por qué de Copenhague?

—Porque llegué ayer de allí y no estaba la Sirenita.

La chica rió francamente. Gusti, cuando quería, era encantador. A las nueve ella acababa el turno. Salieron juntos a tomar una pizza. A las diez se acordó de David. A las diez David, con un hambre de caballo, se acordó de su madre y, dejando un recado en conserjería, se fue a cenar.

Gusti se despertó. Al momento quedó confuso sentado en la cama. No centraba bien los recuerdos. El entorno le era desconocido. Súbitamente rememoró... A su lado, Helga, que así se llamaba la chica, dormía plácidamente. Su larga melena rubia se desmadejaba sobre el perfil de su cara, cubriéndola casi completamente. Estaba de costado y la colcha le abrazaba la cintura. Y aun en aquella forzada postura se mantenía erguido su seno izquierdo, que era lo más aproximado a la perfección que jamás hubiera visto. Gusti miró su reloj. Las once. Todo se le agolpó en la mente. La furgoneta, la descarga, David, el ensayo. Saltó más que bajó de la cama. Se enfundó rápidamente sobre los braslips el tejano, que estaba en una silla. Se puso la camiseta y, tras calzarse las Nike, buscó el baño. Lo encontró enseguida. Se mojó la cara y se pasó un peine.

—¿Ya te vas? —Helga había aparecido en la puerta, vestida únicamente con una larga camiseta blanca.

—Llego tarde. Nos hemos dormido —dijo apartándola para salir.

—Pero, Gustavo... —respondió, marcando la v.

—Luego te buscaré, princesa.

—Pero, chatito...

A punto estuvo de enviarlo todo a la mierda y volver, pero no. Salió arreando como un basilisco, orientándose en la calle y preguntando por «El Prado». Lo encontró. La furgoneta no estaba en la puerta. La calle, a aquella hora, volvía a ser peatonal. Entró. Un túnel largo lleno de fotos de artistas desembocaba en un jardín, donde unos hombrecillos con pantalón corto o traje de baño iban desplegando sillas de tijera. Las colocaban en hilera frente a una plataforma sustentada sobre caballetes, cerrada en su fondo por una cámara negra. Sobre ella, dos baúles abiertos, altavoces y focos del espectáculo de Carmelo, que, ¡maldita fuera su suerte!, en aquel momento y por una escalera lateral, subía al escenario de espaldas, ayudando a David. Gustavo quiso morir. Se adelantó sin saber bien lo que iba a decir. El primero en verlo fue David, que hizo como si no se enterara.

—¡Carmelo, hola! Perdona, pero me encontré con unos...

—¡Gustavo! —El bocinazo que soltó Carmelo hizo que Gusti callara de golpe—. ¡No te confundas conmigo! Te llamo para trabajar, no para que me crees problemas. ¡Primera y última vez que no llegas a tiempo!

—Déjame que te...

—No me interesa tu vida. Éste... —Señaló a David—.
Éste está aquí desde las siete, y yo he llegado a las once y me
he puesto a montar con él porque tú no estabas y esta noche
tengo función, ¿te enteras? O sea, que monta el camerino, y
prepara la ropa y las pelucas, que ya hablaremos.

—Eso es lo que quiero, Carmelo, hablar.

—¡Cuando yo lo diga! —bramó. Y como Gusti miraba
mal a David, añadió—: No, si no hace falta que nadie me in-
forme. Yo sé bien cómo eres. Pero me haces otra, y ya estás
en Murcia. ¿Te enteras?

Carmelo desapareció escalera abajo, dejando caer el baúl;
Gustavo subió al practicable.

—No me mires mal, gilipollas, que yo no he dicho nada.
No me importa tu vida ni lo que haces de noche. Por mí,
como si te la machacas... Pero yo no voy a cargar con lo tuyo.
Y si Carmelo pregunta dónde estás, le tengo que decir que no
lo sé, ¿estamos? Y ahora agarra el asa y tira, no vayamos a
acabar mal.

El show aquella noche salió perfecto. Gusti se esforzó al
máximo, porque sabía que el momento oportuno para deshacer el entuerto sería tomando una copa, relajados los dos, tras
una noche triunfal y una gran ovación.

—Si no te importa y no mandas nada, yo me voy, que estoy cansado.

Perfecto, pensó Gusti, David se retira.

—Nada, hasta mañana a las ocho de la noche, que probaré
sonido. No me he oído muy bien —respondió Carmelo.

—Estaba como siempre, pero cuando cambias de lugar y
cambia la acústica te notas raro. De todos modos, no hay
problema. Mañana ecualizamos. —David se despidió.

Gusti fue adelantándose a los menores deseos de Carmelo para que no le tuviera que pedir nada. El desodorante, el

peine, la ropa, la pastilla de la afonía, la cadena de oro, el reloj, el anillo con la turmalina...

—¿Quieres que tomemos una copa? —preguntó. Silencio por parte de Carmelo. Buena señal—. Es pronto, y hay unos bares muy divertidos por aquí.

El otro miró su Cartier. No era tarde y al día siguiente podía dormir.

—Bueno —dijo.

—¿Me dejas invitarte? —preguntó al desgaire. Calló Carmelo, otorgando.

Salieron. La gente que había estado en el espectáculo le sonreía al pasar como si lo conociera. Fueron a la calle del Pecado. Gusti no quería parar en el bar de Helga. Era la una de la madrugada.

—¿Comemos algo?

—Sí, yo no he cenado —dijo Carmelo.

Entraron en un local. Estaba muy animado. Espejos por todos lados y sofás a rayas acebradas blancas y negras, mesitas redondas como de junco con cristal encima. Se sentaron. Vieron la carta sujeta en un pie vertical y escogieron bocatas. Llegó un camarero.

—A mí uno de gruyère y *foie gras* y otro de sobrasada caliente —pidió Carmelo.

—Yo, tortilla y lomo.

—¿Para beber?

—Coca-Cola de botella, ¿tienen? —preguntó Gusti.

—Sí.

—Pues Coca-Cola.

—¿Y tú?

—Agua sin gas, que no esté muy fría.

El hombre se retiró. En la barra había tipos pintorescos. El ruido era fuerte, pero no impedía que se oyeran las conversaciones.

—Pareja es pareja, igual que acá, pero en mi país cada uno es cada uno —decía un tipo rasurado al cero con una cruz colgando del lóbulo de la oreja izquierda, camiseta sin mangas color rojo, tejano negro y sandalias, grandote él.

—Bueno, aquí todos sabemos, mejor, intuimos, quién es el macho y quién es la nena —respondió otro, un tipo hispánico que arrastraba las eses, menudo y cetrino—. ¿Cómo los llamáis en tu tierra? —añadió.

—Allá, en Chile, el macho, el que se pone arriba, es el «soplanucas» y la nena, la que pone la popa, es el «masca almohadas».

—¡Uy, qué gracioso!

—¿Has oído eso? —preguntó Gustavo—. ¡Qué divertido!, ¿no?

—Sí, es gracioso. Lo meteré en el show.

Llegaba el camarero con la comanda.

—¿Tiene una hoja de bloc y un boli? —preguntó Gustavo.

El hombre arrancó una hoja de su libreta y le prestó el bolígrafo. Gustavo tomó ambas cosas y apuntó el dicho del chileno.

—Toma, Carmelo, que luego nos olvidamos —dijo, devolviendo el Bic al hombre. Sabía perfectamente lo que le gustaba a Carmelo y hacía méritos.

Comieron con apetito. Gusti esperaba el momento oportuno para entrar en el tema. Éste surgió con los cafés. Carmelo estaba relajado y contento. Le habían pedido un par de autógrafos y le gustaba el ambiente.

—Siento mucho, de veras, lo de esta mañana —dijo—. Soy un mierda. Pero me he dormido, no tengo excusa. —Al ver que el otro no contestaba, siguió—: Ayer tomé unas copas de más. Conocí una gente divertida y me llevaron a su casa a dormir. No pasó nada, pero cuando me desperté...

—A mí lo que te pasó me tiene sin cuidado —cortó Carmelo—. Lo que no admito son fallos en el trabajo. —Al decir esto se autoexcusó y notó ante la proximidad de Gusti que algo muy antiguo se le despertaba dentro.

Gustavo, que lo conocía a fondo, supo por el tono de voz que lo que le importaba era lo que no quería reconocer: con quién había pasado la noche.

—Carmelo, quiero decirte algo. —Se había puesto serio—. Has de saber que desde que dejamos lo nuestro no he estado con nadie —mintió. Y al ver la cara de incredulidad de su amigo añadió—: Quiero decir, con ningún hombre. Con mujeres sí he estado. Y voy a serte sincero, Carmelo, lo he hecho por dinero, no por amor.

Gusti era muy hábil y había colocado todos los ingredientes en su justa medida. En primer lugar, no lo había engañado con otro hombre; eso habría herido el amor propio de Carmelo. Después, los encuentros fugaces que tuvo fueron por necesidad, lo cual excluía el término amor y lo convertía en puro negocio. Él sabía que Carmelo, que lo conocía a fondo, podía creer aquella historia de intereses y la prefería al engaño amoroso. Supo por su mirada que Carmelo lo estaba queriendo creer. Y añadió la guinda:

—A Teresa la respeté. Era buena niña y muy joven. No le quise hacer daño.

De esta manera obviaba el único cabo suelto que quedaba en su historia. En aquel instante Gustavo supo que aquella noche había ganado él.

—Carmelo —dijo colocando su mano sobre la rodilla del otro—, si quieres de verdad que crea que me has perdonado todo el mal que te he hecho, déjame demostrarte esta noche lo que te quiero.

Al cabo de dos horas, estaban juntos en la cama.

63

Habían transcurrido siete años. Y habían acontecido muchas cosas. Carmelo y Esteban eran pareja estable. Siete años hacía ya que habían llegado a la Ciudad Condal y ambos se enamoraron de ella a primera vista. Carmelo se negó a volver a Madrid, y el contrato del Beethoven quedó suspendido, negándose Carlos Lucarda a rescindirlo. Este hecho rubricó la decisión de ambos de no pisar la capital, ya que cuando regresaran, querían debutar en teatro. El aspecto exterior de ambos había variado. Esteban se había dejado barba, una barba afilada a lo perilla, y ahora, además, llevaba lentes. Carmelo vestía más exagerado que nunca y, sin embargo, nadie lo miraba como un bicho raro. Los catalanes iban a lo suyo.

Tuvieron suerte. Toparon con un agente artístico que era persona además de profesional. Carmelo trabajó mucho y muy duro. Se recorrió todos los locales del Paralelo y de las Ramblas, y Esteban llevó una contabilidad estricta e inflexible. Pronto, tras gastar todo lo que hizo falta para mejorar el show, pudieron dar la entrada de un pisito y comprar un pequeño almacén para guardar todos los cachivaches y trastos del espectáculo, que ya eran muchos. Las raíces habían marcado a Esteban y, siempre que podía, con la aquiescencia de Carmelo, apartaba un poco del dinero para comprar otro manto a la Virgen; ya sería el tercero.

Contaba las actuaciones por éxitos, pero, sin embargo, la consagración definitiva no llegaba.

Otro capítulo a considerar era su relación familiar. Consuelo, a los tres años de su boda, se había separado de su marido. La convivencia se había hecho imposible. Un buen día, cuando no pudo más y, atornillada por Pablo, le confesó el drama que estaba viviendo, éste cogió por banda a Germán y lo asustó. El hecho fue que firmó cuantos papeles fueron necesarios y se avino a todo para que el divorcio fuera un hecho. Entonces Pablo llevó a cabo la aproximación; ambos lo estaban deseando. Y tras un viaje a Barcelona para hablar con su sobrino, logró el reencuentro de madre e hijo. Consuelo se encontró con el hecho consumado de la homosexualidad de su hijo, pero era tal su alegría al recuperarlo, tal el recuerdo de su vergüenza el día infausto que la sorprendió con Germán, y tan grande el cariño y la bondad con que aquel muchacho, discreto y silencioso, trataba a su hijo, que se colocó una venda sobre los ojos y no quiso ver el tema. En cambio, si bien Engracia veía a Esteban, jamás se dio por enterada de la situación, y ni que decir tiene sus hermanos, quienes por no verlo por el pueblo no lo invitaron a la comunión de Lucía, la hija de Rafael. Y alguna vez que fueron a Barcelona lo vieron corta y protocolariamente.

Esteban jamás supo el desliz de Carmelo con Gusti ni otros encuentros fugaces que éste tuvo ocasionalmente con otras parejas mayoritariamente de teatro.

Carmelo extrajo de su desliz con Gusti dos consecuencias. La primera, lamentó haber engañado a Esteban. La segunda, supo que se había curado definitivamente de Gustavo. Esteban tardó más de lo previsto en recuperarse aquel verano, y Gusti trabajó con Carmelo hasta el final de aquellas galas. Nada volvió a ocurrir entre ambos. Carmelo mantuvo la distancia. Al terminar las actuaciones, y antes de la vuelta de Esteban, compensó sus servicios más que generosamente y terminó su relación laboral. Lo que no pudo impedir, ya que no dependía de él, fue que Gustavo decidiera buscar trabajo en Barcelona para poder vivir en ella.

El Molino, el Arnau, el Regina fueron los escenarios preferidos de Carmelo, pero el triunfo artístico no correspondía al económico.

El piso estaba situado en la calle Blay, casi esquina con el Paralelo. Era diminuto y abigarrado, y en él se podía encontrar las más dispares cosas. Un saloncito; un dormitorio grande, el de ellos; otro pequeño, de invitados; una cocina diminuta y un baño lo conformaban. La sala de estar era un laberinto. Junto a un tresillo y un televisor, se encontraba un caballete con un cuadro a medio pintar de una Virgen de Murillo. La pintura era el *hobby* de Carmelo y, aunque lo hacía bastante mal, le ayudaba a relajarse. Su único fan era Esteban y sus temas favoritos eran los religiosos.

Era noviembre. La ciudad griseaba amenazando lluvia y la cumbre del Tibidabo estaba tapada. Esteban se dispuso a escribir en la mesa del comedor, en tanto Carmelo, en chándal y con un pañuelo abrigándole el cuello, ya que últimamente se constipaba con frecuencia, daba unos brochazos azul pálido al manto de una Inmaculada que parecía un cromo.

Querida madre:
Deseo que al recibir mi carta se encuentre usted bien. No estoy pasando buena temporada, ya que la humedad de Barcelona se me mete en los huesos y tengo un hombro molido de reuma. Carmelo también está acatarrado. No quiero que sufra por mí. Comprendo perfectamente que mis hermanos me prefieran lejos. Nada más ajeno a mi intención que violentarlos. ¡Desde luego que me habría gustado acudir a la comunión de Lucía! Pero de siempre supe que muchas personas no comprenden muchas cosas, y lo respeto. Aun así, que mi vida es mía día a día. Y los inconvenientes de mi decisión, cuando me producen desasosiegos, son puntuales y pasan, como el hecho al que me refiero. En cambio, yo sigo adelante. Y quiero que sepa que soy feliz. Dios sabrá por qué hace las cosas.

Hablemos de otros temas. Resulta que Joaquín Novell, el agente artístico de Carmelo, le pidió que hiciera un vídeo con dos o tres personajes para poderlo enviar a las comisiones de los ayuntamientos que se ocupan de la programación de las fiestas mayores, para que conocieran su trabajo. Entre los personajes que actualmente presenta Carmelo, uno de los de más éxito es la imitación de Paloma San Basilio haciendo de Evita, pero claro, hacía falta el actor que le diera la réplica interpretando el Che Guevara, y que tan bien hace Patxi Andión. Pues bien, ¿sabe usted cuál ha sido tras muchas pruebas el elegido? Su hijo Esteban. La verdad es que me he visto y estoy muy bien. Creo que la falsa modestia es la virtud de los que no tienen otra. Para que compruebe lo que le digo, le envío una copia del vídeo y lo ve usted sola.

Hace mucho tiempo que no tengo noticias de Rafael Urbano, con el que me he seguido escribiendo siempre desde su última visita a España, que coincidió con el verano que tuve la úlcera. ¿Está usted segura de que no ha llegado una carta para mí y se ha perdido por casa? Le ruego que lo mire bien.

Este mes tenemos visita. Pasará quince días con nosotros la madre de Carmelo, a la que usted no conoce. Es una persona comprensiva y humana; será porque la vida le pegó muy duro. Su marido fue asesinado por ETA y Carmelo fue hijo póstumo, y se pasaron otras muchas cosas que no vienen al caso. Yo tampoco conocí a mi padre, pero una cosa es un accidente y otra muy distinta una muerte provocada por la crueldad de los hombres. Tal vez por eso será que los que más sufren son los que más comprenden. Y eso no quiere decir que su vida haya sido fácil. Pero por lo menos usted siempre estuvo rodeada del amor de los suyos; ella, en cambio, estuvo muy sola.

La segunda quincena vendrá Emilia, la amiga de Carmelo de la que alguna vez le he hablado.

Bueno, madre, dé un abrazo mío a todos aquellos que usted sabe que lo reciben con agrado, y usted reciba todo el amor de su hijo,

ESTEBAN

Justo en el momento en que humedecía la goma del sobre con la lengua para cerrarlo, sonó el teléfono. Lo cogió Carmelo con la mano izquierda tras dejar la paleta con los colores en la mesa.

—¿Diga?

—Carmelo, soy Joaquín.

—¿Qué hay de nuevo?

—Muchas cosas e importantes, pero primero ¿cómo estás?

—Mejor, voy haciendo. Dime.

—¿Te gustaría debutar en Don Chufo?

A Carmelo le cambió la cara. Esteban lo notó e interrogó con la mirada, con un silencioso «¿qué pasa?».

—¿Cómo es eso? Creí que ahí sólo iban humoristas. ¡Claro que me gustaría! Es la única casa de Barcelona que suena en Madrid; lo demás son discotecas.

—Pues hay una posibilidad. Tienen un hueco en la programación y voy a hacer lo imposible por meterte.

—¡Ojalá! ¡Dios te oiga! ¡Sería fantástico! Y para mí, un paso importantísimo. De ahí ha salido gente importante. ¿Cuándo sabrás algo?

—Voy a ir esta noche. Estoy citado a las dos.

—Cuando termines la entrevista, llámame, sea la hora que sea.

—De acuerdo. ¿Cómo está Esteban del reuma?

—Va tirando.

—Dale recuerdos.

—De tu parte.

—Adiós.

—Adiós.

Esteban se había puesto en pie entre tanto, intuyendo algo importante.

—¿Qué pasa? —dijo.

—¡A lo mejor debutamos en Don Chufo!

—¡No es posible! —dijo incrédulo.

—Me lo acaba de decir Joaquín.

—Si lo consigue, no sé el qué, pero ofreceré algo importante. Sí. Llevaré hábito de san Benito tres meses.

Ambos dejaron lo que tenían en las manos, un pincel uno y una carta el otro. Pegaron un brinco y se abrazaron jubilosos en medio del comedor.

64

Era la una cuarenta y cinco de la madrugada y el show iba ya más que mediado. Le gustaba su rincón. ¿Por qué será que las personas tienen querencias y buscan los mismos sitios siempre? Allí, tras los barrotes de metacrilato, al lado de la barra pequeña, se notaba seguro. Controlaba la bajada de ambas escaleras y veía los rostros de las personas. Entonces, podía decidir si iba o no a una mesa según le llamara un cliente amigo o uno de esos plomos que tanto abundan en la fauna nocturna de las grandes ciudades. Se sabía de memoria el calidoscopio de frases. «Es amigo mío.» «¿No lo has oído nunca contando chistes?» «Si hubiera querido promocionarse él en vez de lanzar a otros, se habría hecho el amo.» Casi treinta años en el mundo de la noche y del espectáculo dan mucho de sí. Siempre pensó que si un día se planteaba seriamente el irse de España, sería el momento de editar unas memorias de la noche barcelonesa con nombres y apellidos. ¡Dios! Solamente con lo que ya había olvidado llenaría un par de tomos. Le había llamado la noche anterior un agente artístico amigo y se habían citado para las dos. El agente quería hablarle de un artista. Él se había propuesto no caer más en la tentación de dedicar su tiempo a hacer una figura, ya que ese *hobby* le había proporcionado muchos más disgustos que satisfacciones. Por lo tanto, había decidido que su trato sería amistoso y, sin embargo, distante.

—Le esperan arriba. —La voz del primer maître lo hizo aterrizar de sus elucubraciones.

—¿Quién es? —preguntó, para no encontrarse la sorpresa del rollo de turno.

—El señor Novell —respondió. Era la visita esperada.

—Ya voy.

Terminó el sanfrancisco. Jamás bebía alcohol, lo cual le hacía ver con plena conciencia cómo hacían el ridículo muchas personas de ambos sexos que empezaban la noche correctísimos y terminaban hechos una ruina. Tras escuchar cómo su propia voz grabada despedía el show, subió al hall. Allí estaba el hombre.

—¡Hola, Lloréns! —le dijo.

Siempre que saludaba a alguien sabía anticipadamente si lo llamaría Chufo o Lloréns, inclusive a veces Lorenzo, ya que la gente traducía del catalán y confundía su apellido, cambiándolo a nombre.

—¡Hola! ¿Cómo estás? Si no te importa pasemos al despacho, ya que ahora van a empezar a salir y no podremos hablar.

—Donde tú quieras —contestó.

Pasaron a su minidespacho y se sentaron. Lloréns hizo subir un whisky para él, y esperó a que el otro entrara en tema, tras la paja normal sobre cosas intrascendentes.

—Yo ya sé —dijo Joaquín— que tú siempre programas humoristas, pero tengo un tío excepcional.

—¿Quién es y qué hace?

—Su nombre artístico es Carmelo y principalmente es transformista, pero es muy bueno y es actor, y si le haces una prueba y le arreglas un poco el show, te dará un gran resultado. Además, no es caro.

Ya estaba lanzada la trampa saducea. «Le arreglas un poco

el show.» ¿Cuántos habría arreglado Lloréns en su vida? pensó rápidamente. Artistas buenos de a diario no abundan, y de aquel chico tenía excelentes referencias.

—¿Qué cachet tiene?

—Da igual; pon el precio tú mismo.

—¿Te parece bien quince mil?

—Muy bien.

—Hagamos una cosa. Que haga jueves, viernes y sábado, y si no va bien, fuera. Pero si funciona, le doy tres semanas —respondió tras consultar el calendario.

—De acuerdo —dijo el representante.

—¿Quieres contrato?

—Contigo no me hace falta. Con otro, desde luego. Ya hablaremos si prorroga.

Y así quedó la cosa.

A las dos treinta sonó el timbre del teléfono de la mesita de noche. Una sola vez. Carmelo descolgó rápido el auricular.

—Dime, Joaquín —preguntó ansioso.

—¿Cómo sabes que soy yo?

—Porque lo sé. ¿Qué te han dicho?

—Vas a hacer tres días, y si gustas, prorrogas tres semanas.

—¡Gustaré! ¡Te lo juro, Joaquín! Tengo un pálpito que estoy a punto de tocar la gloria. ¿Cuándo ensayo? —dijo alborozado Carmelo.

—El miércoles, a las cuatro y media.

—¿Estará don Chufo?

—No lo sé. Cuando alguien le interesa acostumbra estar.

—Vale, Joaquín. Mañana pasaré por tu despacho.

—¿No me preguntas qué vas a cobrar?

—Me da igual. Lo haría gratis.

—Bueno, vale. Mañana te acabaré de contar.

—Adiós y gracias, Joaquín.

—Hasta mañana.

Esteban estaba sentado en la cama, con el libro en las rodillas, y lo miraba ansioso.

—¿Qué? —preguntó, en tanto Carmelo colgaba el auricular.

—¡Debutamos en Don Chufo! —dijo eufórico.

—Gracias, Dios mío, por escucharme —exclamó Esteban mientras miraba hacia arriba.

Apagaron la luz y se entregaron el uno al otro.

Prorrogó el contrato. Era un artista nato, de esos que nacen muy de tarde en tarde, como Raphael, Antonio, Lola Flores o Concha Velasco. Aquel chico jamás sería un producto elaborado. Había nacido así. Era un diamante en bruto, sólo había que pulirlo. Y Chufo Lloréns volvió a caer en la trampa.

El día del ensayo se dio cuenta inmediatamente de que Carmelo tenía el espectáculo mal colocado. El comienzo no era el apropiado. En medio, se iba para arriba, para bajar a un final que no era bueno. Chufo habló con él y con su manager al terminar la audición. Carmelo bebía más que escuchaba sus palabras.

—Eres muy bueno —le dijo—, pero yo que tú cambiaría cosas.

—Lo que usted me diga haré.

—No puedes empezar vestido de mujer. La gente tiene que saber que te disfrazas, ¿comprendes?

—Siempre te lo he dicho, Carmelo —apuntó el agente—, pero no me has hecho caso.

—Deja, no interrumpas —le cortó—. ¿Cómo quiere que lo haga?

—Te diré lo que yo haría y tú te lo piensas.

Lloréns le preparó una entrada, le quitó personajes y ordenó los otros. Le cambió la salida del penúltimo número de forma que, en vez de hacerlo por el escenario, descendía por la escalera. Un número que tenía montado en clave de humor, se lo recicló en dramático. Carmelo lo ensayaba todo, cuantas veces hiciera falta. Era incansable y disfrutaba trabajando. Alguna noche, tras cerrar la casa, encendían luces y comenzaban a ensayar ambos a las cuatro de la madrugada. A los ocho días, un viernes, armó el taco. Dos orejas y rabo. Y el lunes siguiente Chufo Lloréns volvió a firmarle tres meses.

Aquel año Chufo Lloréns viajaba continuamente, y cuando llegaba a Barcelona no tenía ganas de salir. Carmelo lo obligó a hacerlo. A Lloréns le interesaba su trabajo, y día a día lo veía progresar. Era lo que en el argot se llama un animal de escenario. En dos o tres momentos de su espectáculo, estuviera Lloréns donde estuviera de la casa, abandonaba lo que estaba haciendo, se asomaba a la escalera e, invariablemente, conseguía ponerle la piel de gallina; en aquellos segundos se detenía el tiempo y pasaba un ángel. Solamente uno de los artistas que Chufo Lloréns había conocido tenía ese mismo zarpazo sublime: Mikaela Flores, La Chunga. Con Carmelo el espectáculo jamás era igual, y si alguien lo veía varias veces, jamás tenía la sensación de repetir. Lástima, pensaba Chufo, de años perdidos y de ilusiones aparcadas por él en los desengaños de los caminos. Sin embargo, aunque no quería, le iba entrando de nuevo el gusanillo de «fabricar otro muñeco». Otra vez le divertía, y al pensarlo, por más que lo buscara, no encontraba obstáculos que justificaran un renuncio. Detenidamente examinó pros y contras, y de los últimos hizo hincapié en las personas de su entorno que podían complicarle la vida y crearle incomodidades. No las había. El agente de Carmelo era una buena persona. Y su manager, con el que había departido muchas noches antes y después del espectáculo, era una rara avis de aquel mundo. Jamás hablaba de él mismo, y rezumaba una bondad, un afec-

435

to y una ilusión por su artista que cualquier cosa suya pasaba indefectiblemente a segundo plano. Lo primero siempre era Carmelo.

Carmelo, pues, había prorrogado tres meses más en Don Chufo, cosa insólita en un local como aquél, de clientela fija, que obliga a variar frecuentemente la programación puesto que a la segunda vez de ver lo mismo el público ya protesta. Bueno, pues no sólo no lo hacía ninguno sino que muchos traían a más clientes. Aquella noche pasaron de la risa al silencio asombroso, una vez más, cuando Carmelo, tras interpretar el monólogo de Lola Flores de un modo insuperable y desternillante, lo ligó con la bajada por la escalera de la drogadicta. Aquel número empezaba con risas totales ante el lenguaje cheli y el descaro de la chica, y terminaba con un silencio estremecedor al retirarse diciendo, en tanto lloraba: «Tíos ¿de qué os reís? Si tuvierais una hija como yo no os haría gracia. ¿De qué os reís, tíos?».

Se fue la gente, y Chufo Lloréns les envió recado de que Carmelo y Esteban acudieran a su mesa en cuanto Carmelo se hubiera refrescado, desmaquillado y vestido. Comparecieron. Ambos estaban preocupados, creyendo que algo no había funcionado bien.

—¿Qué pasa, don Chufo? ¿Ha estado mal?

—No, al contrario, Sentaos. ¿Qué te pasa, Esteban? No tienes buena cara.

—No sé. Hace días que me fastidia el estómago, y como tuve una úlcera hace años tengo miedo de que me repita.

—Ya le he dicho que vaya al médico y no quiere ir.

—¿Sois de alguna médica?

—Queremos hacernos un seguro hace tiempo y lo hemos hablado muchas veces, pero aún no hemos hecho nada.

—Pues eso es importante. No lo demoréis, porque ponerse enfermo en este país es prohibitivo hoy en día.

—Ya lo has oído —dijo Carmelo. Y añadió—: ¿Para qué nos ha hecho llamar?

—Bueno, veréis, os conozco solamente hace cuatro meses, pero mucho me he de engañar si resultarais mala gente. —Se miraron entre sí. No adivinaban lo que el empresario iba a decir. Prosiguió—: No os prometo nada, pero el próximo viernes vendrá a veros un empresario de Madrid, amigo mío y hombre de teatro. Y si opina lo mismo que yo, a lo mejor, y repito que no os aseguro nada, te presento en Madrid. Esteban, no te preocupes del tema de Carlos Lucarda y del Beethoven que me contaste. Lo conozco y lo arreglaré. Además, en última instancia, no debutáis en ninguna sala de fiestas. Yo, o te llevo al teatro, Carmelo, o no te llevo.

A ambos les hacían chiribitas los ojos.

—Si usted presenta a Carmelo en Madrid, de la forma que hace usted las cosas, pídanos lo que quiera que aceptamos —respondió Esteban emocionado.

—Yo no pido nada. Y, la verdad, no es eso lo que me mueve. Ya lo hablaremos en su momento. Lo que me ilusiona es que Carmelo ocupe en la profesión el lugar que le corresponde. Todo depende del viernes. Cuatro ojos ven más que dos. Y quiero la opinión de alguien que sea ajeno a todo esto. Mi amigo entiende mucho y no está mediatizado como yo.

—El viernes me voy a matar.

—Estoy seguro —respondió Chufo Lloréns—. Y tú, ve a que te miren el estómago.

—Le prometo que si tomando la Tanidina no se me va, iré al médico.

El empresario se retiró y los dejó solos.

—Carmelo, lo has conseguido. El viernes es el día que hemos esperado tanto tiempo. No sé por qué, pero creo que te juegas el ser o no ser. No salgas, por Dios, esta semana. Cuídate el catarro. No fumes. Yo haré todos los trabajos de casa. Descansa mucho.

—Esteban, sé lo que me juego y no fallaré. Pero tú tienes que ir al médico. Tienes una cara fatal. Hasta don Chufo se ha dado cuenta.

Llegó el viernes. Antes de entrar en el camerino, Esteban se acercó a la mesa de Chufo Lloréns.

—¿Ha venido?

—Aún no, pero me ha llamado y ya está en Barcelona. Vendrá a la una.

—Carmelo está como un flan, pero en cuanto salga se le pasa. Yo lo conozco muy bien.

—Dile que no entro ahora para no ponerlo nervioso. No dejes que lo moleste nadie y, antes de salir, déjalo solo cinco minutos para que se concentre y no quede fuera de los personajes. ¿Cómo está de voz?

—Algo acatarrado. No se le acaba de ir el resfriado, pero está bien. En cuanto pase el fin de semana, vamos a ir al médico los dos.

—Me parece una excelente idea.

A la una y veinte llegó Justo Alonso. Chufo Lloréns le había hablado de Carmelo y él había aprovechado un viaje a Barcelona para verlo. Casi no les dio tiempo a saludarse. El show ya comenzaba. Nada más salir, Chufo intuyó que iba a ser una noche memorable, pues no sólo Carmelo estaba metidísimo en el acto escénico sino que además, y eso era una suerte, el público era excelente. Justo conocía de hacía mucho tiempo a Chufo, y sabía que éste no lo hacía ir desde Madrid por cualquier cosa. Se lo había presentado Jaime Salom hacía por lo menos dieciocho años. Chufo observaba la cara de Justo. Carmelo fue desgranando toda su galería de personajes, exacto, medido, pulcro, ocurrente. Quizá como jamás lo había hecho hasta entonces. Era el novillero que se presentaba en la Maestranza. Iba, como vulgarmente se dice, a por todas. El público reía, callaba, estallaba, sonreía, sentía y funcionaba a la vez, hechizado por el embrujo artístico de aquel muchacho. El espectáculo se le hizo cortísimo a Lloréns. Justo, a su lado, estaba serio. Al terminar, el otro ya sabía que lo había impresionado. Cuando terminó todo...

—¿Quieres conocerlo?

—Cuando quieras.

—Vamos.

Se levantaron y Chufo lo guió por el vericueto de pasillos, cuartos y rincones hasta el camerino. Carmelo estaba en batín, desmaquillándose.

—Carmelo, ¿se puede pasar? —La puerta estaba abierta.

—¡Cómo no! Adelante.

—Mira, éste es Justo Alonso, que ha venido a verte.

—Mucho gusto. ¿Conoce a mi manager? Esteban.

Hubo saludos y apretones de mano.

—Siéntense donde puedan —dijo retirando ropa de un taburete.

Se acomodaron, Justo sentado y Chufo de pie.

—¿Qué le ha parecido?

Justo hizo una larga pausa, y Chufo lo miró curioso porque no habían tenido tiempo de comentar nada.

—Puedes ser un fenómeno.

—¿De verdad?

—Te lo digo en serio. Estás en una línea que no la hay en España, entre Darío Fo y Harold Pinter. Y si éste —dijo, y señaló a Lloréns— monta algo, yo te presento en Madrid.

Las caras de Carmelo y de Esteban eran un poema. Luego salieron los cuatro a la sala y se habló de todo aquella noche. Ya de madrugada, Chufo acompañó a Justo a su hotel.

—¿De verdad piensas todo lo que has dicho? —preguntó al llegar a la puerta.

—Creo que ese chico es un gol impresionante. En Madrid se lo comerán.

—Justo, no te digo nada. En cuanto tenga algo pensado te llamo.

—Espero tus noticias. No dejes de llamarme.

Se despidieron. El día clareaba.

A la misma hora, Carmelo y Esteban llegaban a su casa.

—Ya está, Carmelo, lo has conseguido.

—Ya iba siendo hora. Y si lo consigo habrá sido por ti, por tu fe durante estos años. Creo que sin ella lo habría dejado ya.

—No digas chorradas.

—Esteban, me preocupas.

—¿Yo? ¿Por qué?

—Tienes mala cara, tío. Dijimos que después de hoy ibas al médico.

—Vale, el lunes. Que don Chufo nos recomiende alguno y vamos los dos. Yo por mi estómago y tú por tu catarro.

—De acuerdo, pero sin falta.

Aquella noche ambos soñaron que estaban a punto de rozar la gloria con los dedos.

65

Era un trabajador incansable y se acoplaba a cualquier horario. Todo el planteamiento del programa lo hacían de cuatro a siete de la tarde, tres días a la semana. La técnica, las luces y la situación escénica las preparaban los otros tres días en la pista de Don Chufo, después de su espectáculo y tras esperar que el público desalojara el local. Aprovechaban entonces la colaboración de los técnicos que ya estaban en la casa, quienes, por otra parte, los apreciaban mucho.

Muchas eran las veces que la salida del sol coincidía con la de ellos. Esos días Chufo Lloréns andaba entusiasmado con el montaje del final, que iba a ser, según su criterio, muy teatral. Se le ocurrió una noche, que es cuando la mente va de parto y nacen las ideas. Y sólo pergeñada, se la contó a Carmelo y éste enloqueció. Sobre el fondo del ciclorama, bajaba una pantalla de papel apergaminado que cada día cambiarían. Cubría el fondo dejando dos metros por lado. A su derecha, colgando de un burro largo de los que se utilizan en los pases de modas, estaban las perchas con todos y cada uno de los disfraces que Carmelo había usado para el espectáculo, y a la izquierda, su tocador con espejo.

Él salía de detrás de la pantalla, ya con el batín, y empezaba a hablar mientras se iba desmaquillando con pañuelos de papel y los iba tirando a la papelera.

—Señoras y señores —decía—, han sido ustedes muy amables y de verdad que los quiero.

En ese instante, se iluminaba la pantalla y Carmelo aparecía en ella de medio cuerpo, vestido con una camisa negra, en gran tamaño, y le hablaba desde detrás, al Carmelo de verdad.

—No los quieres nada. Te importan una mierda. Lo que haces es darles coba. ¡Si te conoceré yo a ti, que hace veintisiete años que soy tu conciencia!

Entonces Carmelo se volvía y hablaba al de la pantalla con el micro abierto pero en plan susurrante, como si la gran imagen de detrás sólo la estuviera oyendo él, y viceversa. Desde ese instante, cada cosa que Carmelo decía era interrumpida por su conciencia, entablándose una guerra a muerte, violenta, tremenda. Finalmente iba a su tocador y, rabioso, cogía unas grandes tijeras y las clavaba en la pantalla sobre un punto exacto, previamente marcado, tras el cual colgaba una bolsita de anilina roja que, al ser pinchada, manchaba de falsa sangre todo el papel de pergamino. La conciencia caía doblándose hacia delante y el foco reducía su círculo sobre la mancha. Entonces Carmelo, al quedarse sin conciencia, moría asimismo sobre la escena, en tanto un cenital se encajaba sobre él, iluminándolo todo desde arriba. Subía la música fuertemente y los focos iban fundiendo. El efecto era fantástico.

Eran ya las siete de la mañana.

—¿Lo repetimos otra vez y vale? —preguntó Carmelo.

—No, ya está bien por hoy —dijo Chufo Lloréns.

—Mañana, ¿a qué hora por la tarde?

—A las cinco en mi despacho.

—¡Esteban! —llamó—. ¡Esteban!

Apareció Esteban detrás de un sofá donde estaba estirado, con una cara preocupante.

—¿Ya habéis ido al médico? —dijo en plural Chufo al verlo.

—Es la úlcera, ya lo sé...

—Es un animal, don Chufo, yo ya no sé lo que hacer.

—Pues yo sí. O vais mañana o no continúo, se ha terminado —dijo el empresario—. A la hora de comer me telefoneáis. Llamaré a un amigo mío que es un medicazo y le pediré hora. Y el día que os diga y a la hora que os diga, allí estaréis, como doctrinos. O me hacéis caso o se acabó.

Se asustaron. El tono de Lloréns era fuerte. Nunca levantaba la voz, pero como buen Tauro tenía la violencia de los pacíficos. Les había cogido afecto y aquello lo hacía por su bien. Carmelo se acatarraba un día sí y dos no, y la úlcera de Esteban había hecho que perdiera tres o cuatro kilos, si no más, y nunca había sido un tipo al que le sobrara peso.

Cuando el empresario se levantó a la hora de comer, telefoneó a Juan Claudio Rodríguez Ferrera, quien le dio hora para los dos al día siguiente al indicarle Lloréns que era urgente. Cuando Carmelo telefoneó a Lloréns, éste notó por su voz que Carmelo no estaba para ensayos.

—Mañana a las seis —dijo— os espera el doctor Juan Clau-dio Rodríguez Ferrera.

—Espere un momento, que estoy sin voz. Se pone Este-ban.

—Aguarda —dijo Lloréns—. Es que lo estamos haciendo mal. No puedes hacer la función y después ensayar. Te tiras cin-co horas hablando, y eso no puede ser.

—Se pone Esteban —insistió Carmelo sin protestar.

—Don Chufo, dígame el nombre del médico y la dirección.

—¿Tienes boli a mano?

—Sí.

—Apunta. Doctor Juan Claudio Rodríguez Ferrera. Calle Dalmases, número treinta y seis.

—¿Qué piso?

—Es una torre, pequeña. Os espera mañana. Os visitará a los dos, particularmente a ti, y os enviará al especialista. No fa-lléis, que me voy a cabrear de verdad.

—No se preocupe, que allí estaremos.

—Eso espero. Adiós, Esteban.

—Adiós, don Chufo.

Pasaron cinco días. A la hora de comer, sonó el teléfono del despacho de Chufo Lloréns.

—¿Sí?

—Chufo, soy Juan Claudio.

—Hola, ¿cómo estás?

—Bien, ¿y vosotros?

—Arrastrando la cobija, pero allá vamos. ¿Qué hay?

—Me gustaría verte.

—¿Cuándo quieres? Pero ¿pasa algo?

—Hombre, sí, pero no es para teléfono.

—Adelántame algo.

—Oye, esos chicos que me enviaste... ¿Te vas a meter en dinero con ellos?

—Hombre, ya me he metido. No mucho, pero me estoy metiendo y me meteré más.

—No lo hagas.

—¿Por?

—Mira, no me gusta hablar de estas cosas, pero ellos no sólo me han autorizado, sino que me han pedido que lo haga.

Chufo Lloréns ya estaba sobre ascuas.

—Pero ¿qué es lo que pasa, Juan Claudio?

—Me han llegado los análisis esta mañana.

—¿Y? —preguntó el empresario con un mal presagio.

—El mayor tiene sida en fase avanzada. El joven es portador. —Lloréns se quedó sin habla—. ¿Estás ahí?

—Sí, Juan Claudio, me has dejado frío.

—Lo siento, pero he pensado que te lo debía e, insisto, ellos me han pedido que te lo dijera.

—¿Y para cuánto tienen? —preguntó Lloréns con un hilo de voz.

—El mayor no llegará a seis meses. Y el otro... No se puede decir.

No hubo más palabras y se despidieron. Chufo Lloréns se quedó una hora sentado en su despacho con la mente en blanco. Al llegar a casa, su mujer lo notó raro. Chufo sabía que ella tendría un disgusto; los había conocido, y ellos le habían cogido afecto. Le habían regalado una Virgen, que parecía un cromo, pintada por Carmelo. Cristina siguió a Chufo hasta la habitación.

—¿Qué pasa? —En su voz había alarma.

—Esteban y Carmelo tienen sida. Me lo ha dicho Juan Claudio.

Ella se quedó parada un momento y luego se sentó en la cama, sin decir nada.

Juan Claudio Rodríguez Ferrera era un fuera de serie. Médico amigo y amigo médico, con igual intensidad, de Chufo, lo citó en su casa al finalizar la visita, y eso era a las once de la noche de aquel mismo día. Chufo sabía de esa peste del siglo XX lo mismo que cualquier mortal curioso, y lo había etiquetado como algo terrible pero, no sabía por qué, lejano. Un día, y de eso haría ya un par de años, había caído en manos del empresario el cuadernillo de un rotativo dominical, cuyo tema monográfico era el sida. Se lo tragó como se habría tragado la caza del tigre de Bengala o el veneno de la mamba africana, es decir, simplemente por conocer y enterarse de algo más, sin ulterior finalidad.

La consulta de Juan Claudio era una torrecita del barrio de Tres Torres, en la parte alta de Barcelona. Chufo llegó media hora antes y traspasó la verja. En cuanto llamó al timbre, tras cruzar el patio, le abrió la enfermera. Lo conocía y sabía de la cita de don Chufo y el médico, así como de su mutuo afecto.

—El doctor aún no ha terminado —dijo al verlo—. Le queda una visita.

—No importa. Esperaré —respondió Lloréns, avanzando hacia la sala de espera.

La enfermera lo acompañó y, abriendo una puerta de cristales biselados, lo introdujo en la estancia. Chufo se acomodó frente a la chimenea en el sofá y tomó una revista para matar el tiempo. Las letras le bailaban y no se enteraba de lo que leía. Al rato salió la última visita. Y al momento entró Juan Claudio, todavía con la bata blanca puesta.

—¡Hola! ¿Cómo estás? —le dijo. Sus ojos ya sonreían tras las gafas de concha antes de que él lo hiciera.

—Desconcertado, es la palabra exacta. Desde el mediodía, desconcertado.

El médico se sentó al lado de su amigo.

—¿Quieres tomar algo? ¿Agua? Tú tomas agua.

—No. Da igual. Siento molestarte a esta hora.

—Tú nunca me molestas, y Asunción ha ido a cenar a casa de mis suegros. O sea, que estoy para ti solo.

—Siempre estoy debiéndote cosas.

—Los amigos no nos debemos nada.

—Entonces, Juan Claudio, por favor, cuéntame esa monstruosidad que me has apuntado por teléfono.

—Bueno, empecemos por el principio. Pero quiero dejar constancia de que aunque fueras mi padre, si ellos no me hubieran autorizado y también pedido que hablara contigo, conste, repito, no te diría una palabra.

—¿Y por qué crees que ellos quieren que tú me lo cuentes?

—No lo sé. Pienso que se sienten culpables de haberte robado el tiempo. Estabas tan ilusionado con este chico... No lo sé. El caso es que me han pedido que te lo diga yo, que ellos no se atreven.

—¡Qué cosas! ¡Pobres! —dijo Chufo Lloréns sin saber muy bien qué decir.

—Oye, el chico este ¿es bueno?

—¿Como artista, me preguntas?

—Sí.

—Buenísimo. Habría sido un monstruo.

Se quedaron unos segundos en silencio.

—Bueno, cuéntame.

—Empecemos ordenando las cosas. Me los envías y los recibo rápidamente, por ti, porque acabo cada día a las once y estoy dando horas con un mes de antelación, a Dios gracias. Asunción me va a pedir el divorcio.

—Tienes una mujer que es santa.

—Vinieron juntos y, bueno, ya se ve lo que son; muy discretos, pero son pareja y no lo ocultan.

—Eso está claro —dijo Lloréns.

—Hice la historia clínica de los dos. Empecé por el mayor, y los envié inmediatamente a hacerse los pertinentes análisis.

Pero sólo examinarlo yo, casi habría asegurado que era sida. En el cuello y pecho tenía Kaposi, y eso es casi determinante.

—¿Qué es Kaposi?

—Sarcoma de Kaposi. Son unas tumoraciones, bultos, granos rojos, llámalo como quieras, que salen al carecer el organismo de defensas. Pero en un noventa y cinco por ciento salen en el sida de los homosexuales, en los otros no se dan.

La curiosidad de Chufo Lloréns quería saltar vallas y deseaba saberlo todo.

—Vamos a ver, Juan Claudio, ¿ellos sabían que tenían sida?

—No lo sé. Imagino que no lo querían saber.

—Pero ¿se puede tener y no saberlo?

—Me explico. Un portador puede estar años y no enterarse de la enfermedad. El sida sólo aparece en un treinta o un cuarenta por ciento de los portadores.

—¿Y los otros?

—No hay datos. El sida tiene diez o doce años de antigüedad. Algunos científicos opinan que, a la larga, saldrá siempre, y otros sostienen lo contrario.

—Siempre se contagia por sangre, ¿no?

—Bueno, principalmente, porque es el vehículo de más contacto, pero puede estar en otras secreciones: saliva, lágrimas, heces...*

Ahora Chufo no pensaba en ellos. Quería saber.

—Empezó en San Francisco, tengo entendido.

—No se sabe. Se cree que empezó en África y, vía Hawai, llegó a la Costa Este de Estados Unidos. Lo que ocurre es que la comunidad gay de San Francisco tenía unos índices altísimos de promiscuidad. Piensa que en las comunas había individuos que tenían cien o ciento cincuenta contactos al mes, y cada uno puede ser un contagio.

* El personaje se refiere al estado de la investigación sobre el sida en el contexto de la época en que transcurre la novela. (N. de la E.)

—¡Qué horror! Y ¿qué otras transmisiones se dan?

—El intercambio de jeringas de los drogadictos es fatal. Un treinta por ciento de los niños nacidos de madres portadoras lo tienen. En cuanto a las transfusiones de sangre contaminada... hoy día es muy difícil, prácticamente imposible, porque se examina la sangre del donante.

—¿Y no hay nada que hacer?

—Hombre, se investiga en dos vías, por decirlo así. Una es la vacuna, que va para muy largo porque el virus es mutante y él solo se autoinmuniza. La otra es el grupo de fármacos que retrasa los efectos de la enfermedad; lo que pasa es que estos productos son hoy día muy tóxicos.

—Pero, ahora mismo, ¿qué hay en las farmacias? —preguntó Lloréns.

—Lo único que hay es el AZT, que es lo que estamos dando.

—¿Y eso qué hace?

—Varía según los individuos, pero, de momento, retrasa el avance de la enfermedad. Y se está trabajando en esta línea. Con el tiempo se encontrará algo menos tóxico. Aun así, los portadores tendrán que tomarlo toda la vida, pero eso no es tan dramático. Los diabéticos toman insulina y los bronquíticos crónicos requieren un antibiótico diez días al mes.

—Juan Claudio, ¿cuánto cuesta?

—Bueno, de momento está en las farmacias hospitalarias. Eso no quiere decir que no lo encuentres. Cuesta lo mismo que otros medicamentos caros. Lo malo es que no se puede dejar.

—Pero ¿cuánto?

—Cuarenta o cuarenta y cinco mil pesetas al mes.

—Y tú ¿quién crees de los dos que ha contagiado al otro?

—Yo no puedo afirmar nada refiriéndome a ellos en concreto, pero sí te puedo dar un dato estadístico. —El médico hizo una pausa—. En los homosexuales —prosiguió—, en el noventa por ciento de los casos, el más joven engaña al más viejo. Por decirlo de otra forma, es infiel.

Estaban sentados el uno frente al otro. Aquel día no fue día para ellos. Fue noche las veinticuatro horas. Asustados, quietos, hablando intermitentemente, encogidos y yertos. La claridad diurna ya se había ido y, sin embargo, no encendían la luz. Eran dos sombras dialogando. Mejor dicho, eran dos monólogos entrecruzados.

—Estoy seguro, Carmelo. Tuvo que ser la transfusión de sangre que me hicieron.

—¡Qué más da, Esteban, lo que haya sido! Las cosas son como son. Tú no tuviste a nadie antes, pero yo sí. Y tú lo sabías. Y esta mierda se puede incubar años.

—Pero después de conocernos...

—Esteban, desde que te conozco, me refiero a después de Evaristo, no te he engañado jamás. —Carmelo mintió, no por miedo sino por no darle tamaño disgusto en aquella circunstancia.

—Y ahora, ¿qué vamos a hacer?

—¡Luchar, cojones, luchar, Esteban! Ponernos metas próximas y cumplirlas. Y la primera es debutar en Madrid.

—¿Tú crees que don Chufo...?

—Imagino que no nos dejará, pero si lo hace, peor para él. No todo se acaba en ese señor.

Hubo una pausa.

—No me preguntes por qué, pero lo sé... Yo te he contagiado, Carmelo. —Esteban comenzó a sollozar.

66

Todos se quisieron engañar algo. Era tan cruel y desesperanzador el panorama que eludían el tema como si nada ocurriera. Chufo Lloréns se movió en dos direcciones. La primera, intentó averiguar si en Francia o en Estados Unidos, que eran los dos países en los que más se había investigado la enfermedad, existía algo que aún no estuviera en España. Negativo. Luego, a través de Juan Claudio Rodríguez Ferrera, preparó la cuestión hospitalaria para que cuando llegara el momento supieran adónde acudir. Por lo demás, todo seguía igual. Carmelo, sin acusar ningún cambio, y Esteban cada día más delgado y discrómico. Era angustioso verlo ayudar a su amigo en los cambios, con la frente perlada de pequeñas gotas de sudor frío y la respiración agitada.

—Hemos tenido la mala suerte de que Esteban se ha puesto así, justo ahora que se nos abría el horizonte.

Carmelo creía que el estado de Esteban era transitorio, y que el ser portador era un peligro inconcreto y lejano que no tenía por qué desencadenarse sobre él.

Chufo Lloréns, por su parte, examinaba con lupa las actuaciones de Carmelo para notar un cambio, una pérdida de fuerzas, un no sé qué, algo que le indicara que el semáforo de su capacidad pasaba de ámbar a rojo. Pero nada de nada. Estaba mejor que nunca. A veces le parecía imposible que aquella sentencia de muerte que había pronunciado Juan Claudio se fuera a cumplir.

Una noche, estando el empresario en su despacho, le comunicaron por el teléfono interior que Carmelo deseaba verlo en su camerino antes de actuar. Terminó lo que estaba haciendo y acudió a su llamada.

—Don Chufo, mire, le presento a mi madre, que ha venido a pasar unos días con nosotros.

—Mucho gusto —dijo Lloréns, dándole la mano.

—El gusto es mío —replicó ella, correspondiendo.

Era una mujer singular. Estaría a caballo de los cincuenta años. Tenía el pelo rojizo y era muy fuerte. De hecho, su fortaleza era casi masculina. Y, a juzgar por el número de colillas que había en el cenicero y el humo del camerino, dado que ni Carmelo ni Esteban fumaban en aquel entonces, era una fumadora empedernida.

—Le he hecho reservar una mesa en el rincón para que vea a Carmelo —dijo Esteban.

—¿Por qué en el rincón? Ponla en la pista, que yo me sentaré con ella.

—No hace falta, don Chufo. Además, a mi madre no le gusta que la vea, y yo prefiero no verla cuando actúo.

—Entonces como queráis.

Se hizo un silencio.

—Mañana vendrá un amigo nuestro, un chico portugués que era bailarín y que se sabe de memoria los cambios de Carmelo, por si algún día yo no puedo venir.

Carmelo dejó de maquillarse y miró a Esteban a través del espejo.

—Para que te ayude, di mejor, hasta que estés bueno. ¿Por qué coño no vas a poder venir?

—Quiere decir, si un día está cansado y se queda en la casa —dijo la mujer, sin quitarse el cigarrillo de los labios.

—¡Dijo lo que dijo! Y tú no traduzcas, que no soy tontito, madre.

Al ver el rumbo que tomaba el diálogo, Lloréns se despidió y salió del camerino. Luego, durante el show, se dedicó a mirar la mesa donde la habían colocado, sin que ella lo viera, ya que lo hacía desde la cabina de luces. La mujer estaba pendiente de cada movimiento de su hijo, y viendo la expresión de su rostro y el movimiento de sus labios, se podía decir que iba repitiendo el espectáculo como si se tratara de una traducción simultánea o de un traspunte de entrecajas. Y en los puntos álgidos, con el sempiterno pitillo en los labios, arrancaba el aplauso, iniciándolo con fuertes palmadas.

—Come, Esteban, come, que mi madre hace el cocido como nadie y lo que te conviene es comer.

—No puedo, Carmelo, en serio. No me entra nada.

—Así no te pondrás bien, y la morcilla de Murcia hace milagros —añadió Carmelo.

—De verdad que no puedo. Si no te importa, me voy a echar un rato porque si no, a las seis, no me veo con ánimos de ir al médico.

Aquellos días Consuelo se empeñaba, con la filosofía simple de la gente sencilla, que lo que le convenía al amigo de su hijo era comer. No le habían explicado la causa verdadera de su mal, y ella sólo veía que estaba debilucho y que antes de acostarse tenía unas décimas.

Carmelo y su madre se quedaron solos. Él revolvía el café, pensativo, sentado a la mesa del comedor, mientras ella retiraba los platos, recogía las migas y ponía el lavavajillas en marcha. Cuando lo hubo hecho, se sentó frente a su hijo para fumar el cigarro que más le apetecía de la jornada, el de después de comer.

—¿Eres feliz, hijo?

Carmelo descendió del mundo de sus pensamientos.

—¿Qué es ser feliz, madre?

—Pienso que es estar contento con uno mismo e ir alcanzando las metas que nos proponemos.

—La felicidad es una cuerda con nudos. Cada nudo es un momento de plenitud. Pero después de cada uno, viene un trozo liso en el que meramente vivimos... Porque vivir, madre, se vive sin querer. No es un acto de voluntad; el corazón late siempre.

—Entiendo lo que me dices, pero no querría que un día recordaras un tiempo pasado feliz y que ahora, al vivirlo, no te des cuenta. ¿Comprendes lo que te quiero decir? —Hizo una pausa y prosiguió—: No hubo mujer más feliz que yo en los tres años y medio que me dejaron vivir con tu padre. Y, sin embargo, en el cada día, en lo cotidiano, entonces no me daba cuenta de lo inmensamente feliz que era. No quiero que te pase eso a ti.

—¿Cómo era mi padre?

—Era un hombre fantástico, y cuantos más años pasan y más gente conozco, más cuenta me doy.

—¿Tú sabes quién lo mató?

—El terrorismo, Carmelo —divagó ella, dando una larga calada al pitillo.

Él se dio cuenta y apretó.

—Tú sabes quién. El terrorismo es inconcreto.

—Déjalo... Murió... Lo mataron... en el presidio. Quien a hierro mata..., ya sabes. Y me alegro. Ni lo perdono ni lo olvido. Ojalá se queme en los infiernos, si es que existen, porque convirtió mi vida en eso, en un infierno.

—Y tú ¿cómo lo sabes?

—No importa eso, hijo —dijo aplastando la colilla contra el cenicero—. No me obligues a recordar. Ya pasó. —Cambió el tercio—. ¿Cuándo viene la madre de Esteban?

—No lo sé. El otro día lo oí hablar por teléfono y me pareció escuchar que de momento no podía venir.

—No me engañes. Sabe lo vuestro y no lo admite.

—Está en su derecho... Y yo tampoco quiero hablar de esto.

—Chufo, hay que ingresarlo antes de una semana.

El que así hablaba era Juan Claudio, que el día anterior había visitado a Esteban.

—¿Cómo está? —preguntó el empresario.

—La enfermedad hace su curso. En algún momento se estancará y luego irá a peor.

—Pero ¿no hay nada que hacer?

—Lo que se está haciendo es todo lo que se puede hacer.

—¿Y Carmelo? —Chufo Lloréns se sintió egoísta al preguntar aquello.

—De momento, continúa igual. No se ha desencadenado.

—Juan Claudio —dijo para aligerar su conciencia—, si sale algo, algún producto que le pueda ayudar, no repares en gastos.

—No es cuestión de eso, Chufo. Hago todo lo que está en mi mano, y no se puede hacer más.

Aquella noche llegó el muchacho nuevo. A Chufo Lloréns le pareció que no sólo sonreía, sino que era la sonrisa misma. Tenía los ojos achinados, y eso coadyuvaba a la sensación alegre que producía. En el camerino, además de la madre de Carmelo, con su sempiterno cigarrillo, había un matrimonio. Carmelo hizo las presentaciones

—Don Chufo, ésta es Tere, la íntima amiga de mi madre. Y él es Jordi, su marido.

Los tres se dieron la mano al tiempo que del escenario regresaba el Chino, que hacía viajes, colocando el vestuario y el atrezzo de Carmelo.

—Tito —llamó Carmelo. El muchacho detuvo un momento sus trajines de ir y venir y se volvió—. Don Chufo, es Tito Correya, que va a ayudar a Esteban hasta que se ponga bueno.

—Mucho gusto, señor —dijo Tito. No pudo dar la mano al empresario, impedido por la carga que transportaba.

—Hola —replicó Lloréns sin más. Su mente se había detenido en la frase «hasta que esté bueno».

—He invitado a estos amigos a ver a Carmelo —intervino la madre—, pero quiero pagar.

—Olvídelo.

—No, si no, me quita usted la libertad de volver.

—El próximo día les cobrarán, palabra. Hoy no. —Y Lloréns añadió—: ¿Cómo se encuentra Esteban?

—Cansado. Ahora, cuando acabemos en su casa, como ya entra el verano, nos instalaremos en Sitges y se repondrá. Yo haré las galas con Tito, saliendo de allí. A mí me da igual y él estará mucho mejor.

—Carmelo, tres minutos. —El regidor daba el aviso.

—Vamos a dejar al artista solo, si les parece —dijo Chufo.

Todos fueron saliendo. La última, la madre de Carmelo, que súbitamente se volvió y lo besó en los labios.

—¡Mucha mierda, hijo!

—¡Que voy maquillado, madre! —respondió Carmelo en tanto se volvía rápido al espejo, y tomaba el pintalabios y el perfilador para recomponer el estropicio.

Salieron todos. Chufo se quedó en su rincón y los demás se fueron a la mesa. El empresario lo prefirió así porque no iba a quedarse todo el show y no le gustaba distraer al artista levantándose. Cuando comenzaba el último número se dio cuenta de que habían pasado dos horas y, otra vez, no se había apercibido. Era lo mejor, con mucho, de todo lo que había pasado por sus manos. ¡Qué increíble lástima!

67

La cena fue en el altillo de un bar tasca de la calle Aribau.

—Don Chufo, me gustaría mucho invitarlo a mi cena de despedida. Seremos pocos. Tres o cuatro periodistas amigos, Novell y su mujer, Esteban, Tito y unos vecinos de mi casa. Diez o doce personas como máximo.

—¿Y cuándo lo piensas organizar? —preguntó Lloréns.

—El lunes, porque yo termino el sábado. El domingo vendremos a recoger las cosas. Además, la noche del lunes es la mejor para que no me falle ningún periodista. Julián Peiró y Sandoval me han dicho que vendrían.

—Muy bien. Cuenta conmigo. ¿Dónde es?

Carmelo le dio la dirección. Nombre, calle y número. El lunes, tras un clamoroso éxito en su despedida el sábado y el correspondiente desmontaje el domingo, se reunieron para cenar. El lugar era un bar de unos amigos de Carmelo que le habían preparado en un altillo, al que se accedía por una escalera de madera, una larga mesa para doce comensales. Cuando Chufo Lloréns llegó el aspecto de Esteban lo impresionó; hacía una semana que no lo veía, y había perdido unos ocho o nueve kilos, él, que nunca había sido grueso. Estaba pálido y se esforzaba en sonreír. También habían llegado sus vecinos. Rápidamente el empresario se dio cuenta de que asimismo eran pareja, aunque mayores. Rozarían los cincuenta pero jugaban a jóvenes; lo notó en sus bromas y en el color de su indumentaria.

Lo primero que hizo Lloréns fue saludar a Esteban, dado que era a quien hacía más tiempo que no veía.

—¿Cómo estás? ¿Qué pasa? ¿Ya no quieres salir por las noches? —bromeó, no sin esfuerzo.

—No, qué va, don Chufo, lo que pasa es que su amigo —dijo, refiriéndose a Juan Claudio— me da una medicación que me deja hecho unos zorros.

—Te veo más delgado, pero bien —dijo Chufo para animarlo.

—Ya vamos para arriba, si Dios quiere. No saben bien cómo funciona esta enfermedad.

—Los médicos saben sólo un poco más que los demás —intervino Carmelo—. Don Chufo, mire, le voy a presentar a unos amigos. Amadeo y Perico.

—¡Qué inoportuno, Carmelo! Me has pillado con la aceituna en la mano —dijo el primero, y saludó al empresario.

—Son nuestros vecinos de Sitges —aclaró Esteban.

Hablaron de cosas intrascendentes.

Los comensales fueron llegando.

Había dos fotógrafos de prensa, y también estaba Novell, su agente artístico, acompañado de su mujer. Faltaban únicamente Peiró y Sandoval. En la mesa habían colocado bandejas con percebes, gambas, bocas, calamares... Todo pescado.

—Hemos pensado que es mejor que cada uno tome lo que quiera, ¿os parece?

Todo el mundo asintió y fueron ocupando la mesa. Al lado de Chufo Lloréns quedó una silla libre.

Se hicieron fotos y se habló en estéreo. Había una falsa euforia.

—Don Chufo —dijo Carmelo—, ¿puedo anunciar que me va usted a presentar en Madrid en teatro?

Lo cogió desprevenido. Tardó un segundo en reaccionar.

—Es prematuro. No conviene hablar de planes de teatro sin concretar. Trae mala suerte —argumentó el empresario.

Cuando ya casi terminaban, llegaron Sandoval y Peiró, juntos. Venían de otro follón.

—Perdonad, pero no tenemos el don de la ubicuidad —dijo José Sandoval, sentándose al lado de Lloréns en tanto Julián Peiró lo hacía enfrente.

—¿Queréis cenar?

—Venimos por afecto personal. Si cada noche cenara en los sitios donde la profesión me obliga, aún estaría más gordo —bromeó Sandoval—. Yo tomaré un café —añadió.

—A mí lo mismo —dijo Peiró.

—¿Qué? ¿Qué tal éste? —preguntó Sandoval a Chufo Lloréns, indicando a Carmelo con la barbilla.

—Para mí, un fenómeno —respondió Lloréns.

—¿Lo vas a llevar?

—Tiene su agente.

—Venga, venga, larga —insistió, sacando su libretita.

—No sé, Pepe. Es prematuro.

—Ándate con ojo, que luego tus niños tienen ataques de cuernos.

—No cambiarás nunca —dijo Lloréns.

Esteban no probó bocado.

—Mira, déjate de médicos. Si no mejoras, como ser humano tienes derecho a intentar lo que quieras. Estaríamos frescos que nos tuviéramos que morir porque no se enfade el doctor. ¡Vamos! Te lo he dicho cuarenta veces.

Amadeo se expresaba así en el comedor de la casa de Carmelo. Consuelo escuchaba sin intervenir. Estaban, además, Perico, Tito y Esteban.

—Que te diga éste —añadió, dirigiéndose a Perico.

—Mal no te puede hacer... Y yo he visto cosas asombrosas —dijo Perico.

—¿Como qué? —preguntó Carmelo.

—¡Uf! Te diré. Mira, ¿sabes la Chari? Sí, aquella chiquita que había ido con el ballet de Paco Aldana...

—Yo la conozco —dijo Tito—. Luego trabajó en el Belle Époque.

—Exacto. Bueno, pues la Chari tenía una alergia al maquillaje que no podía trabajar. Había recorrido todos los dermatólogos del mundo, y nada. Pues bueno, fue a ver al Gitano, él le dio unas gotas y ahí la tienes, como nueva.

—Y más cosas —añadió Amadeo—. Cuando la revista *La diosa de fuego* cada día pasaba una desgracia en el teatro. Hasta que Finita Calderón lo llamó. Llegó el Gitano, lo miró todo, hizo una mezcla de inciensos y los quemó, llenando de humo el camerino de Luis Sevilla. Sanseacabó el mal fario.

—Cuéntale lo de Tato y Emilio —apuntó Perico.

—¡Huy, sí! ¿Sabes que eran pareja? Y Emilio se enamoró de un marino polaco. Pues Tato lo fue a ver y le explicó el asunto. El Gitano le dijo que le llevara un pelo de Emilio y algo de lana de una prenda del otro. Tato se lo llevó. El gitano hizo una ceremonia que yo qué sé. Y al cabo de dos días, el polaco a tomar por el saco. —Hubo una pausa.

—Y digo yo, por probar...

—Pídenos hora —dijo Carmelo.

Esteban no opinó.

El Gitano vivía al final de la calle X, que comenzaba en la Gran Vía y terminaba en el muro que delimitaba la montaña de Montjuïc. En la misma esquina había un viejo edificio lleno de celdas grandes, que en tiempos había sido una cárcel. Ahora las celdas, conveniente y primitivamente insonorizadas, se alquilaban a grupos musicales para ensayar.

Amadeo se había ocupado de todo. Urgido por él, el Gitano, les dio hora para el día siguiente, ya que antes le era imposible.

—Nos espera a las diez, y eso por favor —dijo Amadeo.

—Tendremos que levantarnos a las nueve.

—¿Qué dices, Carmelo? A las diez de la noche.

—No me harás creer que no tiene horas libres en todo el día...

—Ya verás, ya verás. ¿No ves que además adivina el futuro con el tarot? No para en todo el día. A diez mil pelas la media hora. ¡Si se está haciendo una casa en Castelldefels que ya me gustaría para mí!

—¿Adivina el futuro? —indagó Carmelo ansiosamente.

—Y te lo clava —afirmó Perico.

—Entonces ¿cómo quedamos?

—¿Nos recogéis a las nueve?

—Iré yo solo con vosotros —dijo Amadeo—. No le gusta que vaya mucha gente.

A las nueve se reunieron, y a las diez menos cuarto habían aparcado el coche a veinte metros de la puerta, aprovechando la feliz coyuntura de que en aquel momento se iba uno de los allí estacionados.

Caminaron los tres. Esteban iba en el medio, apoyándose en ambos, arrastrándose más que caminando. Llegaron. Y Amadeo tiró de una cadenilla y dentro sonó una campana en ding-dong. Esperaron. Al cabo de un momento, al otro lado se oyeron los pasos afelpados y lentos de alguien. Una mujer de unos sesenta años abrió un palmo la puerta. No había mucha luz. Al ver a Amadeo, la volvió a cerrar retirando el seguro para abrirla de nuevo. Pasaron. La mujer no dijo palabra. Los dejó en el recibidor alumbrados por 40 paupérrimos watios, yéndose hacia el fondo.

—Ahora va a decir que hemos llegado —aclaró Amadeo—. Siempre hace igual.

Regresó. Les hizo una seña para que la siguieran. El pasillo era estrecho y tenían que ir en fila. Esteban, al no poder apoyarse, avanzaba vacilante. La mujer abrió una puerta y se hizo a un lado para que pasaran. Amadeo abría la marcha. Entraron. En la habitación flotaba un olor almizcleño. En las paredes, fotos dedicadas de personas conocidas en el ambiente artístico. En el centro de la estancia, una mesa camilla con el faldón verde hasta el suelo, y tres sillas a un lado. Al otro lado, un gran sillón de respaldo muy vertical y totalmente de madera, ornado con unas grandes chinchetas de latón amarillo, cuyos posabrazos terminaban en dos garras de león.

La puerta se había cerrado silenciosamente tras ellos. Al quedarse solos, sentaron a Esteban, que no se tenía en pie, en una de las sillas. Silenciosamente, apareció saliendo de detrás de una cortina el quiromante curandero; delgado, ojos saltones, poco pelo, traje negro y camisa blanca abierta.

—¡Hola, Gitano! —saludó Amadeo en un tono reverencial que extrañó a Carmelo.

El hombre, sin responder, se sentó en el sillón y les indicó que accedieran a las dos sillas desocupadas.

—Me traes a tus amigos muy tarde. Cuando todo falla, entonces el Gitano ha de hacer milagros. Yo no hago milagros, lo mío es ciencia. —La voz era profunda y lenta—. Hoy sólo me ocuparé del enfermo. Estoy muy cansado... Otro día te echaré el tarot —se dirigía a Carmelo—, ya que quieres saber tu futuro.

Carmelo se asombró, porque sólo había pedido hora para Esteban y no había hecho comentario alguno sobre el deseo de conocer su porvenir.

Se levantó el hombre y retiró una cortina del fondo que ocupaba una mesa de curas de color negro.

—Traédmelo y descalzadlo.

Amadeo y Carmelo ayudaron a Esteban a incorporarse y, conduciéndolo a la mesa, lo sentaron en ella. Carmelo lo descalzó.

—Calcetines también —ordenó el Gitano.

Cuando se hubo cumplido lo mandado, el Gitano empujó suavemente a Esteban por el hombro para acostarlo, en tanto Carmelo le ayudaba con las piernas para dejarlo horizontal. Esteban sudaba copiosamente, y su escuálido pecho subía y bajaba agitado. El hombre tomó una lámpara metálica de flexo y la colocó de modo que iluminara las plantas de los pies de Esteban, hecho lo cual, se sentó frente a ellas en un taburete de tornillo graduable y con una lupa de gran aumento en una mano. Carmelo y Amadeo seguían con absoluta atención las maniobras del Gitano. Ahora, mirando a través de la lente, examinaba atentamente las plantas de los pies de Esteban. Carmelo, desde donde estaba, veía solamente un gran ojo iluminado por la lámpara. Lo demás, tras él, era penumbra. El hombre se levantó, acercando al taburete una mesita metálica con ruedas y dos estantes de grueso cristal llenos de tarros. Se sentó de nuevo. Tomó un almirez, y de tres frascos sacó una porción de polvos, mezclándolos.

—Va a tener que mear. Incorporadlo. Que lo haga aquí.

Diciendo esto les entregó una palangana. Amadeo y Carmelo pusieron en pie a Esteban para que pudiera orinar. En tanto, el hombre se fue a un rincón donde había un ambleo de hierro con un hachón de cera, y procedió, con un mechero, a encenderlo. Cuando el ruido que hacía Esteban al orinar en la palangana metálica cesó, dijo sin volverse:

—Antes de acostarlo nuevamente, quitadle la camisa.

Obedecieron, volviendo acto seguido a recostar a un Esteban jadeante.

—Ya verás como te pondrás bueno —le susurró Carmelo en tanto le pasaba suavemente un pañuelo por la perlada frente.

—Deja la palangana en la mesa, pero en el estante de abajo. —El Gitano se dirigió a Amadeo.

Cuando fue cumplida su orden, regresó. Tomó una jeringa de inyecciones y succionó orina de Esteban, depositándola a continuación en el morterillo donde estaban los polvos mezclados; luego tomó el mazo y procedió a macerarlo lentamente. Carmelo y Amadeo observaban silenciosos.

—He de hacer aloxana —dijo— con ácido úrico del propio enfermo. Es un medicamento que ya hacían los árabes en tiempo de Averroes —aclaró.

Cuando la mezcla estuvo hecha la licuó más a ojo, añadiéndole orina. Luego tomó una retorta de cuello amplio y, cuidadosamente, depositó en ella, valiéndose de una pera de goma, parte del líquido del almirez. A continuación tomó un

462

soporte redondo con tres patas y lo colocó de modo que la llama del hachón que reposaba en el grueso candelabro cayera en su centro. Cuando el hornillo estuvo preparado, tomó la retorta y la colocó encima.

—Ahora habrá que esperar un poco.

Mientras la mezcla se calentaba, se fue junto a Esteban y le examinó el pecho, deteniéndose en los abultamientos rojizos en particular.

—Le han salido hace menos de un mes —dijo Carmelo.

—No te he preguntado nada —respondió el hombre—. No me gusta que me mediaticen.

—Cállate y déjalo —susurró Amadeo—. Él sabe lo que hace.

El fuego del hachón hacía crepitar el contenido de la retorta. El Gitano tomó un guante de amianto y retiró del hornillo el recipiente, volcándolo, en parte, en un platillo hondo de grueso vidrio.

—Se tiene que enfriar —aclaró, dejando el conjunto en el estante superior de la mesa.

Ahora se sentaba, y tomando un pincel de pelo de tejón efectuaba precisos y suaves recorridos por las plantas de los pies de Esteban. Éste, según dónde le tocaba, movía algo el pie correspondiente. El Gitano marcaba el punto exacto con un bolígrafo rojo y proseguía. Cuando las plantas de Esteban estuvieron punteadas como un acerico, el hombre extrajo del estante inferior una caja de agujas de acupuntura y la desprecintó. Fue tomándolas después una a una y, tras mojarles la punta en la mezcla caliente, las fue clavando en los puntos rojos exactos de las plantas de los pies de Esteban. Cuando terminó, parecían dos grandes erizos.

—Tiene que estar así quince minutos. Dejadlo descansar y seguidme.

Diciendo esto, corrió la cortina y compartimentó la estancia, separando la mesa camilla de faldón verde del cuarto de cura donde reposaba Esteban. Antes de retirarse, Carmelo lo observó; le parecía que dormía.

—Sentaos —dijo el hombre.

Obedecieron y él hizo lo mismo en el sillón.

—Este muchacho está mal. Me lo habéis traído muy tarde, como casi siempre.

—Ves, Carmelo, ¡no será porque yo no te lo dijera! —se defendió Amadeo.

—Bueno..., somos de una mutua médica y empezamos por ahí —mintió Carmelo.

—Y yo he de pechar siempre con todos los fallos de la medicina convencional.

—Pero ¿se curará? —preguntó Carmelo ansioso.

—Depende de la respuesta de su organismo. No aseguro nada. Será lento y largo. Tendré que hacerle muchas sesiones. En caso de que él no pueda venir, yo podría ir a su casa... Pero para ello tendría que abandonar mi consulta, y eso encarece el precio.

—¿Cuánto?

—Si venís aquí, veinte mil. Si he de ir yo, treinta. Pero por venir de parte de Amadeo, os lo dejaré en veinticinco. Y conste que no garantizo nada. De haber venido hace un mes, lo saco seguro.

—El dinero no importa, pero haga todo lo que pueda.

Habían pasado quince minutos. Regresaron junto a Esteban. El Gitano, rápida y hábilmente, retiraba las agujas colocándolas en un bote de plástico transparente que etiquetó con el nombre de Esteban Ugarte. Carmelo y Amadeo lo iban a incorporar.

—¡No lo ayudéis! —dijo—. Él puede solo. —Y volviéndose a Esteban ordenó—: ¡Levántate!

Esteban se incorporó lentamente. Carmelo lo observaba asombrado.

—¿Cómo te encuentras? —preguntó ansioso.

—Parece que algo mejor.

Chufo Lloréns llamó a Juan Claudio por la tarde a su despacho.

—¿El doctor Juan Claudio Rodríguez Ferrera?

—Está en la consulta. No le puedo pasar —dijo la voz impersonal de la enfermera.

—Dígale, cuando pueda, que ha llamado Chufo. Que me llame. No me muevo de casa.

—¿Que ha llamado quién?

Aquello le ocurría frecuentemente.

—C-h-u-f-o. —deletreó—. Soy amigo suyo.

Al cabo de media hora le llamaba Juan Claudio.

—¿Qué ocurre?

—Me gustaría charlar contigo de Esteban.

—Dime.

—¿Tienes tiempo ahora?

—Diez minutos, hasta la próxima visita. ¿Qué hay?

—Pues estoy algo asombrado —dije.

—¿Por?

—Hace dos días se ha reincorporado al trabajo, y me lo parecerá a mí, pero lo veo mejor.

—¿Sí? Y ¿a qué lo atribuyes? —La voz sonó escéptica.

—La verdad, me cuesta decirlo. Ha ido a un curandero y está haciendo un tratamiento con agujas que ese tipo prepara mojándolas antes en una mezcla que no saben lo que es. Pero te aseguro que lo veo mejor. Y conste que no creo nada en esas cosas.

—Es psíquico, Chufo. Muchos lo hacen y lo comprendo. Cuando no encuentran mejora en la medicina, buscan por todos lados, y no creas que la gente sencilla únicamente. Los de arriba también lo hacen; es humano. No me sorprende, ya lo esperaba.

—¿Por qué dices que lo esperabas?

—Tenía hora el lunes nueve y no vino ni telefoneó. Pero no les digas nada. Ya volverán.

—Pero ¿es imposible que salga?

—Totalmente imposible. Lo que ocurre es que, como te he dicho, lo psíquico es muy importante. Además, la enfermedad fluctúa... Pero no hay salida.

—Pues el hombre ese le ha dicho que tenía una posibilidad...

—Lo que tenía era unos ahorros —lo interrumpió Juan Claudio. Chufo se quedó cortado.

—Oye, ¿te pagaron la hora que les diste? Porque me violenta que...

—Déjate de bobadas, Chufo, y llama cuando quieras. Y no los juzgues. Yo soy médico y no sé lo que haría en su situación.

Los dos amigos se despidieron.

68

Querido hijo:

Primeramente, celebrar que ya estés mejor de salud como me cuentas en tu última carta, aunque no me dices lo que has tenido. Voy a abrirte mi corazón porque ya hace mucho llevo un peso dentro que no puedo soportar. Yo sé muy bien por qué no viniste a la primera comunión de Lucía, aunque tus hermanos me quieran contar historias. Sé que soy una mujer de pueblo... Pero no soy tonta, y hoy día no es como en mis tiempos de niña, cuando no llegaba casi la televisión hasta aquí. Además, las madres tenemos un sentido peculiar para todas las cosas referentes a los hijos, y tú fuiste un hijo muy especial y querido para mí, ya que además de madre, tuve que hacer de padre contigo. Lo que yo quiero es tu felicidad, aunque ésta venga por caminos que yo no entiendo, ni entenderé nunca. No hace falta que te diga que me habría gustado mucho más que todo fuera de otra manera. Ya que Dios no te envió la vocación para cura, habría preferido que te hubieras casado y que me hubieras dado nietos. Pero no ha sido así, y ya no quiero más que tú también creas que soy tonta. Seguiré haciendo comedia con tus hermanos, ya que así son más felices, pero cuando te escriba, quiero que me hables claro y no tengas secretos para mí, como cuando eras chico. La persona que comparte tu vida tiene una madre que podría pensar de ti lo mismo que yo de su hijo. Pero conocí a Carmelo y creo que es una buena persona. Además, si tú eres feliz, yo ya he decidido no juzgar jamás a nadie.

¿Os eduqué igual a los tres? ¡Qué sé yo! Quizá al faltar tu padre, sin darme cuenta, yo me excedí en mimos contigo, pero no creo que estas cosas vengan por ahí. O sea, que ya lo sabes, cuando me escribas, hazlo claramente y sin tapujos. Tus cartas sólo las leeré yo, así que cuéntame cómo vas, y en cuanto pueda, os iré a ver.

Tu madre, que tanto te ha querido,

ENGRACIA

P.D.: Da un abrazo a Carmelo.

Junio explotaba en Barcelona, y la ciudad, como una bella muchacha, tenía urgencias de colores. Las Ramblas eran la columna vertebral del turismo de allende fronteras, y los extranjeros buscaban en los mapas el nombre de la novia del Mediterráneo anfitriona de la olimpíada del noventa y dos.

Carmelo llamó a Chufo Lloréns por la mañana.

—Don Chufo, ¿va usted a venir esta noche?

—No, hoy tengo una cena —respondió el empresario.

—¿Y por la tarde, tendría un hueco?

—Claro, a partir de las seis ven cuando quieras. Estaré en el despacho.

Así quedaron, y a la hora convenida Carmelo llamaba a la puerta de Lloréns.

—¿Puedo?

—Claro, Carmelo, pasa.

Chufo lo vio nervioso cuando se sentó ante él. Hablaron de cosas intrascendentes. Carmelo incluso le preguntó por su hija, a la que Chufo y su mujer habían visitado en Boston.

—Don Chufo, no hemos quedado muy bien con usted —se arrancó.

—¿Conmigo? ¿Por qué lo dices?

—Usted se preocupó por nosotros y nos recomendó a su médico. Y nosotros dejamos de ir sin avisarlo.

—No importa, Carmelo, de veras, no importa. El enfermo ha de creer en su médico. Si no es así, mejor dejarlo. Yo ya hablé con el doctor Juan Claudio Rodríguez Ferrera... No pasa nada.

—Es que... Nos gustaría volver.

El empresario se retrepó en el sillón, esperando a que Carmelo continuara.

—Me he gastado en Esteban prácticamente todo lo que tenía ahorrado y está muy mal. He escrito a su madre a Santander para que venga. La mujer no había aceptado jamás lo nuestro, pero va a venir.

—¿Cuánto llevas gastado? Si es que me lo quieres decir.

—No me importa. Dos millones seiscientas mil pesetas en tres meses. Todo lo que he ganado en su casa ha sido para él. Novell no me ha querido cobrar su comisión. Es un tío cojonudo.

—Ya. ¿Y qué quieres que haga?

Carmelo se revolvió inquieto en su silla.

—¿Usted cree que su amigo el doctor nos volvería a recibir?

—Claro, Carmelo. Llámalo y pídele...

—Llámelo usted, por favor. Yo no sé por dónde empezar.

—Pero estás equivocado. El doctor Juan Claudio Rodríguez Ferrera no va a decirte nada.

—¡Por favor!

—De acuerdo. Yo lo llamo.

—Hágalo rápido, don Chufo.

—¿Y tú? —preguntó el empresario sin saber bien por qué—. ¿Cómo te encuentras?

—Perfecto. Lo de Esteban ha sido una mala suerte terrible. Yo me encuentro como siempre.

—¿Cuántas noches hace que Esteban no te acompaña en el show?

—Desde el día que usted se fue a América a ver a su hija.

—Entonces, unos quince días —dijo—. Y ¿desde cuándo quería Esteban que lo viera el doctor?

—A los dos días de irse usted, ya me lo pidió.

—¡Por Dios! ¿Y por qué no lo llamasteis?

—No nos atrevimos.

Chufo se abalanzó al teléfono con un regusto amargo en la boca.

A los dos días, Esteban ingresaba en el hospital del Sagrado Corazón. Por la tarde Chufo Lloréns fue a visitarlo; hacía más de medio mes que no lo veía. Tenía la cabeza apoyada en la almohada. La barba le afilaba la cara, llena de pústulas. Su brazo derecho, que soportaba un gotero, era un sarmiento. Su cuerpo casi no abultaba bajo las sábanas. Esteban pesaba treinta y nueve kilos. Lloréns hizo de tripas corazón y con su mejor voz, optimista, lo saludó.

—¿Qué pasa, hombre? ¿Tienes ganas de que nos preocupemos?

—Ya ve, don Chufo, soy un imbécil. He perdido un tiempo precioso. Pero ahora me voy a poner bueno; lo presiento. —Y volviendo levemente la cabeza, añadió—: ¿Conoce a mi madre?

Engracia se había presentado en Barcelona una semana antes. La llamada de socorro de Carmelo no la sorprendió. Ella sabía que pasaba algo y la esperaba. No dio muchas explicaciones a los suyos. Que Esteban se había puesto malo y que quería pasar unos días con él. Ni Rafael ni Emilio tuvieron nada que decir. Y en caso contrario, a Engracia le habría dado igual. Cuando algo se le metía entre ceja y ceja, era inútil oponerse.

Llegó a las cinco de la tarde a la estación de Sants, donde ya le esperaba Carmelo. Nada más verlo, el corazón le dio un vuelco. No podía desquerer a aquel muchacho. Desde que lo conoció, y de eso hacía ya más de seis años, le cayó bien. Era algo extraño, y jamás lo responsabilizó de aquella tendencia de Esteban. Peor habría sido otro tipo de persona. Estaba segura de que Carmelo era bueno. Se iba acercando y él aún no la había visto. Estaba igual; con aquella cara de crío y las facciones demasiado perfectas y pequeñas para un hombre. En aquel momento Carmelo la divisó. Todo él fue una sonrisa. Corrió hacia ella, zigzagueando entre personas y bultos.

—¡Engracia!

—¡Carmelo!

La levantó por los aires con equipaje y todo.

—¿Cómo está? ¿Qué tal el viaje? ¿Qué tal los hermanos? Ella lo cortó.

—¿Qué tal Esteban? —dijo mirando a Carmelo a los ojos cuando éste la hubo depositado en el suelo.

—Bueno, va haciendo. Tiene días.

—¿Qué tiene, Carmelo? Dime lo que tiene. Yo soy mucho más fuerte de lo que aparento.

Allí entre la gente, Carmelo se tapó la cara con las manos. Comenzó a sollozar, moviendo los hombros arrítmicamente.

—Tiene cáncer —afirmó ella, con la cara pálida pero serena.

Carmelo asentía con la cabeza sin poder parar su llanto.

—Una especie de cáncer que no saben bien cuál es. Pero él no sabe nada.

—¿Tiene salvación?

Carmelo se desmontó.

—No, no hay nada que hacer. Le quedan unos dos meses.

Fueron saliendo de la estación, sumergidos en el trajinar de los demás, casi sin cruzar palabras. Los taxis en la puerta iban dejando y tomando pasajeros, con alguna discusión sobre quién había avistado antes el vehículo. Esperaron, y cuando se despejó algo la situación, tomaron un coche. Carmelo colocó la única maleta de Engracia al lado del taxista e indicó a éste la dirección de la calle Blay.

—¿Cómo no me habéis avisado antes, Carmelo?

—Fue inútil. Esteban no quería asustarla. Además, no cree o no quiere ver lo mal que está.

—Pero ¿se va a morir mi hijo?

Carmelo comenzó a hipar otra vez. Ella le tomó la mano.

—Así no arreglamos nada.

—Tiene usted razón. Es que no me puedo hacer a la idea, y precisamente he ido a la estación para prepararla y que no se sorprenda al ver a Esteban. Pero usted es más fuerte que yo.

—¿Tanto ha cambiado?

—Está muy delgado, ya lo verá. Pesa cuarenta y dos kilos.

—¡Dios!

Llegaron a la casa. Tras pagar la carrera, descendieron del taxi. Carmelo tomó la maleta. La portería olía a col amarga y no había ascensor. Subieron al piso. Carmelo dejó en el rellano el equipaje, procediendo a abrir la puerta con la llave.

—Lo hago para no despertar a Esteban. Casi todo el día duerme —aclaró.

El ruido de la cerradura hizo que Consuelo, que estaba guisando en la cocina, acudiera al recibidor secándose las manos en el delantal. Primeramente vio a su hijo, luego a Engracia. Las dos mujeres se miraron expectantes, aguardando cada una la reacción de la otra. Súbitamente, como sacudidas por un resorte interno, ambas avanzaron por el corto pasillo y, sin mediar palabra, se abrazaron como dos amigas que hubieran estado alejadas mucho tiempo. Luego se separaron y se miraron, como reconociéndose o adivinándose, queriendo las dos comprobar si la imagen que de la otra se habían formado correspondía a la realidad que tenían enfrente. No se presentaron. Todo era antiguo entre ellas. Sus pensamientos en derredor de sus hijos habían ido tejiendo una sutil madeja hacía ya mucho tiempo.

—¿Dónde está Esteban?

—Ven por aquí.

Consuelo precedió a Engracia, continuando con el mecánico gesto de secarse las manos en el delantal. Al llegar al final del pasillo, se volvió con el índice de la mano derecha en los labios, para indicar silencio. Abrió quedamente la puerta para que Engracia viera a Esteban. Lo que descubrieron sus ojos fue terrorífico. De aquel muchacho saludable y fuerte que recordaba de la última vez sólo quedaba un despojo. La lamparita tenue, apantallada en rosa, proyectaba en el panel de pared la sombra paupérrima de lo que había sido su hijo. Se acercó al lecho sigilosamente para mirarlo bien. El pelo ralo, la barba crecida, los ojos hundidos, la frente perlada de aquel sudor perenne. Manchas en las mejillas y aquellos pómulos salidos donde parecía que la epidermis iba a rasgarse. La mujer inclinó la cabeza y con la mano se limpió una lágrima que pugnaba por derramarse. Sin perder la compostura, retrocedió silenciosamente. Consuelo abrió más la puerta para que no tropezara, y cuando hubo salido, cerró despacio. Ambas se miraron nuevamente.

—Se nos muere —dijo llorosa Consuelo.

—Está muerto —respondió serena Engracia.

Hubo una pausa en la que algo murió o nació entre ellas.

—¡Madre! —se oyó llamar a Esteban tras la puerta.

—Si a usted no le importa, me gustaría seguir en su casa otro mes.

—Te estás matando, Carmelo —le dijo Chufo Lloréns—. Trabajas a diario y haces todas las galas que te salen. Y algunos días haces doblete. Eso acaba con la salud del más fuerte, y no es manera de prepararse para entrar en octubre en Madrid.

—Madrid está muy lejos ahora. Y antes de octubre viene agosto. No quiero que nadie pague nada de los gastos de Esteban. Nadie más que yo.

—Pero ¿por qué, Carmelo? ¿Por qué no dejas que...?

—Déjelo, don Chufo, es una cuestión mía. Intento devolverle algo de lo mucho que me ha dado él a mí.

—Como tú quieras.

Esteban perdía fuerzas día a día. Parecía imposible que aquel ser aún se pudiera desmejorar más. Cada vez que Chufo Lloréns iba a verlo, lo encontraba todavía peor. A veces, Esteban lo reconocía y movía ligeramente la mano del brazo que no llevaba el gota a gota; otras, permanecía dormido. Entonces los que allí estaban hablaban tan quedamente como penumbrosa estaba la habitación.

Siempre, y según las horas, eran los mismos. La madre de Esteban y la de Carmelo; uno de sus hermanos, Rafael o Emilio, quienes se turnaban yendo y viniendo de Santander; Novell y su mujer y Amadeo y Perico, sus dos amigos, quienes comparecían normalmente a última hora de la tarde.

Un día, sobre las cinco y media, estaban Engracia, Consuelo y Chufo Lloréns. La puerta, tras ser levemente golpeada, se abrió, dando paso a un cura de unos cuarenta y pocos años.

Engracia se levantó, rauda, y fue hacia él, en tanto quedaban Consuelo y el empresario a la expectativa.

—¡Gracias por venir! ¡Gracias! ¡Gracias por venir!

A Chufo le sorprendió ver cómo una persona tan dura se emocionaba.

—Por Dios, no me dé las gracias —respondió el religioso.

Esteban inmediatamente abrió los ojos. En ellos apareció un brillo que Chufo jamás había visto antes y que no correspondía a su estado.

—¡Rafael! —llamó—. Sabía que ibas a venir. No sé por qué pero lo sabía —casi sollozó. Hacía muchos días que no había dicho una frase tan larga—. He reconocido tu voz al instante.

—¿Cómo estás, hermano? —Se acercó a la cama el religioso y lo besó en la frente.

—Ahora bien, ahora muy bien. No te vayas. No me dejes —sollozaba.

—Mejor que salgamos, ¿no les parece? —dijo Lloréns.

Las dos mujeres asintieron y los dejaron solos.

—¿Cómo has sabido que estaba malo?

—Tu madre me buscó, Esteban. Pero yo te diré que barruntaba algo.

Quedaron un tiempo en silencio. Esteban tenía sujeta la mano de Rafael Urbano y no la soltaba. Cerró un momento los ojos respirando agitadamente, para retomar fuerzas y proseguir.

—¿Por qué vas vestido así?

—Me salí de la orden, Esteban. Ahora soy un cura de pueblo. La vida pasa y hemos de ser consecuentes con nosotros mismos... Pero, hermano, he venido para que tú me hables. —Hizo una pausa—. ¿Quieres confesar?

—No tengo perdón, Rafael. Lo mío es imperdonable. Yo

también he sido consecuente y no puedo arrepentirme de lo que he hecho. Mi pecado es que he amado mucho, y yo no sé discernir si equivocadamente.

—Eso no importa ahora, Esteban. Tú no eres quién para juzgar la clemencia y el amor que el Padre tiene por sus criaturas. Él nos ama siempre, seamos como seamos. Y recuerda al hijo pródigo... Hay más fiesta en el cielo cuando una oveja vuelve al redil que por cien justos.

—¿Tú crees que me podrá comprender?

Rafael no contestó. Soltó la mano de Esteban, y abriendo una cartera que tenía al lado sacó una estola de color morado, besó la cruz dorada que ésta tenía en el centro y se la puso en el cuello. Tomó de nuevo la mano de Esteban.

—Ave María Purísima —dijo—. ¿Cuáles son tus culpas, hijo?

Al terminar, las dos mujeres y Chufo Lloréns fueron llamados y entraron de nuevo. La cara de paz de Esteban era tal que el empresario se impresionó profundamente.

A las cuarenta y ocho horas fallecía.

Trece días justos transcurrieron. Ni uno más ni uno menos. Carmelo no quiso dejar de trabajar porque así no pensaba, explicó a Chufo Lloréns. Él no tuvo corazón para impedirlo. La enfermedad lo había atacado violentamente. De aquel artista prodigioso que electrizaba la sala no quedaba nada. Carmelo era un muñeco roto que actuaba mecánicamente como si de un polichinela, manejado por hilos, se tratara. Los ojos hueros, la mirada perdida, la voz sin inflexiones, y todos los trajes que se ponía eran como fundas inmensas, colocadas sobre un espantapájaros. La gente, que no entiende de dramas personales, se desinteresaba del espectáculo y hablaban entre ellos sin hacer el menor caso.

Una vez más se cumplía la tragedia del payaso.

Un viernes por la noche, de repente, el muñeco se rompió. Carmelo no pudo terminar. Al día siguiente, seis de agosto, lo ingresaron en un hospital.

La ciudad era un horno. El calor calentaba el asfalto, produciendo raros espejismos de neblina biselada. Carmelo había muerto en la madrugada abrazado a su madre, en postura fetal.

A la hora, ya lo habían bajado al depósito. Los enfermos como él no eran gratos en los centros hospitalarios. Cuando Chufo Lloréns llegó al cuarto, lo halló vacío; se habían llevado todo, y de la mesa había desaparecido la capilla itinerante de estampas. Un sanitario lo desinfectaba. Olía a formol y a jabón. Chufo indagó, y las enfermeras le informaron. En la planta había un raro sentimiento. Todas aquellas personas acostumbradas a ver la muerte de cerca cada día estaban afectadas. La alegría y el carisma de Carmelo, y su terrible lucha por salvar a su amigo, las habían impresionado... y la historia de ambos había trascendido.

Chufo bajó al depósito. Allí estaban las dos mujeres. Consuelo, rota. Engracia, consolándola.

El entierro fue un clamor. No se cabía en Sancho de Ávila. La funeraria rebosaba; una variedad indescriptible de personajes acompañaba el óbito. Caras pálidas, más acostumbradas a la noche que a la luz diurna, habían hecho un esfuerzo notable rompiendo sus hábitos para acompañar al amigo. Grupos hablando quedamente. Rostros ocultando miradas aprensivas.

—Esto es como otra lepra —dijo alguien.

Pablo y Teresa hablaban a un lado. Tito, Novell y su mujer con Amadeo y Perico formaban un corro. Solo, apartado de todos, con el rostro lívido y desencajado, estaba Gusti.

En un rincón, Engracia intentaba ayudar a Consuelo. Se identificaba totalmente con ella ya que hacía poco más de un mes había pasado por el mismo trance.

—¡Qué vidas paralelas las nuestras! —dijo—. Nuestros hijos viven y mueren juntos. Y sus padres murieron violentamente.

—Pero tu marido murió de accidente y al mío me lo mataron —sollozó Consuelo, llevándose un pañuelo empapado a los ojos.

—Lo sé. El terrorismo no tiene nombre ni rostro.

—Para mí, sí. Paco Zambudio se llamó el que me arrebató la vida.

—¿PACO ZAMBUDIO HAS DICHO?

Agradecimientos

A:

Camilo José Cela
Mercedes Salisachs
Alfonso Vignau
Dr. Juan Claudio Rodríguez Ferrera
Dr. J. M. Gatell
P. Eugenio, S. J.
P. M. B., Funcionario de Prisiones
Jos Novellón

Ellos me regalaron el único capital irrecuperable que tiene el hombre: su tiempo.